HARPAS ETERNAS – 1

Josefa Rosalía Luque Alvarez
(Hilarião de Monte Nebo)

HARPAS ETERNAS – 1

Tradução
HÉLIO MOURA

Cotejada com os originais por
MONICA FERRI
e
HUGO JORGE ONTIVERO

Editora
Pensamento
SÃO PAULO

Título do original: *Arpas Eternas*.

Copyright © FRATERNIDAD CRISTIANA UNIVERSAL
Casilla de Correo nº 47
C.P. 1648 – Tigre (Prov. Buenos Aires)
Republica Argentina.
Http://www.elcristoes.net\fcu

Copyright da edição brasileira © 1993 Editora Pensamento-Cultrix Ltda.

1ª edição 1993.

17ª reimpressão 2025.

Todos os direitos reservados. Nenhuma parte deste livro pode ser reproduzida ou usada de qualquer forma ou por qualquer meio, eletrônico ou mecânico, inclusive fotocópias, gravações ou sistema de armazenamento em banco de dados, sem permissão por escrito, exceto nos casos de trechos curtos citados em resenhas críticas ou artigos de revistas.

A Editora Pensamento não se responsabiliza por eventuais mudanças ocorridas nos endereços convencionais ou eletrônicos citados neste livro.

Direitos de tradução para a língua portuguesa adquiridos com exclusividade pela EDITORA PENSAMENTO-CULTRIX LTDA, que se reserva a propriedade literária desta tradução.
Rua Dr. Mário Vicente, 368 – 04270-000 – São Paulo, SP – Fone: (11) 2066-9000
http://www.editorapensamento.com.br
E-mail: atendimento@editorapensamento.com.br
Foi feito o depósito legal.

Impresso por : Graphium gráfica e editora

Sumário

Biografia de Josefa Rosalía Luque Alvarez, 7
Esclarecimentos Necessários, 9

Jesus de Nazareth, 11
Prelúdio, 13
A Glória de Betlehem, 21
Os Essênios, 29
Cenários do Infinito, 39
Nos Montes de Moab, 49
Nasceu um Inocente, 68
Florescia o Amor para Jhasua, 87
Desde o Longínquo Oriente, 96
Nos Cumes do Moab, 111
Maran-Atha, 126
Nas Montanhas do Líbano, 137
Uma Luz nas Trevas..., 150
O Menino-Profeta, 159
Nas Grutas do Carmelo, 171
Panoramas Extraterrestres, 186
O Menino Clarividente, 193
Plus Ultra..., 208
A Visão do Pai Celestial, 217
Moradas de Expiação, 225
Os Festivais Místicos do Carmelo, 233
Simão de Tiberíades, 247
No Santuário do Monte Tabor, 257
Primeira Viagem a Jerusalém, 267
Jashua no Templo de Jerusalém, 277
No Monte Quarantana, 294
Hussin da Etrúria, 315
Os Anciãos do Moab, 318
O Menino Apóstolo, 340

AGRADECIMENTOS

A Hélio Moura, pela grande sensibilidade e pelo extremo cuidado com que se dedicou à tradução desta obra.

A Hugo Jorge Ontivero e a Monica Ferri, pela solicitude e zelo com que, de sua parte, colaboraram para o aparecimento desta edição.

Biografia

A autora, Josefa Rosalía Luque Alvarez, nasceu em Villa del Rosario, província de Córdoba, na República Argentina, em 18 de março de 1893, filha de Don Rafael Eugenio Luque e Doña Dorotea Alvarez.
    Foi educada no colégio das Carmelitas Descalças, na cidade de Córdoba.
    Em 1910, obteve o Primeiro Prêmio e Diploma pelo seu trabalho "Louros e Palmas", no concurso literário que, em comemoração ao Centenário da Revolução, foi organizado pela Sociedade das Damas da Providência e patrocinado pela Universidade Nacional de San Carlos, o Governo da Província e a Municipalidade da Capital em Córdoba.
    As circunstâncias da vida levaram-na a viver na cidade de Buenos Aires, onde colaborou, com sua prosa e poesia, nas revistas espiritualistas cristãs.
    Por volta de 1932, radicou-se no Delta buenairense, e aí começou a escrever o que logo configuraria uma grandiosa trilogia: *Origens da Civilização Adâmica; Harpas Eternas; Cumes e Planícies* e *Moisés*, esta última obra terminada dias antes de sua desencarnação.
    Todo livro ou texto escrito é dirigido a leitores já determinados; no caso dela, àqueles que buscam com sinceridade a Verdade, a Justiça e o Amor.
    Sua vontade determinante foi a de dar a conhecer ensinamentos e vidas messiânicas do Guia e Instrutor desta Terra, que foram um decalque perfeito da Idéia de Deus, extraído do que se encontra gravado de forma indelével no Arquivo da Luz Eterna.
    Como todo aquele que com esforço e sacrifício desentranha de um amontoado de pedras e ervas daninhas a riqueza da terra, assim a autora teve que desenvolver sua Obra em meio à inconsciência dos seres que, com diversas ilusões, dela se acercaram, sem compreender-lhe a magnitude.
    A leitura de seu livro "O Horto Escondido" evita entrar em detalhes; no diálogo com o Cristo ela desafoga a sua alma, resumindo aí a dor causada pela incompreensão das criaturas humanas. Não há de ser o discípulo mais bem tratado do que o seu Mestre.
    Conhecedores da obra de Santa Teresa de Jesus estabelecem um paralelo entre as obras da reformadora do Carmelo e a de Josefa Rosalía Luque Alvarez.
    Ao ver sua Obra, há que admirar a vontade férrea para chegar a concretizá-la e poder dar vida novamente ao Cristo entre nós, refletida em um livro, com a finalidade de fazer ressurgir do fundo da nossa alma o Ideal inculcado pelo nosso Divino Mestre: A Paternidade de Deus e a Fraternidade Universal – ideal que na sua derradeira vida como Jesus de Nazaré Ele tratou de gravar a fogo nos nossos corações.

A Lei Divina deu os recursos necessários ao nosso espírito para despertar a consciência de que integramos uma aliança milenar e o dever que nos cabe, neste final de ciclo e nesta hora decisiva da nossa evolução.

A personalidade da autora se dilui ante a magnitude da Obra e se engrandece por haver-lhe dado vida.

Seu espírito é essência em Deus.

Que nossa alma aspire ao mesmo.

Paz, esperança e amor sobre todos os seres.

Josefa Rosalía Luque Alvarez

Esclarecimentos necessários

Talvez o leitor estranhe encontrar nesta obra os nomes próprios dos diversos personagens e lugares em forma um pouco inusitada.

Alertamos, por isso, que os nomes bíblicos, até atingirem a grafia moderna, sofreram muitas mutações, quer na sua evolução e tradução, quer na feição ortográfica.

No original, e também na tradução, foram respeitadas as formas nominais o mais próximo possível das que existiam na época. Então, encontramos Myriam em vez de Maria, Jhasua(*) em lugar de Jesus, Joseph de Nazareth, Betlehem (Belém), etc.

Outrossim, tanto no texto castelhano como na versão, foi mantido o tratamento na segunda pessoa, pois pareceu-nos que quaisquer modificações neste sentido prejudicariam a beleza da linguagem.

Diversos esclarecimentos e informações que constam em notas de pé de página sob a rubrica de "Notas do Tradutor" (N.T.), ou nos apêndices, no que diz respeito a usos, costumes, trajes, ferramentas, etc., são fruto de uma estafante pesquisa e foram anotados com o fito de tornar a leitura mais fácil, agradável e elucidativa.

O Tradutor

(*) Em hebraico: "YÊŠU'A" (N.T.).

Jesus de Nazareth

Pareceria supérfluo um novo relato biográfico do grande Mestre Nazareno, tendo-se em conta que, durante dezenove séculos, escreveram-se tantos livros, e ainda outros continuam sendo editados sem interrupção.

Jesus de Nazareth, encarnação do Cristo, não é propriedade exclusiva de nenhuma tendência ideológica, mas pertence a todos aqueles que O reconhecem como o Mensageiro da Verdade Eterna.

O Amor que o genial sonhador irradiou ao redor de Si, para com a fraternidade humana, criou-Lhe um vasto círculo de fervorosos admiradores e de perseverantes discípulos, que, século após século, têm acrescentado o valioso concurso de suas investigações e interpretações, baseadas numa lógica austera, a par das visões internas de suas almas mais ou menos capazes de compreender a grande personalidade do Enviado pela Eterna Lei, como Instrutor e Guia da humanidade terrestre.

E nós, por nosso turno, acrescentamos também nosso copo de água ao claro manancial de uma vida excelsa, em torno da qual tanto se tem escrito e, em todos os tempos, têm ocorrido tão grandes discordâncias que as inteligências observadoras e analíticas acabaram por perguntar-se: "É real ou mitológico um personagem a respeito do qual foram pintados quadros tão diferentes?"

O fato de haver sido sentenciado a morrer sobre um madeiro em cruz, por causa da Sua doutrina, não justifica, por si só, a exaltação sobre-humana, ou a triunfante grandeza do Profeta Nazareno, porquanto numerosos são os mártires da incompreensão humana imolados em virtude apenas de seus ideais científicos, morais ou sociológicos!

A história da Humanidade, somente na época denominada Civilização Adâmica, é uma cadeia ininterrupta de vítimas do Ideal; um martirológio tão abundante e nutrido que o espectador não sabe de que assombrar-se mais: se da tenaz perseverança dos heróis ou da odiosa crueldade dos verdugos.

A grandeza do Mestre Nazareno não está, pois, fundamentada exclusivamente no Seu martírio, senão em toda a Sua vida, que foi um expoente grandioso da Sua doutrina condutora de humanidades, doutrina essa que Ele perpetuou, esculpindo-a em duas colunas de granito: *"A paternidade de Deus e a fraternidade de todos os homens."*

Toda a Sua existência foi um vivo reflexo dessas duas idéias mães, sobre que assentam todos os Seus ensinamentos, pela convicção profunda, que Lhe assistia, de que somente eles podem levar as humanidades à perfeição e à felicidade. Sentir Deus como Pai significa amá-LO sobre todas as coisas. Sentirmo-nos irmãos de todos os homens seria trazer o Céu para a Terra.

Vinte anos de ansiosa busca em vasta documentação, crônicas e relatos do primeiro século, salvos da proscrição ordenada, mais tarde, pelo Imperador Diocleciano, e de perseverantes investigações através da Palestina, Síria, Grécia, Alexandria, Damasco, Antioquia e Ásia Menor, permitem-nos oferecer, hoje, aos que buscam a Verdade – no que se refere à augusta personalidade do Cristo –, a presente narrativa, cujo título *Harpas Eternas* induz o leitor à idéia de que essas excelsas vidas... vidas geniais, são, precisamente, as "Harpas Eternas" em que cantam os mundos a grandeza infinita da Causa Suprema.

Não podemos deixar de mencionar, aqui, a colaboração dos antigos arquivos essênios do Moab e do Líbano, bem como das Escolas de Sabedoria fundadas pelos três ilustres sábios do Oriente – Gaspar, Melchor e Baltasar –, as quais ainda existem no Monte Suleiman, próximo de Cingapura (Indochina), nas montanhas vizinhas a Persépolis (Pérsia) e no Monte Sinai (Arábia).

Tampouco podemos esquecer a bravia estirpe tuaregue, perdida entre os penhascos do deserto do Sahara, cujas antigas narrações sobre o *Gênio Bom do Jordão*, como chamaram ao Profeta Nazareno, têm dado vivos reflexos de sol a determinadas passagens do nosso histórico relato.

Em especial, foi este livro escrito para os discípulos do HOMEM-LUZ, do HOMEM-AMOR, e afirmamos que ele não é um novo paladino que desce à arena com armas de combate, mas um arauto de Paz, de União e de Concórdia entre todos os discípulos de Jesus de Nazareth, quaisquer que sejam as tendências em que foi dividida a crença dos povos.

Cremos que reconhecer e praticar Seu ensinamento, como uma eloqüente emanação da Divindade, é a mais formosa oferenda de amor que podemos apresentar a Seus amigos e admiradores, unidos pelo vínculo incorruptível do Seu genial pensamento: "DEUS É NOSSO PAI; TODOS OS HOMENS SÃO IRMÃOS."

Aqueles que amam o Cristo na personalidade de Jesus de Nazareth encontrarão, sem dúvida, neste modesto trabalho, o Jesus que haviam vislumbrado em suas meditações – o grande Espírito, símbolo da mais perfeita beleza moral: refletor claríssimo do Bem, praticado com absoluto desinteresse.

São assim as estrelas de primeira grandeza, que derramam suas claridades sem nada pedir àqueles cujos caminhos iluminam, edificando, ao contrário, a própria felicidade futura!

Ao estender a todos os horizontes o ramo da oliveira da paz, simbolizada neste novo relato de Sua vida, dizemos, do mais íntimo da nossa alma:

Amigos de Jesus! Entregamo-vos, com amor, o esforço de vinte anos, que apresenta à vossa contemplação a mais fiel imagem do Cristo de vossos sonhos, a qual, de modo algum, seria possível obter de nós – pirilampos errantes na imensidão dos mundos infinitos.

O Autor

Prelúdio

Era a hora justa, precisa, inexorável!
Hora essa que, no Espaço Infinito, é sinônimo de dia de glória, idade de ouro, resplendor da Vontade Soberana, que chega no momento oportuno e se vai quando terminou de se manifestar.
Esse algo supremo, como o "fiat" do Infinito, ressoava nas "Harpas Eternas" como um hino triunfal, que se faria ouvir nas incontáveis esferas!...
A plêiade gloriosa dos Setenta Instrutores deste Universo de Mundos estava reunida em luminosa assembléia para que o Amor Supremo ungisse, uma vez mais, com a honra do holocausto, Seus grandes eleitos. Sua Lei marcava a terça parte mais um. Deviam, pois, ser vinte e quatro (*).
Em que direção se abririam os caminhos largos na insondável imensidão?...
Estavam já marcados, desde épocas longínquas, nos arquivos da Luz Eterna.
Não seria nada mais que a prolongação de um cantar começado e não terminado ainda.
Não seria outra coisa senão a continuação de uma luz acesa na noite distante dos tempos transcorridos, sendo que, antes de vê-la extinguir-se, cumpria encher novamente de azeite a lamparina quase esgotada.
Não seria mais que uma semeadura nova, já muitas vezes repetida, de divinal Amor e Sabedoria, antes que se consumissem os últimos frutos da semeadura anterior.
Na incomensurável grandeza do Infinito, eram pequenos pontos, marcados a fogo!... Nada mais do que pontos!...
Uma pequena onda coroada de branca espuma se dirige para a praia, beija-a, refrescando-a, e torna ao meio do mar, feliz de haver deixado suas linfas refrigerantes nas areias ressequidas e calcinadas.
Eram os escolhidos para uma nova missão salvadora: Jhasua, Vênus, Alpha, Castor, Polux, Orfeu, Diana, Jhuno, Beth, Horos, Resay, Hehalep, Régulo, Virgho, Ghimel, Thipert, Schipho, Shemonis, Pallus, Kapella, Zahin, Adonai, Ghanma e Shedanial.
Cada um deles era chamado pelo nome escolhido na sua primeira encarnação consciente no mundo de origem, o qual devia ser também o mesmo que levara na última. Nomes tão poderosos e tão fortes em suas vibrações que muitos deles ficaram impressos por longos períodos nos mundos físicos onde atuaram.

(*) $70 \div 3 = 23 + 1 = 24$ (N.T.).

E todos eles, seguindo os raios luminosos dos Archotes Eternos, que, por sua vez, os recebiam dos "Fogos Magnos", supremos Hierarcas deste universo, viram destacar-se no ilimitado azul – como bolhas de luz – os globos onde a dor e o sacrifício os esperavam.

Cada um havia realizado, ali mesmo, várias estadas, separadas umas das outras por longos milênios.

Cada qual escolheu, dentre os quarenta e seis irmãos gêmeos que ficavam livres em suas gloriosas moradas, aqueles que deviam guiá-los e protegê-los na tremenda prova a executar. O meigo Jhasua, originário da segunda estrela da constelação de Sírio, tendo já cumprido oito etapas no planeta Terra, escolheu, como guias imediatos, Ariel e Aheloin, que já o haviam sido nas jornadas de Juno, Chrisna e Moisés, assim como Sírio e Okmaya o foram na de Antúlio; Vênus e Kapella, na de Abel; Ísis e Orfeu, nas de Anfião, de Numu e do Bhuda (*).

Mas, como se tratava da jornada final que Jhasua devia efetuar – a mais tremenda, e que encerraria o glorioso ciclo de todos os Seus heróicos sacrifícios –, ofereceram-se também, para auspiciá-LO, Ghimel, Tzebahot e Shamed, os quais, por seu elevado grau de evolução, estavam já próximos a passar para a morada dos Archotes Eternos.

Depois da solene e imponente despedida com a presença do Grande Círio, ponto inicial daquelas magníficas evoluções, este deu de beber aos mártires voluntários o cálice sagrado dos heróis triunfadores e os abençoou em nome do Eterno Amor. Então os vinte e quatro missionários foram vestidos com as túnicas cinzentas dos imolados. Por Sua vez, foi o terno e meigo Jhasua conduzido, por Seus cinco Guardiães Superiores, ao portal cor de turquesa, que dá para a Esfera Astral da Terra, onde O submergiram no sono preliminar, após o que foi confiado à custódia de três Círios da Piedade. Lá ficaria até o momento de O fazerem tomar a matéria de antemão preparada pelas Inteligências encarregadas da direção dos processos fisiológicos da geração humana.

A maioria dos eleitos para o holocausto grandioso e sublime era da Legião das Harpas Vivas ou Amadores; alguns poucos, dos Esplendores e das Vitórias, e outros, da Muralha de Diamantes(**).

Era, pois, uma transbordante inundação de Amor que aqueles gloriosos Enviados arrastavam consigo, desde a mais alta esfera dos mundos sirianos até os globos favorecidos com tão preclaros visitantes.

Mas quão alheios e ignorantes estavam aqueles planetas quanto à Divina Dádiva que iriam receber!

Na Terra, existiam quatro agrupamentos de seres humanos que viam, no puro Céu de suas místicas contemplações, a aproximação do Grande Missionário. Eram, de um lado, os Essênios, congregados, em número de setenta, nas grandes grutas das montanhas de Moab, a oriente do Mar Morto, achando-se outras porções na cordilheira do Líbano e nos montes da Samaria e da Judéia. De outra parte, aqueles que tinham família e lar achavam-se disseminados por toda a Palestina e formavam como que uma segunda cadeia espiritual, dependente dos que viviam solitários e em celibato.

(*) A ordem cronológica das 9 encarnações de Jesus como Redentor é: JUNO (Lemúria); NUMU (Lemúria); ANFIÃO (Atlântida), também chamado "O Justo" ou "Rei Santo"; ANTÚLIO (Atlântida), que, na linguagem atlante, significa "Ante-Luz" ou "Frente para a Luz"; ABEL – filho de Adão e Eva – (Fenícia); CHRISNA (Índia); MOISÉS (Egito); o BHUDA (Índia); JHASUA (Palestina) (N.T.).

(**) Regiões celestiais, elucidadas um pouco mais adiante (N.T.).

O segundo agrupamento se achava na Arábia, no monte Horeb, onde um sábio astrólogo, de tez morena, havia construído um Templo-Escola a expensas suas, o qual, com oitenta e quatro companheiros de estudos e meditações, procurava manter-se na mesma onda vibratória usada pelas Inteligências Invisíveis, cortesãs do Divino Ungido, que estava entrando no sono preparatório para Sua união com a matéria física.

Esse era Melchor, o príncipe moreno, que, havendo, em sua primeira juventude, sofrido um amor passional – profundo como um abismo e forte como um furacão – fora levado por ele à inconsciência do delito: arrebatara, a um jovem pastor, a terna donzela que devia ser sua companheira, e, com isso, causou o desespero e a morte de ambos.

Melchor, procurando curar o remorso da culpa, derramou metade de sua avultada fortuna aos pés de todas as donzelas de sua terra para cooperar com suas bodas e a formação de seus lares. Com a outra metade, construiu um Templo-Escola e convidou os homens desenganados por sofrimento semelhante ao seu a buscarem, ali, na serenidade do Infinito, a esperança, a paz e a sabedoria.

Esse Templo-Escola achava-se como que incrustado no Monte Horeb, entre as escabrosas montanhas da Arábia Pétrea(*), a poucas milhas de Dizehabad, razão por que eram aqueles homens chamados, pelos habitantes dessa cidade portuária, de Ermitãos Horeanos, sendo respeitados e considerados como oráculos, astrólogos e terapeutas.

O terceiro agrupamento se encontrava na Pérsia, entre as montanhas da cadeia dos Montes Sagros, a poucas milhas ao sul de Persépolis, a faustosa cidade de Dario.

Achava-se o Templo à beira de um riacho que, nascendo nas alturas dos Montes Sagros, desembocava no Golfo Pérsico. Comumente seus integrantes eram, na região, cognominados "Ruditas", devido a Rudian, célebre médico que vivera entre os solitários, cujos cultos lembravam como que uma ressonância suave do Zend-Avesta(**), originários, por sua vez, dos afáveis e místicos Chiitas, que dividiam seu tempo entre a meditação, a música e o trabalho manual.

Era Baltasar o Conselheiro nessa escola de meditação e de sabedoria, à qual consagrara a maior parte de sua vida, que estava a chegar ao ocaso.

Por fim, o quarto agrupamento estava radicado nos montes Suleiman, vizinhos do grande Rio Indo, cuja impetuosa corrente era quase o único ruído a romper a calma daquela solidão. Para ali fugira Gaspar, Senhor de Srinaghar e Príncipe de Bombaim, com um sepulcro de amor em seu coração, a fim de buscar, na observação do mundo sideral e dos poderes internos concedidos por Deus aos homens, a força necessária para ser útil à Humanidade, acalmando suas próprias dores no estudo e na contemplação dos mistérios divinos.

São esses, portanto, os quatro fragmentos da Humanidade aos quais fora revelado, desde o mundo espiritual, o segredo da descida do Cristo para um corpo físico, formado no seio de uma donzela pertencente ao país no qual corre, como no fundo de um abismo, o Rio Jordão.

E, na lucidez serena de suas grandes contemplações, eles vislumbraram um lar, como um ninho de rolinhas entre rosais e plantações de murtas, onde três seres, três essênios, cantavam salmos, ao amanhecer e ao cair da tarde, para louvar a Deus ao som da cítara e entrar na onda vibratória de todos os justos que esperavam a chegada

---

(*) Península do Sinai (N.T.).
(**) Religião de Zoroastro, seguida pelos medos, parthos (ou partos), persas (antigos), etc. Admite dois princípios: O BEM e o MAL. Também é chamado MAZDEÍSMO (N.T.).

do Ungido anunciado pelos Profetas. Eram eles Joachim, Ana e a terna açucena brotada na idade madura dos esposos. Estes haviam pedido, com lágrimas, ao Altíssimo, uma dilatação de suas existências, para que ela (Myriam – menina ainda) fechasse seus olhos na hora de morrer.

Era Myriam como um raio de lua sobre a serenidade de um lago adormecido.

Era Myriam um semblante de aurora sobre um jardim de lírios em flor.

Era Myriam qual sublime cotovia, quando, ao som da cítara, cantava, a meia-voz, salmos de louvor a Jehová.

As mãos de Myriam, correndo sobre o tear, semelhavam alvas rolinhas a se espojarem entre grãos de areia, dourados pelo sol.

Eram os olhos de Myriam... olhos de síria, que espera o amor..., da cor das avelãs maduras, molhadas pelo orvalho... Olhavam com a mansidão das gazelas, e suas pálpebras cerravam-se com a suavidade de pétalas ao anoitecer...

O Sol, ao levantar-se como um farol de ouro no horizonte, desenhava sobre as pradarias em flor a sombra de sua silhueta gentil e de seu passo ligeiro e curto quando ia, com o cântaro ao ombro, buscar água na fonte próxima.

A fonte alegre refletia-lhe a figura... figura de virgem núbil, com a fronte adornada de branco, conforme o uso das mulheres de seu país.

Quão bela era Myriam, em sua casta virgindade!...

Tal foi o vaso escolhido pela Suprema Lei daquela hora solene, para depositar a matéria que o Verbo Divino iria revestir em Sua gloriosa jornada messiânica.

Quando Myriam contava apenas quinze anos, Joachim e Ana, com a diferença de meses, adormeceram, no seio de Deus, aquele sono do qual não mais se desperta na matéria. Então a graciosa jovem núbil, dos olhos de gazela, foi levada pelos parentes, a fim de proteger sua orfandade junto às Virgens de Sião, nos claustros e nos dourados pórticos do Templo de Jerusalém. Ali, os sacerdotes Simeão e Eleazar, essênios e parentes próximos de seu pai, acolheram-na com suave solicitude.

As mãos de rolinha da terna Myriam, deslizando sobre o tear, teciam o branco linho para as túnicas das virgens e para os mantos sacerdotais, e dedilhavam as cordas de sua cítara acompanhando o canto sereno dos salmos, com os quais se glorificavam as grandezas de Jehová.

Vinte e nove meses mais tarde, Joseph de Nazareth, jovem oriundo da mesma ascendência, era recebido no Pórtico das Mulheres pela anciã e viúva Ana de Jericó, prima de Joachim. As santas Viúvas do Templo ouviram o pedido da mão de Myriam para uma segunda núpcia de Joseph, cuja jovem esposa deixara, pela morte, vazio seu posto no lar, onde cinco criancinhas chamavam "Mãe!... Mãe!...", sem encontrá-la sobre a terra.

Myriam, a virgem núbil, de cabelo bronzeado e olhos de avelãs umedecidas pelo orvalho, vestida da alva túnica de linho e coroada de rosas brancas, enlaçava sua mão direita com a de Joseph de Nazareth, perante o sacerdote Simeão, de Bethel. Achava-se rodeada pelo coro das viúvas e das virgens, que cantavam versos do "Cântico dos Cânticos", sublime poema de amor entre almas irmãs que se encontram no Infinito.

A todos esses versículos, Myriam respondia com sua voz de cotovia:

"Derramai, Senhor, Vossas Bênçãos sobre as núpcias da Virgem de Sião!"

Terminado o solene ritual, a meiga virgem recebeu, em sua fronte coroada de rosas, o beijo das companheiras e mestras. Depois osculou o umbral da Casa de

Jehová, que acolhera sua orfandade, e foi acompanhando a Joseph para a tranqüila morada em Nazareth.

Os celestiais arcanjos de Deus, guardiães do amorável Jhasua – o qual esperava acalentado por uma legião resplandecente de *Amadores* –, envolveram Myriam nos véus nupciais, que tecem em volta das castas e puras recém-casadas as Inteligências Superiores, denominadas "Esposos Eternos" ou "Criadores das Formas". Enquanto Myriam caminhava ao lado do esposo em direção a Nazareth, interrogava, no mais íntimo de seu Ser: "Que queres de mim, Senhor, mandando-me sair de Teu Templo para acompanhar um de Teus servos, que me oferece, tão-somente, seu amor, seu teto e seu pão?..."

Após breve silêncio, acreditava ter ouvido uma voz, não podendo, todavia, distinguir se vinha do Alto ou se era o rumor das pradarias ou, ainda, a ressonância do vento entre as palmeiras e os sicômoros, a qual dizia:

"Myriam!... visto que foste fiel em guardar tua castidade virginal no lar paterno e no Templo de Jehová, e porque tuas mãos não se moveram senão para tecer o linho e arrancar melodias de tua cítara, acompanhando os louvores de Deus, verás surgir de ti mesma a mais excelsa Luz que pode descer à Terra."

Entrementes, com seus passinhos curtos e ligeiros, continuava seguindo o esposo a caminho de Nazareth, absorta em pensamentos tão profundos que se via obrigada a obstinado silêncio.

– Que estás a pensar, Myriam, que não me falas? – perguntou Joseph, olhando-a ternamente.

– Causa-me estranheza estar acompanhando-te sem saber por que – respondeu ela, fazendo esforço para modular as palavras.

Em virtude de estarem os véus nupciais dos radiantes Arcanjos *Criadores das Formas* envolvendo-se cada vez mais em torno dela, foi seu corpo físico ficando como um oval de luz, no centro de uma esplendorosa nuvem cor-de-rosa com reflexos de ouro.

O silêncio fazia-se mais profundo à medida que se aproximavam da casinha de Nazareth – silêncio de vozes humanas, porém cheio de harmonias, de ressonâncias, de vibrações doces, suaves e infinitas!

Cantavam, ao redor de Myriam, as *Legiões dos Amadores*, enquanto a beleza ideal de uma forma humana flutuava já na onda incomensurável de Luz e Energia, por intermédio da qual, vão e vêm, sobem e descem as Inteligências exalçadas, forjadoras de todas as formas plásticas que existem no vasto Universo!

Apenas se achou Myriam sob o teto de Joseph, foi prostrar-se no chão de sua alcova, e, do íntimo de sua alma, elevou à Divindade esta singela prece:

"Senhor... Senhor!... conduziste-me do Teu Templo de ouro a esta humilde morada, onde continuarei cantando Teus louvores, tecendo o linho e amassando o pão para aqueles que rodearem a minha mesa! Senhor... Senhor!... Myriam será Tua submissa escrava, qualquer que seja a condição de vida em que a queiras situar!"

– Que fazes, Myriam, e por que tens lágrimas nos olhos? – perguntou Joseph, ao vê-la de joelhos no meio da alcova e com duas pérolas líquidas sobre as brancas faces.

— Rezo a Jehová, para que eu seja portadora da paz em teu lar! — respondeu ela.

Levada pelo companheiro, foi encontrar junto à lareira, ardente em vivas labaredas, os cinco filhinhos dele, que, vestidos com as melhores roupas, aguardavam ansiosos a bondosa mãezinha que seu pai lhes prometera trazer da Cidade Santa dos Reis de Judá. As crianças, de 10, 8, 6, 4 e 2 anos, agarraram-se à túnica branca de Myriam, enquanto se alçavam na ponta dos pés para beijá-la na boca.

Invisível Legião de Amadores cantava à volta da Virgem, mãe de cinco crianças que outra pusera no mundo. Esta última, sem dúvida, chorava de felicidade, vendo seus ternos rebentos acariciados pela formosa Virgem ruiva, que iria amá-los como verdadeira mãe.

Com a chegada de Myriam, viu-se o humilde lar do artesão inundado de ininterruptas ondas de luz, de paz e de amor.

As crianças riam sempre. Alegres e buliçosas andorinhas aninhavam no telhado. As rolinhas voejavam, arrulando, entre o verdor brilhante da pequena horta. Ao amanhecer, gorjeavam as cotovias e os melros, fazendo coro aos salmos de Myriam, que os acompanhava com as melodias da cítara.

— Quão formosa é a vida a teu lado, Myriam! — dizia Joseph, suspendendo seu trabalho de artesão e sentando-se próximo ao tear, onde a esposa tecia o linho, ou junto ao fogo, onde ela cozinhava o pão e preparava os alimentos.

"Desde que chegaste ao meu lar, parece que estás sempre envolta na Luz de Jehová, como se eu O tivesse sob meu teto. Se a Lei não houvera dito: 'Não adorarás imagem nem figura alguma, porém tão-somente a Mim, que sou teu Criador', prostrar-me-ia a adorar-te, Myriam, como um fragmento de Deus."

Quando Joseph começou, assim, a desenhar em palavras seus pensamentos de admiração, Myriam, ruborizada, baixou os olhos, enquanto lhe colocava os dedinhos de rosa sobre a boca para significar silêncio.

Seu estado habitual era doce e suave silêncio, porque a poderosa irradiação da forma astral que flutuava aproximando-se, e o radiante Espírito Divino a vibrar no Infinito, mantinham-na de tal modo embaraçada e absorta em seus próprios pensamentos que dificilmente se voltava para o mundo exterior. As vibrações deste eram pesadas e duras, comparadas com a intensa e suavíssima harmonia de seu mundo interior.

Myriam!... Meiga e terníssima Myriam! Como teriam podido compreender-te, nesse teu mutismo, as mulheres de Nazareth, que falavam e riam sempre em alegres círculos, enquanto fiavam ou teciam, ou quando recolhiam lenha e feno no prado, quando colhiam suas uvas e seus figos, quando caminhavam pressurosas para buscar, com seus cântaros, a água da fonte?

"Myriam! por que estás triste?" ... "Myriam! quando vais começar a rir?" "Myriam! ... não tens nada para contar-nos?" ... "Não és feliz, Myriam?"

A todas essas perguntas, feitas espontaneamente e sem premeditação pelas mulheres nazarenas, Myriam respondia com suave sorriso ou com estes dizeres:

— Sou tão feliz que, se falasse, parece-me que minhas próprias palavras interromperiam a melodia interna que me acalenta sempre.

Como seria possível que as mulheres de Nazareth compreendessem Myriam, se somente ela era o vaso de nácar eleito para receber o Amor, que é canto universal, inefável e eterno?

O Amor cantava dentro dela, oculto como uma lira sob sua branca túnica!

O Amor cantava para ela quando, de joelhos, na penumbra da alcova solitária, orava a Jehová a fim de que enviasse para Israel o Salvador prometido pelos Profetas!

O Amor cantava junto dela quando sua meditação era profunda, e formosas visões iam surgindo do claro espelho da sua mente, não obscurecido por nenhum hálito, a não ser o alento soberano do Amor, que buscava ninho em seu seio!

O Amor cantava em seus olhos, que acariciavam ao olhar, mas que o pudor ou o êxtase faziam semicerrar-se como pétalas molhadas pela chuva e beijadas logo pelo sol!

O Amor cantava em suas mãos, cruzadas sobre o peito pela oração recolhida, profunda e íntima, através da qual sua alma privilegiada Lhe respondia em salmos idílicos, ao longo de todas as horas, que se iam desfiando de seus dias como pérolas brancas, azuis, douradas!...

Em sua puríssima inocência, Myriam pensava:

"Em nenhum de meus dias luminosos vividos no Templo Santo de Jehová, senti-me tão enlevada na Divindade como hoje, quando me encontro absorta entre os monótonos trabalhos de dona-de-casa.

"Poder-se-ia dizer que o lar de Joseph é também um templo, embora pequeno e humilde, mas, dentro dele, desce o alento de Jehová em torrentes, para purificar as criaturas humanas pela Fé, pela Esperança e pelo Amor."

As Igrejas Cristãs, como que inspiradas por um recôndito conhecimento da Verdade profunda encerrada nesses extraordinários acontecimentos, rendem culto – sem definir por quê – aos dias solenes de ansiedade e únicos na vida de u'a mulher, aos quais denominaram "dias de expectação da Virgem-Mãe".

Dias de glória, de paz e de amor, incompreensíveis para o vulgo, porém de evidente e manifesta sublimidade para Myriam. Via deslizarem-se a seu redor magníficas e radiantes visões douradas, que lhe falavam, com vozes sem som, de Céus ultra-estelares, donde, de instante a instante, descia a Luz sobre ela, e o Amor tomava plena posse do seu corpo. As Harpas Eternas cantavam dentro dela como se todo o seu ser fosse uma vibração com vida própria, um hino divino que, a intervalos, tomasse formas tangíveis ou se esfumasse no éter com o rumor de beijos suavíssimos, após havê-la inundado com tão sublime felicidade. Jamais chegara a sonhar com uma situação dessas, nem mesmo em seus mais gloriosos dias passados entre as Virgens de Sião.

Esta condição semi-extática de Myriam entristecia por vezes a Joseph, o qual, em sua inconsciência quanto aos excelsos desígnios da Divindade para com sua companheira, julgava-se duramente a si mesmo como indigno possuidor desse Templo Vivo de Deus, como verme audaz, que houvesse ousado aproximar-se da Virgem núbil, vinda para seu lar de artesão como um raio de lua em noite serena; qual uma taça de neve resvalada dos cumes distantes, vizinhos dos Céus, ou como uma ave-do-paraíso pousada em seu telhado...

Pobre e triste Joseph, em seu desconhecimento dos elevados destinos da esposa trazida para o seu lado pela Lei Divina! Ele ignorava que, exatamente, sua honrada probidade de homem justo tornava-o digno protetor e amparo nessa hora extraordinária e única na vida de Myriam!...

Tampouco pôde a maioria dos primeiros biógrafos desses acontecimentos interpretar devidamente a tristeza de Joseph, presumindo lhe houvessem passado pela mente alucinada sombrios e equivocados pensamentos a respeito da santidade de sua esposa. Nada disto ocorrera!

Joseph jamais pensou mal com relação à sua santa companheira; muito ao contrário, via-se, a si mesmo, demasiado imperfeito perante ela; por demais homem, junto àquela que era um anjo em forma de mulher.

Até pensou em fugir, por julgar-se indigno de permanecer mais um único dia ao lado daquela criatura celestial, que, no entanto, ele mesmo pedira para esposa nos átrios do Templo de Jehová.

Todavia, o Amor que cantava em Myriam veio cantar também, certa noite, em sonho, para o desolado Joseph, que, caindo do leito, banhado em pranto, ajoelhou-se sobre o frio pavimento da alcova, adorando os propósitos de Jehová, que o havia engajado como um meio de realizar, no plano físico terrestre, aquilo que a Eterna Vontade decretara nas alturas do seu Reino Imortal!

O infinito enlevo da sua paternidade, que, de algum modo, o assemelhava a Deus, cantou divinas melodias na alma de Joseph, a quem se descerrara o místico véu que ocultava a encarnação do Verbo de Deus no casto seio de Myriam.

Agora, tudo está compreendido e aceito!... Já a cinzenta nebulosa de dúvidas se espargiu em pó de ouro e azul, e os esposos de Nazareth esperam, felizes, o transbordamento da Luz Divina sob o teto humilde que os abriga.

As Harpas Eternas cantavam cada vez mais próximas e em tonalidades gradualmente mais solenes: "Glória a Deus nas alturas dos Céus infinitos, e paz na Terra aos homens de boa vontade!"

A Glória de Betlehem

Os dias voavam! ... Voavam como pétalas de flores que o vento leva por vales, montanhas e pradarias; e cada um desses dias era um clarão de luz fragmentado pelos inexoráveis dedos do tempo, dizendo a Myriam, com sua voz sem ruído, que se aproximava o grande acontecimento de sua Divina Maternidade.

Num entardecer de outono, ao ter uma radiante visão cor de ametista e ouro, um ente celestial cantou esta melodia jamais ouvida por ela:

"Deus te salve, Myriam! ... Cheia de Graça! ... Bendita sejas tu entre todas as mulheres! ... e bendita n'Aquele que sairá de ti, o qual será chamado *Filho do Altíssimo!*

"Aleluia, Myriam! ... Aleluia!

"Canta, mulher do silêncio! Canta, porque tua glória ultrapassa todas as glórias! ... Nesta hora solene, foi estabelecido o teu caminho de estrelas pelos séculos dos séculos! ..."

A celeste voz parecia ir perdendo-se a distância, como se Aquele, de Quem surgia fosse elevando-se cada vez mais no infinito azul.

Também alguns humildes lavradores rústicos e pastores nazarenos acreditavam haver sonhado com cânticos como os das Virgens de Sião, na solenidade da Páscoa realizada no Templo de Jerusalém.

Outros transeuntes noturnos da silenciosa cidade nazarena asseguravam haver visto, ao amanhecer, como que pequenas nuvens róseas, azuladas e douradas, a descerem e subirem, indo espargir-se como filigranas de tênues fios nas cores do arco-íris sobre o teto acinzentado da casa de Joseph, o artesão. Outrossim, à boca pequena, começaram a correr versões prenhes de mistério, de enigmas e de estupor, fazendo-se os mais variados e pitorescos comentários que, ampliando-se mais e mais, chegavam ao maravilhoso. Algum poderoso mago deveria andar no meio de tudo aquilo – diziam sigilosamente.

Por seu turno, tecia a curiosidade feminina as suas frágeis teias, fruto da imaginação de espíritos sem cultura e sem lucidez. A meiga Myriam, perseguida por perguntas, ia entristecendo-se e alarmando-se por ver que sua casinha-templo era convertida em cenário de algo que aquela boa gente não conseguia compreender. Esse estado de coisas induziu Joseph a tomar a prudente e discreta medida de levar

Myriam a Betlehem, para a casa de Elcana, unido em matrimônio com Sara, a mais moça das irmãs de Ana, sua Mãe, os quais dispensavam verdadeiro culto à virtuosa e bela sobrinha.

Joseph havia tratado a viagem com a caravana de mercadores que vinha, periodicamente, desde Cesaréia de Filipe até Jerusalém, e costumava repousar junto à fonte existente nas redondezas de Nazareth.

Quando a lua cheia estava no zênite, ele e Myriam, montados sobre um camelo, acompanharam a caravana rumo ao sul. Enquanto isso, os filhos de Joseph, aos cuidados de uma parenta, continuavam acendendo o lume sob aquele mesmo teto embolorado pelos anos, e que tantas belezas havia visto passar no decorrer dos sete meses de preparação para o grande acontecimento.

– Que coisa terá acontecido na casinha do carpinteiro? – perguntavam, uns aos outros, os vizinhos nazarenos – porquanto já não se ouvem as serras nem os martelos dos operários de Joseph!

"Será que os anjos do Senhor levaram consigo ao Sétimo Céu a meiga Myriam, para, talvez, ser mãe de um novo Profeta, enviado de Jehová para fulminar os déspotas, dominadores de Israel?"

Tais interrogativas surgiam na mente sem malícia daqueles que haviam escutado afirmações de alguns clarividentes que teriam surpreendido resplendores estranhos sobre a casa de Joseph.

Porém a maior parte urdia, em torno da meiga mulher silenciosa, uma pequena trama obscura, de suposições malignas, não faltando quem anunciasse haver ela perdido a razão; que, devido a seu tenaz mutismo, uma atroz demência a teria levado, através de sombras cada vez mais espessas, até essa pavorosa treva mental que chamamos loucura.

Depois de três dias de marcha, Joseph e Myriam chegaram à cidade de David, o místico rei-pastor, que, ao som de uma lira de ouro, cantava salmos de louvor a Jehová e salmos de dor pelos seus pecados: gritos de angústia clamando piedade e misericórdia para com os seus grandes erros!

– Myriam ... filha de Ana! ... – exclamou Sara, sua tia, abraçando-a ternamente no portal da casa, e perguntou: – Que glória é esta que vem contigo, Myriam, mulher escolhida pelo Altíssimo?

E Myriam, fixando naquela mulher seus grandes olhos cheios de sonhos divinos, disse com a habitual doçura:

– Também tu, minha tia Sara, rodeias-me com milagres e enigmas? Indagas se fui eleita para ser mãe de um profeta, como todas as outras mães nesta terra do Senhor, onde tem havido tantos! É isto, acaso, o que queres dizer?

– É que Elcana, meu marido, e eu, temos tido estranhos sonhos a teu respeito, Myriam, filha de Joachim e Ana.

"Entremos, e contar-te-ei tudo junto à lareira."

Então Sara e a jovem foram sentar-se no banco próximo à lareira, enquanto Elcana e Joseph preparavam hospedagem conveniente para Myriam, que tinha vindo esperar a maternidade sob seu teto betlehemita. E disse-lhe Sara:

– Sonhamos, Elcana e eu, que te vimos de pé, no alto de um monte, nas imediações de Nazareth, e que, do teu peito, brotava um regato de águas cristalinas, o qual foi ampliando-se até formar um arroio azulado, para o qual se dirigia uma multidão de pessoas a fim de beber, porque aquelas águas maravilhosas curavam quaisquer enfermidades.

"Logo a seguir, não se via mais a ti, mas somente o arroio, a transformar-se em caudaloso rio e, depois, num mar de águas douradas e resplandecentes, que se espraiavam desde a Iduméia até Sidon(*).

"Outra vez, sonhamos que tu e Joseph entravam no Templo de Jerusalém para os ofícios da Páscoa, e que o Templo se encheu de um resplendor rosado, como se houvesse chamas cor de ametista por dentro e por fora dele. Vocês dois saíram, e a resplandecência ficou ali, causando estupor aos sacerdotes e doutores. Alumiava-os essa luz vivíssima até o fundo de suas consciências, onde encontraram seus pecados a descoberto; pelo que, envergonhados, pediam perdão e misericórdia a Jehová.

"Numa terceira ocasião, sonhamos que tu, sozinha no alto de uma montanha, dizias, num clamor que partia o coração em dois:

" 'Vós todos que passais por estes caminhos, olhai e dizei-me se há dor comparável à minha dor'."

– Oh! que estranhos sonhos são os teus, tia Sara!

Myriam, a essênia, reservada e silenciosa, discreta e prudente como todos eles, calou-se em cumprimento daquela velha lei da Ordem que determinava:

"O essênio não falará nunca de si mesmo, se não for obrigado, mas apenas em defesa da verdade."

Passaram-lhe, então, pela mente lúcida e serena, em harmonioso desfile, todas as visões, anunciações e profecias que tivera a respeito do Grande Ser que deveria chamar-lhe Mãe.

"Myriam! ... – havia-lhe dito o mesmo Espírito-Luz, na inolvidável data em que era coroada de rosas para desposar a Joseph –, Myriam! ... a Lei Eterna do Amor Universal Me permite associar-te à missão redentora que Me trará logo à Terra."

Fora ao amanhecer daquele memorável dia que, seguindo a liturgia sagrada, a Virgem casadoura fazia, pela última vez, a oferenda de incenso e de mirra no Altar dos Perfumes, símbolo de que dedicava a Jehová o sacrifício de sua virgindade para transformar-se em esposa e mãe, outra forma de sacerdócio consagrado também pela Lei Divina, eterna conservadora da espécie humana sobre o Planeta.

E o Espírito-Luz que iria ser o seu primogênito lhe comunicara, outrossim, na íntima linguagem oculta e secreta conhecida somente pelas almas instruídas nas elevadas faculdades da psique humana:

"Myriam! ... Minha aproximação a ti será a tua glória pelos séculos dos séculos, mas teu martírio será também tão profundo e recôndito que os homens te chamarão *Dolorosa*, e terás por símbolo um coração ... o teu próprio, atravessado por sete espadas.

"Myriam! ... o Apóstolo da Redenção arrasta atrás de Si a dor, o opróbrio e o anátema da inconsciente Humanidade, enquanto lhe traz a divina mensagem. Essa dor alcança todos aqueles que, quanto mais próximos se encontram, mais compartilham da divina carga de Luz e de Sabedoria, da qual Aquele é portador.

(*) Iduméia: Região que compreende o sul da Judéia e uma parte do norte da Arábia Pétrea. Sidon. Cidade da Fenícia, hoje chamada "Saida" (Líbano) (N.T.)

"Como Paladinos da Verdade, da Sabedoria e do Amor, chegamos à imolação, e quem mais aproximar-se de Nós, mais duramente será imolado.

"Myriam! ... neste incenso e nesta mirra, que estás queimando sobre o altar coberto pelas tuas flores brancas de laranjeira, chega até Mim a heróica aceitação de tua alma para ser a mais íntima aliada na missão redentora que Me traz a teu lado. Sê bendita para todo o sempre, mulher divinizada pelo Amor, pelo Sacrifício e pela Maternidade!"

Sua tia Sara, simples e virtuosa betlehemita, via Myriam absorta em seus pensamentos, e parecia-lhe que, pela sua face cor-de-rosa e de marfim, cruzavam-se reflexos da claridade interior que sempre a iluminava.

Enquanto no plano físico se desenvolviam assim os acontecimentos, preparavam-se, também, no mundo sideral movimentos insólitos.

Os dois maiores planetas do nosso sistema, Júpiter e Saturno, aproximavam-se lentamente, com a soberana majestade de astros de primeira grandeza, para unir-se em conjunção magnífica, como se esse assombroso himeneu sideral devesse repercutir neste outro himeneu do plano terrestre, entre a Divindade e a natureza humana, cujo fruto estava em gestação no seio de Myriam, a meiga mulher, harpa viva da Eterna Lei.

Júpiter e Saturno prosseguiam sua caminhada nupcial através dos espaços infinitos, tendo por cortesãos e espectadores os milhares de estrelas e de sóis deste Universo visível da Terra.

Corria o ano 747 da fundação de Roma, correspondente ao ano 8967 do início da Civilização Adâmica, únicas datas precisas e de possível comprovação que estamos capacitados a mencionar para orientação dos estudiosos.

Ambos os planetas se dirigiam para os domínios zodiacais de Peixes, signo este estreitamente vinculado, naquele tempo, aos destinos do grande povo seguidor de Moisés.

A Terra da Promissão, outorgada por ele à raça de Israel, entre o mar e o rio Jordão, parecia exercer estranha atração sobre os dois radiantes viajores celestes, pressurosos para celebrarem seu imponente himeneu justamente no campo sideral que constituía patrimônio seu.

Os sábios e os estudiosos das grandes Fraternidades Ocultistas acompanhavam com estático olhar aquela grandiosa marcha estelar que, há séculos, sabiam estar destinada a marcar a hora precisa da aparição do Homem-Deus sobre o Planeta.

Aonde iriam unir-se os dois reluzentes viajantes? Em qual dos doze palácios zodiacais estaria a grandiosa câmara nupcial dos amantes celestes?

Por isso é que o olhar dos sábios penetrava nos abismos do espaço, à procura da Grande Verdade!

– PEIXES! ... – gritaram todos à uma, quando viram dar-se ali o abraço supremo, enquanto o solstício de inverno cobria de neve a Terra da Promissão vislumbrada por Moisés. De outra parte, no éter azul, o vermelho Marte corria também pressuroso até aquela constelação para cobrir, com a púrpura de seus véus flutuantes, o resplandecente himeneu de Júpiter e Saturno.

A reunião dos três planetas era a eterna clarinada que marcava a hora exata, precisa, inexorável, em que o Homem-Deus abria Seus olhos humanos à vida física sobre o globo terrestre para a posterior imolação, que haveria de coroar Sua gloriosa e grande carreira de Messias-Instrutor de humanidades.

Das grandes Escolas de Divina Sabedoria, saíram em viagem peregrinos audazes para a Terra Bendita, onde acabara de nascer o Filho de Deus, em carne humana!

Seis séculos antes, Isaías, um dos maiores videntes de Israel, havia cantado o seguinte verso ao som de sua harpa de cordas de bronze, cujas vibrações estremeciam as almas:

"E tu, Betlehem de Judá, és pequena em tamanho, porém grande entre as cidades de Israel, porque de ti nascerá o Salvador dos homens."

Naquela noite – a sétima do solstício de inverno – permaneciam muitos em vigília para contemplar o grandioso espetáculo anunciado pelos astrônomos assírios e caldeus, alguns dos quais temiam mesmo um cataclisma estelar que produzisse a desagregação de vários mundos, inclusive a Terra. Também velavam os pastores betlehemitas, que, na simplicidade de seus costumes, dirigiam fervorosas preces a Jehová, suplicando-Lhe misericórdia. Os mais sensitivos dentre eles captaram a onda de harmonia divina, emanada das Grandes Inteligências que aprestavam a entrada do Homem-Deus no plano físico: onda radiante de luz e de glória que vertia sobre o Planeta, como uma cascata musical, o inolvidável cântico do Amor e da Paz:

"GLÓRIA A DEUS NO MAIS ALTO DOS CÉUS, E PAZ, NA TERRA, AOS HOMENS DE BOA VONTADE!"

Myriam, Joseph, Sara e Elcana, únicos seres humanos que presenciaram o advento do Verbo de Deus, caíram em transe extático, pela força vibratória do Grande Espírito que tomava posse de Sua matéria para uma vida terrestre.

Os fluidos sutis e penetrantes das puríssimas Inteligências que apadrinhavam a conjunção planetária já de nós conhecida não puderam ser suportados pela débil matéria física dos quatro seres presentes, tão próximos se achavam do acontecimento.

Joseph e Elcana afastaram mais prontamente o torpor suavíssimo e profundo que os invadira, o qual, inconscientemente, eles qualificaram como sono letárgico produzido pelo excesso de incenso e mirra que eram queimados nas brasas de um piveteiro. Foram despertar Sara porque o recém-nascido choramingava baixinho, deitado, qual querubim de rosa e nácar, na brancura do leito da mãe, ainda submersa nas brumas radiantes da hipnose.

Sara! mulher humilde e boa ... foram tuas mãos laboriosas que primeiro tocaram o sagrado corpo de Cristo recém-nascido, e seriam também as últimas a perfumar Seu cadáver, 33 anos depois, quando Myriam, mergulhada em profundo e doloroso desmaio, caía sobre o peito de Magdalena enlouquecida, ao ser descido da cruz o sagrado corpo para o sepultamento!

Sara! laboriosa e abnegada mulher, ignorada em tua grandeza silenciosa e obscura perante os homens, que buscas o Alto pelos caminhos solitários e esquecidos, onde brotam pequenas flores que ninguém cobiça nem busca nem ambiciona; pequenos caminhos familiares que muito poucos vêem e, menos ainda, valorizam e compreendem! ...

Mas ninguém apagará de tuas mãos o sagrado florão de ouro estampado nelas pelo divino contato do corpinho recém-nascido do Filho de Deus!

Três essênios de idade madura, cujas moradas se erguiam nos subúrbios de Betlehem, na direção do Oriente, velavam em torno da fogueira acesa junto a uma grande janela, que lhes permitia contemplar o espetáculo grandioso – talvez ameaçador – da união dos dois grandes planetas no infinito azul.

Os três chefes de família, Alfeu, Josias e Eleazar, estavam reunidos na casa deste último, pelo fato de que, tendo família numerosa, incluindo seus idosos pais, necessitaria ele ser ajudado no temido caso de um cataclisma sideral reduzir-lhe a vivenda a escombros.

Alfeu e Josias, ambos viúvos, tinham consigo somente o guardião de seu gado. As esposas haviam falecido, e os filhos, já casados, formavam famílias à parte. Eis que, quando a conjunção planetária se achava perfeita, viram eles que, interceptando a luz dos dois amantes siderais, umas nuvenzinhas de púrpura e de neve, em azul e ouro, pareciam aproximar-se, em vôo sereno e majestoso, até poderem distinguir-se claramente formas humanas como que pintadas sobre o azul do céu por mão de algum artista. Dir-se-ia estarem elas sustendo alaúdes e cítaras, a desferir uma harmonia distante ... mui distante e debilmente perceptível.

Os três essênios – todo olhos e ouvidos – sugeriam três figuras de argila recortadas na janela, ouvindo e olhando sem conseguir mover-se.

Aquelas radiantes formas humanas eram de tal sutileza que, por instantes, se dissolviam na penumbra azul da noite, causando a impressão de voar para a adormecida cidade de Betlehem, cujos tetos cobertos de neve, como as copas das árvores centenárias que os rodeavam, assemelhavam-se, ao longe, a uma colossal manada de elefantes brancos, entregues ao repouso noturno.

Uma ou outra luz, partindo de alguma ogiva de observação, cortava de intervalo a intervalo a branca monotonia da cidade entorpecida sob a neve.

Alfeu e Josias, por já estarem livres dos laços de suas famílias, freqüentavam mais assiduamente os ocultos templos essênios das montanhas. Tinham, por isso, bem desenvolvida a faculdade da clarividência e puderam perceber, com alguma nitidez, que as formosas figuras radiantes flutuavam sobre a casa de Elcana, o tecelão, em cujo interior se vislumbrava a dourada claridade da fogueira acesa.

– Os Mestres – disse Josias – estão anunciando-nos a chegada de um Redentor, acontecimento que seria precedido de extraordinárias manifestações, nos Céus, e talvez seja este o momento.

Andando depois pela cidade, em seu lado oriental onde se achava a casa de Elcana, presenciaram que, por lá, as esplendorosas visões desapareciam ou se dissipavam.

– Mas, como pode Ele ter nascido ali – acrescentou Alfeu – se Elcana vive sozinho com sua mulher e somente tiveram um filho que, aliás, já é casado e vive em Sebaste?

Rondando, a seguir, em torno da silenciosa e tranqüila morada do tecelão, puseram-se à escuta.

Era o preciso instante em que Elcana e Joseph sacudiam o torpor hipnótico produzido pela aproximação das Inteligências Superiores. Foi quando os três ansiosos observadores externos escutaram a voz de Elcana:

– Sara! ... Sara! ... desperta, que o menino já nasceu e começa a chorar.

Chamando baixinho junto à porta da oficina, contígua à alcova, disseram do lado de fora:

– Elcana, essênios chamam à tua porta. Abre para nós, por favor!

A hospitalidade é uma das grandes leis dos essênios, e Elcana abriu-lhes a porta.

– Que é que se passa em tua casa, que todas as luzes dos Céus descem sobre ela? – perguntaram os visitantes.

– Luzes, dizeis? Estávamos velando, mas havíamos adormecido, quando fomos despertados pelos vagidos do menino – respondeu o interpelado.

— Mas, de que menino falas? ... Acaso é da tua mulher? ...
— Não, mas de Myriam, nossa sobrinha, que veio de Nazareth para esperar aqui o nascimento do seu filho.
— Elcana! ... — disse-lhe Josias — já sabes que os Anciãos anunciaram a vinda de um Grande Profeta sobre Israel. Por acaso, não será este?
— Entrai, e falaremos. — Os três visitantes ouviram dos lábios de Elcana, o tecelão, a narrativa dos sonhos que ele e Sara haviam tido, referentes ao filho de Myriam e de Joseph, que acabava de nascer.
— Não há dúvida de que é Ele! ... — afirmaram todos a uma só voz, e sua convicção foi maior quando Elcana informou tudo o que ouvira sobre Myriam através de Joseph, seu esposo, com relação à virtude e ao silêncio da meiga mulher, cuja vida parecia uma contínua contemplação interior, mesmo no meio dos penosos afazeres do lar.

Pouco depois, foram conduzidos à alcova de Myriam que, sentada no leito, tinha no regaço seu formoso recém-nascido.

Aqueles homens rudes, essênios com almas radiantes de fé e de esperança, caíram de joelhos para, assim, beijar as delicadas mãozinhas daquele querubim de rosa e nácar, que dormia em profunda quietude.

Joseph chorava de felicidade. Essênios todos eles, podiam avaliar com exatidão o que significava, para os ditosos pais, verem seu lar abençoado pelo nascimento de um Enviado de Deus.

Myriam, mulher da doçura e do silêncio, olhava para todos e para seu menino. E, sempre calada, abismou-se novamente na sua contemplação interior.

Por fim, rompeu o silêncio da meditação de todos:
— Parece que meu filhinho diz no mais íntimo de minha alma: "Cantai um hino de ação de graças, porque foi cumprida a Vontade do Altíssimo."

Então aqueles sete humildes essênios cantaram, em coro, alguns fragmentos dos salmos de louvor e gratidão por ter o Salvador dos Homens descido à Terra.

Retirando-se da alcova de Myriam, para deixá-la repousar, os cinco homens, juntamente com Sara, reuniram-se em torno da lareira que ardia em alegres labaredas. Sara, cheia de solicitude e possuída de santo entusiasmo, apanhou a taça das libações sagradas, usada nos ritos essênios, como era costume em ocasiões de grandes acontecimentos de ordem espiritual. A taça era o que nós chamaríamos de pequeno jarro, de asa dupla, e devia ser de ouro, pedra ou argila, conforme permitisse a situação financeira de cada família. Elcana pertencia à classe média, pelo que sua taça era de mármore branco. Este último, como chefe da família, tomou a taça das mãos de Sara, sua esposa, enquanto ela colocava mantos brancos sobre os ombros de todos, símbolo de que grande pureza devia cobri-los naqueles momentos solenes (*).

Todos de pé, em torno da lareira, cruzaram as mãos sobre o peito e inclinaram as frontes em adoração ao Supremo, ante o qual reconheciam seus pecados, num ato de sincero arrependimento. E Elcana, o chefe da casa, recitou as frases do ritual:

"O Altíssimo acolheu nossa confissão e nosso arrependimento.
"Que Sua Misericórdia derrame sobre nós as águas divinas que lavam os pecados dos homens.
"Que Seu Amor Eterno nos abra as portas de Seu Templo de Sabedoria.

(*) Os informes dessas testemunhas oculares dos acontecimentos do amanhecer do Cristo sobre a Terra serviram como argumentos dignos de fé aos primeiros biógrafos, entre os quais podemos mencionar dois, cujos nomes, como grandes amigos do Salvador, passaram para a posteridade: José de Arimathéia e Nicodemos de Nicópolis.

"E que este suco da videira, que bebemos juntos na noite da encarnação do Avatara Divino (*), seja saúde e bênção, santidade e justiça para todos os dias da nossa vida."

A seguir, a branca taça das libações sagradas correu por todas as mãos, no mais austero silêncio. Quando todos já tinham bebido, Elcana esvaziou sobre as ardentes chamas da lareira o restante do licor que ficara no fundo da taça, enquanto dizia:

"Que a lareira do essênio arda sempre para dar luz e calor a todos os que chegarem à sua porta."

Terminado o ritual religioso, começaram as confidências íntimas sobre o feliz acontecimento que os reunia, nessa noite, em torno do fogo agasalhador de Elcana.

Todos pressionaram Joseph para que lhes revelasse, até o mínimo, tudo quanto observara em Myriam desde que a retirara do Templo no dia das núpcias.

À medida que se desenrolava a narração, iam todos chegando à plena convicção de que o menino recém-nascido não era um simples Profeta de Jehová, mas, sim, o Avatara Divino, ou seja, a encarnação do Filho do Altíssimo, esperado há séculos pelos seus mestres essênios.

Ato contínuo, Alfeu, Josias e Elcana tomaram a resolução de partir no dia seguinte para as montanhas do Mar Morto, onde, ocultos em profundas criptas, viviam entregues ao estudo, à oração e ao trabalho, os setenta Anciãos Essênios que formavam o Conselho Supremo da Fraternidade. Nem Eleazar nem Joseph podiam acompanhá-los, em virtude dos sagrados deveres que mantinham ambos junto às suas respectivas famílias.

Quando os viajantes já empunhavam os cajados e ajustavam as correias para empreender a viagem, a previdente Sara entregou a cada um deles uma sacola com pão e frutas secas, pois a aridez daquelas montanhas escabrosas ameaçava com a fome a todos aqueles que se aventurassem por elas sem uma boa provisão.

Eleazar correu para sua casinha nos arredores de Betlehem, a fim de participar aos seus o grande acontecimento. Seus velhos pais, sua mulher e seus filhos dirigiram-se pressurosos à casa de Elcana, o tecelão, para oferecer a Myriam e a seu divino filhinho tudo quanto possuíam. Prestaram, com isto, real comprovação aos tocantes relatos que a mais antiga tradição conservou relativamente aos singelos dons dos pastores betlehemitas, primeiros conhecedores do sublime mistério do Avatara Divino feito homem sobre a Terra.

A auspiciosa notícia circulou sob rigoroso sigilo por todas as famílias essênias de Betlehem. Viu-se, então, a modesta vivenda de Elcana visitada por uma imensa e ininterrupta peregrinação de todas as comarcas vizinhas.

Aqueles que não conheciam o segredo diziam apenas:

– Como se vê, Jehová abençoou as mãos de Elcana e de Sara, sua mulher, cujos primorosos tecidos de lã atraem pessoas de todos os povoados dos arredores.

Quanto aos carinhosos e taciturnos essênios, calavam-se, porque tal era o conselho dos Mestres para não se produzir alarma entre os governantes romanos ou judeus, que poderiam suspeitar um perigo próximo da parte do Grande Ser que havia descido ao seio do povo de Israel.

(*) Avatar ou avatara (sânscrito): "Enviado Divino"; de "ava" (baixo) e "tri" (passar). A tradução literal seria: "Descido da Divindade ao corpo físico" (N.T.).

Os Essênios

Sigamos os três viajantes, Alfeu, Josias e Elcana, a caminho de En-gedi (*), na margem ocidental do Mar Morto, onde existia um antigo e escondido Santuário Essênio, residência de alguns Solitários, espécie de delegados de confiança do Supremo Conselho, a fim de facilitar aos Irmãos da Judéia seu comparecimento às assembléias em dias especiais. Outrossim, existiam tais Santuários, respectivamente, no Monte Ebat, para os da Samaria; no Carmelo e no Tabor, para os galileus; e, no Hermon, para os da Síria.

O Grande Conselho dos Setenta Anciãos, dirigentes da Fraternidade Essênia, tinha sua residência habitual nos Montes de Moab, na margem oriental do Mar Morto, local aonde não mais chegavam seres humanos, senão uma vez por ano, para poderem ser elevados a um novo grau ou para serem analisadas as provas relativas aos diversos graus. As consultas mais simples eram atendidas pelos Essênios dos pequenos Santuários, dos quais já se fez menção.

Era En-gedi uma aldeia antiga, de aspecto sombrio, em vista de oferecer aquela região salitrosa e árida pouquíssimos encantos aos viajantes.

Entre as últimas casas, em direção ao oriente, encontrava-se a vivenda de dois robustos jovens que, com sua idosa mãe, viviam da fabricação de manteiga e queijo, porquanto possuíam grande manada de cabras. Dedicavam-se também ao comércio de lenha, que transportavam no lombo de asnos para as localidades vizinhas.

A referida casa era conhecida de todos pelo nome de *Granja de Andrés*. Andrés havia sido o chefe da família, mas já não vivia há muitos anos.

Foi à porta dessa vivenda que bateram nossos viajantes, ao anoitecer do primeiro dia após sua partida de Betlehem.

Abriu-se um pequeno postigo no alto da porta, e por ele introduziu Elcana a mão, fazendo com ele o sinal de reconhecimento dos Essênios, ao mesmo tempo que dizia as palavras do santo-e-senha: *Voz do Silêncio*. O sinal era a mão fechada com o indicador levantado para o alto.

A porta foi aberta imediatamente, e os viajantes, tiritando de frio, sacudiram a neve de suas grossas calças de pele de camelo e aproximaram-se, em seguida, da fogueira, que ardia em vermelhas labaredas.

Uma anciã de semblante nobre assava pão, e várias marmitas fumegavam junto ao fogo.

Tão logo retiraram os pesados gorros de pele que lhes cobriam grande parte do rosto, foram os três reconhecidos pela família de Andrés, pois costumavam fazer essa mesma viagem uma vez por ano.

— Grandes novidades deveis ter para chegar num dia de um frio tão rigoroso, quando nem as corujas saem de seus esconderijos — observou Jacobo, o mais idoso dos jovens.

— Grandes notícias, sim! — exclamou Elcana — mas, por favor, deixai-nos ir à presença dos Solitários.

— Sim, mas somente depois de haverdes ceado conosco — observou a anciã, cujo nome era Bethsabé.

— Assim darei tempo para que os Anciãos terminem também sua ceia, que é justamente nesta mesma hora — acrescentou Jacobo.

(*) Hoje, "Engadi". Em hebr. significa "Fonte do cabrito" (N.T.).

— Bem, Irmãos, aceitamos o vosso oferecimento — responderam os viajores.

Ato contínuo, aqueles seis modestos personagens se sentaram ao redor da singela mesa da Granja de Andrés, o lenhador, que, durante toda a sua vida passada naquela cabana servira de porteiro na entrada subterrânea que levava ao Templo dos Essênios. Essa humilde tarefa continuava sendo cumprida pela viúva e por seus filhos, também por toda a vida. Entre os Essênios, missões desta natureza denotam o caráter de honrosa investidura espiritual, que passava de pais para filhos, como sagrada herança a que tinham direito até a quarta geração.

A comida frugal (leite de cabra com castanhas assadas, figos secos, queijo com mel) terminou logo, e Jacobo, acendendo na lareira um pavio encerado que lhe servia de tocha, disse:

— Estou à vossa disposição.

— Vamos — responderam os três viajantes.

— Ide com Deus, e até amanhã — disseram ao mesmo tempo a mãe e o filho mais novo, jovem de dezessete anos, a quem chamavam Bartolomeu.

Precedidos por Jacobo, passaram os três viajantes da cozinha para um palheiro, no extremo do qual se encontrava o amplo estábulo das cabras. Atrás de uma enorme pilha de feno seco e dando voltas por entre sacos de trigo e de legumes, Jacobo removeu uma placa de pedra, idêntica às que formavam a parede, e um buraco negro apareceu à vista.

Tratava-se de uma pequena plataforma, onde começava uma escada lavrada na rocha viva que subia até dez degraus. No fim deles encontrava-se uma pequena porta de ferro que apenas dava passagem ao corpo de um homem. Do interior da porta aparecia a ponta de uma corda. Jacobo puxou por ela, e, muito ao longe, ouviu-se o toque de um sino, que ressoou suavemente. Poucos instantes depois, abriu-se um pequeno postigo que existia naquela porta, e, com a luz de sua tocha, Jacobo iluminou o branco rosto de um Ancião que perscrutava o exterior, ao mesmo tempo que lhe dizia:

— Voz do Silêncio! Irmãos essênios trazem grandes notícias e pedem licença para falar com os Anciãos.

Vendo o rosto de Jacobo, o Solitário sorriu bondosamente.

— Bem, bem ... esperai uns minutos.

A pequena porta girou pesadamente depois de um breve instante, e os três viajantes passaram para uma habitação baixa e irregular, de cujo teto pendia uma lâmpada de azeite.

Sete Essênios de idade madura esperavam sentados no estrado de pedra que circundava a sala.

— Por esta noite, os viajantes ficam aqui — disse o essênio-porteiro a Jacobo. — Volta para dormir e vem estar com eles amanhã, antes do meio-dia.

E o jovem retirou-se.

Uma fogueira, acesa recentemente, brilhava num ângulo da habitação, e uma grossa esteira de fibra vegetal e algumas peles de ovelha davam ao rústico recinto um aspecto confortável.

Os viajores, em profundo silêncio, sentaram-se sobre uns tamboretes defronte ao estrado.

— Que a Divina Sabedoria ilumine as vossas mentes e que a Verdade mova a vossa língua. Falai.

Estas solenes palavras foram pronunciadas pelo Ancião que ocupava o lugar central.

— Assim seja! — responderam os três viajantes.

Em seguida, Elcana mencionou tudo quanto o leitor conhece, desde os sonhos dele e de sua esposa, a chegada de Myriam e Joseph à sua casa, e tudo quanto ali havia ocorrido. Quando terminou, Josias e Alfeu relataram, por sua vez, o que haviam visto enquanto observavam a conjunção dos grandes planetas.

De uma cavidade em forma de armário, cuja pequena porta era uma pedra corrediça, um dos Anciãos extraiu um rolo de telas enceradas, bem como tabuletas de madeira e de argila, e, no mais profundo silêncio, os sete Anciãos começaram a examinar aquelas escrituras.

— Em verdade, Irmãos, vossa notícia é de transcendental importância — disse, por fim, o *Ancião-Servidor*, como eles denominavam o chefe ou maioral da casa.

— O tempo era chegado, e a conjunção sideral marcou o instante supremo daquela noite memorável em que a constelação de "Piscis" perfilhou o país de Israel — acrescentou outro dos Anciãos.

— Esse acontecimento foi comprovado por todos nós — observou um terceiro — e já os Setenta esperavam, de um momento para outro, esta notícia que trazeis.

— De quanto tempo dispondes para esta missão? — perguntou o Servidor.

— Daquele que determinardes — responderam os três viajantes a uma vez.

— O sacrifício que haveis realizado nesta cruel noite de neve, assim como a vontade firme e a adesão mais forte à nossa Fraternidade, bem merecem, segundo julgo, uma compensação espiritual da nossa parte. De que grau sois na Ordem?

— Faz seis anos que entramos no primeiro, cujos deveres são *a hospitalidade e o silêncio*, e, no meu pensar, creio havê-los cumprido com regularidade — respondeu Elcana.

— Eu — disse Josias — faltei somente uma vez com a hospitalidade, quando se apresentou à minha porta um prisioneiro da Torre Antônia, que era procurado pela justiça, com o mandado de ser entregue vivo ou morto. Dei-lhe pão e frutas e pedi que se fosse, para que eu não me visse obrigado a entregá-lo. Nessa época, ainda vivia minha esposa, e nossa filha não era casada. Julguei que minha vida fosse muito necessária para elas.

— Irmão, não pecaste perante Deus nem perante a Fraternidade, que jamais obrigam a sacrificar os seus pelos demais. Outra haveria sido a situação, se estivesses sozinho no mundo.

— E eu — mencionou Alfeu — faltei ao silêncio regulamentar num caso em que não fui capaz de me dominar. Houve briga entre dois pastores por minha causa, e, se não fosse a minha intervenção e a de outros vizinhos, teríamos que lamentar uma morte.

"Vinha eu observando, desde algum tempo, que um pastor tirava o leite das cabras de cria de seu vizinho, e os cabritinhos deste iam enfraquecendo e morrendo na época do frio. O infeliz pastor queixava-se de sua má sorte e afirmava ser uma injustiça de Deus que somente seus cabritinhos estivessem fracos e raquíticos, quando ele tanto se esforçava para cuidar de suas mães.

"Como já passara mais de um ano que me esforçava para guardar silêncio, um dia não pude mais e disse ao pastor prejudicado: 'Vem e olha de meu celeiro.' Dali, ele mesmo viu o que eu estivera observando havia mais de um ano. Ocorreu então o drama em cujo desfecho o mau vizinho foi condenado a indenizar os danos causados, com a ameaça de ser expulso da região, se viesse a repetir o caso."

— Nem tu, Irmão, pecaste contra Deus ou contra a nossa Fraternidade, porque havia dano contra um terceiro, o qual tinha esposa e filhos para sustentar; pois, de outra forma, todos eles padeceriam miséria e fome, se aquela situação se prolongasse indefinidamente. Falar quando é justo não é pecado. Falar sem necessidade nem utilidade para ninguém é o que está proibido pela nossa lei.

"Como, neste Santuário, estamos autorizados a realizar a exaltação até ao terceiro grau, passemos para o recinto sagrado, onde recebereis do Altíssimo a dádiva que acabastes de conquistar."

O essênio-porteiro, que era um dos sete membros daquele pequeno Conselho, aproximou-se dos viajantes entregando-lhes três lenços de finíssimo linho. Rapidamente, os três vendaram os seus olhos. Então, o Servidor apagou a lâmpada de azeite, cobriu a fogueira com uma campânula de argila e, na mais profunda escuridão, ouviu-se o correr de uma pedra da muralha, seguido logo pelo rangido de uma porta que se abria.

Depois disso, os três viajantes, de mãos dadas e conduzidos pelo porteiro, andaram uns vinte passos por um pavimento liso e coberto de suave areia fina, no fim do qual perceberam outra porta que se abriu e por ela penetraram num ambiente aquecido e perfumado de incenso.

O Servidor retirou-lhes as vendas, e os três caíram de joelhos, pronunciando, cada um, as palavras do ritual, enquanto se inclinavam para beijar as pedras do pavimento:

"Sê bendito pelos séculos dos séculos, ó Santo dos Santos, Deus Misericordioso que me permitiste entrar neste sagrado recinto onde se ouve Tua Voz."

Em seguida, três Essênios os cobriram com o manto branco das consagrações e os aproximaram do grande candelabro de sete círios, dos quais apenas um estava aceso: o que correspondia ao primeiro grau, que eles possuíam.

Logo depois, foi descerrada a espessa cortina branca, que pendia desde o teto e se achava por detrás da lâmpada. Surgiram, então, sete grandes livros abertos sobre um altar de pedra branca. Em cima de cada um deles, apareciam, escritos em letras de bronze, os nomes dos grandes Mestres Essênios desaparecidos: Elias, Eliseu, Isaías, Samuel, Jonas, Jeremias e Ezequiel.

Acima dos sete livros se achava, talhada em pedra, uma cópia das Tábuas da Lei Eterna, gravada por Moisés, cujo original estava em poder dos Setenta, no Santuário dos Montes de Moab. Os repetidos cativeiros do povo hebreu e as devastações dos Santuários de Silos, de Bethel e de Jerusalém obrigaram os discípulos de Essen a salvaguardar aquele sagrado espólio de Moisés nas profundas cavernas dos mencionados montes.

Suspensa no teto, iluminando as Tábuas da Lei, resplandecia uma estrela de prata, cujas cinco pontas eram lamparinas de azeite que ardiam sem apagar-se jamais. Era o Símbolo Sagrado da grande Fraternidade Essênia, cujo significado oculto era: "A Luz Divina que iluminou a Moisés no Monte Horeb e no Sinai, onde surgiu a Lei que permanece até hoje, como bússola eterna desta Humanidade."

Nos sete enormes livros de tecido encerado, estavam consignados a vida, os ensinamentos, as profecias e as clarividências de cada um daqueles seres venerados como Mestres da Fraternidade Essênia.

Ressoaram as cítaras dos Essênios. Todos estavam cobertos com mantos brancos.

O Servidor prendeu na própria fronte, por meio de uma fitinha de seda azul, uma estrela de prata, de cinco pontas, simbolizando a Luz Divina que ele implorava sobre si, ao fazer a consagração dos três Irmãos, vindos ao Santuário no intuito de se aproximarem mais da Divindade.

Dos piveteiros colocados diante do altar dos sete livros dos Profetas evolavam para o alto espirais de incenso.

Com vozes austeras e graves, cantaram em coro o salmo chamado *"Miserere"*.

Pediam, a uma só voz e ao som de suas cítaras e alaúdes, o perdão de seus pecados e a misericórdia divina sobre todos os homens da Terra.

Terminando o aflitivo salmo – profunda lamentação da alma humana que reconhece seus erros e deles se arrepende – o Servidor destampou uma pilastra cheia de água, a qual se achava à direita da grande lâmpada dos sete círios, e convidou os que iam ser consagrados no segundo grau da Fraternidade a submergirem as mãos, até o cotovelo, na referida água.

Era a *ablução das mãos*, rito que iniciava a entrada no segundo grau, assim como a *ablução da face* significava a iniciação no primeiro, pelo qual já tinham passado. Aquelas águas, fortemente vitalizadas por setenta dias de transfusões de elevadas e puras energias, produziam suave e dulcíssima corrente em todos que nelas submergissem as mãos. Estas secavam, depois, sem nenhum contato de qualquer tecido.

Levados ante a grande lâmpada, o Servidor pronunciou as palavras da consagração:

"Deus Todo-Poderoso, que vitalizastes com Vossa Energia Divina as mãos destes servos para que trabalhem em favor de seus irmãos desamparados e indigentes, escutai o voto sagrado, que Vos fazem, de trabalhar duas horas a mais todos os dias, para sustentar os leprosos, paralíticos e enfermos que cruzarem os seus caminhos."

Os consagrados diziam, cada um de per si:

"Ante Deus Criador de tudo quanto existe, faço voto solene de aumentar em duas as minhas horas de trabalho, para sustentar os leprosos, paralíticos e órfãos que cruzarem o meu caminho."

Então, um Essênio acendeu o segundo círio da grande lâmpada sagrada.

Pondo suas mãos sobre a cabeça de cada um, o Servidor disse:

"Se a tua vida é conforme a Lei, as energias benéficas que tuas mãos absorvem neste dia servir-te-ão para aliviar as dores físicas de nossos Irmãos."

Em seguida, os recém-consagrados aproximaram-se do grande altar dos sete livros e, lançando incenso nos queimadouros, fizeram uma invocação a seus grandes Profetas, enquanto pronunciavam os nomes destes, mais com a alma do que com os lábios. Ocorria sempre que algum dos sete Profetas aparecia em estado espiritual, mais ou menos visível e tangível, conforme fosse a força vibratória que a evocação tivera.

Desta vez, apareceu o meigo Samuel, que aconselhou o desprendimento e a generosidade para com todos os seus semelhantes, impedidos, de uma forma ou de outra, de procurarem o sustento.

"É o segundo grau da Fraternidade Essênia – disse a voz sem ruído da aparição espiritual – e sete anos passareis praticando-o, sem nenhuma circunstância especial e favorável a vós mesmos, não sendo permitido aos Anciãos abreviar o tempo de vossa prova.

"Pelo fato de haverdes realizado o esforço de vir anunciar o Nascimento do Verbo de Deus, a Divina Lei permitir-vos-á segui-LO de perto, durante toda a Sua vida e também de acompanhá-LO até a morte.

"Do mundo espiritual, os Mestres Essênios vos abençoam em vossos trabalhos, em vossas famílias, em vossos gados, em vossos campos, na água de vossas fontes e no fogo de vossas lareiras."

Os três caíram de joelhos ante o grande altar de pedra, e suas lágrimas emotivas e suavíssimas correram até molhar as pedras do pavimento.

Tão profunda havia sido sua emoção que não conseguiam mover-se, sendo necessário que o essênio-porteiro os tocasse nos ombros, ao mesmo tempo que apresentava os lenços para que vendassem os olhos. Os outros Anciãos desapareceram por detrás da pesada cortina branca, que tornou a baixar, e os três viajantes foram reconduzidos, pelo mesmo caminho, até aquela sala em que haviam sido recebidos primeiramente.

A noite já estava muito avançada. Foi acesa novamente a fogueira, e o Essênio preparou-lhes, com peles, confortáveis camas sobre o estrado. Deixou pão, frutas, queijo, vinho, e desapareceu em seguida, sem fazer nenhum ruído. Um grande silêncio anunciou que já estavam a sós e, retirando as vendas, abraçaram-se mutuamente como que numa explosão de amor fraterno.

O leitor pode procurar imaginar os comentários dos três viajantes; todavia, por muito que sua imaginação se esforce, ficará sempre aquém da realidade.

Caracterizava-se a época por um exaltado sentimento religioso no povo de Israel, designado, naquela hora, para receber a última encarnação do Avatara Divino sobre a Terra. A corrente de fé e de amor, emanada dos templos essênios escondidos entre áridas montanhas, fazia muitas almas manterem-se no mesmo alto grau de vibrações que o irradiado pelas Inteligências Superiores. Era isto necessário para que se tornasse possível a conjunção perfeita entre a sutilidade extrema do Verbo de Deus e a natureza física, de modo que esta viesse a servir de veículo para a referida manifestação divina.

Tanto os Essênios como os Dácktylos do tempo de Antúlio, e os Kobdas do tempo de Abel, cumpriram admiravelmente sua incumbência de precursores do Filho de Deus. João, o Batista, não foi nada menos que o eco impressionante da grande voz da Fraternidade Essênia, que falava à humanidade da Palestina, como a mais imediata ao nascimento do Homem-Luz naquele rincão da Terra.

Não é, pois, de estranhar que nossos três humildes personagens se manifestassem possuídos de tão extraordinário fervor religioso, que os tornava capazes de grandes sacrifícios e inauditos esforços.

Os seres sensitivos e regularmente evolvidos a tal ponto se identificam e harmonizam com as correntes espirituais elevadas, ativas em determinadas épocas propícias que, por vezes, dão grandes vôos, muito embora, mais tarde, estacionem no progresso alcançado, quando períodos de vibrações adversas pesam enormemente sobre eles.

A história do rei David e a de todos esses grandes arrependidos – que fizeram de suas vidas um holocausto de expiação e penitência, quando sua consciência foi despertada e lhes acusou os pecados – são um exemplo da asserção que fazemos com o fim de que os leitores não se vejam atormentados por dúvidas referentes aos avanços progressivos das almas. Se o próprio Cristo Se viu submetido a tão formidáveis lutas com as pesadas correntes, que, em dados momentos, o molestavam, não obstante a altura espiritual e moral em que Se achava, não são de estranhar as quedas e as deficiências daqueles que estamos seguindo a tamanha distância.

Na metade da manhã seguinte, Jacobo, o filho de Andrés, chamou à porta da sala de hospedagem, onde se encontravam os viajantes. Abrindo eles mesmos a pequena porta de ferro, saíram e foram seguindo o jovem, ao mesmo tempo que procuraram ver se aparecia algum Essênio para se despedirem dele.

Mas os homens do silêncio não disseram nem uma só palavra, além das que haviam dito em cumprimento do seu dever. Levaram consigo, conforme o hábito, os três lenços de linho com os quais tinham vendado os olhos antes de entrar no Santuário, única prova que lhes restava de que tudo quanto ocorrera naquela noite não fora sonho nem alucinação.

– Temos já dois panos como estes – mencionou Elcana, enquanto dobrava cuidadosamente o seu e o guardava sobre o peito, debaixo do grosso casaco de pele.

– Que Deus conserve nossas vidas até que possamos reunir sete iguais a estes – disse Josias, que parecia ter o pressentimento de uma grande vida.

– Assim seja! – responderam os outros, enquanto guardavam também sobre o coração o que para eles era uma sagrada relíquia.

– Trazeis fisionomias festivas – disse a boa e laboriosa Bethsabé, ao vê-los chegar transbordantes de alegria.

– Muita, mãe Bethsabé, muita!

– Aqueles santos Anciãos são os depositários de todas as dádivas dos Céus, visto que as derramam sobre aqueles que chegam até eles.

– Penso, Irmão Alfeu – disse Elcana – que, assim como eles fazem conosco, devemos nós também proceder com todos que chegarem às nossas moradas, se é que somos Essênios de verdade.

– Pelo fato de eu querer ser um deles – disse a bondosa mulher –, peço que senteis aqui, junto ao fogo, para que possais comer o pão quentinho com manteiga e mel, enquanto acabo de preparar o almoço.

– Pelo visto, temos festa, mãe Bethsabé? – interrogou um dos viajantes.

– Pobre festa de uma cabana de lenhadores! – acrescentou Jacobo, ajudando sua genitora a dispor a mesa e retirar do fogo a grande panela, onde estavam sendo cozidas as castanhas com vinho e mel, e mais outra, na qual fumegavam as lentilhas refogadas com pedaços de cabrito.

– Essênios matando animaizinhos para comer! ... – exclamaram os hóspedes ao perceberem a ocorrência.

– Calma, Irmãos! ... que os Essênios não matam, mas apenas recolhem aquilo que perde a vida nas montanhas – protestou Bethsabé, colocando os alimentos em grandes pratos de barro sobre a mesa.

– E eu quase morro – acrescentou Bartolomeu – quando, na tarde de ontem, me pendurou Jacobo com uma corda grande do alto de um dos precipícios do Quarantana para descer-me ao fundo de uma garganta onde se achavam despenhados três preciosos cabritinhos, que, assim, perderam suas vidas.

– E, como vós também sois três, levareis as três pequenas peles brancas para o pimpolho de Myriam, e, outrossim, os melhores pedaços de carne para que a mãe readquira as forças e crie o Bem-Aventurado como uma graça de Deus – disse a boa mulher, iluminada de felicidade, em quem a virtude de dar estava grandemente desenvolvida.

– Poderemos, então, pensar que os inocentes cabritinhos quiseram oferecer suas vidas ao santo menino que vem à Terra para salvar toda a Humanidade? – perguntou Josias a seus companheiros.

– Pode ser que sim – respondeu Jacobo, aproximando os bancos da mesa e fazendo com que os hóspedes se acomodassem. – Pode ser que sim, mas não me recordo que haja ocorrido uma tríplice morte desde que abri os olhos para a luz.

— De fato, isto ocorre vez por outra — volveu Bethsabé — quando algum lobo faminto se aproxima da região, e as cabras se reúnem, ao sentir pelo olfato sua aproximação. Acontece, então, que elas mesmas se despenham ou lançam seus filhotes ao fundo dos precipícios. Há alguns anos, isto era muito comum, porque os lobos se aproximavam freqüentemente até junto da cerca que rodeia a casa. Meu pobre Andrés e eu tivemos muito trabalho para impedir que eles atacassem o nosso gado.

E, enquanto em suas pupilas aparecia o brilho de umas lágrimas que ela não deixava correr, a boa mulher exclamou:

— Quão felizes teríamos sido nós, se ele houvesse chegado com vida até este grande acontecimento!

— Mãe — interrompeu o jovem Bartolomeu —, sempre esqueces o que nos disse o Mestre essênio do Monte Hermon, quando nos trouxe a triste notícia que ainda lamentas.

— Poderemos saber o que ele disse? — perguntou Elcana, procurando uma idéia piedosa para consolar Bethsabé.

— Dize o que ele nos disse, Mãe — insistiu o jovem.

— É que o meu Andrés foi surpreendido pela morte lá para o Norte do País, em uma viagem que fez a mandado dos Anciãos do Monte Quarantana. O Servidor do Monte Hermon determinou a um dos Essênios daquele Santuário que trouxesse as últimas palavras de Andrés, que entregara sua alma a Deus, nos braços dos Anciãos gratos pelo seu sacrifício.

— Conta-nos como foi a ação heróica de nosso Irmão Andrés, para que aprendamos também a sacrificar-nos, se acontecer um caso idêntico — disse Alfeu, demonstrando seu desejo de conhecer virtudes alheias, coisa muito comum entre os Essênios, ou seja, comentar as nobres e belas ações do próximo.

— Os Anciãos daqui — continuou falando a boa mulher — necessitavam de um homem de confiança que fosse trazer, com alguns asnos, cereais e legumes, frutas secas e azeitonas da Galiléia, tão rica em todos esses produtos, dos quais esta árida terra carece. Eles haviam recebido aviso do Santuário do Monte Hermon, dizendo que já estava pronto um abastecimento a ser transportado para cá. Meu Andrés foi escolhido para essa delicada missão. Cheio de alegria, disse, ao despedir-se de nós:

"— Que felicidade a nossa, Sabé (*), por ser eu o escolhido para trazer o sustento destinado aos servos de Deus!"

"Longe estava ele de saber que, com isto, perderia a vida. Levava três homens para ajudá-lo, mas um deles se vendeu por algumas moedas de prata e revelou, a uns foragidos que assaltavam viajantes, que meu marido levava pequenas barras de ouro e de prata extraídas pelos Anciãos nestas montanhas, com as quais pagaria os produtos a serem trazidos. Andrés suspeitou isto e ocultou as barrinhas dentro dos sacos de feno e bolotas, pendurados na cabeça dos asnos nas horas de dar-lhes as rações.

"Aconteceu que, não tendo encontrado o ouro na tenda, eles se fartaram de dar-lhe pauladas, de tal forma que os dois criados fiéis tiveram de levá-lo meio morto sobre um asno. Foi enorme o esforço dos Anciãos dali no sentido de querer curá-lo; ele, porém, estava muito ferido e, como resultado, morreu sem poder tornar a ver-nos sobre a Terra."

— Foi um Essênio, mártir de seu silêncio e de sua fidelidade! — disse Elcana com reverência e piedade.

(*) Forma reduzida de Bethsabé (N.T.).

Os três hóspedes se puseram de pé para render homenagem ao valente Irmão que preferiu deixar-se maltratar a entregar o tesouro que lhe havia sido confiado.
— Que Deus misericordioso o tenha em Seu Reino de Luz Eterna! — exclamou Josias.
— Assim seja! — responderam todos.
A pobre Bethsabé chorava silenciosamente.
Entretanto, Alfeu e Josias, ambos clarividentes, viram uma silhueta astral, espécie de nuvem esbranquiçada, que se condensava cada vez mais ao lado de Bethsabé, a qual, sentindo algo assim como o roçar de uma aragem fresca, voltou o rosto, ao mesmo tempo que as mãos fluídicas da visão tomavam sua cabeça e a abençoavam ternamente, dizendo-lhe:
— Não chorarias assim, mulher da minha juventude, se soubesses quão feliz sou por haver comprado com a minha vida o sustento dos servos de Deus e de todos vós. Consola-te com a notícia que te trago: assim que nosso Jacobo tomar esposa, virei a ser o filho primogênito dele e me chamareis novamente Andrés; serei, pois, teu primeiro netinho. — Beijando ternamente a todos, desapareceu.
A feliz Bethsabé, que, pouco antes, chorava de tristeza pela amarga recordação, chorava agora de felicidade pela notícia de Andrés que voltaria para junto dela como seu primeiro netinho.
— Bendita seja a Eterna Lei, que tem tão grandiosas compensações para os justos! — exclamou Elcana.
— Bendita seja! — responderam todos, surpresos em seus ânimos pelo que acabavam de presenciar.
Logo depois de terminada a refeição, os três empreenderam o regresso; mas, antes, tiveram de aceitar quantos presentes quis a boa Bethsabé levassem para si e para o "menino de Myriam", como diziam quando ainda não se atreviam a mencionar em voz alta: para o Menino-Deus, nascido em Betlehem.
Inteirada a família de Andrés de que a ditosa mãe do recém-nascido pensava em demorar-se por longo tempo na casa de Elcana, até que as contingências da penosa viagem não mais oferecessem perigo algum para a criança, seus membros anunciaram sua visita, porque não era possível — diziam — que ficasse uma só família essênia sem conhecer o Divino Enviado de Deus que vinha salvar os homens.
Fazia tantos anos que seus Mestres Anciãos os impeliam a rogar em todas as horas do dia:

"Manda, Senhor, Tua Luz sobre a Terra, que perece em suas trevas!
"Manda-nos, Senhor, a água de Tua Misericórdia, porque todos perecemos de sede!
"Dá-nos, Senhor, Teu pão de flor-de-farinha, porque a fome da justiça nos acossa!
"Lembra-Te, Senhor, de Tuas promessas, que esperamos ver cumpridas nesta hora de nossa vida!"

Como, pois, a grande família essênia, disseminada pelas montanhas da Palestina, não haveria de entoar um hosana triunfal, quando, a meia-voz, foi correndo de uns para outros a grande e alvissareira notícia?
Dir-se-ia que a Eterna Lei havia querido que a descida do Avatara Divino fosse o mais próximo possível ao grande Santuário Essênio, depositário dos tesouros da antiga Sabedoria, onde se encontravam encarnados grandes e fiéis amigos do Homem-Deus que acabara de chegar.

Ali, por exemplo, encontrava-se Hilcar da Tapalken, com o nome de Eliézer de Esdrelon. Do mesmo modo que, nas montanhas da Ática pré-histórica, ele havia sido fiel guardião da Sabedoria de Antúlio até que o Verbo voltasse à Terra na personalidade de Abel, guardava ele agora a Sabedoria de Moisés, esperando um novo retorno do Missionário do Amor na grande personalidade de Jhasua, filho de Myriam e de Joseph.

Tendo escapado milagrosamente das matanças de hebreus nos primeiros tempos do domínio romano, havia ele fugido para as montanhas, quase menino, em companhia de sua mãe e de seu idoso avô, com os quais se viu obrigado, muitas vezes, a recolher bolotas de carvalho destinadas às varas de porcos que pastavam nos campos da Judéia.

Um viajante que vinha do país de Haran encontrou-os refugiados numa caverna existente nas montanhas do Líbano. Colocando o ancião, a mulher e o menino sobre sua carroça puxada por três mulas, levou-os até En-gedi, ponto final de sua viagem.

Aquele viajante dizia-se ele mesmo ser ilustre médico, um terapeuta que ia até as salinas do Mar Morto para buscar sais venenosos, com os quais compunha drogas para curar, em seu país, certas enfermidades infecciosas.

Foi assim que aqueles três infelizes fugitivos chegaram aos Essênios do Monte Quarantana e dali aos Montes de Moab, quando o menino, já jovem, iniciou sua carreira, coroada sempre de grandes êxitos.

Lá também se encontrava o Kobda Adonai, Phara-home (*) do Nilo, na época de Abel, desta vez encarnado com o nome de Ezequias. Ambos, com cinco Essênios de menos idade, estavam encarregados dos Arquivos, nos quais havia uma enormidade de escrituras de muitos países e nas línguas mais variadas. Os Essênios empregavam vidas inteiras em decifrar aquelas escrituras, mais por iluminação espiritual do que pela pura análise. Todas elas eram traduzidas para o siro-caldaico, o qual, na época, era o mais generalizado idioma da Ásia Central.

No colossal Santuário dos Montes de Moab, que era como uma grande cidade de enormes grutas abertas por antiqüíssimas explorações mineiras, parecia haverem-se reunido elevados espíritos da Aliança do Cristo, em suas respectivas manifestações físicas no planeta Terra, pertencentes às mais diversas corporações da Antigüidade:

Marinheiros libertadores de escravos, de Juno, o mago das tormentas; os *Profetas-médicos*, de Numu, a quem as pessoas daquele tempo chamavam *Salva-vidas*, em virtude de seus grandes conhecimentos de medicina naturista, por intermédio da qual realizavam curas maravilhosas; os *Profetas-brancos*, de Anfião, o Rei Santo, que foram instrutores e mestres de todo um Continente; os da *Escola antuliana*, chamados, mais tarde, *Dáckthylos*, que forjaram a gloriosa Ática nas Ciências e nas Artes, berço e origem da posterior civilização européia; os primeiros *Flâmines* da Índia, ou *Terra onde nasce o Sol*, que tomaram seu nome e sua sabedoria dos ensinamentos de Chrisna, dados a seu discípulo Arjuna, origem da profunda filosofia Védica, que, ainda hoje, não se chega a interpretar em toda a sua amplitude e oculta sabedoria; os *Mendicantes*, do Bhuda, que, para iludir as perseguições de que era objeto seu elevado ensinamento, ocultavam-se sob a humilhante indumentária de peregrinos-mendigos, que recolhiam esmolas para sustentar suas vidas. Eram mestres de almas que iam deixando em cada consciência uma chispa de Luz e, em cada coração, um incêndio de amor para a Humanidade; os *Profetas-terapeutas* de Moisés, que se

---

(*) Phara-home: homem-farol, homem-luz ou homem-guia; nome esse posteriormente vulgarizado para faraó (N.T.).

disseminaram desde o Nilo até o litoral do Mediterrâneo, sobre toda a chamada Terra da Promissão, ou seja, a Palestina, a Síria e a Fenícia, porque era sabido, há muitos séculos, que naquelas latitudes apareceria a derradeira manifestação do Avatara Divino; e, por fim, os *Essênios*, que chegaram até o Nascimento de Jhasua, foram a prolongação destes *Profetas-terapeutas da Escola Mosaica*.

Nos Arquivos essênios, achava-se reunido tudo quanto de luz, de ciência e de conhecimento havia trazido o Cristo para a humanidade terrestre, por intermédio das imensas legiões de Seus discípulos e seguidores.

Quão estranho nos parece imaginar que setenta homens passaram toda uma existência catalogando, ordenando, traduzindo e interpretando aquele vastíssimo Arquivo de Divina Sabedoria, abrangendo os milhares de séculos que haviam decorrido por toda a face da Terra!

Os Essênios do Monte Hermon, na cadeia do Líbano, os do Monte Ebat, na Samaria, os do Carmelo e do Tabor, na Galiléia, e os do Quarantana estavam obrigados, por uma lei comum a todos os Santuários, a enviar substitutos e sucessores aos que enfermavam ou morriam no Santuário de Moab, onde jamais deviam faltar os Setenta Anciãos, com os quais formou Moisés sua alta Escola de Sabedoria Divina.

Essênios, pois, foram os cristãos dos primeiro e segundo séculos, em sua maioria, até que a nova doutrina se estendesse aos países distantes, para derramar-se, finalmente, sobre todas as raças deste Orbe.

Cenários do Infinito

Descendo das ásperas colinas do Monte Quarantana, os três viajantes regressam, passo a passo, repletos de alegria interior e carregados com os presentes que a família de Andrés enviava para o filho de Myriam.

Enquanto isso, contemplemos, com a rapidez que é permitida através destas linhas esboçadas em páginas de papel, dois cenários completamente distintos, abrangendo grandes extensões de terra e mui diversos e distantes países.

O cântico de paz, de amor e de glória que soara na imensidade dos espaços infinitos, havia ressoado igualmente em cada alma que, com a Luz interna da Sabedoria Divina, esperava a chegada do Homem-Deus: "Glória a Deus nos Céus infinitos, e paz, na Terra, aos homens de boa vontade!"

De outra parte, assim como esse cântico vibrara para todos os Essênios refugiados em seus Santuários, havia ele ecoado também nas Escolas Ocultas e Secretas de Gaspar, Melchor e Baltasar, nas províncias onde elas existiam há muitos anos. Em conseqüência disso, por toda a Síria, Fenícia e Palestina, um estranho movimento começou a agitar alegremente as almas sob diversas formas e manifestações de felicidade, segundo o prisma por meio do qual olhava, cada um, o grande acontecimento.

Aqueles que, embora já pertencendo à Fraternidade Essênia, apenas a conheciam como continuadora dos ensinamentos de Moisés, aceitavam a interpretação dada pelos sacerdotes, relativamente à futura vinda de um Messias, Salvador de Israel.

O povo de Israel caíra sob o domínio de Roma, rainha e senhora do mundo civilizado de então. Esta subjugação era a tal ponto amarga e dura para os israelitas – convictos de possuírem todas as prerrogativas de *povo escolhido* – que, para eles, nenhum acontecimento poderia ser maior do que a aparição de um Messias-Salvador.

Deste ponto de vista, interpretavam os hebreus todas as anunciações e profecias, a partir da remotíssima idade de Adamu e Evana (*), ou seja, desde os começos da Civilização Adâmica.

Muitas dessas anunciações e profecias se haviam verificado nas diversas permanências do Homem-Luz sobre a Terra. Algumas delas haviam tido seu cumprimento em Abel, outras em Chrisna e outras, ainda, em Moisés e Bhuda.

Mas, para o povo hebreu, tudo revestia um só aspecto naquela hora: um Messias-Salvador que, empunhando o cetro de David e de Salomão, levantasse Israel acima da poderosa dominadora de povos: Roma.

Se algum versículo nos Livros Sagrados inseria, em seus enigmáticos cantos, frases como esta: "Disse Jehová: Mandarei meu Filho para que se ponha à frente de Meu povo", era ele interpretado, sem motivo de dúvida alguma, no sentido de que o Enviado de Deus seria um glorioso príncipe, ante o qual se renderiam todos os reis e poderes da Terra. Era simplesmente uma inspirada alusão a Moisés, que libertara os Hebreus da escravidão do prepotente Egito dos Faraós, em que, naquele tempo, eles gemiam, cativos.

Em algum dos diversos cativeiros e dispersões que a raça havia sofrido, vários sensitivos, profetas ou ascetas hebreus haviam tomado conhecimento de uma estrofe apocalíptica na qual se fazia referência ao Grande Ente que haveria de vir a ser chamado "Príncipe da Paz". De igual modo, aplicava-se ao presente outra alusão, recebida por um clarividente da antiga Pérsia com relação a Chrisna. Ora, tudo isso reforçava, em muito, o sonho daquele povo, no sentido de que o Messias deveria ser um rei poderoso que viesse a dominar todos os soberanos do Orbe. Foi por esta razão que as grandes esperanças dos hebreus em geral se erguiam sobre bases equivocadas.

Só os Essênios, desde os primeiros graus, estavam isentos desse pensar equivocado, devido à instrução que recebiam, ano após ano, nos Santuários da Fraternidade. Era por isto que eles se mantinham em mudo recolhimento, conservando-se calados sempre que ouvissem aquele insensato sonhar das turbas em geral.

Somente os Essênios sabiam que o Homem-Luz apareceria sobre a Terra para dar o retoque final a Seu magnífico estandarte, no qual Ele mesmo havia estampado, com Seu sangue divino de Mártir, o ideal da Fraternidade, do Amor e da Paz que sonhara para Seus irmãos deste Planeta.

Apenas eles sabiam que a humanidade terrestre estava atingindo o limite de tolerância da Divina Lei que determina o aniquilamento dos rebeldes incorrigíveis que, depois de milhares de séculos, não houverem aprendido a amar seus semelhantes, nem ao menos o necessário para não causar-lhes dano deliberadamente.

Todos os guias de humanidades, os elevados Instrutores de Mundos, sabem e conhecem o terrível processo da Eterna Lei, uma vez haja sido ultrapassado o vencimento do prazo, o limite e a hora, após imensos períodos de impassível, serena e imperturbável espera.

Tão-só uma infinita torrente de Amor Divino podia transmudar o tremendo cataclisma das almas embrutecidas no mal, das inteligências perturbadas pelo crime, pelo ódio ou pela satisfação implacável do pecado.

Apenas um fragmento, uma centelha da Divindade, desprendendo-se do Grande-Todo-Universal e descendo para a miséria humana como uma estrela a um lodaçal,

---

(*) Adão e Eva (N.T.).

podia operar a estupenda transmutação das formidáveis correntes de aniquilamento, prontas a se descarregarem sobre a humanidade da Terra. E, com efeito, essa centelha da Divindade desprendeu-se da sua Eterna Vestimenta de Luz para arrastar consigo, como um radiante fluxo, a irresistível corrente do Amor Criador e Vivificador, pelo impulso do qual surgem sistemas de planetas, miríades de sóis e de estrelas, milhares de universos compostos de milhões de mundos.

Como uma centelha, um florão da Divindade não haveria de salvar os pequenos mundos de sua iminente ruína que, da mesma forma como a Terra, reclamavam o beijo do Amor Eterno para não serem aniquilados?

Por isto, os Essênios não esperavam um Messias Rei de Israel, mas a encarnação do próprio Criador, um resplendor da Luz Incriada, um reflexo da Suprema Justiça, uma alento vivo do Amor Soberano: um Deus feito homem.

Tal é o mistério do Verbo feito carne, sobre o qual os filósofos de todas as tendências ideológicas encheram bibliotecas e mais bibliotecas, sem haver chegado ainda a se fazerem compreender pela Humanidade.

A palavra de bronze e de fogo do Cristo *"Deus dá sua Luz aos humildes e a recusa aos soberbos"* cumpre-se através dos séculos e das idades. Foi esta a razão pela qual os grandes doutores de Israel, folheando volumes e mais volumes, em suas faustosas estantes de ébano e de nácar, ou sob dosséis de púrpura no Templo de Jerusalém, não puderam compreender nem assimilar a magnífica e luminosa verdade que os Essênios, em suas cavernas de rocha ou disseminados em choças de artesãos ou de pastores, haviam visto brilhar como chuva de estrelas, nos puros e límpidos horizontes em que se desenrolavam suas vidas.

Ainda continuam questionando em todos os tons da dialética, nas esferas sutis da teologia e da metafísica, até formar as mais inverossímeis criações mentais que não resistem às análises severas da ciência racionalista, nem sequer à lógica mais elementar.

Nasceu daí o incompreensível enigma da Trindade, ou seja, do Deus Trino em pessoa e Uno na essência, única forma encontrada pela teologia para explicar o que era esse Homem-Deus. Dessa mesma incompreensão surgiu também a anticientífica e anti-racional afirmação de que no seio de uma virgem se formou um corpo humano sem o concurso de um homem, como se a maternidade e paternidade ordenadas pela Natureza, que é a mais perfeita manifestação da Sabedoria Divina, fora um demérito ou uma nódoa para a humanidade criada pela sua Vontade Onipotente; demérito e nódoa das quais a teologia queria livrar a divina encarnação do Verbo.

Em todas essas pesadas elucubrações mentais, ermas de Luz Divina, teve-se muito em conta a Matéria e muito pouco o Espírito. Tanto assim que, procurando engrandecer a excelsa personalidade do Homem-Deus, cobriram-no com um halo intangível de mistério, sem considerar que aquela radiante Inteligência – vibração de Deus-Amor – era excelsa e puríssima por si mesma, e que o inacreditável não poderia acrescentar um único ápice de grandeza à Sua plenitude magnífica, no conjunto de Suas qualidades extraordinariamente perfeitas.

Desse Infinito Oceano desprendeu-se um caudal para a Terra, habitada por uma humanidade tão inferior na sua grande maioria que foi necessário encerrar aquela Torrente Divina num vaso de argila que estivesse ao alcance do homem terreno, de sorte que ele pudesse beber dessa linfa cristalina, ver nela refletida sua imagem grosseira, tocá-la, apalpá-la, amá-la, escutá-la e segui-la, como se segue uma luz que ilumina o caminho; como segue o menino a quem lhe dá o pão, como segue um cordeiro ao pastor que o leva ao prado e à fonte.

Os doutores de Israel não sabiam que esse cristalino e puro caudal do Infinito Oceano Divino se havia desprendido *nove vezes* em diferentes idades e épocas para arrastar atrás de si todo o Amor da Divindade, toda Sua Sabedoria, toda Sua Piedade, toda Sua Luz, Sua Verdade e Grandeza imutáveis. Se alguns dos velhos Essênios da família sacerdotal haviam podido ficar ainda nos átrios do Templo, ao amparo de uma incógnita rigorosa, sepultavam no mais profundo segredo seus princípios da Sabedoria Oculta. Quão longe estava, pois, o povo de Israel de imaginar sequer a grandiosa verdade!

Chegou o momento, leitor, em que deves continuar seguindo-me por esta vereda humilde e escondida, que o Deus-Amor te descobre para que conheças e percebas quem era Jhasua, o Cristo que descia a este Orbe.

Na magnífica obra "Origens da Civilização Adâmica", escrita pelo antigo Kobda Sisedon de Trohade, Phara-home de Neghadá (*), sobre o Nilo, admiram-se grandiosos quadros vivos das mais elevadas regiões das Inteligências sobre-humanas e de suas radiantes moradas no imenso Infinito. O último volume da dita obra está consagrado quase exclusivamente a esse assunto, sobre o qual o discreto Autor não pôde estender-se mais, devido ao caráter próprio desse trabalho.

Nas páginas dessa obra, escrita para as massas populares da próxima geração, não pôde o Autor dar acolhida a certas verdades mui profundas e distantes de tudo quanto conseguem perceber e apalpar os sentidos físicos deste plano inferior. Da mesma forma, em qualquer ramo dos conhecimentos humanos, nenhum mestre ou professor dá a um menino, que ele inicia, aquilo que pode e deve dar a um adulto que segue um curso superior de estudos. *"A ordem é força construtiva"*, reza um velho ditado da antiga sabedoria e mais ainda em questões suprafísicas.

Entremos, pois, amado leitor, guiados por emissários da Divina Sabedoria, no Infinito Reino da Luz Incriada, em busca de Jhasua, o Ungido Salvador da humanidade terrestre.

Quando, nas noites serenas de primavera ou de verão, contemplares o espaço azul, medita em que, muito além de quanto percebe teu olhar, guarda o Altíssimo seus insondáveis segredos, reservados para aquele que busca com perseverança e amor.

Vês rodar pelo imenso véu de turquesa milhões e milhões de globos radiantes. A Ciência Astronômica esclarece que são constelações ou grupos de estrelas e sóis, alguns sendo centros de sistemas, planetas e planetóides, satélites e asteróides, estrelas fixas e estrelas errantes, além de cometas erradios, que cruzam o espaço como que impelidos por um invisível furacão. A esse respeito, a Astronomia tem dito muito, mas sempre dentro daquilo que alcançam o telescópio e os sistemas de cálculos sobre distâncias e velocidades dos astros em suas rotas eternas.

A moderna Filosofia, baseada em boa lógica, ensina um pouco mais: que os globos siderais são habitações de humanidades, porque seria infantil pensar que só a Terra, qual uma avelã nos espaços, estivesse habitada por seres inteligentes e não o fossem também os demais astros, alguns dos quais, em muitíssimos aspectos, são superiores ao nosso Mundo.

É, pois, chegada a hora para que as Escolas de Sabedoria Divina levantem o véu que encobre os mistérios do Grande-Todo, a fim de que o homem do Novo Ciclo, que está chegando aos portais da vida, perceba o que existe para além da atmosfera que o envolve.

(*) Hoje se chama Alexandria (N.T.).

Algumas Fraternidades Ocultas da Antigüidade ensinaram os segredos divinos a seus mais altos iniciados; mas, como se anteciparam à época, tudo desapareceu sob a mole da ignorância, da inconsciência e do fanatismo de todos os tempos. Deste modo, as fogueiras, os cadafalsos e os calabouços perpétuos sepultaram as grandes verdades, como são sepultados os cadáveres, para que se transformem em pó nas profundezas do Globo.

A "Fraternidade Cristã", ungida de Amor e Fé, levanta outra vez o Grande Véu para a Nova Humanidade já em aproximação e que será, pela Lei desta hora, a mãe que recebe e aconchega em seu seio o Grande Jhasua, que se lhe apresenta como realmente é na infinita Eternidade de Deus.

Os grandes sóis ou estrelas, chamados de primeira grandeza, são para o físico centros de energia e de força vital, que arrastam atrás de si inúmeros globos atados a eles pelas leis de atração. Para a inteligência iluminada pela luz superior – que interroga a todas as ciências e coisas perguntando "*Quem é Deus?*", sem que, até hoje, ninguém lhe tenha respondido satisfatoriamente – existe um poema eterno, ainda não escrito e que tampouco foi lido pelos homens: *O poema de Deus e das Almas!*

Com o auxílio divino, atrever-me-ei a esboçá-lo. Desde o mais ínfimo ser dotado de vida até o homem mais perfeito, há uma enorme escala de ascensão, à qual a Ciência Psíquica chama de Evolução. E, mais acima do homem, que é que existe? Seres que, um dia, foram homens, os quais, prosseguindo em sua evolução, continuaram subindo cada vez mais, durante ciclos e épocas imensuráveis, até que, através de inumeráveis graduações, chegaram a unificar-se com o Grande-Todo, ou seja, a Suprema Energia, a Eterna Luz.

Esta gloriosa escala tem suas hierarquias, cada uma delas formando legiões mais ou menos numerosas.

Defini-las-ei concretamente. Primeira hierarquia: Anjos guardiães; é o primeiro grau na escala da perfeição superior a que pode chegar um homem que alcançou sua purificação.

As Inteligências desta Legião podem encarnar no plano físico da Terra e em globos de igual adiantamento. Suas características gerais são: incapacidade para o mal de qualquer natureza que seja e a predisposição para todo bem que pode realizar um ser revestido de carne. Isto, quando se acham vivendo como homens neste Mundo.

Agora, em estado espiritual, como seu verdadeiro nome indica: são os guardiães e zeladores de todas as obras que, em benefício da Humanidade, se realizam nos mundos de aprendizagem e de prova, como é este Planeta. São eles, ordinariamente, os inspiradores de toda boa ação, os consoladores de todas as dores dos homens encarnados e dos desencarnados que habitam na esfera astral dos planos físicos. Além disso, são os intermediários entre a dor humana terrestre e as divinas fontes de consolo e de alívio, se o merecerem.

Os que estão de guarda ao redor de um planeta, permanecem, de modo geral, em sua esfera astral ou estratosfera e podem, em casos justificados, subir ou descer à vontade, mas sempre para propender ao bem. Então tomam o nome de *Círios da Piedade*. Auferem grandes épocas de repouso na Luz para adquirir maiores conhecimentos e poderes, pois as Inteligências desta região podem tomar caminhos e rumos diferentes, segundo as inclinações e vontades de seu Eu Superior.

Seu estado é de perfeita felicidade, e o grau de sua compreensão e conhecimento de todas as coisas ultrapassa, em muito, os mais avantajados espíritos encarnados na Terra.

As estrelas, os planetas ou sóis adiantados possuem, além da esfera astral imediata à atmosfera física, várias esferas radiantes mais ou menos sutis, segundo o grau de evolução ao qual o astro chegou; e é nessas esferas concêntricas e sobrepostas que as inteligências puríssimas, chamadas Anjos Guardiães, têm sua morada habitual. Governadas por poderosos Hierarcas de sua própria Legião, obedecem placidamente ao simples reflexo dos pensamentos daqueles que, desde logo, estão enquadrados dentro das leis e missões próprias da grandiosa falange, a mais numerosa de todas. Cada subdivisão ostenta, em sua etérica e sutil vestidura, uma das cores do arco-íris. Subentende-se daí que são sete as grandes falanges sob sete Hierarcas da mesma Legião.

Leitor amado: Se interrogarmos a qualquer destes Hierarcas dos Anjos de Deus onde encontraremos Jhasua, o Cristo, responder-nos-á como respondeu João, o Batista, quando lhe perguntaram se era ele o Messias anunciado pelos Profetas:

"Nós nem sequer somos dignos de desatar os cordéis de Suas sandálias. Podereis encontrá-LO muito mais acima de onde nos achamos! Subi!"

Subindo às radiantes esferas sutis que envolvem os globos siderais de grande perfeição, encontraremos – entre mares intermináveis de luz, de belezas indescritíveis, em face das quais são opacos reflexos as mais admiráveis belezas da Terra – outra numerosa hierarquia de Inteligências purificadas, que irradiam amor, poder, sabedoria, em grau muitíssimo superior à legião anterior. São os Arcanjos, chamados também Torres, Murais ou Muralhas de Diamantes, segundo o idioma em que tais nomes são escritos.

São eles os senhores dos elementos ou forças poderosas, que aparecem, às vezes, nos planos físicos. Cabe a eles governar as correntes que preparam as encarnações de espíritos em determinados mundos, entre umas e outras raças, de acordo com o grau de sua evolução e conforme a altura da civilização com que devem cooperar.

Guardam o livro da Vida e da Morte, marcando, com precisão e justiça, as expiações coletivas dos povos, das nações ou dos continentes. Ainda que mui raramente, encarnam também nos planos físicos, principalmente quando algum grande Espírito Missionário deve permanecer ali, em cumprimento de uma Mensagem Superior de grande importância. Têm, outrossim, seus grandes Hierarcas, os quais, em Conselho de Sete, distribuem as missões ou as obras a serem realizadas.

Vestem, igualmente, túnicas sutis nas cores fundamentais mais esplêndidas e radiantes, diferenciando-se, porém, dos precedentes por estarem providos de grandes antenas brancas, em forma de asas, que parecem tecidas de resplandecente neve. Nelas residem as poderosas forças que os fazem donos e senhores dos elementos.

Se a qualquer destes Hierarcas dos radiantes Arcanjos perguntarmos se entre eles está Jhasua, o Cristo, responder-nos-á da mesma forma que os anteriores: "Subi, subi, porque nós só somos Seus servidores quando Ele está em missão."

Continuaremos subindo, leitor amigo, rumo a esferas e planos cada vez mais radiantes e sutis, onde residem os Esplendores e as Vitórias, à maneira de esposos adolescentes, cujo recíproco amor os complementa para a constante e permanente criação das formas e dos tipos de qualquer manifestação de vida que se observa nas complexas e sábias combinações da Natureza. São eles os excelsos condutores da *onda mágica*, que não é fogo nem água, porém matéria radiante, da qual recebem sua luz todos os sóis, todas as estrelas mais esplendorosas, e donde surgem os princípios de todo som, de toda harmonia, de toda voz, capazes de deleitarem os entes mais delicados.

Essa onda mágica oscila em rítmicos e eternos vaivéns, e, entre suas ondulações luminosas, se desvanecem, sobem, descem, enlaçam e flutuam esses incomparáveis espíritos, radiantes de beleza, de harmonia, de força imaginativa e criadora, em sua própria e inefável suavidade.

Basta que esses espíritos pensem uma forma, um tipo, um som, uma cor, e eis que, da onda formidável de matéria radiante em que eles deslizam e vivem como em seu próprio elemento, aqueles mesmos pensamentos vão surgindo como outras tantas formas, tipos, sons e cores para que a Eterna Mãe-Natureza conceba, em seu fecundo seio, aquelas divinas manifestações de vida que nenhum artífice terrestre é capaz de forjar, nem sequer em pálida semelhança.

Se agora esses entes – cuja felicidade suprema está na contemplação de suas eternas criações, para povoar os universos e os mundos das múltiplas formas de vida, propendendo, assim, para a evolução de todos os seres orgânicos e inorgânicos – escutassem nossa curiosa pergunta: "Está, porventura, entre vós, Jhasua, o Cristo?", eles nos responderiam, sem deter o harmônico movimento de suas mãozinhas qual lírios:

"Jhasua, o Cristo, é uma harpa viva, sempre a vibrar entre os *Amadores*, e é da Sua eterna vibração de Amor que aspiramos as notas sublimes e terníssimas para plasmar criações doces, amorosas e sutis ...; para forjar o grito de amor de u'a mãe, o canto amoroso de uma filha, a poesia de imensa ternura de uma esposa, que sabe sacrificar-se por um amor capaz de ultrapassar todas as coisas.

"Nós, como podeis ver, criamos a forma, o tipo, o som, a cor ... Mas Jhasua cria o Amor mais forte do que a dor e a morte! ... Subi ao Céu dos *Amadores* ou das Harpas Eternas! ... Ali O achareis entre os Amantes heróicos e geniais, que dão a própria vida ao Amor que os leva até a morte por aqueles que não sabem nem querem amar! ...

"Das nossas criações surgem todas as formas e tipos de vida, de beleza, de cor e de harmonia que observais nos mundos por vós habitados; mas dos *Amadores*, Harpas Eternas de Deus, emana perpetuamente o Amor, que é consolo, paz, esperança e salvação em todos os mundos do Universo. São eles os únicos que podem ser chamados *Salvadores de humanidades*.

"Subi, subi ao Céu Divino dos Amadores, onde vive a glória de Seus heróicos amores: Jhasua, o Cristo Divino, que vindes buscando."

Subamos, finalmente, à Constelação de Sírio, para não mencionar outras das milhares e milhares, que são moradas de luz e de glória das Harpas Eternas do Divino Amor.

Muito antes de chegarmos à esfera astral, que envolve essa formosíssima constelação, surpreende-nos grande quantidade matizada e compacta de uma espécie de fibras luminosas, sutilíssimas, nas róseas cores da aurora, quando o sol estival está prestes a levantar-se – fibras, raios ou estrelas que parecem nascer nos próprios globos daquele radiante sistema. Quem, pela vez primeira, chega a tais alturas, imagina que aquela infinidade de raios luminosos constitui como que defesas para impedir a chegada dos profanos, tal como, na Antigüidade, algumas famosas fortalezas se achavam eriçadas de pontas de lanças agudíssimas e, às vezes, até envenenadas, como formidável baluarte contra inimigos desconhecidos, mas possíveis.

O Guia ... (ali ninguém pode chegar sem ser conduzido por um experiente Instrutor) nos diz: "Não temais, que estes raios não ferem ninguém, apenas acariciam com infinita doçura."

– Que é que são, pois, esses raios, é por que estão como que formando uma selva de fibras de luz rosada ao redor desses magníficos sóis? – perguntamos nós.

São as poderosas antenas que, nascidas do plexo solar ou centro de percepção dos Amadores ou Harpas Eternas, atravessam toda a imensa esfera astral daquela Constelação habitada por eles e permanecem perenemente estendidas para os espaços que os rodeiam em todas as direções, a fim de captar com facilidade o Amor e a Dor de todos os mundos do Universo a que essa constelação ou sistema pertence. Essas Harpas Vivas e Eternas estão percebendo as dores dos seres humanos que, dos mundos mais diversos e longínquos, Lhes pedem piedade, consolo e esperança ..., ao que Eles – Deuses de Amor e de Piedade – emitem, com extraordinária energia, o consolo, a esperança e o amor que se Lhes pedem.

Eis, pois, aí, o efeito maravilhoso e imediato de uma oração, pensamento ou prece dirigidos a tão excelsos e puríssimos Seres: Amadores, Harpas Eternas do Infinito ... Vivem amando eternamente, e, quando Suas antenas captam gritos desesperados de angústia de mundos ameaçados por cataclismas que só o Amor pode remediar, precipitam-Se de Suas alturas de felicidade eterna, como pássaros de luz entre as trevas dos mundos de dor e de prova, para salvar, à custa de tremendos sacrifícios e até da própria vida, aqueles que ainda podem ser salvos e redimidos!

Aliás, acontece que, agora mesmo, Jhasua, o Cristo Divino, Se encontra entre nós, feito, pela nona vez, o Salvador do homem terrestre! ... Jhasua, o excelso Amador que ama acima de todas as coisas e para além da Dor e da Morte! ... Jhasua, que semeia o Amor em todas as almas da Terra, e, passadas muitas centenas de séculos, volta para procurá-las e ver se, nelas, o Amor floresceu! ...

Que estará fazendo Jhasua em Seu diáfano Céu da constelação radiante de Sírio? ...

Vive, acaso, deleitando-Se infinitamente na plenitude da felicidade que conquistou? ...

Vive mergulhado na extática contemplação da Beleza Divina que é posse Sua por toda a eternidade? ...

Vive absorto por novas e novas soluções nos profundos arcanos da Sabedoria Divina, que Lhe abriu, de par em par, as portas de Seu Templo? ...

Em verdade, toda essa grandeza e glória imarcescível tem Jhasua, o Amador, diante de Si; no entanto, não é somente com isto que Ele enche a Sua Vida nos Céus de paz e de felicidade que conquistou.

Jhasua, o Amador, mantém estendidas as cordas radiantes da Harpa Divina que traz dentro de Si mesmo. Essas cordas são antenas de sutil percepção que fazem chegar ao Seu coração o mais imperceptível gemido das almas que, no seio da humanidade da Terra – Sua família há séculos –, queixam-se, choram, padecem, sofrem a decepção, o ódio, o abandono, a desonra, o desprezo dos amados, a injustiça, e toda essa plêiade obscura e tenebrosa das míseras dores humanas, que Ele bebeu até o fundo da taça, em cada uma de Suas etapas sobre o globo terrestre.

Jhasua compreende tudo isso; tudo percebe, tudo sente!

Seu excelso estado espiritual veda-Lhe o sofrimento, mas também Lhe deixa ampla liberdade para amar, e, de tal maneira se derramam sobre aqueles que O amam as incontíveis ondas de Seu amor soberano, que, nos seres mui sensitivos, se manifestam de diversas maneiras, segundo as modalidades, as atitudes e o grau de evolução desses amadores terrestres, a saber:

Os poetas escrevem divinos versos de amor a Jhasua; os compositores interpretam, em música, poemas reais e fantásticos, transbordantes de alegorias e de símbolos, em que o Amor de Jhasua faz prodígios de heroísmo, de abnegação, de beleza suprema; os artistas do pincel e do cinzel plasmam, na tela ou no mármore, as mais belas imagens do Homem-Deus, do Homem-Amor, ao qual, talvez, não chegam a compreender, mas, sim, O concebem como o protótipo mais completo e perfeito do amor levado até a glorificação.

Ninguém sabe, sobre a Terra, que, se o poeta, o músico, o pintor e o escultor se têm mostrado capazes de oferecer à Humanidade tais obras, que são como um arco-íris de amor, de doçura infinita, tudo isso é porque Jhasua, o Amador, tem derramado Sua ânfora sobre a humanidade terrena, e os mais sensitivos beberam umas gotas ... muitas gotas ... talvez um caudal de Sua soberana inundação.

Ó Jhasua, divino Amador! ... Ninguém sabe, neste Planeta, que, se nele existem arroios de água clara, na qual pode o homem saciar sua sede, eles nasceram de Teu seio! ... porque só Tu, Jhasua, Amante genial, sublime e eterno, semeias, nos amadores da Terra, as sementes divinas desse Teu amor, tão grande como o Infinito e mais forte do que a Dor e a Morte!

É a constelação de Sírio uma das maiores e mais formosas que estão ornamentando o Universo visível da Terra, a que pertence o nosso pequeno sistema solar. Havendo, na dita constelação, da qual Sírio é o grande sol central, uma quantidade de globos de segunda, terceira ou quarta grandeza, e habitados por humanidades em diversos graus de evolução, não podemos pensar, em boa lógica, que toda a atenção e o Amor de Jhasua estejam sendo absorvidos exclusivamente pela nossa Terra.

Formam os excelsos Amadores uma legião radiante de Harmonia, de Paz, de Suavidade infinitas, e esses eflúvios divinos estendem-se por todos os globos dessa constelação. Ora, se a Terra percebe e recolhe mais de Suas potentes vibrações de amor, é porque, tendo nela encarnado nove vezes, Jhasua criou fortes vinculações espirituais – laços de amor que não podem romper-se jamais. O mesmo ocorre a cada uma daquelas Harpas Eternas, com relação às humanidades no seio das quais elas têm assumido a natureza correspondente.

Os Amadores que Se tornaram mais conhecidos por nós, por estar Jhasua entre eles, habitam na segunda estrela de primeira grandeza da Constelação de Sírio, catalogando-as da Terra, ponto de observação para esta Humanidade. Quão certo é que as estrelas e as almas se parecem, em suas rotas eternas de solidariedade universal! ...

Aprofundando-nos progressivamente no conhecimento das Inteligências Superiores, defrontamo-nos com uma cooperação e uma compreensão cada vez maiores entre elas, e, bem assim, com uma unificação cada vez mais íntima. É que avançam lenta mas evidentemente para a Eterna Harmonia Universal.

Toda a Sua felicidade está no Amor! A Sua grandeza, Elas a devem ao Amor! Toda a Sua Sabedoria foi bebida na taça do Amor!

    O Amor é Piedade!
    O Amor é Misericórdia!
    O Amor é também Redenção! ...

Eis aí, pois, leitor amigo, o querubim de ouro e de rosas que nasceu em Betlehem, coincidindo com a tríplice conjunção planetária de Júpiter, Saturno e Marte, a qual originou o grande movimento essênio nos povos da Palestina, onde nasceu.

Mas, por que, precisamente, foi o domínio de Israel o Seu berço, e não outras paragens, onde floresciam com maior exuberância as ciências, as artes e todas as grandes manifestações das capacidades humanas?

Como se sabe, Roma, a Grécia, Alexandria do Egito, Antioquia da Fenícia (*) eram, naquela época, empórios de civilização, de esplendor, de ciência e de riqueza. Por que terá o Esplendor Divino do Céu dos Amadores fixado Sua atenção nas humildes serranias, próximas das margens do Rio Jordão?

É que a semente da Unidade Divina, plantada por Moisés, havia deitado raízes entre as gerações de Israel, que, acreditando ser ele o povo predileto de Deus, repelira heroicamente e até com sacrifício da própria vida, a idéia da multiplicidade de deuses, em perenes lutas de ódios fratricidas, uns contra os outros.

Efetivamente, o povo de Israel, com sua inquebrantável idéia de um Deus Único, Essência Imaterial e Intangível, Eterno em sua grandeza e em Suas perfeições, abriu a porta a essa grande esperança no Infinito – nesse Soberano Deus Único, que velava pelo Seu povo, e que, em atenção a seus sofrimentos, deveria mandar-lhe um Salvador.

Foi essa grande esperança de Israel e as profundas súplicas e evocações de seus videntes, profetas e grandes iluminados, durante séculos e séculos, que atraíram o pensamento e o amor de Jhasua para aquele povo, em cujo meio havia Ele vivido muitos séculos antes, povo esse que, malgrado todas suas incompreensões e deficiências, O amava sem compreendê-LO, e O buscava sem haver aprendido a segui-LO. Exatamente esse Amor, *mais forte do que a morte*, em Israel, atraiu Jhasua aos vales da Palestina, à Terra de Promissão que Ele, em Sua existência como Moisés, vislumbrara como o cenário final de Sua grandiosa glorificação na qualidade de Salvador dos homens.

O caminho de Jhasua foi sempre um e o mesmo, desde o início até o fim; uma só doutrina, um só ideal em busca de uma única e formosa Realidade Eterna: a Fraternidade Humana, princípio este que se enquadra na Harmonia e no Amor Universal.

De fato, as luminosas Inteligências, que palpitam e vibram dentro da Grande Idéia Divina, não variam nem modificam jamais o Seu caminho, porque ele constitui parte integrante dessa mesma Eterna Idéia Divina, em virtude da qual pôde Jhasua dizer com toda a verdade: "*Os Céus e a Terra passarão, mas Minhas palavras não hão de passar.*"

Enquanto isso, o pequeno querubim de nácar e de ouro, de leite e de rosas, como diria o Cântico dos Cânticos, dormitava quietinho sobre os joelhos de Myriam, velado pelos Anjos de Deus, incapaz, então, de pensar que uma formidável sanção divina pesava sobre ele: Ele era o Redentor da humanidade terrestre.

Tem-se falado muito e mais ainda se escreveu em torno do milagroso nascimento do Cristo. Se esse qualificativo se aplica a todo fato excepcional, e que rebaixa em muito a compreensão vulgar, podemos dizer com toda a veracidade que foi um acontecimento de ordem espiritual muito elevado, dentro do padrão ordinário do puramente humano. A essência íntima e profunda de um fato semelhante, somente podem compreendê-la, em sua estupenda realidade, os espíritos do excelso Céu dos Amadores ... – Harpas Eternas e Vivas do Deus-Amor – avançados nos caminhos da Divindade!

Como captar, com nossa limitada mentalidade, a idéia de que uma Sublime Entidade da Sétima Morada, na ascendente escala dos Seres purificados, possa reduzir-Se à terna e débil pequenez de uma criancinha, que cabe num cestinho de junco?

(*) Nos tempos atuais, essa cidade pertence à Turquia (N.T.).

A humanidade inconsciente quis encontrar o milagre na formação dessa pequena porção de matéria física humana; no entanto, o mais estupendo prodígio estava muito acima de tudo isso: situava-se no Amor soberano de um glorioso e puro Espírito, que, já nas ante-salas da própria Divindade, deixara em suspenso, por Sua livre vontade, as poderosas atividades que Lhe são inerentes, para submergir-Se, temporalmente, nas sombrias regiões do pecado e da dor, arrastando consigo, como uma torrente purificadora, todo o Amor de Seu Céu ... Eis aí o sobre-humano prodígio de Fé, de Esperança e de Amor!

Jhasua, o excelso Amador do Sétimo Céu, foi capaz de sonhar com a sublime grandeza desse prodígio! ... Sonhá-lo e realizá-lo!

Eis aí o mistério sublime do Homem-Deus que a incompreensão do homem terrestre desfigurou com toscas pinceladas e com rudes e grosseiros conceitos, talvez por um deslumbramento semelhante ao que produz uma grande claridade, sem ser esperada, no seio de negras trevas!

Tal é a soberana amplitude do amor Eterno, quando, Senhor Absoluto de um ser, o converte em uma Aspiração para o Infinito ..., u'a imensa Palpitação de Vida ..., uma Luz que não se extingue ..., uma Vibração Interminável! ...

Tal é Jhasua, o Deus-Menino, que dorme em Betlehem, sob o teto de um artesão, num cestinho de junco!

E, para embalar Seu sono de Deus Encarnado, cantam os Anjos do Eterno:

"*Glória a Deus nas alturas celestiais, e paz, na Terra, aos homens de boa vontade.*"

Nos Montes de Moab

*O*s *Sete Círios do Monte Quarantana*, que já conhecemos, eram: Ismael, Abiatar, Henan, Joel, Sadoc, Manassés e Amós. Denominavam-se *Círios* os Essênios que já haviam escalado o Quarto Grau da Fraternidade, pois era necessário que tivessem as características próprias de um círio: derramar luz da Sabedoria Divina e calor do Fogo Sagrado do Amor que leva até a morte, se dela há de surgir a redenção das almas.

Encontramo-los novamente na manhã do mesmo dia em que Elcana, Josias e Alfeu empreendiam a viagem de regresso a seus lares, em Betlehem.

Eles cantavam, acompanhados de saltérios e de cítaras, formosos salmos de ação de graças, enquanto o Sol, levantando-se no oriente, deixava penetrar um raio oblíquo de sua luz de ouro por uma clarabóia do teto rochoso. Como ocorria em todos os templos essênios, aquele raio de sol matutino ia projetar-se, ainda que apenas por alguns minutos, sobre as Tábuas da Lei, que, como se sabe, encontravam-se sobre uma enorme estante de pedra, logo atrás dos Sete Livros dos Profetas.

Profundos conhecedores das poderosas influências planetárias em conjunção com os pensamentos humanos, os Essênios construíam seus templos de tal forma que a luz de ouro do Sol e a luz de prata da Lua se associassem a seus mais solenes momentos de evocação do Infinito.

No exato momento em que o raio solar esvaziava seu resplendor sobre as Tábuas da Lei, apareceu a figura de Moisés que, com seu dedo indicador, escreveu com fogo os preceitos divinos, sendo possível notar claramente que aquelas palavras *Amarás a teu próximo como a ti mesmo* pareciam arrojar chispas de luz tão refulgentes e vivas que não podiam ser devidamente resistidas pelo olhar humano.

Ouviu-se distintamente Sua voz, como uma vibração de clarim, que dizia: "Amar os homens até morrer por eles é o programa que venho para desenvolver juntamente convosco. Sereis capazes de seguir-Me?"

Os sete Essênios, conservando-se em pé, colocaram sua mão direita sobre cada um dos Sete Livros Sagrados, enquanto respondiam:

— Juramos pelos nossos maiores Profetas. Falai, Senhor, e será feito como mandais.

— Deitai a sorte — disse de novo a voz da aparição — e ide, em número de três, ao templo dos Montes de Moab, para dar aviso, aos que Me esperam, que começou o grande dia da Redenção.

Os sete inclinaram suas frontes para a terra, e, quando as levantaram novamente, o raio solar havia passado, e a visão havia-se diluído na penumbra cinzenta do templo de rochas.

Lançaram a sorte como lhes fora dito, e saíram os nomes de Joel, Sadoc e Abiatar.

Poucos momentos depois, vestia cada qual uma túnica de peregrino, de tosca pele de camelo, e um manto de lã escura, e, tomando o cajado e a bolsa de pão, queijo e frutas, receberam a bênção do Servidor. Saíram para o mundo exterior pela portinha que conhecemos e que dava para o palheiro da Granja de Andrés.

O sol começava a derreter a neve das montanhas, e os estreitos, tortuosos e resvaladiços caminhos ofereciam grande perigo para quem se aventurasse por eles. Suas velhas recordações lembravam que muitos Essênios haviam perdido a vida na travessia que iam realizar.

Saindo-se de En-gedi em direção ao norte, o trajeto era melhor, ainda que significasse dar toda a volta ao redor do Mar Morto e encontrar diversas povoações onde, não obstante haver algumas famílias essênias, levar-se-ia muito mais tempo para chegar aos Montes de Moab, que eram seu destino.

Era, pois, preferível tomar o caminho de En-gedi para o sul, ou seja, em pleno deserto, que somente era interrompido pela tétrica Fortaleza de Masada, espantoso presídio para os mais audazes foragidos de toda a província. Tinham que atravessar as grandes salinas e, depois, o turbulento riacho de Zared que, descendo das alturas de Acrobin, precipitava-se com fúria de torrente, ao desembocar no Mar Morto.

Aquelas espantosas paragens estavam infestadas de feras selvagens e de feras humanas, pois os que escapavam da Fortaleza buscavam refúgio nas mais profundas e sombrias cavernas, onde também os três Essênios procurariam resguardar-se da neve que caía abundantemente sobre toda aquela região.

Eles, porém, haviam jurado sobre os Sete Livros Sagrados de seus Profetas seguir Aquele que chegava das alturas de seu Sétimo Céu para salvar a Humanidade. Que representava realmente, para eles, atravessar algumas milhas pela neve, por montanhas, desertos escabrosos e povoados de feras? Que significaria isto para a Humanidade e o Santo dos Santos, que vinha não apenas para salvá-la, mas, principalmente, para morrer por Ela? Não era também a Terra um deserto povoado de feras, de serpentes venenosas, de lobos com goelas famintas? ...

Além de tudo isso, tratava-se de u'a humanidade que tinha apenas a inteligência desenvolvida, mas a vontade empregada no mal; capaz de amar e de odiar, capaz de vingança e crime! ...

Jhasua não havia considerado nada disso, nem vacilara, nem se detivera, nem havia pensado que seu imenso sacrifício pudesse ser inútil ... Sacrifício de um Serafim do Sétimo Céu em favor dos homens da Terra, que só demonstravam ter capacidade para odiar-se uns aos outros, para, mutuamente, fazerem-se mal, para devorar-se como feras raivosas! ...

Assim meditavam os três viajantes essênios, enquanto avançavam, rompendo a neve, pelos perigosos caminhos que forçosamente tinham de percorrer.

Entre En-gedi e a Fortaleza de Masada, estendia-se um amortecido vale, cuja escassa vegetação era originada pelo arroio Anien que o atravessava de leste a oeste.

Passava já do meio-dia. O arroio estava convertido num lençol de neve, impossível de vadear ou de verificar as profundidades perigosas que pudesse oferecer. Sentaram-se, pois, na margem, sobre a minguada erva e abriram os surrões de couro para comer algum alimento. Apenas haviam iniciado sua frugal refeição, saiu um homem semidesnudo de um matagal de arbustos secos, que ocultava a entrada de uma das numerosas cavernas daquelas áridas montanhas.

Sua cabeleira emaranhada e as roupas esfarrapadas, que o cobriam parcialmente, davam-lhe o aspecto feroz de um urso parado sobre suas patas traseiras.

– Há cinqüenta dias que estou comendo raízes e lagartos crus – disse aquele homem com voz rouca e seca. – Se não sois feras, como as que povoam estes montes, dai-me, por piedade, um pedaço de pão.

Os três Essênios estenderam-lhe os bornais de couro, enquanto diziam:

– Tira o quanto queiras.

– Não estou em segurança aqui – acrescentou –; vinde ao meu esconderijo, que oferece mais abrigo do que este local.

Eles o seguiram.

O homem afastou com uma vara os espinhosos ramos dos arbustos e deixou a entrada livre.

Era uma caverna encravada na rocha viva, mas tão negra e sombria que se sentia o peito comprimido somente ao pensar que aquilo era a habitação de um ser humano.

– Come – disseram-lhe os Essênios – e dize o que poderemos fazer para melhorar a tua situação.

"Enquanto o sol derrete o lençol de neve do arroio, teremos tempo para ouvir."

– Compreendo perfeitamente que não sois homens capazes de causar dano nem aos lagartos que correm por estas brenhas, e sei também que não me delatareis.

– Não, irmão – responderam-lhe. – Nosso dever é fazer o bem a todos e não o mal. Somos Terapeutas peregrinos; percorremos as regiões açoitadas pelas epidemias e buscamos plantas medicinais nas montanhas.

– Triste missão a vossa: perder vosso tempo e vossa saúde na cura de homens que se devoram uns aos outros como feras. Por que não curais de maneira mais benéfica as ovelhas e os cães sarnentos?

Os Essênios sorriram e calaram. Compreendiam demasiado o estado lastimável da alma daquele homem, vítima, sem dúvida, das maldades humanas.

"Vivo aqui, há cerca de quatorze meses, porque quero cobrar, eu mesmo, uma dívida. Tenho que matar um homem que me reduziu a esta condição em que me vedes, depois de haver roubado minha mulher e de havê-la encerrado num calabouço dessa Fortaleza com os dois filhos que eram a única alegria da minha vida. Daqui saio como um lobo faminto, a espreitar o momento propício para dar o golpe. É o Procurador. Ele mantém minha mulher na torre, iludida com a notícia de que eu fui morto junto com meus filhos numa revolta de vagabundos que ocorreu faz um ano e meio. Porém eu lhe arrancarei as entranhas e as darei de comer aos cães! ... E o infeliz que se ponha vermelho de raiva!"

Os Essênios pensavam e silenciavam.

— Dá-nos o nome da tua mulher e de teus filhos — disse Abiatar, o mais idoso — e, se Jehová está conosco, faremos algo por ti e por eles. Por isto, começa a não mais pensar na vingança, pois ela te levaria a maiores desgraças, e teu mau pensamento nos impediria de trabalhar em teu benefício.

— Minha mulher chama-se Zabad, e meus filhos, Gedolin e Ahitub. Que pensais fazer?

— Isso é coisa nossa. Conheces bem este arroio?

— Eu o cruzei muitas vezes! Quereis vadeá-lo? — perguntou aquele homem.

— Tal é nosso desejo e nossa necessidade — responderam os Essênios.

— Segui-me, pois, e agradeço imensamente pelo alimento que me destes — e devolveu-lhes os surrões ainda quase cheios.

— Guarda o seu conteúdo — disse Joel — porque Jehová nos sustentará como aos pássaros do campo — e esvaziou as três bolsas sobre uma pedra na entrada da caverna.

— Podeis morrer de fome se fordes longe — repetiu o homem da caverna.

— Não te preocupas por causa disto, irmão. Guia-nos até o vau que conheces no arroio — insistiu Abiatar.

O homem penetrou novamente em sua caverna, seguido pelos Essênios que acenderam suas velas de cera para poder distinguir algo na espantosa treva.

Caminharam longo tempo inclinados para não bater com as cabeças nas saliências pontiagudas da rocha. De vez em quando, sentiam-se asfixiados, todavia, algumas fendas abertas na rocha, que deixavam filtrar um pouco de luz e ar, produziam-lhes pequeno alívio. Grande foi sua surpresa quando viram brilhar uma brecha de saída como um recorte de céu dourado pelo sol entre as sombras que os rodeavam. Maior ainda foi sua admiração, quando viram, a uns cinqüenta passos de distância, os negros muros da Fortaleza, a qual, pelo caminho ordinário, teriam levado meio dia para alcançar.

— Irmão! — exclamou Sadoc. — Que boa obra praticaste conosco! Eis aqui a Fortaleza a cinqüenta passos de nós! E o arroio?

— Segue serpenteando pelo outro lado; mas eu descobri esta passagem, e, como se vê, ela é bem boa.

— Está bem. Acomoda-te aqui, que já traremos notícias de tua esposa e de teus filhos. — Então os três Essênios começaram a andar, enquanto o homem solitário permanecia olhando-os com os olhos conturbados. Um dos Essênios voltou a cabeça e o viu na brecha da saída da caverna, seguindo-os com o olhar. Agitou a mão em sinal de amizade e de confiança e continuou andando.

O homem deixou-se cair sobre a erva murcha daquela triste paragem, e duas grossas lágrimas rolaram-lhe pelas faces, curtidas pela intempérie, e foram perder-se em sua emaranhada barba.

— Nem todos os homens são maus — murmurou. — Ainda há justos sobre a Terra ... Começo a crer que existe Deus nas maiores alturas dos Céus. — Fechando novamente o áspero matagal que ocultava aquela saída, deitou-se no solo e esperou.

Os três Essênios contornaram a negra muralha de pedra até chegar ao grande portão da entrada. Quando se viram à sua frente, puxaram a corda da campainha que ressoou como no fundo de uma tumba. Um pequeno postigo gradeado foi aberto e surgiu o rosto triste do porteiro, que investigava com o olhar.

— Quem sois? — perguntou simultaneamente.

— Terapeutas peregrinos que pedem permissão para visitar os enfermos, se é que existem doentes aí.

— Ah! Sede bem-vindos. Há aqui uns quatro lobinhos com o diabo da febre no corpo, que me podem trazer esse mal. Já lhes abro a porta.

Depois de grandes chiados de ferrolhos e de chaves, abriu-se uma pequena porta que apenas dava passagem para uma única pessoa de cada vez.

Os três Essênios entraram.

O porteiro parecia ter grande vontade de falar, e somente ele falava. Os Essênios escutaram em silêncio.

— O Alcaide não está. Foi chamado pelo Procurador, já faz um mês, e não sei quando voltará. Tenho quase todos os presos dos calabouços inferiores doentes e uma louca na torre, que nos deixa a todos doidos com seus guinchos de gralha.

"Irmãos Terapeutas, vós me conseguistes o indulto de meus pecadinhos da juventude, com a condição de que eu aceitasse este posto; entretanto crede-me que, além de eu ser mau e tudo mais, há, por aqui, certas coisas que me revoltam. Quisera mandar todos para o Vale de Josafat e escapar desta vida de Inferno."

— Lembra-te, Urias — aconselhou Abiatar —, que ainda vive o poderoso senhor que queria assegurar, com tua morte, o segredo que o interessava guardar, e que tu também possuías. Ele crê que sumiste no calabouço desta Fortaleza para toda tua vida. Com esta convicção, vive ele tranquilo, e assim tu conservas a vida e a saúde. Jehová inspirou a seus servos este modo de salvar-te e, ao mesmo tempo, ajudar a corrigir-te, levando uma vida ordenada, ainda que triste, por ser esta u'a mansão de dor. Contudo, o teu cativeiro aqui não durará sempre.

"No regresso desta nossa viagem, conseguiremos uma boa mudança em teu benefício. Leva-nos à presença dos enfermos, pois temos pressa em continuar a viagem."

Ele os fez descer até os calabouços, onde, entre os enfermos, encontraram dois meninos de onze e treze anos, filhos do homem da caverna. Uma febre infecciosa, causada pela má alimentação e pela falta absoluta de higiene, prostrara-os num imundo leito de palhas e de peles de ovelha.

Tratando-se de enfermos, os Terapeutas peregrinos gozavam de autoridade nos presídios, e mesmo ante as maiores personalidades. Eram conhecidos como médicos sábios e, por causa deste conceito, tinham-nos em grande estima, pois curavam sem exigir gratificação de espécie alguma.

Assim, os Terapeutas mandaram levar os enfermos para uma grande sala na parte superior do edifício, cheia de ar e de sol, determinando a mudança de alimentação e uma boa limpeza, como primeira providência antes de curá-los.

Mandaram, outrossim, que os dois filhos do homem da caverna fossem transferidos para a torre, numa sala superior que tinha uma janela na direção em que se achava a saída daquele caminho subterrâneo. Quando o porteiro com seus ajudantes realizaram todas essas mudanças, os Essênios pediram autorização para visitar a enferma da torre.

— Está louca furiosa — respondeu Urias, o porteiro —, mas, se persistirdes, fazei o milagre de sairdes sãos e salvos de suas garras. Já que fazeis tantos milagres, fazei também este!

— Deixa-nos a sós com ela — pediram os três médicos — e não venhas aqui até que necessitemos da tua ajuda.

A infeliz desafogou com eles sua espantosa dor, que lhe fazia dar gritos desesperados, e estava a ponto de tornar-se louca de verdade.

É fácil compreender que os Essênios, possuidores do segredo de toda a tragédia, imediatamente encheram de paz e de esperança a alma daquela mulher. Fizeram com que ela se reunisse a seus dois filhos, que haviam sido levados para a sala vizinha, e o leitor poderá imaginar a cena que se desenrolou entre a mãe e os filhos, separados por cerca de um ano e meio sem que nenhuma das partes tivesse notícias da outra.

Passada aquela explosão de dor e de alegria a um só tempo, os Essênios combinaram a maneira como os três levariam sua vida na torre, sem dar lugar a suspeita de nenhuma espécie.

Era a Fortaleza de Masada um cenário demasiado conhecido para os Essênios, que, há diversos anos, entravam ali como médicos e como consoladores dos infelizes condenados à forca. Esta funcionava nas profundezas do penhasco sobre o qual assentava o edifício.

Era uma enorme caverna destinada exclusivamente à câmara de suplícios; nela cortavam-se cabeças, enforcava-se, esquartejava-se e queimavam-se os condenados à fogueira.

Aquela tétrica morada era testemunha muda dos prodígios de habilidade e abnegação dos Terapeutas peregrinos para evitar torturas e salvar muitos dos infelizes condenados à pena máxima!

Quantas vidas salvas e quantas almas redimidas, sem que ninguém sobre a Terra tivesse conhecido este aspecto do heróico apostolado dos Essênios!

Era relativamente fácil para eles dispor as coisas de tal modo que a mãe e os filhos pudessem estar juntos uma parte do dia e da noite. Além disto, os três poderiam ser vistos pelo solitário da caverna, através da grande janela que dava para aquela direção.

Pela simples introdução da ponta de um cutelo na junta de uma pedra e outra da parede, um dos blocos se deslocava de seu encaixe, o que bastava para dar passagem ao corpo de um homem. Foi deste expediente que se valeram os Essênios para que os dois filhos pudessem reunir-se à mãe.

Eles aconselharam a máxima prudência e cautela até que conseguissem obter os meios de anular completamente a injustiça de que a família fora vítima. Para não deixar no esquecimento o solitário pai que lhes proporcionara o meio de fazer tão excelente obra, deixaram com a esposa um dos três bornais vazios, a fim de que, atado na ponta de uma cordinha, pudesse ela descê-lo, todas as noites, para junto do marido, com uma parte dos alimentos que eles, como médicos, mandariam fossem dados aos três enfermos da torre.

Chamaram, então, Urias, o porteiro, para falar-lhe na presença dos doentes:

— Eis aqui, irmão porteiro: Esta enferma já não molestará a mais ninguém com seus gritos, e continuará melhorando, se lhe trouxeres diariamente duas rações abundantes, uma ao meio-dia e outra à noite. Fica em paz, irmão, até a nossa próxima visita, que será muito em breve.

Os Essênios recomendaram idêntico procedimento para com os demais enfermos e encareceram que os aposentos designados por eles não fossem trocados.

No grande livro das observações médicas, eles deixaram escrito:

"Os calabouços no subsolo não podem ser habitados, em virtude da umidade e da imundície, que poderão desenvolver uma epidemia mortífera para todos os habitantes da Fortaleza."

Em seguida, o porteiro, de acordo com as ordens que possuía, entregou aos Terapeutas peregrinos uma sacola com boas provisões e, beijando a orla de suas escuras mantas de lã, abriu a porta, recomendando que não se esquecessem dele, pois o cargo de porteiro daquele sepulcro de vivos representava-lhe uma tortura demasiada.

Os três Essênios saíram da Fortaleza, que parecia ter sido iluminada com a sua chegada. Tão certo é isto que, quando a luz divina e o divino amor estão em um ser, tudo, ao seu redor, parece florescer de paz, de consolo e de esperança!

Dando algumas pequenas voltas, trataram de aproximar-se do solitário da caverna para entregar-lhe uma boa roupa com que se abrigasse e algumas mantas de lã, que haviam pedido ao porteiro para um mendigo enfermo, agasalhado numa caverna vizinha.

Cheio de alegria, o infeliz ouviu o relato que os Essênios lhe fizeram a respeito de sua esposa e dos filhos, e como poderiam comunicar-se até que obtivessem os meios de conseguir reuni-los novamente sob o teto de um lar honesto e laborioso.

O Deus-Amor, oculto naquelas almas, continuava semeando paz, consolo e esperança! ...

Eram Essênios do quarto grau e Círios de verdade, pois davam luz e calor! ...

Continuaram a viagem costeando o Mar Morto pelo Sul, atravessando as grandes salinas e todas aquelas áridas paragens sem uma planta, sem uma ervazinha, sem rumor de vida, sem nada que pudesse proporcionar alívio e descanso aos viajantes.

Com as almas sobressaltadas de pavor, recordavam o que as antigas tradições diziam daquele formosíssimo vale de Shidin, onde cinco florescentes cidades haviam sido destruídas por um incêndio.

– Justiça Divina sobre tanta maldade humana! ... – exclamou um dos três, contemplando a opressora aridez e a devastação produzida naquelas províncias, por onde parecia ter passado, como um furacão, uma terrível força destruidora, da qual não haviam elas podido livrar-se, apesar dos muitos séculos transcorridos.

Chegaram, por fim, aos enormes penhascos denominados, na época, *Altura de Acrobin*, entre os quais se despenha, salta e corre o riacho Zared, cuja presença, naquelas escabrosidades, põe uma nota de vida e alegria na desoladora paragem. Raquíticos arbustos espinhosos e algumas das mais rústicas espécies de cactos, juncados de espinhos, assomavam por entre os acinzentados penhascos, como querendo dizer ao viajante: "Não esperes encontrar aqui nada sobre o que possas repousar tua cabeça cansada."

A travessia do riacho não lhes causou grandes dificuldades, pelo fato de haver pouco volume de água, deixando a descoberto grandes pedras, pelas quais foram passando lentamente, valendo-se de seus cajados de ramos de carvalho, que usavam para as grandes viagens.

Quando, afinal, avistaram os altos picos do Albarin e do Nebo, caíram de joelhos, bendizendo a Deus por permitir-lhes chegar uma vez mais ao Templo Sagrado, onde estava guardada toda a Sabedoria Divina que havia baixado sobre a Terra como mensagens dos Céus infinitos para a mísera criatura humana, incapaz, quase sempre, de compreendê-la.

Tão profunda foi sua evocação amorosa para com os Setenta Anciãos do Santuário que, momentos depois, viram eles descer, por um estreito desfiladeiro das montanhas, três mulas com arreios de montaria, conduzidas pelas rédeas por um enorme cão branco, que, ao longe, se parecia com um verdadeiro cabritinho.

– Nossos superiores receberam a notícia de nossa chegada e enviam as cavalgaduras que hão de conduzir-nos – disseram os viajantes.

Sentaram-se, então, sobre as pedras do caminho para tomar um pouco de alento e de descanso, visto como tinham a certeza de que os animais viriam até eles.

As cavalgaduras, conduzidas pelo enorme mastim de longa lanugem branca, demoraram mais de uma hora para chegar.

Acariciando ternamente aquele cão, enquanto levavam sua lembrança a uma velha crônica de idades pretéritas, semiperdida no imenso amontoado dos tempos, os Essênios disseram:

— Nobre e formosa criatura de Deus! Deveria ser como tu aqueloutro heróico mastim, de longos pêlos brancos, que salvou o grande Mestre Círio, quando, ao vadear um rio caudaloso, esteve a ponto de perecer afogado!

"Hoje, tu és um branco mastim dedicado a ajudar e a salvar Essênios dos penhascos traidores ... Mas, quem sabe o que serás nos séculos vindouros? ...

O animal, sentindo-se amado, agitava placidamente a cauda como uma grande borla de lã branca. Os três Essênios, pensativos e silenciosos pela grande recordação evocada, tiveram esta visão mental, ao mesmo tempo:

Um monge de hábitos negros, com o capuz abatido sobre os olhos, o que impedia ver-se-lhe o rosto, descendo por entre as montanhas cobertas de neve, alumiado, ele, por uma pequena lâmpada e guiado por um cão cor de canela, que levava provisões e água atadas ao pescoço – ia (o dito monge) em busca de um viajante sepultado pela neve nos altos Montes Pireneus, entre a Espanha e a França.

Compreenderam os três, então, sem que houvessem trocado uma palavra, que, num futuro de quinze séculos, o branco mastim, que acariciavam, estaria fazendo sua evolução na espécie humana e continuaria a missão que havia iniciado nos Montes de Moab, como salvador de homens. Seria um ignorado monge da Ordem de Cister, dedicado especialmente a hospitalizar os viajantes que atravessavam as perigosas montanhas.

Cada um deles, em silêncio, anotou, em sua caderneta de bolso, a visão mental que haviam tido e que guardavam cuidadosamente para ser examinada e analisada na Assembléia de Sete-Dias, que costumavam realizar no Grande Santuário por ocasião da promoção aos graus superiores.

Quando lhes pareceu que as cavalgaduras já estavam descansadas, reiniciaram a viagem, levando como guia o inteligente *Nevado*, como chamavam ao branco mastim, quase tão querido, no velho Santuário, quanto um ser humano.

Tanto a subida aos altos picos dos Montes de Moab quanto a descida deles eram igualmente perigosas. É que eles pareciam cobertos de um branco manto de neve, guarnecido com laços de ouro, por efeito dos raios solares da tarde.

Aqueles altíssimos promontórios, cobertos de neve dourada a fogo pelo sol, eram o cofre magnífico e grandioso que ocultava a todos os olhares os tesouros da Sabedoria Divina, guardados pela Fraternidade Essênia, última Escola que acompanhava o Cristo em Sua apoteose final como Redentor.

Todo um desfile de grandes pensamentos ia absorvendo, pouco a pouco, a mente dos viajores, à medida que subiam por aqueles espantosos desfiladeiros, nos quais um ligeiro desvio das cavalgaduras significava a morte.

Aquele estreito e tortuoso caminho subia obliquamente, em espiral irregular, até os mais altos cimos, no meio dos quais se tropeçava, de súbito, com um enorme terraço de pedra, como se uma foice gigantesca houvesse cortado ao nível aquela massa cinzento-escura, terraço esse que parecia escolhido para habitação ou tumba de uma régia dinastia de gigantes.

Aquela plataforma era um descanso forçado para a tensão de nervos a que o viajante era submetido por ver constantemente o precipício a seus pés. Vinha a ser também um descanso para as cavalgaduras, que ficavam visivelmente esgotadas com o demasiado esforço empregado.

A natureza havia deixado ali um sorriso de mãe para suavizar a pavorosa dureza da paisagem: uma cristalina vertente, que nascia de uma fenda profunda e brilhante aberta na rocha viva. Dir-se-ia que algum Moisés-Taumaturgo a houvesse tocado com sua vara para fazer brotar a água em límpido manancial, que, armazenado em pequeno remanso ou reservatório natural, transbordava depois e se lançava impetuosamente morro abaixo, formando o arroio Armon, o qual corria sem deter-se até desembocar na margem oriental do Mar Morto. Numa cavidade das rochas, os Essênios haviam amontoado grande quantidade de ervas secas, inclusive grãos e bolotas de carvalho para as cavalgaduras, além de queijo e mel silvestre para os viajantes.

– Um breve descanso, e mais para cima! – disseram os Essênios a Nevado e às mulas, enquanto lhes davam a respectiva ração. – E que a noite não nos surpreenda nestes desfiladeiros por causa do nosso repouso. Quando o Sol já ia mergulhando no ocaso, os três viajantes estavam apeando diante da grande porta de entrada do Santuário dos Essênios.

Imaginas, talvez, leitor amigo, que deveria tratar-se de uma enorme porta de prata cinzelada, ou de bronze polido ou de ferro forjado a golpes de martelo?

Nada disto. Era a porta de um Templo Essênio, que não revelava coisa nenhuma ao exterior. Somente quem houvesse alguma vez penetrado por ela poderia saber que aquilo era uma porta. Tratava-se de enorme pedra de linhas curvas, cuja forma, algo irregular, apresentava achatamentos em alguns dos lados, e que, à simples vista, parecia um capricho da montanha, ou a descomunal cabeça de um gigante petrificado pelos séculos.

Mas ocorria o seguinte: esse enorme bloco de pedra girava sobre si mesmo em duas saliências, cujas extremidades estavam incrustadas nos muros rochosos da entrada, operando-se o movimento de dentro para fora mediante uma combinação simples de grossas correntes. Uma vez aberta, assim, para o exterior, aquela esfera abria passagem para que pudessem entrar aqueles que Nevado anunciasse, puxando, com seus dentes, o cordel de uma campainha. Estava esse cordel oculto entre o matagal, a uns vinte passos dessa porta original, e ninguém, a não ser Nevado, podia introduzir-se por aquele despenhadeiro de cactos silvestres e espinhosos sarçais.

Bastava que girasse para fora a grande pedra, para que se avistasse a luz dourada de várias lâmpadas de azeite que alumiavam a espaçosa galeria da entrada, ou seja, um magnífico túnel esmeradamente trabalhado por verdadeiros artistas da pedra.

Nenhum audaz viajante, escalador de montanhas – que houvesse tido a coragem de galgar aqueles escabrosos montes, cujas encostas, como que cortadas a pino, se tornavam quase inacessíveis – jamais houvera imaginado que, dentro daquele negro boqueirão, pudesse encontrar belezas, arte, doçura, suavidade e harmonia de qualquer natureza.

Naquele obscuro túnel, somente iluminado por lâmpadas que nunca se apagavam, podiam ser admirados formosos trabalhos de alto-relevo e de escrituras em hieróglifos egípcios, traduzidos para o siro-caldaico.

Em alto-relevo, por exemplo, podiam ser vistas as principais passagens da vida de Moisés, iniciando pelo flutuar do cestinho de junco, no qual Ele fora arrojado às águas do Nilo para esconder sua origem ...; a passagem do Mar Vermelho, seguido pelo povo hebreu; a travessia do deserto; as visões no Monte Horeb, de onde desceu com as Tábuas da Lei, gravadas a buril por Ele mesmo, no uso de Seus poderes internos sobre todas as coisas da Natureza, enquanto sentia que uma voz do alto Lhe ditava aquela mensagem divina que chamamos: *Decálogo*.

Assombrava pensar nos anos e nas vidas que haviam sido dedicados àquela obra gigantesca.

Terminava essa galeria num semicírculo espaçoso, do qual partiam dois caminhos, também iluminados por lâmpadas de azeite. O da direita chamava-se: *Pórtico dos Profetas*, e o da esquerda: *Pórtico dos Humildes*.

Pelo primeiro, entravam os Essênios que viviam em comum e em celibato. Pelo segundo, entravam os que viviam no exterior e constituíam família. Se, destes últimos, alguns chegavam ao quarto grau e, por motivo de viuvez, quisessem viver no Santuário, podiam entrar pelo Pórtico dos Profetas. Era este assim chamado porque naquelas paredes apareciam gravadas as principais passagens da vida dos Sete Profetas Maiores, cujos nomes já são conhecidos pelo leitor (*).

No Pórtico dos Humildes, estavam gravados episódios notáveis de jovens Essênios dos primeiros graus, que tinham realizado atos heróicos de abnegação em benefício do próximo.

Por ambos os caminhos, chegava-se ao Santuário que ficava no final deles. Na plataforma de entrada, observava-se um enorme candelabro com setenta círios, que pendia do alto daquela cúpula de rocha cinzenta, a qual, pacientemente lavrada e brunida, achava-se orlada pelo dourado resplendor de tantas luzes.

A grande porta do Santuário era um bloco de granito que girava sobre um eixo vertical, sem ruído nem dificuldade alguma, e apenas mediante um impulso que fosse dado do interior.

Nevado havia conduzido as três mulas para uma das cavalariças ou cercados, que se achavam na curva de um caminho, naquele labirinto de montanhas e de enormes cavernas, no meio das quais se abriam pequenos vales escondidos e regados por fios de água, que caíam dos mais altos cabeços, formados pelos degelos ou por vertentes ocultas.

Os viajantes anunciaram sua presença através de um pequeno orifício praticado no bloco giratório, o qual era o tubo de uma buzina de bronze, que repetia, como um longo eco, todas as frases que ali fossem pronunciadas:

"Mensageiros do Quarantana. Essênios do quarto grau."

O Ancião que montava guarda à entrada do Santuário fez girar o bloco de granito, e os viajantes caíram de joelhos beijando o pavimento do Templo da Sabedoria.

Os Setenta Anciãos, cobertos de mantos brancos, apareceram em duas filas para receber entre seus braços os valentes Irmãos que haviam arrostado os perigos da penosa viagem para levar-lhes u'a mensagem de grande importância.

Aquela cena tinha tão profunda vibração emotiva, decorrente do grande amor dos Irmãos que lutavam no exterior, que estes puseram-se a chorar com grandes soluços, enquanto iam passando entre os amorosos braços daqueles setenta homens, que já passavam dos 60 anos.

Viviam aqueles Anciãos somente como pára-raios no meio da Humanidade; como faróis escondidos, cujo pensamento escalava os mais altos Céus, em busca de piedade e de misericórdia para a humanidade delinqüente; como arroios de águas vivificantes, que desciam incessantemente para levar sua frescura, sua paz e seu consolo às vítimas das maldades humanas.

Eram os Amadores terrestres que, a exemplo dos Amadores do Sétimo Céu, ensaiavam para ser Harpas Eternas no plano terrestre, por amor aos homens, que eram a herança adquirida pelo Cristo.

(*) Elias, Eliseu, Isaías, Samuel, Jonas, Jeremias e Ezequiel (N.T.).

Parece que sinto o pensamento do leitor, desejando perguntar:

Que motivo, que idéia original e estranha induziu os Essênios a ocultarem seu grande Santuário-Matriz em tão agrestes e pavorosos montes? Se buscavam montanhas, havia tantas naquelas mesmas terras, como sejam: a cordilheira do Líbano e as da Galiléia e da Samaria, as quais, cobertas de formosa vegetação, eram um verdadeiro esplendor da Natureza.

Eram os Essênios o ramo mais direto da grandiosa árvore da Sabedoria de Moisés. Houve, entre a tribo levítica, que Ele organizou antes de chegar à chamada Terra da Promissão, um jovem que conquistara o privilégio ímpar de desfrutar as ternuras do grande coração do Legislador. Era como uma cotovia sobre as asas de uma águia; era como uma flor do ar presa ao tronco de um carvalho gigantesco; era um pequeno cacto a florescer no cume de u'a montanha.

Chegou esse jovem à maturidade ao lado do grande Homem, emissário da Divindade, e mereceu de tal forma a confiança de Moisés que Este, em horas de amargura e de profunda incerteza, costumava dizer-lhe: "Essen, menino de cera e de mel, toma tua cítara e esvazia Minha mente, que uma grande tempestade encrespou as águas da Minha fonte." Essen tocava a cítara, e Moisés orava, chorando e clamando à Divindade, que transbordava sobre Ele como um grandioso manancial de estrelas e de sóis.

Esse humilde ser – que escolheu a vida oculta naquela época, como expiação de grandezas passadas que haviam entorpecido sua vida espiritual – tinha acompanhado Moisés quando seus Guias, ou seja, as grandes Inteligências que apadrinharam sua encarnação, anunciaram que havia chegado a hora da sua liberdade, que subisse à cordilheira de Albarin e nela buscasse o Monte Nebo e o cume do Pisga, onde haveria de ver a glória que Jehová lhe reservava.

Esse seguiu Moisés sem que Este o percebesse, até que chegou ao alto da escarpada montanha. Acompanhou-O até o desprendimento de Seu espírito, no êxtase de Sua oração, numa noite de lua cheia. Depois de se certificar de que seu Mestre não despertaria mais para a vida física, recolheu Seu corpo sem vida, sepultando-O num pequeno vale chamado Beth-peor, sombreado por murtas em flor e bordado de lírios silvestres, onde aninhavam as cotovias e os melros. Pareceu-lhe ser aquela uma tumba digna d'Aquele Ser excepcional que ele tanto havia amado.

Para não revelar a ninguém coisa alguma de quanto havia ocorrido, conforme Moisés lhe ordenara, refugiou-se numa caverna e não se apresentou mais a Josué, o sucessor de Moisés. Por esta razão, Josué, os Príncipes e os Sacerdotes tiveram em conta o que o Grande Profeta havia dito: "Se, passados trinta dias, Eu não descer dos Montes, não devereis procurar-Me na Terra, porque Jehová Me terá transportado para Suas moradas eternas."

Esse pequeno jovem Essen, da família sacerdotal de Aarão, foi a origem dos Essênios, que tomaram seu nome.

O cume do Monte Pisga, onde Moisés teve suas grandes visões, o Monte Nebo, onde morreu, e o vale do Seu sepulcro, foram o lugar sagrado escolhido pelos Essênios para o Seu grande Templo na rocha viva, o qual perdurou até muito depois das vinda de Jesus de Nazareth. Tais as razões por que haviam sido escolhidos os escarpados Montes de Moab para cofre gigantesco de tudo quanto pertencera a Moisés.

Ali estavam aquelas duas Tábuas que Ele havia gravado em estado extático, e que Ele mesmo quebrou em duas, devido à indignação que sentiu quando, ao descer do Monte Horeb, verificou que o povo adorava um bezerro de ouro e dançava ébrio ao seu redor. Havia Essen recolhido aquelas tábuas quebradas, que, aliás, eram as mesmas que estiveram guardadas no grande Santuário-Mãe da Fraternidade Essênia.

Feito este sucinto relato explicativo para tua elucidação, leitor amigo, entremos, também nós, no imenso Templo de rochas, onde vivem os Setenta Anciãos sua vida de círios benditos, a consumirem-se ante o altar da Divina Sabedoria, a fim de que jamais venha a faltar luz aos homens desta Terra – herança do Cristo, a cujos ideais haviam eles sacrificado tantas vezes as próprias vidas! ...

Terminada a emotiva cena do recebimento no pórtico interior do Templo, avistava-se um imenso arco, lavrado também na rocha, o qual se achava coberto por uma grande cortina de linho branco.

Naquele primeiro pórtico viam-se grandes bancos de pedra com suas correspondentes estantes, sobre as quais se abriam os Livros dos Salmos, cantando as glórias de Deus ou pedindo Sua misericórdia para a humanidade terrestre.

Era este o salão das Assembléias dos Sete-Dias para examinar as obras, os acontecimentos, os progressos espirituais, mentais e morais dos Irmãos que deviam passar para um grau superior.

Os Irmãos que iam ascender a novo grau vestiam, durante esses sete dias, uma túnica violeta de penitência e, cobertos por um capuz, não se lhes podia ver o rosto, nem, tampouco, podiam falar coisa alguma.

Entregavam suas cadernetas onde eram anotadas suas obras, as luzes divinas e os dons que Deus lhes havia proporcionado em suas concentrações, como também as fraquezas em que haviam incorrido, e o desenvolvimento de suas faculdades superiores. Ouviam as deliberações dos Anciãos, que falavam livremente como se os interessados não os estivessem ouvindo e, da mesma forma, expunham também seu voto favorável ou não, segundo os casos.

Se o voto era favorável, os graduados levantavam seu capuz, e o grande véu do Templo era descerrado para que passassem todos ao Tabernáculo das Oferendas, onde o Grande Servidor acendia, com um círio dos Setenta que ali ardiam, uma fogueira sobre u'a mesa de pedra, e nela eram queimadas as cadernetas com a última confissão dos iniciados.

O oficiante dizia em voz alta: "O fogo de Deus reduz tudo a cinzas: o que é grande ou pequeno, o que é bom ou mau. A cinza é esquecimento, é silêncio, é morte." Cantavam, a seguir, o Salmo da Misericórdia ou o "Miserere", deitando incenso e mirra nas brasas vivas, enquanto o oficiante acrescentava:

"Seja agradável a Vós, onipotente Energia Criadora, Causa Suprema de toda a vida, de todo o bem, a oferenda que acabam de fazer, dos sete anos vividos em Vossa Lei, estes Irmãos que rogam, de Vossa imensa Piedade, a dádiva de serem aproximados de Vós através de novas purificações, que serão outros tantos holocaustos em favor da Humanidade, herança do Cristo."

Em seguida, vestiam-nos com as túnicas brancas de linho e ornavam-lhes a fronte com uma faixa cor de púrpura, com tantas estrelas de prata de cinco pontas quantos graus haviam eles passado. Cingiam, outrossim, suas cinturas com um cordel de lã, também cor de púrpura, denominado *Cinto da Castidade*, em cujos pendentes havia tantos nós quantos graus tinham eles realizado.

Então, e só então, os iniciados subiam os sete degraus do Tabernáculo, onde se achava um grande cofre de prata cinzelada que o Grande Servidor abria. Ali encontravam-se as Tábuas da Lei, quebradas por Moisés e unidas cuidadosamente por pequenos grampos de ouro.

Com profunda emoção, imprimiam beijos reverentes sobre aqueles caracteres, gravados, pelo Grande Ungido, mais pela força de Seu pensamento e de Sua vontade, postos em ação, do que pelo Seu dedo, convertido numa espécie de punção de fogo, que pulverizava e queimava a pedra.

Ali estavam os cinco manuscritos originais de Moisés em hieróglifos egípcios, que Essen havia recolhido dentre as roupas do grande Taumaturgo, depois de Sua morte. Eram cinco pequenas cadernetas de papiro, guardadas numa pequena bolsa de couro. Estavam abertas para que pudessem ser lidos os seus títulos: "Gênese – Êxodo – Levítico – Números – Deuteronômio."

Debaixo dos cinco livros sagrados de Moisés, via-se um papiro estendido e seguro nas extremidades por pequenos ganchos de prata, no qual podia ser lido em hebraico antigo:

"Eu, Essen, filho de Nadab, do sangue de Aarão, que fugi para os cimos do Monte Nebo acompanhando a Moisés, meu Senhor, juro por Sua sagrada memória que Ele me mandou recolher, de Seu corpo, estas escrituras, quando O encontrasse morto. Declarou-me, outrossim, que a Voz do Alto o aconselhou que as levasse consigo para que não fossem destruídas ou adulteradas, como já algumas pessoas pensavam em fazê-lo, tão logo o Autor estivesse morto. Essa determinação foi decorrência de uma visão, que tivera, de que tinham sido queimadas as cópias fiéis que Ele mandara tirar para uso dos Sacerdotes e do povo.

"Meu pai Nadab, filho de Aarão, Grande Sacerdote, foi morto no altar dos holocaustos por ter oferecido incenso sobre brasas vivas e pães-de-oferenda a Deus, e ter-se negado a efetuar a degolação dos animais repudiada pelo Grande Profeta. Fugi, em seguimento a Moisés, por ter a Sua Lei sido substituída por outra, beneficiando os Sacerdotes e os Príncipes de Israel, donos das oferendas que prescreviam sacrificar em benefício próprio e de suas rendas. Que Jehová, Poderoso e Justiceiro, ante o qual vou comparecer dentro de breve tempo, seja testemunho de que eu digo a verdade, enviando-me um servidor Seu para que feche os meus olhos e recolha as escrituras de Moisés, que eu, seu servo, tenho conservado."

Mais abaixo, aparecia uma nova linha, escrita com caracteres mais grossos e trêmulos: "Choro de felicidade e bendigo a Jehová, que deu testemunho de que eu dizia a verdade, e trago para minha solidão estes sete Levitas (*), que fogem da abominação de Israel, entregue à matança nos povoados que esse povo deseja habitar, renegando dessa forma a Lei de Jehová, que diz: 'NÃO MATARÁS'." Logo a seguir, com letras diferentes, lia-se: "Atestamos que tudo isto é a expressão da verdade." Em continuação havia estas sete assinaturas: "Johanan, Sabdiel, Jonatham, Saul, Asael, Nehemias e Azur."

Em prosseguimento das ditas assinaturas, voltava-se a ler: "O amor destes servos de Jehová curou a febre que me consumia, e Ele me concede a vida por mais outro tempo. Louvado seja Jehová! Essen, servo de Moisés." Em seguida, uma data, que denotava ser quatorze anos depois, dizia: "Jehová chamou a Seu reino nosso irmão Essen, e nós o sepultamos em Beth-peor, junto ao sepulcro de Moisés, nosso Pai."

(*) A tribo de Levi dividiu-se em dois grupos distintos de ministros sagrados: os Sacerdotes e os Levitas. Os Sacerdotes pertenciam exclusivamente à família de Aarão, enquanto os Levitas se ligavam aos outros descendentes de Levi. Estes últimos eram colaboradores e auxiliares dos Sacerdotes, e estavam encarregados das tarefas mais modestas, inclusive da limpeza. Os Levitas não podiam entrar no Santuário, nem aproximar-se do altar (N.T.).

Na parte superior do Tabernáculo, via-se uma estrela de cinco pontas, símbolo da Luz Divina, formada com cinco lamparinas de azeite que ardiam sem apagar-se nunca.

À direita, estava um grande armário embutido, lavrado também na rocha e com muitos compartimentos, encimados por estes dizeres: *Livros e Memórias dos Grandes Profetas*. Cada compartimento ostentava um nome: Elias, Eliseu, Isaías, Ezequiel, Samuel, Jonas, Jeremias, Oséias, Habacuc, Daniel, etc., etc.

À esquerda, havia outro igual, em cima do qual estava escrito: "*Crônicas da Fraternidade e memórias dos Anciãos que viveram e morreram neste Santuário.*" De um lado e do outro do grande Tabernáculo central viam-se duas pilastras de água, que se enchiam por meio de repuxos das vertentes do Pisga e se esvaziavam por um aqueduto, que saía em direção ao pequeno vale das cavalariças. Aquelas águas, poderosamente vitalizadas, eram levadas para o exterior pelos Terapeutas peregrinos, a fim de serem utilizadas na cura de muitas enfermidades físicas e mentais.

Descrito já, minuciosamente, o Templo dos Essênios, passemos, leitor amigo, para o interior do Santuário, juntamente com os três viajantes, que, seguindo os Anciãos, penetraram por uma pequena galeria, iluminada também por lâmpadas. Em cima de cada lâmpada, podia ser vista uma gravura com uma sentença, isto é, um conselho cheio de prudência e sabedoria dos grandes Mestres e Profetas essênios.

Entraram todos nas piscinas de banho para realizar a ablução por imersão, que a Lei ordenava, como medida de higiene e de limpeza, antes da refeição da noite. Logo em seguida, foram, juntos, ao refeitório. Nesse local, era permitido o recreio e o descanso, durante a refeição. Ali também se faziam referências a todas as notícias que os viajantes traziam do exterior.

Nossos três Essênios-Viajantes mencionaram tudo quanto de extraordinário sabiam sobre o nascimento do filho de Myriam e de Joseph.

Depois de ouvi-los atentamente, o Grande Servidor, que repartia e servia os manjares, que, de antemão, haviam sido colocados nos grandes depósitos e caçarolas de barro, disse:

– Quando, ontem, ao meio-dia, tivemos notícia espiritual da vossa chegada, sabíamos que o Avatara Divino estava já encarnado na cidade de Betlehem, e que Irmãos do Templo dos Montes Quarantana vinham com a notícia.

"Alguns videntes vos viram desde que saístes da Fortaleza de Masada, vindo nesta direção.

"Quando houvermos terminado a refeição que Deus nos dá, examinaremos, juntamente convosco, o que os nossos inspirados e auditivos escreveram em suas cadernetas de bolso, e poderemos ver as comprovações.

"Quando chegar a hora em que o raio da lua cheia atingir as Tábuas da Lei, faremos a Evocação Suprema (*) para que nosso Pai Moisés volte à Terra e nos dê novamente a Sua bênção."

Grandemente animada continuou a conversação espiritual dos Anciãos sobre o grande acontecimento que ocorria no seio da humanidade terrestre, sem que esta se desse conta do fato.

– Pobre menina cega e inconsciente! – exclamou um dos Anciãos. – Esteve a ponto de ser aniquilada e conduzida aos mundos das trevas e não o percebeu!

(*) Salmo 136, mencionado algumas páginas mais adiante (N.T.).

Quando assim falavam, dois dos Anciãos e Sadoc, um dos Essênios recém-chegados, tiraram suas cadernetas do bolso e escreveram algo.

Nas três cadernetas verificaram-se estas palavras:

"Não aqui, mas na caverna do Monte Nebo recebereis a dádiva de Deus. Eliseu."

Quando todos se inteiraram da mensagem, disse o Grande Servidor:

— Então não há tempo a perder, porque o trajeto é longo e apenas chegaremos no momento do raio da lua.

— Toca a andar, pois! — disseram todos.

Embuçando-se em grossos mantos brancos de lã e acendendo as velas de cera, passaram do refeitório para um recinto circular, iluminado debilmente por uma lamparina pendente do teto. Ali ficavam três roupeiros de cedro que, sem portas, deixavam ver grande quantidade de túnicas violetas de penitência, bem como túnicas e mantos brancos e cordéis de púrpura.

Na parte superior dos roupeiros, estava escrito: "*Monte Nebo*", em um; "*Beth-peor*", no outro; e, no terceiro, "*Pisga*".

Entreabrindo as roupas penduradas, entrava-se em escuros corredores, que conduziam, respectivamente, ao Templo do Monte Nebo, ao vale de Beth-peor e ao cume do Monte Pisga.

No Monte Nebo, os Essênios haviam transformado em templo sepulcral a grande caverna em que Moisés morreu e onde havia orado tantas vezes, pois, enquanto Seu povo estava acampado nas faldas dos montes, fugia Ele do tumulto para buscar a Deus na solidão daquelas alturas.

Foi numa caverna existente no cume do Pisga que Moisés escreveu Seu admirável Gênesis; não o que nos mostra a Bíblia hebraica que conhecemos, mas a verdadeira gestação do nosso sistema planetário, desde que era somente uma bolha de gás, na incomensurável imensidão, e que Lhe foi esboçada em uma de Suas magníficas visões.

No vale de Beth-peor, onde Essen sepultou o corpo de Moisés, possuíam os Anciãos uma Escola-Refúgio de meninos e meninas, órfãos, filhos de escravos, de raquíticos, de tísicos e de leprosos, para curá-los e educá-los.

Aquele vale formosíssimo, rodeado de montanhas e rasgado pelas vertentes do Pisga, era chamado *Horto de Moisés*. Estava sob a responsabilidade de uma família essênia, composta de pai, mãe e três filhos: dois varões e u'a mulher. Tal como vinha acontecendo na família de Andrés, que guardava a entrada do Templo do Monte Guarantana, seus encargos eram transmitidos de pais para filhos. Por aquele vale, que ficava somente a um dia de viagem do Mar Morto, podia-se passar para as povoações vizinhas.

A mensagem dizia aos Essênios em marcha que era no Monte Nebo onde seriam visitados pela glória de Deus; e, sem perda de tempo, encaminharam-se pelo negro boqueirão que os levaria para o lugar indicado.

Quanto aos três viajantes, haviam feito aquele mesmo caminho somente uma vez em sua vida, ou seja, quando ascenderam ao quarto grau, em que se encontravam, e sua emoção ia subindo de intensidade à medida que se aproximavam. Era tortuosa aquela galeria e, às vezes, alargava-se enormemente, formando grandes abóbadas naturais, algumas das quais tinham aberturas no teto por onde se filtrava a claridade da lua.

Abria a marcha o Ancião que cuidava das portas de entrada. Aqueles setenta e três homens, embuçados em mantos brancos e com velas acesas, caminharam rapidamente por cerca de uma hora e meia, formando como que uma fantástica procissão silenciosa que parecia deslizar-se nas sombras.

Um profano teria pensado tratar-se de almas errantes que buscassem, dentro das trevas, uma saída para o plano da luz. Mas, tu, leitor, e eu sabemos que eram homens de carne, consagrados a um ideal sublime de liberação humana e não se detinham diante de sacrifícios quando nisto floresciam a fé e a esperança de uma conquista espiritual.

Iam ali, como fantasmas da noite, pelas entranhas dos montes para embriagar-se da Luz Divina, do Amor Eterno e da Sabedoria Infinita! ...

Por fim, sentem o tilintar de cristais que se chocam e se quebram: era o cair das águas de uma vertente num reservatório natural que as recebia, deixando-as derramar por uma espécie de sulco na rocha viva, a qual as levava ao redor de uma espaçosa caverna, onde ardiam sete lâmpadas de azeite, e onde um suave aroma de flores impressionava agradavelmente.

No centro da caverna, via-se uma grande urna de pedra branca, assentada sobre quatro blocos de granito lavrado e vivamente brunido. Na tampa, de resplandecente cobre cinzelado, estava escrito em grandes letras: "Moisés."

Ao pé desse modesto monumento, havia grandes ramos de murtas, de lírios do vale, de rosas brancas e vermelhas. Aquelas delicadas oferendas florais contrastavam com a agreste rusticidade da caverna, que vinha sendo conservada tal como a viram os olhos de Moisés, em carne mortal, quando foi tantas vezes ali para orar, para pensar e, depois, para morrer.

Para um dos lados, havia uma saliência rochosa que formava como que um estrado de dois pés de altura, três de largura e dez de comprimento, mas de contornos irregulares. Em cima, aparecia gravado na rocha viva: "Sobre esta pedra dormiu e morreu Moisés, nosso Pai. Essen, Seu servo."

Essa enorme pedra era usada como altar das oferendas. Tão logo chegaram os Essênios, acenderam sobre ela uma pequena fogueira para oferecer incenso em adoração ao Supremo Criador.

Os melros e as pombas torcazes entravam e saíam livremente pela abertura que os Essênios haviam praticado para que penetrassem os raios da lua e do sol, em determinadas horas, indo cair, como um beijo de luz astral, sobre a múmia de Moisés, adormecida em seu longo sono de pedra no esquife de mármore, que a encerrava.

No lado oposto da entrada, notava-se uma abertura que dava passagem para outra caverna, a qual era utilizada para sepultar os Anciãos desencarnados no Grande Santuário-Mãe. Suas múmias apareciam ressecadas, em pé, presas aos muros da caverna por suportes de cobre.

Aquela multidão de múmias vestidas de túnicas de linho e com capuz branco, à luz trêmula das velas, dava a impressão de que ia começar a andar para receber os visitantes vivos que acabavam de chegar.

– Mortos eles e mortos nós para aquilo que os humanos chamam *Vida!* Vivos eles e vivos nós para a verdadeira vida, que é Esperança, Amor e Conhecimento! – disse o Grande Servidor que captara a onda de lúgubre pavor dos três Essênios-Viajantes, ainda não familiarizados com aquela imóvel família branca e muda, que fazia a guarda na caverna sepulcral de Moisés.

O Grande Servidor, ajudado pelos Anciãos do mais alto grau, levantou a tampa do sarcófago de Moisés, e Sua múmia ficou a descoberto.

Tinha já uma cor esverdeada como o marfim quando muito velho, e algumas partes apresentavam sombras fumosas.

Havia Moisés sido homem de alta estatura e cabeça formosa, coroada por uma fronte genial. O Filho da Princesa Egípcia (*) e do Levita Amram, escultor hebreu, ainda deixava transluzir, em Seu cadáver petrificado, rasgos de beleza de ambas as raças.

Suas largas e delgadas mãos apareciam estendidas sobre suas pernas, e, sobre seus pés desnudos, avistava-se um grosso rolo de papiro envolvido por um aro de prata. Eram as narrações de Essen sobre a vida de Moisés e a de Seus discípulos, que, depois de Sua morte, se refugiaram naqueles montes.

No pavimento da caverna, quase debaixo do esquife de Moisés, existia uma lousa de cor mais clara do que o restante das rochas. Nela achava-se escrito este nome: *Essen, servo de Moisés*, já meio apagado, de tantos pés que o haviam pisado. Ali dormia, em seu longo sono, a múmia do "menino de cera e mel", que tocava a cítara quando as águas da fonte interior haviam encrespado a mente do Homem-Luz. Aquele amor havia sido, em verdade, mais forte do que a morte.

Apenas descoberta a múmia de Moisés, os Anciãos começaram a cantar o Salmo chamado da "Misericórdia", enquanto agitavam incensários, circulando no recinto daquela vasta caverna. É o Salmo 136, cuja letra original diz assim:

"Louvemos a Jehová, porque só Ele é bom, porque é eterna a Sua Misericórdia.

"Louvemos ao Deus dos deuses, porque é eterna a Sua Misericórdia.

"Louvemos ao Senhor dos senhores, porque é eterna a Sua Misericórdia.

"A Deus que faz grandes maravilhas, porque é eterna a Sua Misericórdia.

"Ao que fez os céus com Sabedoria, porque é eterna a Sua Misericórdia.

"Ao que estendeu a Terra sobre as águas, porque é eterna a Sua Misericórdia.

"Ao que cobriu os espaços de grandes luminárias, porque é eterna a Sua Misericórdia.

"Ao que, em nosso abatimento, derramou paz sobre nós, porque é eterna a Sua Misericórdia.

"Louvemos ao Deus de todos os céus, de noite e de dia, na vigília e no sono, na calma e na angústia, porque é eterna a Sua Misericórdia. Assim seja!"

Terminado o salmo, cada um se manteve quieto e mudo no lugar em que se encontrava.

– Que Deus Misericordioso esteja no meio desta santa convocação! – exclamou o Servidor com voz solene, levantando para as alturas os braços abertos; era este o sinal supremo com que os Grandes Mestres evocavam a Divindade.

Uma radiante nuvenzinha, com as cores do arco-íris, começou a revolver-se, como um redemoinho, sobre o túmulo de Moisés, que desapareceu da vista dos circunstantes. A nuvem esplendente transformou-se em chama viva, que foi enchendo a imensa caverna com seus reflexos de ouro, de rubi e de ametista.

Os Essênios, quietos, imóveis e silenciosos, pensaram, talvez:

"Este fogo divino vai consumir-nos completamente." Não obstante, não se moveram. Já não se viam mais uns aos outros, porque aquela chama viva inundara tudo. Até a vizinha caverna, com grande número de múmias brancas, foi invadida por ela. Mas era uma chama que não causava dano algum; apenas transportava a alma,

---

(*) Thimetia. (N.T.).

banhava a mente em divinas claridades, anulava os sentidos físicos, e sutilizava a matéria até o ponto em que cada um dos Essênios pensou:

"Meu corpo foi consumido pelo fogo de Deus, e só vive o meu Eu Interno, que sabe amá-LO e pode chegar a compreendê-LO."

E um gozo divino inundou-os, pois pensaram que já não viviam a grosseira vida dos sentidos.

Viram então, dentro da chama viva, a face de Moisés, tal como já a haviam presenciado outras vezes, com aqueles dois potentes raios de luz que emanavam de Sua fronte, a cujo fulgor o olhar humano não podia resistir. Ao redor d'Ele, surgiam também as faces luminosas de Seus sessenta e nove companheiros, todos Amadores, que, estendendo suas mãos direitas sobre Moisés, pareciam fortificar cada vez mais, com a maravilhosa irradiação de seus dedos, os dois poderosos mananciais de luz brotando da testa do Grande Taumaturgo, mananciais esses que haviam acendido a chama viva a inundar a caverna.

Os Essênios pensavam lá consigo:
"Somente a fronte de nosso Pai Moisés ostenta dois mananciais de luz."
Então a Voz solene de Moisés respondeu a esse pensamento dos Essênios, dizendo:

"Fui ungido pelas *Tochas Eternas* de Deus, para trazer a Divina Lei a esta humanidade, naquela hora de Meu Messianismo, e, por isto, emanam de Minha fronte estes poderosos raios de luz.

"Até então, a Vontade Divina somente fora patrimônio de uns poucos, que a pressentiram em suas horas de ansiedade pelo Infinito. Mas, a partir dali, a Vontade Divina caiu sobre a humanidade deste Planeta com a força de Lei Suprema, de maneira tão absoluta que todo aquele que contra ela comete delito, arroja sobre si mesmo uma carga de trevas para inumeráveis séculos.

"Os Profetas brancos de Anfião, os Dácthylos de Antúlio e os Kobdas de Abel não foram senão os primeiros sensitivos que captaram a onda da Lei Eterna, que se discernia como uma chama purificadora existente para além da Esfera Astral da Terra.

"Minha encarnação em Moisés foi a condutora da Eterna Mensagem que marcava com fogo o caminho da humanidade terrestre.

"Hoje é outro dia na eterna imensidão de Deus: é o grande dia do Amor, da Piedade, da Infinita Misericórdia. O grande Dia do Perdão e da Paz. Por isso, já não sou Moisés, o portador da severa Lei Divina, mas simplesmente Jhasua, o Amador – Aquele que envolverá, na onda infinita do Amor Misericordioso, todos quantos pecaram contra a Eterna Lei trazida por Moisés.

"Ora, como essa Lei foi esquecida, a humanidade terrestre deveria ser transportada para as moradas de trevas a fim de viver vidas de monstros entre vidas de pedras e de lamacentas cinzas, até que novas luzes acendessem as lamparinas que a iniquidade apagara com seu vendaval irresistível.

"Mas eis que chegou Jhasua, o Amador, com a mensagem do Perdão, da Misericórdia e da Salvação para todos aqueles que O recebem, busquem e amem. Apenas acabara Eu de morrer nesta mesma caverna, hoje inundada pela glória de Deus, e o povo escolhido para ser o primogênito da Lei Divina tornou-se o primeiro prevaricador contra Ela, como o provam as espantosas escrituras adjudicadas ao Meu nome, nas quais se malbaratam a morte, as vítimas e o sangue; e isto ali mesmo onde verte sua eterna claridade o mandamento divino: *Não matarás.*

"Não é mais o dia do ardente sol de Moisés, mas o doce amanhecer de Jhasua, o Amador. Olhai! ..."

Ao dizer isso, a esplendorosa visão transformou-se de todo. A chama viva de ouro e rubi dissipou-se, como um incêndio que se apaga subitamente; ficou apenas, envolto numa rosada nuvenzinha, um Moisés sem raios na fronte, e só, absolutamente só, sem o brilhante cortejo que O havia acompanhado.

– Sou Jhasua, o Amador, que vem a vós como um cordeirinho manso, para pastar em vossos hortos de lírios em flor! Sou o Amador que busca ansiosamente os Seus amados! ... Sou o terno Amigo que procura os Seus amigos, ausentes há muito tempo! ... Sou a Luz para todos aqueles que caminham nas trevas! ... Sou a Água clara para os que têm sede! Sou o Pão de flor-de-farinha para os que sentem fome! ... Sou a Paz! ... Sou a Misericórdia, sou o Perdão! ...

"Virei a estes montes para buscar, como um aprendiz imberbe, vossa sabedoria! ... Virei a esta mesma caverna, já jovem e forte, a fim de pedir a Luz Divina para que decida o meu caminho; e sereis vós, na Terra, os Mestres de Jhasua, que – envolto na matéria e num plano de vida em que tudo Lhe será adverso – agitar-se-á indeciso, como um débil barco em mar tempestuoso; como um cervo ferido num deserto sem água...; como um rouxinol esquecido entre uma planície de neve!

"Essênios silenciosos de Moisés! ... Eu vos digo: Preparai-vos para ajudar Jhasua a encontrar-Se a Si mesmo, para cumprir o Seu destino, para chegar, sem vacilações, à Sua apoteose de Redentor!"

Então, estendendo para o Alto as Suas mãos – que resplandeciam na treva como pedaços de Lua nos espaços – exclamou com voz musical, como se fora a ressonância de saltérios divinos a vibrarem ao longe:

Glória a Deus nas alturas infinitas, e paz aos homens de boa vontade! ..."

A visão foi perdendo-se ao longe, mas ainda se ouvia a Sua voz de música distante, a dizer:

"Esperai, que eu virei! ... como o pássaro solitário ao seu ninho! ... como o amado para a amada que o espera! ... como o filho para a mãe, que o aguarda com a lâmpada acesa! ... Esperai, que eu virei! ..."

Com isto, desapareceu a visão, perdurando apenas uma suave esteira de luz e uma dulcíssima vibração de harmonia, como se não pudesse extinguir-se completamente o eco prolongado daquela salmodia indefinível ...

Sem saber como nem por quê nem quando, os Essênios encontraram-se todos de joelhos, com os braços levantados, como se tentassem abraçar o vazio, e com os olhos encharcados de pranto! ...

Era o divino chorar da alma, a quem Deus acabara de visitar na Terra! ...

Depois de um longo solilóquio mental de cada um com a Divindade e consigo mesmo, os Essênios, silenciosos e meditativos, retornaram, pelo mesmo caminho, para o Santuário. Aí, cada qual procurou a imperturbável quietude de sua alcova rochosa para repousar.

Nasceu um Inocente

Voltemos à serena quietude de Betlehem, a tranqüila cidade onde nasceu David, o pastorzinho que Samuel, Profeta Essênio, ungiu Rei de Israel ... o Rei dos salmos dolentes e gementes, quando seu coração sincero compreendeu que havia pecado.

Voltemos à casinha de Elcana, o tecelão, em uma de cujas alcovas se encontravam Myriam e Joseph com seu Menino Divino ... Deus feito homem! A Lei nos permite escutar-lhes a conversação. A noite já está muito avançada, e todos se recolheram nas alcovas de repouso.

Joseph desperta, porque sente que Myriam chora com soluços contidos, provavelmente para não chamar-lhe a atenção.

Acende uma candeia e se aproxima do leito da esposa, a quem encontra com o filho nos braços.

– Que está acontecendo, Myriam, que choras desse jeito? Acaso o menino está enfermo?

– Não – disse ela. – Ele dorme. Olha.

– Bem. Se está tranqüilo e dorme, por que choras?

– Amanhã fará oito dias que nasceu.

– É verdade. Já pensei nisto, e Elcana também. Ele e sua mulher o levarão à Sinagoga para que seja feita a circuncisão; e eu ficarei contigo.

Myriam deu um grande gemido, e seus soluços tornaram-se mais profundos. Joseph, aflito ao máximo, não acertava a causa daquela dor.

– Uma voz me despertou do sono – disse, por fim, Myriam – e essa voz me disse: "Teu menino não será circuncidado."

– Como poderá ser isto – exclamou Joseph –, se é Lei de Moisés, recebida por Ele mesmo de Jehová? Está certo que ele é um Profeta, segundo todas as aparências; porém todos nossos Profetas, como creio, foram submetidos a essa Lei! Como poderemos pecar contra a Lei de Moisés?

– Joseph, senta aqui a meu lado, e explicar-te-ei o que aconteceu. Fui despertada porque o berço do menino estava cheio de luz, e julguei que tu havias acendido a candeia para velá-lo. Então compreendi que não era luz de candeia, mas, sim, um suave resplendor que saía de meu filhinho. Essa luz iluminava os rostos veneráveis e formosos de vários anciãos de brancas vestes, que o contemplavam com inefável ternura. Por fim, vendo que eu os observava, disse um deles:

– Mulher, retira esse espinho do coração, porque teu filho não será ferido pelo cutelo do sacerdote.

– É Lei de Jehová – disse eu. – Mas ele acrescentou: "Não é Lei de Jehová nem Lei de Moisés, mas tão-somente de homens inconscientes que buscam a filiação divina em grosseiros ritos materiais. Todas as criaturas humanas têm a filiação divina, porque surgimos de Deus como chispas de uma fogueira."

— Quem sois vós que assim falais? — perguntei.

— Somos — responderam — os depositários dos livros de Moisés, e é a partir d'Ele, até hoje, que habitamos obscuras cavernas em agrestes montanhas, para que a Sabedoria Divina, transmitida por Ele, não seja corrompida nem deturpada na face da Terra. Somos os Anciãos do grande Templo Essênio do Moab, e visitamos-te em sonhos para advertir-te sobre a Vontade Divina. Como prova de ser isto certo, amanhã estará enfermo o Hazzam da Sinagoga (*). Joseph encontrará um sacerdote, por nome Esdras, que virá de Jerusalém. Este é um dos nossos, a quem acabamos de visitar, assim como visitamos a ti, para que ele venha a esta Sinagoga. Ide a seu encontro pouco antes do meio-dia, e levai o menino, que ele sabe o que fazer. Dito isto, desapareceu o resplendor, como também os Anciãos. Ouviste isto, Joseph?

— Sim, Myriam, ouvi, mas receio muito que isto seja uma visão enganosa dos espíritos das trevas. Dizer que a circuncisão não é Lei de Jehová, recebida por Moisés, é questão muito grave!

— Por isto minha aflição tem sido grande, e estou, há muito tempo, clamando ao Senhor, com lágrimas nos olhos, para que Ele dê luz à Sua serva, que somente deseja aquilo que Ele mesmo quer.

— Myriam! ... Consola-te, que isto será esclarecido amanhã, na primeira hora do dia (**). Eu me encaminharei à estrada que vem de Jerusalém e, ao primeiro sacerdote que encontrar, perguntarei: "És tu Esdras, o sacerdote que Deus mandou a Betlehem para circuncidar um menino que nasceu há oito dias?" De sua resposta compreenderemos a Vontade de Deus.

Aconteceu tal como os Anciãos haviam dito.

Era Esdras um Essênio do quinto grau, que vinha a Betlehem, avisado em sonhos pelos Anciãos do Moab, para evitar que fosse profanada a vestimenta física do Avatara Divino com um rito grosseiro, impróprio até para animais, quanto mais para seres dotados de inteligência e razão.

Levado o menino à Sinagoga, e estando enfermo o Hazzam, encarregado dela, Esdras, com Elcana e Sara, realizaram os rituais do costume. Foi anotado num grande livro o nome do menino e de seus pais, com a data do nascimento, mas seu corpo não foi ferido, porque Esdras era um Essênio adiantado e conhecia todos os segredos do grande Templo do Moab, ou seja, os verdadeiros livros de Moisés, bem como toda a Sabedoria Divina, que é a Lei Eterna para os homens deste Planeta.

Como Myriam havia dito que o nome do menino devia ser Jhasua (Jesus em português), e sabendo também Esdras que assim ele devia chamar-se, foi-lhe imposto esse nome. Então Elcana e Sara voltaram com o menino para casa, aonde, naquela mesma tarde, chegou igualmente Esdras para acalmar a alma de Myriam a respeito da visão que havia tido.

— Conta-me, Myriam — disse Esdras —, se é que consegues recordar-te: como era a aparência dos Anciãos que viste junto ao berço de teu filho?

— Oh! ... lembro-me muito bem! — respondeu ela. — Tinham tanto as barbas como os cabelos brancos e longos, onde não havia vestígio de tesoura nem de

---

(*) Hoje em dia, Hazzam é o cantor da Sinagoga e também o responsável pelos serviços religiosos em geral. Não precisa ser formado em leis, mas é necessário que tenha boa voz. Antigamente, ao que tudo indica, o Hazzam acumulava também as funções de professor, etc... O Rabino precisa ser formado, pois é um "Doutor da Lei" (N.T.).

(**) Na Antigüidade, o dia era dividido em três partes: manhã, meio-dia e tarde. Da mesma forma, a noite era dividida em três vigílias. Os judeus dividiam o dia propriamente dito em 12 horas (N.T.).

navalha. Traziam túnicas ajustadas com cordéis de púrpura. Sobre a fronte, uma fita branca com sete estrelas de cinco pontas, que resplandeciam com luz própria.

— Dize-me: nunca viste algum dos nossos Templos Essênios do Monte Carmelo ou do Monte Hermon?

— Não ... ainda não, porque Joseph e eu somos essênios do primeiro grau, e os Terapeutas-Peregrinos, que nos instruem, disseram que, quando houvermos subido ao segundo, permitirão nossa entrada no Santuário Essênio, que, para nós, é o do Monte Tabor ou do Carmelo.

— Há quanto tempo estás no primeiro grau?

— Joseph, meu marido, faz já sete anos que ingressou junto com sua primeira esposa Débora; mas eu mergulhei o rosto em água santa ao retirar-me do Templo de Jerusalém, quando desposei Joseph, há dezessete meses.

— Quando voltares à tua casinha de Nazareth e teu filho estiver mais crescido e mais forte, subirás, juntamente comigo, ao Templo Essênio do Monte Tabor; ali poderás ver alguns Anciãos, iguais àqueles que viste em sonho.

Myriam olhou-o com seus grandes olhos doces como avelãs molhadas pelo orvalho ... olhares nos quais transpareciam as vagas sucessivas e ininterruptas de suas emoções mais íntimas, que lhe surgiam nas pupilas e mesmo nos lábios, emoções que ela, no entanto, reprimia sempre, como se temesse que se evaporassem ao emergir para o exterior. Por fim, todas elas se condensaram nesta simples interrogação:

— Mas ..., afinal, quem é este menino que nasceu de mim?

— Perguntas quem é este menino? mulher bem-aventurada pelos séculos dos séculos! — exclamou o Sacerdote Essênio, que, se era Doutor da Lei no Templo de Jerusalém por sua descendência de antiga família sacerdotal, era mais Essênio por convicção, pela educação e pela íntima afinidade com a Sabedoria Essênia transmitida por sua mãe.

— Mulher bem-aventurada! Este menino é a Luz Incriada, feita homem; o Amor Divino, feito carne; a Misericórdia Infinita, feita coração humano. É um Homem-Deus! Compreendes, Myriam? ...

— Eu só sei e compreendo que é meu filho; que é um pedaço de minha própria vida; que este corpinho de leite e rosas foi sendo formado, pouco a pouco, dentro de meu seio, onde se ocultou durante nove meses, e que, chegado ao mundo exterior, ainda necessita de que eu lhe dê vida com a seiva de meu ser. É meu filho! ... É meu! ... mais meu do que de qualquer outra pessoa! Ele vive de mim, e eu vivo ... vivo para ele!

Compreendeu o Essênio Esdras que a imensa ternura maternal de Myriam não lhe permitiria acolher, sem sustos e sobressaltos, a grande e sobre-humana idéia de um filho que era Deus.

Como assimilaria essa mãe terníssima, apenas saída da adolescência, a suprema verdade ou a estupenda grandeza espiritual de seu filho, que, por ser o que era, podia bem qualificar-se como uma dádiva concedida pela Bondade Divina para toda a humanidade terrestre?

De que modo poderia ela compreender a tremenda imolação de seu nome de *mãe* no altar do Amor Eterno, que, um dia, dir-lhe-ia com a voz imutável dos acontecimentos: "Toda a humanidade pecadora pode dizer como tu, Myriam: É meu! ... vive por mim, e eu vivo por ele! ..."

Poder-se-ia afirmar que, nos mais ocultos refolhos do seu Eu íntimo, Myriam pressentia o futuro, sem, todavia, ter noção nem idéia do divino segredo que estava tendo seu cumprimento e sua realização no plano físico terrestre, com relação ao filho que acabava de nascer. Daí o secreto temor que a fazia pronunciar sempre e inopinadamente estas mesmas palavras: "É meu, mais do que de outrem qualquer. É meu filho; ele vive da seiva da minha vida, e eu vivo para ele."

Às vezes acrescentava: "Por que será que tantas pessoas vêm para vê-lo? Não é, acaso, um menino como outro qualquer?

"Os sacerdotes de Jerusalém ocultam-se para vir observá-lo e recomendam: 'Não digas a ninguém que estivemos visitando este menino. Não deves revelar a quem quer que seja o que aconteceu antes e depois do seu nascimento, a fim de que a ignorância dos homens não venha colocar algum obstáculo ao cumprimento dos desígnios divinos! ...'

"Espanta-me todo esse enigma que existe ao redor do filho de minhas entranhas! Que será que outros estão vendo nele? Eu só vejo uma coisa: que é o tesouro que Deus me deu ..., a coisa mais formosa que existe para mim no mundo! ... que será o mais santo e mais bondoso ser da Terra, porquanto eu o ofereci a Deus para que seja todo Seu! ... porque, sendo d'Ele, é meu também, posto que Deus o deu a mim! Só Deus, o Pai Universal, pode ser dono de meu filho sem arrancá-lo de meus carinhos! ..."

Uma espécie de delírio febril ia apoderando-se de Myriam, à medida que falava, e suas palavras deixavam transluzir o temor de que o filho lhe fosse arrancado dos braços como conseqüência do grande interesse e entusiasmo que seu nascimento despertava. Então lhe disse Esdras:

— Sim, Myriam, filha minha, acalma-te; é teu; Deus to deu, e porque Ele to deu, tu és bem-aventurada pelos séculos dos séculos. As pessoas que conhecem a grandeza espiritual de teu filho sentem a necessidade de vê-lo, de tocá-lo, mas ninguém pensa em arrancá-lo de ti, Myriam. Permanece tranqüila, que a chegada dele há de trazer-te bênçãos divinas.

O Essênio fez grandes recomendações a Elcana e a Joseph no tocante aos cuidados que deveriam ter para com o menino; e também lhes encareceu informassem aos Terapeutas-Peregrinos tudo quanto lhe ocorresse para que pudesse ser assistido de imediato.

Em seguida, voltou Esdras ao Templo de Jerusalém, com a alma transbordante de consolo e de esperança, porque havia presenciado o cumprimento da promessa feita por Jehová a Moisés no cume do Monte Pisga: "Toda essa terra que vês, desde este monte até o Mar Grande (*), será a herança de Israel, mas tu não entrarás nela agora, pois haverá morte e desolação, guerras e devastações. Somente pisarás essa terra na hora de tua vitória final, quando houveres vencido o Mal que atormenta a Humanidade do Planeta."

Esdras, Essênio do quinto grau, penetrou, nessa noite, como um fantasma pelo Pórtico dos Sacerdotes, para conversar com Nehemias, Habacuc e Eleázar, Sacerdotes e Essênios como ele, sobre o cumprimento da escritura profética de Moisés.

Que não dariam eles para encontrar-se no grande Santuário do Moab, no meio dos Mestres Anciãos, nesses momentos solenes para a Fraternidade Essênia, que seria a mãe espiritual do Avatara Divino encarnado no seio da Humanidade?

Mas a Lei Eterna havia confiado a eles a missão de salvaguardar os ideais religiosos dos verdadeiros servidores de Deus, a interpretação fiel da Lei Divina, ou

---

(*) Hoje: Mediterrâneo (N.T.).

seja, os Dez Mandamentos das Sagradas Tábuas, que eram a única coisa não-adulterada, desvirtuada ou interpretada equivocadamente, de tudo quanto Moisés dissera.

Viam, com imensa dor, a profanação horrível que se vinha fazendo, século após século, das Escrituras de Moisés, sobretudo dos Livros chamados *Levíticos* e *Deuteronômio*. Nelas não só se encontram, a cada passo, formidáveis contradições aos Dez Mandamentos da Lei Divina, como ainda se alardeia uma ferocidade inaudita a incitar para a vingança, para o crime, para o incêndio, para a devastação de povos e cidades que os hebreus quisessem conquistar para si. Tudo isso com a anteposição desta afirmação: "*E disse Deus a Moisés* que o transmitisse a Israel ..." Seguiam então as ordens de arrasar povos e cidades *sem deixar um único vivo* (palavras textuais), nem homens nem mulheres nem crianças. Esse Deus havia falado a Moisés no Monte Horeb para fazê-lo gravar em pedra Seus Dez Mandamentos, dos quais o primeiro diz: "*Amarás a Deus sobre todas as coisas e ao próximo como a ti mesmo*"; e o quinto: "*Não matarás*".

Nessas adulterações dos livros de Moisés teve origem a perseguição aos verdadeiros e fiéis discípulos do grande Legislador, que haviam sido obrigados a ocultar-se nas cavernas dos montes ou a viver incógnitos nas Sinagogas e no Templo; mas, ainda assim, com grave risco de serem descobertos e pagar com a vida a formosa ilusão de reconstruir a obra espiritual de Moisés.

Todos os Essênios que se permitiram alimentar aquele sonho tinham sido condenados à morte, acusados de inovadores, de feiticeiros, de perturbadores da ordem, de sacrílegos. Entre eles, o mais audaz de todos era Hillel, Essênio do sexto grau, que, sem se importar com sua vida, percorreu a Palestina, falando, em ruas e praças, sobre a verdadeira doutrina de Moisés. Ocorreu isto cinqüenta anos antes do nascimento de Jhasua.

Chegou João Batista, que, como um vendaval do Fogo Sagrado, quis levar Israel à prática do genuíno ensinamento de Moisés, baseado na pureza e na santidade da vida e não no exorbitante número de sacrifícios sangrentos, que faziam do Templo de Deus e da Casa de Oração um matadouro imundo, onde o sangue corria pelos altares e pavimentos, manchando de vermelho até as vestimentas sacerdotais e os véus das virgens e das viúvas que cantavam louvores a Jehová. Pelo fato de haver o Templo sido profanado, João passou a levar as pessoas para as margens do Rio Jordão, sob a luz serena dos astros, à sombra das árvores, à beira das águas puras e cristalinas do rio, a fim de que pudesse aquela gente encontrar de novo o Deus de Moisés, na beleza sublime de todas suas obras, nas quais deveria amá-LO acima de todas as coisas ...

A cabeça de João, o Batista, Essênio do sétimo grau, caiu na obscuridade de u'a masmorra, e sua morte foi inculpada, por uns, à vingança de Herodíade, que havia abandonado seu marido, que não era rei, para se unir ilicitamente a seu cunhado, que era o monarca reinante, e, por outros, ao apaixonado amor da jovem Salomé, que ganhara, por meio de uma dança, o direito de pedir ao rei o que quisesse ... Assim, por insinuação de sua mãe, Herodíade, ela pediu a cabeça de João, o Batista.

É o que vem sendo relatado; mas a verdadeira história diz que a sentença de morte do Batista foi pedida pelos Doutores da Lei e pelo Sumo Sacerdote, por terem notado que o Templo estava ficando sem as matanças para os sacrifícios, e, além disso, os mercadores, agentes do lucro dos sacerdotes, queixavam-se das escassas vendas realizadas desde que *um impostor vestido de penitente e de pele de camelo* andava a dizer ao povo que a purificação devia nascer de seu próprio interior, mediante o esforço e a vontade do melhoramento espiritual, e não por matar um touro, um cordeiro, uma bezerra e regar o altar de Deus com o sangue deles e queimar, depois, as carnes palpitantes e mornas das vítimas.

Por sua vez, os Essênios, em suas secretas e íntimas conversações da época, diziam:

"Eis aqui o motivo pelo qual a maioria desta humanidade mereceu ser levada para as Moradas das Trevas, a fim de sofrer uma nova e tremenda expiação coletiva, conseqüência lógica de todo o atraso moral e espiritual causado pela espantosa adulteração e desprezo da Lei Divina, trazida por Moisés ... Centenas de Seus discípulos haviam encontrado a morte na defesa de Sua doutrina sem conseguir nada ...

Eis que Moisés, movido de compaixão pelos Seus mártires que se haviam sacrificado aos milhares, e movido também de piedade por esta herança humana que o Pai Lhe confiara, deixa seu Céu radiante ... o Sétimo Céu dos Amadores, e desce, pela última vez, à Terra, para salvar a Humanidade, que se achava a caminho do caos e da destruição.

Mas a Humanidade O ouvirá? A Humanidade O reconhecerá? ... Vestirá ela a túnica da penitência e cairá de joelhos ante Ele, reconhecendo seu pecado? ...

Irá Jhasua à Roma pagã e idólatra, para levá-la à adoração do Deus verdadeiro? Desatará Ele, ali, todos os seus estupendos poderes, realizando maravilhas sobre-humanas, como Moisés no Egito, para que César, da mesma forma como o Faraó, Lhe diga: "Vejo que Deus está contigo; seja feito de acordo com tua vontade"? Será Jhasua então o Instrutor de toda a Humanidade, e esta O seguirá docilmente como um rebanho de cordeirinhos? ...

Estavam os quatro Sacerdotes Essênios nesta santa conversação, à débil luz de uma candeia, quando a mão direita de Nehemias começou a agitar-se sobre a mesa.

Ele tomou rapidamente a varinha de escrever, e sobre um pedaço de seu manto de linho escreveu: "Fugi pela rampa que sai para as Tumbas dos Reis, porque dois Levitas espiões ouviram a vossa conversação, e estais ameaçados de morrer antes do amanhecer. Fugi. Eliseu."

A candeia foi apagada subitamente, e os quatro Essênios penetraram numa negra entrada que se abria no fundo de um enorme armário, depósito de turíbulos, de vasos e de reservatórios, usados para o culto – entrada essa da qual só eles possuíam o segredo. Se não estivessem familiarizados com aquele tenebroso corredor, teriam ficado loucos para encontrar uma saída pelas trevas, pois não tinham tido tempo para apanhar velas nem tochas nem círios.

Já, em outras ocasiões, haviam eles burlado espionagens e denúncias do mesmo estilo mediante esta saída subterrânea do Templo de Jerusalém, a qual era obra de um profeta Essênio de nome Esdras. Achando-se este entre o povo hebreu, cativo na Babilônia, ganhara a confiança e o amor de Artaxerxes, rei da Pérsia e da Assíria. Foi assim que esse rei o autorizou a reconstruir a Cidade Santa e o Templo, destruídos pela invasão ordenada por Nabucodonosor, quando arrasou, a sangue e fogo, a Cidade de David e o Templo de marfim e de ouro, construído por Salomão.

Quando Esdras, o Profeta, levou a efeito a referida reconstrução, mandou fazer também, com operários essênios, aquela saída secreta, porque, como bom discípulo de Moisés, sonhava devolver a Israel a doutrina de seu grande Legislador. Com isto, os Mestres Essênios, que habitavam as cavernas dos montes, tomariam novamente a direção espiritual das almas, formando o alto sacerdócio do Templo.

Precavido e temeroso, outrossim, de que voltassem também os inimigos encobertos da doutrina Mosaica, fizera Esdras abrir esse corredor secreto em direção ao oriente, com saída pela Tumba de Absalão, antigo monumento lavrado esmeradamente na rocha viva das primeiras colinas do Monte das Oliveiras, do qual formava parte o Horto de Getsêmani.

Por ali, entravam e saíam os Terapeutas-Peregrinos para levar mensagens dos Mestres do Monte Moab aos sacerdotes essênios, que, em virtude de sua ascendência, não podiam fugir ao serviço do Templo quando lhes tocava o turno.

Entre as faculdades psíquicas do Profeta Esdras, detacava-se a premonição, chegando ele, por vezes, a ler, como em um livro aberto, um futuro distante. Casualmente viu, em suas profundas e solitárias meditações, a perseguição e a morte de que seriam objeto seus irmãos essênios, apesar de terem sido eles os mais abnegados e incansáveis trabalhadores da reedificação de Jerusalém e de seu Templo devastado.

A Maga Divina dos Céus deixa-nos ver Esdras, o Profeta, na solidão da noite, sob um pórtico semidestruído do Templo, examinando, à luz de uma candeia, um croqui da Cidade Santa e de seus arredores. É que ele procurava encontrar a orientação e a saída mais convenientes para o corredor de salvamento, o qual, depois, tomou o seu nome: *Caminho de Esdras*.

Estudados, assim, os prós e os contras, o vidente essênio compreendeu que maiores facilidades e vantagens oferecia o caminho para o oriente, com saída no Monumento de Absalão, que, abandonado e semidestruído, já não interessava a ninguém, pois era apenas um ossário repugnante, onde habitavam somente lagartos e bufos.

Acresce que aquele local oferecia a enorme vantagem de ficar perto do Monte das Oliveiras, em cujos grandes patamares de rochas existiam boas cavernas; e todas essas terras, até Bethânia, eram propriedade de famílias essênias, as quais, desde longas épocas, iam sendo passadas de pais para filhos. Nas cavernas daqueles montes, haviam sido salvos da invasão assíria numerosos agrupamentos familiares essênios, que continuaram vivendo ali durante todo o período em que a maioria do povo, jovem e forte, permanecia escravizada na Assíria.

Nas montanhas, ao norte da Cidade Santa, encontrava-se a chamada Gruta de Jeremias, bastante conhecida dos essênios por ter sido o refúgio e recinto de oração de Jeremias, um de seus grandes Profetas, o inimitável cantor das *Lamentações*. Ela, porém, ficava mui distante, o que aumentava grandemente o esforço a realizar.

De outra parte, achava-se ao sul a Tumba de David para uma eventual saída; mas esta, mais afastada, era lugar demasiadamente freqüentado, por existir ali um aqueduto para as piscinas de Siloé e também a estrada que levava a Betlehem.

Ao mesmo tempo que, sob a luz do sol, com milhares de operários, o mencionado Profeta fazia reconstruir a Cidade e o Templo, uma centena de pedreiros essênios abria e fortificava o estreito corredor subterrâneo, por onde os discípulos de Moisés poderiam continuar a iluminar as consciências, alimentando a fé do povo hebreu, fiel a seu grande Instrutor, bem como estar em contato com os Anciãos do Moab.

Por este caminho de Esdras, seguiram os quatro Essênios, Sacerdotes de Jerusalém, na noite do mesmo dia em que foi imposto ao menino de Myriam o nome de Jhasua. Dir-se-ia que, na mesma data em que Jhasua aparecia ante o mundo, tendo sido anotado nos livros da Sinagoga o nome com que se chamaria daí para diante, as inteligências do Mal desatavam as suas forças destruidoras para recomeçar o aniquilamento das legiões mosaicas através desses mesmos sacerdotes, que haviam sepultado, sob espantosos erros, a Sua Lei, escrita sobre tábuas de pedra pelo dedo de fogo de Moisés! ...

Chegaram ao velho monumento funerário, onde, entre lousas amontoadas, ocultavam peles, mantas e pequenos sacos de frutas secas e vasilhas com mel. Acenderam uma fogueira e deitaram-se, extenuados, sobre leitos de feno e peles de ovelha.

Três horas depois, resplandeciam os primeiros fulgores do amanhecer.

Quando o Sol já se levantava sobre o horizonte, encaminharam-se eles para Bethânia, com indumentária de viajantes; e, dessa forma, entraram por diferentes caminhos na cidade. Nehemias e Eleázar passaram, de imediato, para o Templo, a fim de cumprir seu turno no Serviço Divino, enquanto Simão (*) e Esdras ficavam em suas casas particulares.

O estratagema da fuga pelo caminho subterrâneo serviu-lhes para desvirtuar a denúncia ao Sinédrio, que era, em sua maioria, favorável ao Sumo Sacerdote, homem duro e egoísta, que obtinha grandes lucros com sua elevada posição, e lutava para exterminar, pela raiz, aquilo que ele e seus sequazes chamavam de *sentimento ou sentimentalismo* de uma geração minguada, com sacerdotes indignos da fortaleza divina de Jehová. Estes deprimentes qualificativos eram aplicados aos sacerdotes de filiação essênia.

Aliás, no recinto do Templo, qualquer observador sagaz forçosamente notaria bem definidas as duas tendências que o Sumo Sacerdote qualificava como "*sacerdotes de bronze e sacerdotes de cera*".

Os de "*cera*" eram os essênios que, desgraçadamente, formavam a minoria; mas u'a minoria que, às vezes, adquiria tal prestígio e superioridade, no meio do povo fiel, que os de "*bronze*" ficavam mortificados e despeitados, acarretando com isto, de tempo em tempo, fortes desavenças que eles cuidavam muito para não serem percebidas no exterior.

As classes abastadas da sociedade estavam com os sacerdotes de "bronze", e as classes humildes com os de "cera". Já compreenderá o leitor que os primeiros buscavam, no serviço do Templo, seu engrandecimento pessoal e o aumento de suas riquezas, e, como conseqüência imediata, estavam fortemente unidos às classes abastadas, possuidoras de grandes extensões de terra, providas de gado.

Na lei relativa aos sacrifícios sangrentos, aumentava sempre o número das vítimas a imolar, pois nisto estavam particularmente interessados os donos que vendiam por preço altíssimo aos agentes intermediários. Estes eram postos pelos sacerdotes nos átrios do Templo, exatamente como fazem os comerciantes em mercado público. Com isto, os sacerdotes auferiam lucro duplo: aquele que era oferecido pelos intermediários e o que produzia a venda da carne das vítimas, que a Lei de Moisés – segundo eles – destinava ao consumo da classe sacerdotal.

Era simplesmente impossível, aos sacerdotes e levitas, consumirem aquela enormidade de animais que eram degolados diariamente sobre o Altar dos Holocaustos. Somavam esses degolamentos algumas centenas, principalmente nas solenidades da Páscoa, nas festas comemorativas da saída do Egito e do retorno dos cativeiros, que, por três vezes, o povo de Israel havia sofrido.

As carnes destinadas ao consumo dos sacerdotes e dos levitas eram conduzidas do Templo para suas casas particulares. Tinham estas sempre uma pequena porta, bem dissimulada no mais afastado recanto do horto, por onde aquelas carnes passavam em sacos de couro, sendo estes depois vendidos a terceiros negociantes, como se fossem sacos de frutas ou de azeitonas.

Em contraposição, os sacerdotes que faziam parte do grupo qualificado como "*doutores de cera*" impediam esses rendosos negócios de carne morta, porque, aos

---

(*) Esse sacerdote é citado neste capítulo com o nome de HABACUC. Supomos tratar-se de um complemento do nome ou de um equívoco (N.T.).

fiéis que faziam consultas sobre casos de oferecimento em holocausto, sempre respondiam da mesma forma:

"Trazei um pão de flor-de-farinha, umedecido com azeite de oliva e polvilhado com incenso e mirra, ou um ramo de amendoeira em flor ou um feixe de trigo ou uma cestinha de frutas, porque agrada mais a Jehová a fumaça perfumada destas primícias de vossas semeaduras subindo até Ele, juntamente com vossos pensamentos e desejos de viverdes consagrados a Seu divino serviço, pois, assim, estareis cumprindo os Dez Mandamentos de Sua Lei."

Por isso, os sacerdotes que eram essênios por suas convicções, estavam em turnos de apenas um ou dois em cada dia, porque, do contrário, arruinariam o negócio dos animais, acarretando com isto grave ameaça aos tesouros sacerdotais e às fortunas de seus agentes intermediários.

Na época que estamos descrevendo, em todo aquele numeroso corpo sacerdotal e levítico, havia somente quatorze sacerdotes que eram essênios, ou seja, o número sete dobrado, e vinte e um levitas, o sete triplicado. Era, pois, uma insignificância, comparada com as diversas centenas que formavam os sacerdotes e levitas do grupo dos "doutores de bronze".

Estes esclarecimentos minuciosos e exatos, se assim se quiser chamá-los, têm por objetivo dar ao leitor, com precisão, o cenário ideológico em que atuará Jhasua dentro de pouco tempo, isto é, aquele que levaremos para relatar acerca de suas primeiras aproximações ao Templo de Jerusalém.

Aos quarenta dias do nascimento do menino, estava em serviço no Templo o essênio Simeão de Bethel, auxiliado em seu ministério pelos Levitas Ozni, Hasper, Jezer e Nomuhel. Havia, porém, ainda outros sacerdotes e levitas auxiliares no turno desse dia.

Entretanto, escutemos o que sucedera na casinha de Elcana, o tecelão, três dias antes. Era meia-noite, e todos dormiam. Somente Myriam velava, pois o gemido de seu filhinho a havia despertado, e, logo depois de amamentá-lo, continuava ele mexendo-se entre seus braços, enquanto ela sussurrava, a meia-voz, esta suave canção de ninar:

> Dorme, que velam o teu sono
> Os anjos de Jehová! ...
> Os anjinhos que bordam
> De luzes a imensidão.
> Dorme, que velam o teu sono
> Os anjos de Jehová! ...
> E derramam em teu berço
> Suas rosas brancas de paz!
> Dorme até que acenda o dia
> Suas tochas de rubi,
> E se vão as estrelas
> Pelos mares de turquesa.
> Raminho de açucena,
> No jardim de meu amor:
> Dorme, meu menino querido,
> Até que se levante o Sol.

Ficou o Menino-Deus dormindo profundamente. Myriam viu que fraca e pequena nuvem rosada o envolvia como um cortinado de rendas, a ondular em torno de seu delicado corpinho. Logo em seguida, uma vaporosa imagem de inigualável beleza apareceu de pé, junto ao leito. Era um ruivo adolescente com olhos de topázio, que emitiam suavíssima luz.

– Myriam! ... – disse ele com voz que parecia um sussurro – amas-me?
– Quem és tu que me fazes esta pergunta?
– O mesmo que dorme sobre teus joelhos!
– Que mistério é este, bendito Jehová?
– Não é mistério, Myriam, e, sim, a Verdade. Temes a Verdade?
– Não, mas meu filho é menino de um mês, e tu és um jovem ... Não compreendo o que os meus olhos estão vendo.
– Myriam, a Bondade Divina levou-te ao sacerdócio da maternidade, que exigirá dolorosos sacrifícios de ti. Daqui a três dias, obriga a Lei que te apresentes no Templo para a purificação e a consagração a Jehová.

"Nem a maternidade te manchou nem eu necessito da consagração dos homens, pois, antes de nascer de ti, já estava Eu consagrado à Divindade. No entanto, como é um rito que não ofende ao Deus-Amor, irás como todas as mães. Teu holocausto será um casal de pombinhas rolas, das que são vendidas no átrio, destinadas aos sacrifícios. Irás na segunda hora, na qual hás de encontrar no Altar dos Perfumes o sacerdote Simeão de Bethel com quatro levitas.

"Dirás a ele simplesmente estas palavras: Meu menino é Jhasua, filho de Joseph e de Myriam. Ele sabe o que fazer."

A suave e doce visão inclinou-se sobre Myriam, em cuja fronte apenas roçou com seus lábios sutis. Depois, curvando-se como um ramo de lírios em flor sobre o corpinho adormecido, dissolveu-se lentamente nas sombras silenciosas e tépidas da alcova.

Todos dormiam. Só Myriam velava, meditando sobre o enigma que seu filho encerrava.

Ela recordava o que as mães dos antigos profetas haviam visto e sentido antes e depois do nascimento de seus filhos, conforme dizia a tradição. Recordava o que lhe havia dito sua parenta Ana Elhisabet, mãe de Johanan (o Batista), nascido poucos meses antes de Jhasua:

"Meu peito palpita de satisfação pelo que levas em teu seio.
"Que sabes tu, mulher?
"Saem de teu seio raios de luz que envolvem toda a Terra. Trazes o fogo e não te queimas. Trazes a água e não te afogas. Trazes a fortaleza e chegas a mim, cansada. Oh, Myriam! Bendita és tu, naquele que vem contigo! ..."

Acendendo a vela, Myriam iluminou o rosto de seu filho adormecido. Estava como sempre; mas, desta vez ... sorria.

Apertando com ambas as mãos o coração, que palpitava demasiado forte, murmurou:

– Acalma-te, coração; que o teu tesouro não te há de ser arrancado sem que, antes, arranquem a tua vida! ...

"Dorme também, coração, como dorme teu menino; pois, se é escolhido de Jehová, Ele mesmo será o guardião dele.

"Dorme, coração, na quietude dos justos, porque o que Deus uniu os homens não poderão separar."

Deitando-se no leito com o menino nos braços, adormeceu até o amanhecer.

Dois dias depois, na primeira hora da tarde, Joseph e Myriam empreenderam a viagem à vizinha Jerusalém para dar cumprimento à Lei, que prescrevia a cerimônia da purificação para a mãe, aos quarenta dias do nascimento do filho, devendo ela, ao mesmo tempo, consagrá-lo a Jehová, no Seu santo Templo.

A parelha de asnos com a qual Elcana e Sara realizavam, há vários anos, suas viagens a Jerusalém na festividade da Páscoa, foi a mesma que os conduziu também nesta viagem para a observância da Lei.

Tinha Elcana na Cidade Santa sua irmã Lia, viúva, mãe de três filhas, ainda não casadas: Ana, Susana e Verônica, todas mantidas nos severos costumes morais em que as famílias essênias educavam seus filhos.

Moravam no bairro da Porta Oriental, ou seja, na direção das piscinas de Siloé. Junto com elas, vivia seu idoso tio Simeão, irmão do pai de Lia, o qual tinha dois filhos levitas: Ozni e Jezer, que, justamente naqueles dias, estavam de serviço no Templo, como auxiliares do sacerdote essênio, o ancião Simeão de Bethel.

Para a casa desta boa família hierosolimita iam recomendados como hóspedes Myriam e Joseph com seu pequeno filho.

Lia e mais as três filhas viviam do trabalho de suas mãos habilíssimas, na fiação e tecelagem do linho e da lã. Permanentemente, tinham lã em grandes meadas, nas cores azul-violeta, púrpura e violeta, conforme fossem os pedidos para as vestimentas sacerdotais do Templo ou para os Santuários Essênios, que usavam o branco e o violeta forte.

O velho tio Simeão tirava seu sustento dos direitos de seus dois filhos levitas, isto é, dos dízimos e das primícias que o povo levava para todas as famílias levíticas. Como conseqüência de sua ideologia essênia, eles não tomavam parte nos sacrifícios de animais; pelo que percebiam somente as primícias e os dízimos de azeite, olivas, frutas, farinha de trigo e demais cereais que se colhiam no País.

Também viúvo e inteiramente só, o velho Simeão uniu sua vida à de sua sobrinha, que, muito jovem ainda, ficara sem marido, tendo três filhas adolescentes. A presença do velho tio era sempre uma sombra protetora para a jovem viúva e para suas filhas.

Como se pode ver, toda esta família vivia do serviço que o Templo necessitava em tecidos e trabalhos manuais em geral. Tinham, outrossim, participação num formoso e extenso vinhedo, além de um pomar de cerejeiras e laranjeiras. Estes ficavam num delicioso vale, existente na cadeia de montanhas chamada *Monte das Oliveiras*, que abrangia toda a parte oriental do país. Era o Horto de Getsêmani, propriedade de um núcleo de famílias essênias que o cultivavam em conjunto. A família de Lia era a que, na época, poder-se-ia chamar uma família provida de fartura e tranqüilidade.

Os viajantes chegaram sem aviso prévio, mas a carta de Elcana, que Joseph entregara ao chegar, valeu por todos os avisos antecipados e auspiciosos que tivessem sido feitos.

Dizia assim essa carta:

"Silêncio e paz do Senhor em teu lar, minha querida irmã Lia. Simultaneamente com esta, encaminho para o teu lar o maior tesouro que nós, os irmãos do silêncio, poderíamos ambicionar.

"Myriam e Joseph, nossos parentes, levam para apresentar no Templo seu primogênito Jhasua, no qual, segundo todas as probabilidades e a juízo dos Mestres, está encarnado o Avatara Divino esperado pelos filhos de Moisés há tantos séculos.

Creio, pois, que, sabendo da identidade do hóspede que te mando, não necessito fazer nenhuma recomendação, já que o silêncio não é um conselho, mas uma lei para nós.

"Quanto a Myriam e a Joseph, já os verás; são como os pães das oferendas que, no altar do Senhor, deixam-se consumir sem ruído. Tudo quanto fizeres por eles, estarás fazendo por mim:

"Com um grande abraço de Sara e de mim mesmo, despeço-me até a próxima vista,
Elcana."

Tão logo acabou de ler a carta de seu irmão Elcana, Lia a escondeu em seu seio, e, muito embora já houvesse recebido com grande benevolência seus hóspedes na sala da residência, dirigiu-se pressurosa a eles e, ajoelhando-se perante Myriam, que tinha o filho no regaço, começou a chorar com intensa emoção sobre o corpinho dele, envolto em grossas mantas. Myriam, emocionada também, não impedia o amoroso desafogo de sua distante parenta, a quem já não via desde muito menina.

Enquanto se passava esta cena, Joseph e o velho Simeão acomodavam os animais no estábulo.

A formosa virtude da hospitalidade essênia tornava tão agradáveis as viagens, que cada qual chegava a encontrar-se, como em seu próprio lar, na casa de seus irmãos de ideologia. Para ninguém havia inquietação nem sobressaltos em viajar sem uma só dracma na bolsa vazia, porque era até ofensa para o dono da casa que seu hóspede pensasse em dar-lhe qualquer compensação material.

Em toda despensa essênia havia sempre um fundo de reposição, chamado "*quota dos viajantes*", que ninguém tocava, a não ser para trocar por provisões mais frescas, recentemente colhidas.

— Bendita sejas tu, Myriam, no filho que concebeste pela graça do Senhor, e bendita seja esta casa que lhe dá hospedagem! — exclamou Lia. — Na tristeza e no luto de minha viuvez, jamais cheguei a pensar que a alegria de Deus viesse assim iluminar a minha morada.

— De onde tiras tais palavras para dirigi-las ao meu filho e a mim? — perguntou Myriam, temerosa de que aquela mulher houvesse também penetrado no segredo guardado tão zelosamente.

— Da carta de meu irmão Elcana — respondeu ela.

— Mas ... peço-te silêncio — acrescentou Myriam.

— Silêncio até que seja chegada a hora de Deus! — respondeu Lia, com solenidade quase profética.

Dirigindo-se à oficina, onde suas três filhas fiavam e teciam nos teares, disse-lhes:

— Vinde beijar o formoso menino de vossa parenta Myriam. É seu primogênito, e a tradição assegura que traz sorte para a casa que o hospedar.

As três jovens entraram precipitadamente. Verônica e Ana eram gêmeas e tinham treze anos. Susana, a maior, que contava quinze, permaneceu de pé, observando o menino, enquanto as duas menores se ajoelhavam junto a Myriam, para beijar o pequenino, que dormia tranqüilamente.

De súbito, disse Susana com um acento que parecia sair-lhe do íntimo do seu ser, enquanto seu semblante denotava dor profunda e indefinível:

— Com tanto amor e felicidade o beijais agora e, um dia, enxugar-lhe-eis o sangue e beijá-lo-eis, morto ... — e caiu desvanecida nos braços da mãe, que a susteve.

— Deus meu! ... Que se passa contigo, Susana? ... Trazei água, por favor — disse ela às outras filhas. Estas se apressaram em umedecer a fronte da jovem desmaiada.

Myriam havia percebido algo naquelas terríveis palavras, e sua terna alma de sensitiva foi tomada de espanto.

— Tua filha é profetisa? — perguntou ela a Lia.

— Não. Nada disso foi percebido jamais nela. Somente sabemos que é muito impressionável, e, às vezes, assusta-se com um débil ruído e até com sua própria sombra.

— Parece que ela falava algo referente a meu filho, como alusão a um acidente. Acaso seremos atropelados por algum motim popular, amanhã, quando formos ao Templo? ...

— Oh! Jehová não o permitirá! Não penses assim, Myriam, por favor! É que esta filha se vê como que acometida de extravagantes delírios — disse a mãe, fazendo Susana beber pequenos goles de água. Por fim, esta se reanimou, e ia começar a falar, mas os olhos inteligentes de sua mãe impuseram-lhe silêncio.

— Vem cá, Susana — disse Myriam, tomando uma das mãos da jovem. — Viste meu filho sofrer algum acidente? Por que disseste aquelas palavras?

— Não, Myriam, não. É que eu padeço de visões imaginárias, que, por vezes, me fazem sofrer muito. Vi estendido, aqui, um homem muito ferido e morto, que me causou indizível terror e compaixão. Isto foi tudo.

— Mas, isso nada tem que ver com o menino de Myriam — acrescentou Lia, procurando pôr fim ao assunto. — Só sinto — disse — que, num momento de tanta felicidade, tenha ocorrido este pequeno e estranho incidente. Não é nada, não é nada. — A viúva Lia jogou ao fogo da lareira um pouco de incenso, mirra e u'a maçã, enquanto dizia: "Que Deus Todo-Poderoso leve deste recinto os espíritos do Mal e nos envie mensageiros de Paz e Amor."

— Assim seja! — responderam todos.

A entrada de Joseph e do velho Simeão acabou por tranqüilizar os ânimos.

Antes que chegasse a noite, os dois homens se encaminharam ao Templo com o fim de saber por intermédio dos levitas, filhos de Simeão, a hora certa em que o sacerdote essênio estaria de serviço no dia seguinte, que era o prescrito pela Lei para a apresentação do filho de Myriam.

Ficaram, pois, combinados que, na terceira hora, o sacerdote Simeão de Bethel, essênio do quarto grau, juntamente com os levitas Ozni e Jezer, como auxiliares, esperariam na porta que dava para o Átrio das Mulheres.

Muito em segredo, disseram os levitas a Joseph e ao pai deles que, na noite anterior, o sacerdote mencionado e eles tiveram aviso dos Anciãos do Moab que o Avatara Divino faria, no dia imediato, sua primeira entrada no Templo, devendo aquele sacerdote cuidar-se bem para não oferecer por ele sacrifício de sangue; que aceitasse as rolinhas apresentadas por Myriam e lhes desse a liberdade, soltando-as por uma da janelas do Templo.

O velho Simeão, pai dos levitas, como bom essênio, guardava silêncio, pois, em seu íntimo Eu, começava a tomar forma uma grande interrogação: "Quem será esse menino para que assim se preocupem com ele os Anciãos do Moab?"

Essênio do primeiro grau, da mesma forma que Joseph, sabia ele cumprir os Dez Mandamentos, rezar os salmos e prestar hospitalidade. Não ia mais além sua instrução religiosa.

Joseph já possuía mais consciência da superioridade espiritual de seu filho, em virtude dos fenômenos suprafísicos que se haviam manifestado desde antes do nascimento do menino. Mas, como era bom essênio, nada disse.

Quando regressaram para a casa de Lia, Myriam, que havia deixado o menino adormecido no berço, saiu para recebê-los, e sua primeira pergunta foi esta:
— Há algum tumulto no centro da cidade?
— Não. Tudo está calmo — responderam os dois homens simultaneamente.
— Já faz muito tempo que acabaram os tumultos — disse Simeão — porque os grandes senhores do País encontraram o modo de conformar-se com os dominadores, e o povo cansou-se dos motins, nos quais sempre sai perdendo... Por que perguntas isso?
— Faz tanto tempo que não venho à Cidade de David e julguei que podia ser como nos tempos de minha meninice — explicou Myriam.

Não obstante isso, percebeu Joseph algo nos olhos ansiosos de Myriam, ao redor dos quais acreditou ver uma sombra violeta. Entrando com ela na alcova em que o menino dormia, interrogou-a.

— Temo pelo nosso filho — respondeu ela. — Desde que me fizeram compreender que há nele algo superior aos demais meninos, vivo temerosa e cheia de inquietações.
— Precisamente pelo fato de existirem desígnios de Jehová sobre ele, devemos pensar que será duplamente protegido dos demais. Procura viver tranqüila, Myriam, que é grande a tua felicidade em ser mãe de tal filho.

Beijou-a ternamente sobre os cabelos, e ambos foram sentar-se junto ao fogo da lareira, onde toda a família já estava reunida para a ceia. Susana havia ficado no leito por causa da pequena crise nervosa que tivera, essa tarde.

Sendo Simeão o mais idoso, abençoou ele o pão e repartiu-o entre os comensais, segundo o costume essênio, procedendo da mesma forma com a ânfora de vinho, do qual pôs uma parte nas taças de prata que se achavam sobre a mesa.

Myriam apresentou, por sua vez, as oferendas que Elcana enviara de Betlehem para sua irmã Lia, consistindo em queijos de leite de cabra, manteiga e mel procedentes da montanha.

Um abundante guisado de lentilhas servido numa grande travessa com azeitonas negras, do Horto de Getsêmani, adornado com ovos de gansa assados no braseiro, compunham a comida que a hospitaleira Lia apresentou a seus hóspedes.

Myriam quis levar, ela mesma, uma pequena taça de mel e um pedaço de queijo ao quarto onde descansava Susana.

— Pobrezinha! ... — disse-lhe. — Sinto pena por teres adoecido logo à nossa chegada. Senta-te e come deste mel, mandado por teu tio Elcana, o qual, provavelmente, confortar-te-á. — Ajudou a jovem a sentar-se no leito. Susana comeu, e, quando terminou, abraçando Myriam, suplicou:

— Se me trouxeres aqui, só um pouquinho, o teu menino, curar-me-ei completamente. Vi em sonhos Elias e Eliseu, nossos grandes Profetas, que envolviam em fogo teu filho para que ninguém lhe causasse dano algum. Ele deve ser um grande Profeta, Myriam. Não pensaste nisto?

— Desde antes do seu nascimento, estou vendo extraordinárias manifestações, que, algumas vezes, me deixam temerosa de toda essa grandiosidade que anunciam. Sei somente que é meu filho, e não quero que sua grandeza o afaste jamais do meu lado. Já o trarei!

Alguns minutos depois, o pequenino descansava sobre os joelhos de Susana, sentada no leito. Permaneceu imóvel, contemplando o formoso querubim de nácar e de rosas adormecido em seu regaço.

Myriam observava-a. Viu que ela empalidecia intensamente; mas conteve-se a um sinal de silêncio que Susana lhe fez.

Notou que seu olhar se tornava absorto, como se olhasse para uma bruma longínqua ... Depois de alguns instantes, a jovem levantou o menino suavemente à altura dos lábios e beijou-o na fronte, como se beija um objeto sagrado.

– Dize-me a verdade, Susana! Tu deves ter visto algo nele! Que foi que viste?

– Uma loucura, Myriam, das muitas que me perseguem continuamente: Vi que eu ia por um caminho seguindo o cortejo fúnebre de um parente cuja morte nos causava grande dor, e que este menino, já jovem e formoso, deteve o cortejo, fez que o morto se levantasse do féretro e o devolveu são e salvo a sua mãe. Será que teu filho é um grande Profeta ou eu estou completamente louca?

– Não! ... Não estás louca! ... Há algo tão grande no meu filho ... tão grande, Susana! ... que vivo cheia de medo, como ficavam as mulheres de Israel quando viam os relâmpagos e ouviam os trovões nos Montes Horeb e Sinai ... As coisas demasiado grandes espantam almas tímidas, semelhantes à minha ...

Tomando ao colo seu filhinho, que, nesse instante, começava a despertar, disse Myriam, com os olhos cheios de pranto:

– Por que és tão grande, meu querubim, se tua mãe é tão pequena e débil como uma cordeirinha, que apenas acerta o caminho da fonte para beber?

Silenciosa, levou o menino para a alcova.

Junto ao fogo da lareira, enquanto a mãe e as filhas arrumavam tudo quanto havia sido usado na ceia, Simeão e Joseph conversavam sobre as esperanças de uma próxima libertação de Israel.

– Alguns afirmam que virá novamente Elias para fazer descer fogo do céu a fim de consumir, num abrir e fechar de olhos, os dominadores, que empobrecem o povo com seus tributos. Outros dizem que virá também Moisés para realizar as maravilhas que espantaram o Faraó e deixar o povo em liberdade. – Desta maneira falava Simeão.

– O que se diz de tudo no Templo poderás saber por intermédio de teus filhos – respondeu Joseph.

– Meus filhos ouvem, todos os dias, que *chegou o tempo* para o aparecimento do Libertador de Israel; mas parece que as esperanças vão diluindo-se lentamente, porquanto, nas linhas consangüíneas diretas de David, não se tem conhecimento de que haja nascido um varão na data que os Doutores do Templo esperavam.

– Um de meus filhos foi com outros levitas para o levante; outros para o poente; outros para o norte, e outros para o sul do País, com o fito de examinarem os registros das Sinagogas, em busca do almejado acontecimento.

– Como! ... Nenhum varão da descendência de David nasceu em Israel? – perguntou Joseph com estranheza.

– Não, não é isto! ... Já se vê que tu não andas nas intimidades sacerdotais – disse afavelmente o velho tio de Lia. – É que não só se espera um varão da descendência de David, mas um varão nascido na data marcada pelos astros que presidem os destinos do povo hebreu.

"Além disto, deverá um menino tão extraordinário ser o primogênito de uma donzela recém-casada; e, ainda quando alguma profecia existente pareça indicar que ele há de nascer em Betlehem, isto se passaria por alto, tendo-se em vista que algum acontecimento de menor importância tenha escapado às estrelas denunciadoras do acontecimento. Todavia, de fato nasceram diversos varões da descendência de David, mas todos filhos terceiros, quartos ou sextos de matrimônios cujos pais possuem numerosa prole.''

— E os agentes sacerdotais não foram pesquisar em Betlehem? — perguntou Joseph, algo inquieto.

— Naturalmente que sim, e a Sinagoga local foi das primeiras a serem inspecionadas. Para maior segurança esteve ali o sacerdote Esdras.

— E sem resultado? — volveu Joseph a perguntar.

— Da mesma forma que em todas as outras partes, pois, no ramo bilateral existente na descendência de David, não houve nascimento de varão primogênito na data indicada. Em virtude disto, há, no Sinédrio, um mal-estar tremendo, pelo fato de que o Rei Herodes, entendendo-se muito bem com o Sumo Sacerdote, conseguiu obter todas as explicações pertinentes a estes assuntos. E agora começa ele a ridicularizar todas as profecias, e até proibiu que se fale qualquer coisa ao povo acerca do Rei-Libertador de Israel, que deveria nascer no aludido tempo.

"Quando chegaram os últimos agentes com notícias negativas, segundo suponho, o Rei obrigou o Sinédrio a dar-lhe uma declaração, devidamente assinada, de que havia passado a hora anunciada pelos astros para o nascimento do Messias, Rei de Israel, e que, portanto, o povo, por intermédio do Sinédrio, que é sua suprema autoridade, renunciava a todas as suas esperanças e direitos em favor de Herodes, o Grande, e de sua descendência."

— E o Sinédrio fez isso? — perguntou Joseph com certa ansiedade.

— O Sinédrio, como se sabe, aprecia mais a amizade do Rei que faz grandes concessões ao alto corpo sacerdotal, do que manter uma esperança que, até hoje, resultou em vão.

Baixando a voz, como temeroso de ser ouvido, Joseph perguntou:

— E os sacerdotes essênios ... que dizem de tudo isso?

— São a minoria e não se interessam por este assunto. Além do mais, não esperam um Rei-Libertador, mas um Messias-Profeta e Taumaturgo, no estilo de Moisés, para restaurar Sua doutrina e depurar a Lei.

— Essas questões são profundas demais para que nós as discutamos, irmão Simeão — alegou Joseph, cortando a conversa. Várias vezes, no decurso dela, estivera ele a ponto de falar sobre as manifestações extraordinárias que haviam sido notadas já bem antes do nascimento de seu filho.

Lia, que havia escutado, em silêncio, toda essa conversação, lembrou-se da carta de seu irmão Elcana, essênio do segundo grau, como também o eram ela e seu marido, já morto, e achou que era melhor guardar o segredo que o irmão lhe recomendara.

Pensou com muito acerto: "Se Joseph, que é pai do menino, não fala; se o sacerdote Esdras, essênio adiantado, mantém silêncio, eu, pobre mulher, que não sei se minhas revelações poderiam causar ou não um desastre, com maior razão devo calar."

Dando a impressão de que acomodava os troncos de lenha a crepitarem na lareira, mui dissimuladamente arrojou na chama a carta do irmão, sepultando, assim, no fogo, aquele segredo que lhe causava dano.

No coração de Lia, única mulher natural de Jerusalém que conhecia algo a esse respeito, ficou sepultado o divino segredo do Homem-Deus, abrigado sob o seu teto, bem próximo do Grande Templo e em plena Cidade Santa. Enquanto isso, o orgulhoso Sinédrio e demais Príncipes dos Sacerdotes davam tratos à imaginação pensando como podia ser que houvessem falhado os astros e as antigas profecias dos videntes de Israel.

Os sacerdotes mais idosos diziam, rasgando as vestes em sinal de funestos presságios:
— Quando os astros e as profecias falham, nova desgraça ameaça Israel. Terríveis sinais são esses, que, em outra época, seriam aviso de dispersão, incêndios ou morte. Porventura, a chegada da nova centúria encontrará todos nós no Vale de Josafat, e nossos filhos cativos em terras estranhas?

Tal era o ambiente no Templo de Jerusalém no dia em que lá chegava o humilde casal Myriam e Joseph com o Menino-Deus nos braços. Era pouco antes do meio-dia, e um sol de ouro caía, como chuva de murtas, sobre a majestosa cúpula do Templo, que recebia em suas naves o Homem-Deus sem que o percebessem aqueles faustosos sacerdotes, cuja régia indumentária de púrpura e pedraria deixava muito para trás os reizinhos da Palestina.

Por aviso espiritual, os sacerdotes e levitas essênios estavam cientificados da cerimônia, e a notícia foi confirmada pelos dois filhos de Simeão, que, na véspera, a haviam recebido de seu pai e de Joseph, quando estes estiveram perguntando pela hora em que poderiam ser atendidos.

Estando, pois, todos eles de perfeito acordo, uniram-se para oferecer no Altar dos Perfumes holocaustos de pão de flor-de-farinha, embebido no mais puro azeite de oliva, aromatizado com essências, bem como vinho puro de uva com incenso e mirra, maçãs, flores de laranjeira e quantas flores e frutas aromáticas puderam reunir. Arranjaram o pretexto de que era aniversário do dia em que Moisés fizera brotar água fresca da rocha no deserto. Deste modo, podiam os dois sacerdotes essênios, Simeão e Eleázar, que estavam de serviço, realizar aquela liturgia, usada todos os anos.

As donzelas do Templo haviam sido convidadas para cantar salmos ao som de cítaras e alaúdes. Os quatorze sacerdotes essênios, com os vinte e um levitas, providos de turíbulos de ouro, davam voltas, cantando ao redor do Tabernáculo, no exato momento em que Joseph e Myriam chegavam ao átrio.

Uma vez realizado o Ritual da Purificação, Myriam, com o filho nos braços, penetrou no Templo até o ponto onde era permitido que os leigos chegassem. O grande véu do Templo, fechado completamente, não permitia ver o que os sacerdotes e levitas realizavam atrás dele, no "Sanctum Sanctorum". As virgens, sobre um alto estrado com grades de bronze, cantavam o mais vibrante salmo de louvor a Jehová.

No momento em que Myriam e Joseph entregavam as rolinhas do holocausto, e o sacerdote Simeão tomava em seus braços o divino menino para oferecê-lo a Deus, sem que ninguém soubesse por qual motivo, o grande véu do Templo foi levado para um dos lados como se um vendaval poderoso houvesse feito correr os anéis de prata que o sustinham sobre uma longa vara do mesmo metal.

Todos os presentes sentiram-se transidos de respeito e admiração, ao ver como uma corrente de poderosa afinidade executara o que bem podia tomar-se como uma extraordinária manifestação espiritual, que, assim, punha em evidência a excelsa grandiosidade do Ser que estava sendo oferecido a Deus naquele momento.

Enquanto isso, mantinha Simeão de Bethel o menino erguido bem alto, ao pé do Altar dos Perfumes, e acrescentou às frases do ritual as palavras que a tradição conservou: "Agora, Senhor, podes lançar pó nos olhos de Teu servo, porque viram Tua Luz sobre a Terra."

Eis senão quando uma anciã paralítica, de nome Ana, que todos os dias era levada sobre u'a maca até o interior do Templo para orar a Jehová, pedindo que enviasse Seu Messias Salvador, saiu correndo, por seus próprios meios, para o Altar dos Perfumes, e não se deteve até cair de joelhos aos pés de Simeão, dando gritos de alegria e anunciando a todos: "Eis aqui o Messias, Salvador de Israel, cuja proximidade curou o meu mal de trinta anos!"

Para fazê-la calar, de maneira que não causasse alarme algum, foi necessário permitir que beijasse uma das mãozinhas do menino e prometesse, ali mesmo, guardar o mais profundo segredo.

Terminados os rituais, tudo voltou à costumeira quietude e silêncio. Mas o fato de haver sido descerrado o véu do Templo, sem motivo plausível e real, chegou ao conhecimento dos demais sacerdotes que não estavam a par do segredo. Informado também o Sinédrio, este convocou uma assembléia para averiguar quais os fatores que teriam originado aquele estranho fenômeno.

Alguns opinaram que o próprio Moisés houvera assistido, invisivelmente, à celebração daquele aniversário de uma das grandes manifestações do poder oculto que ele possuía ... Ante esta opinião, os "sacerdotes de bronze" sentiram-se despeitados de que tal manifestação houvesse sido recebida pelos "sacerdotes de cera", em união com as virgens que cantavam os salmos.

Outros opinaram que se produzira uma pequena variação de nível na grande vara, pela qual corriam os anéis que sustinham o véu. Não faltou quem afirmasse que, a essa hora, surgira uma grande lufada de vento, e que, ao ser aberta a porta do Átrio das Mulheres, essa corrente de ar pusera-se em comunicação com as dos outros átrios, originando, assim, o aludido fenômeno.

Para sondar a opinião do grupo de "Bronze", Simeão de Bethel perguntou:

— Não se poderia supor que aquela ocorrência significasse um anúncio da chegada do Messias Salvador?

— Impossível! ... — exclamou o Pontífice. — Nossos agentes percorreram todas as sinagogas do País, e não foi encontrado um só primogênito varão na dinastia de David.

— Não obstante — argüiu novamente Simeão —, eu mesmo acabei de oferecer a Jehová um primogênito nascido em Betlehem.

— Mas quem é ele? ... Algum filho de mendigos! ... insinuou o Grande Sacerdote.

— De artesãos — retificou Simeão. — Acaso o próprio David não foi pastor?

— Mas julgas que o Messias, Rei de Israel, vá nascer de artesãos, quando todos os príncipes, sacerdotes e levitas da dinastia real, pouco antes da conjunção dos astros, tomaram esposas virgens, de estirpe nobre, para dar oportunidade ao Messias de escolher sua casa e seu berço?

"Sustentar outra coisa seria contrariar o sentido das profecias e renunciar, até, ao senso comum.

"Crês que o Messias, Libertador de Israel, venha a surgir da escória do povo, para ser o escárnio e a mofa de nossos dominadores?

"O Messias-Rei sairá, como uma flor de ouro, das grandes famílias da aristocracia hebréia, ou não sairá de parte alguma."

— Como explicaremos, então, que as profecias ficaram sem cumprimento e que os astros mentiram? — perguntou o essênio Esdras, que sentia lástima pela cegueira daqueles homens.

— Penso eu — respondeu um dos "doutores de bronze" — que, em virtude da recente conjunção sideral, todo este ano é propício para a chegada do Messias, porque a influência dos respectivos planetas é capaz de chegar até a Terra num período mais ou menos longo. Acaso, poderemos encadear a Vontade e o Pensamento de Jehová?

— Era esta, justamente, a minha opinião — acrescentou Simeão de Bethel — que nem nós nem pessoa alguma sobre a Terra pode acorrentar o Pensamento e a Vontade de Jehová quando Ele quer manifestar-se aos homens.

— Mas, que pretendes dizer com isto? — interrogou o mesmo doutor que expressara aquele parecer.

— Penso que, se Deus quer enviar à Terra Seu Messias-Salvador, não podemos impor-lhe a nossa vontade no sentido de que Ele apareça em uma família da alta aristocracia ou em uma humilde família de artesãos. Digo isto porque o motivo desta assembléia foi o fato de haver o véu do Templo corrido por si só, no momento preciso em que eu oferecia a Jehová um primogênito hebreu.

"Além disto, a velhinha paralítica, que todos conhecemos há mais de trinta anos — presa ao solo como um molusco a uma rocha — saiu correndo até chegar onde eu estava com o menino e, feliz por ver-se curada, começou a gritar como louca: 'Eis aqui o Messias-Salvador de Israel que curou, com Sua presença, o meu mal de mais de trinta anos!' Não foi possível fazê-la calar, nem retirá-la de lá de cima até que lhe permitimos beijar o menino. São fatos que, se nada confirmam por si sós, não deixam de ser dignos de estudo e da nossa atenção, visto como, para isto, nos reunimos aqui."

O Grande Sacerdote e outros, juntamente com ele, franziram o cenho, mas a lógica de Simeão não admitia réplica.

— Foram tomados dados precisos de sua família e de seus ancestrais? — perguntou o Grande Sacerdote.

— Eu — disse Esdras — estive, como sabeis, em Betlehem, indagando sobre os nascimentos naquela cidade, e, estando enfermo o sacerdote da Sinagoga, fui o oficiante quando levaram esse menino para circuncisão. Seus pais são artesãos abastados e têm em Nazareth seus meios de vida.

"Ambos são originários de Jericó e descendentes de família sacerdotal, encontrando-se em Betlehem por motivo de visita a uns parentes próximos da esposa, que foi uma das virgens do Templo, onde se educou justamente por sua procedência de família sacerdotal. Joseph, o marido, buscou-a entre aquelas jovens por sua fidelidade ao costume de que os filhos ou netos de sacerdotes busquem esposa entre as virgens do Templo. Joseph é filho de Jacob, filho de Eleázar, sacerdote que alguns dos presentes chegaram a conhecer. É tudo quanto posso dizer.

— Bem — ordenou autoritariamente o Pontífice —, que três membros da Comissão de Genealogias Reais se encarreguem de estudar este assunto e forneçam logo a informação correspondente. — Sem mais trâmite, deu-se por encerrado esse assunto, não mais se voltando a tocar nele, pois, nos momentos que atravessava a política do País, com Herodes o Grande na chefia, não seria nada oportuna a presença do Messias, Rei de Israel, a qual provocaria, desde logo, um formidável levante popular contra o usurpador idumeu.

— Convém que tão delicado problema não transcenda para o exterior — acrescentou ainda o Grande Sacerdote — e que a referida família não suspeite, nem remotamente, que nos temos ocupado com seu menino, cuja segurança está no silêncio. O tempo encarregar-se-á de revelar a Verdade.

— *O tempo encarregar-se-á de revelar a Verdade* — repetiram, numa só voz, os sacerdotes essênios, convencidos plenamente de que aquelas palavras eram proféticas.

Foi dessa forma que passou despercebido, em toda a Palestina, o advento do Homem-Deus.

Deus dá a Luz aos humildes, e a nega aos soberbos. Fazia muitos séculos que o povo de Israel esperava um Messias-Salvador. Quando Ele chegou, como uma estrela radiante a iluminar os caminhos dos homens, estes não O reconheceram, a não ser os pequenos, aqueles que, para viver, se ocultavam nas entranhas dos montes ou na modéstia de seus lares, entregues ao trabalho e à oração.

Florescia o Amor para Jhasua

Quando Myriam e Joseph abandonavam o Templo, encontraram no pórtico exterior um grupo de levitas, que os esperava no lugar mais afastado e por detrás de uma grossa coluna. Entre eles estavam os dois filhos de Simeão, tio de Lia. Era um grupo de levitas essênios. O mais resoluto deles aproximou-se de Joseph e pediu:

— Deixa-nos beijar teu menino, porque sabemos que é um grande Profeta de Deus.

Joseph acedeu, mas os doces olhos, cheios de temor, com que Myriam os fitou, causaram-lhes compaixão.

— Não temas, mulher — disse o levita —, que nós somos vossos amigos. Não me reconheces, Joseph?

"Pensa no velho sacerdote Nathaniel, da Sinagoga de Arimathéia, aquele a quem salvaste a vida, quando foi arrastado pelas cavalgaduras em corrida desenfreada ..."

— Oh, oh! — exclamou Joseph. — Eras tu o jovenzinho enfermo que ia dentro do carro?

— Justamente, era eu.

Os dois, Joseph e José, abraçaram-se ternamente; pois o jovem era José de Arimathéia, mais tarde conhecido Doutor da Lei.

Então Myriam abriu seu manto e deixou que vissem o pequenino muito quieto entre seus braços.

Vendo-o desperto, José de Arimathéia, o Levita, tomou-o nos seus e, estreitando-o ao coração, disse-lhe com indizível ternura:

— Eu sei quem tu és, Jhasua! ... eu sei quem és! E, por sabê-lo, juro-te pelo Tabernáculo de Jehová que serei teu escudo de defesa até a última gota de meu sangue!

— Jurai também vós — suplicou ele a seus companheiros, apresentando-lhes o menino para que o beijassem.

— Juramo-lo — foram dizendo os levitas, enquanto beijavam as rosadas faces do filho de Myriam.

O último que se aproximou era um formoso e esbelto jovem, cujos olhos escuros, cheios de tristeza, tornavam-no atraente à primeira vista. Tomou a Jhasua nos braços e disse com solene inflexão de voz:

— Se és Aquele que é, salva-me, porque me vejo perdido!

Olharam-no todos com assombro, quase estupor.

O menininho apoiou inconscientemente a dourada cabecinha no peito do jovem levita que o mantinha nos braços. Todos pensaram que o pequerrucho estivesse cansado por passar de braço em braço e que procurasse apoio e repouso. Só aquele que o segurava compreendeu que seu pedido havia sido atendido, e, devolvendo Jhasua à mãe, abriu a túnica sobre o peito, mostrando uma úlcera cancerosa ali existente. Qual não foi seu assombro quando, no lugar da chaga, aparecia somente u'a mancha rosada, tal qual costuma apresentar à pele demasiado fina de uma ferida recentemente curada!

O jovem levita abraçou as cabeças unidas de Joseph e de Myriam, enquanto seus olhos se enchiam de lágrimas.

— Por causa desta úlcera cancerosa — confessou quando pôde falar — deveria eu abandonar o Templo na próxima lua, perdendo todos meus estudos e esta carreira, esperança de minha velha mãe e de meus dois irmãos. Não poderia meu mal manter-se oculto por mais tempo; e bem sabeis a severidade da Lei para com enfermidades desta índole.

— Este é o milagre número três — afirmou José de Arimathéia —, e torna-se necessário anunciá-lo ao Tribunal do Templo.

— Não o façais, por piedade de meu filho e de mim! — exclamou Myriam cheia de angústia. — Os Terapeutas-Peregrinos mandaram que silenciássemos tudo quanto sucedeu antes do nascimento deste menino. Calai também vós, por favor, porque é conselho de sábios.

— Nós o prometemos — juraram todos simultaneamente —, se permitirdes que possamos visitá-lo enquanto estiverdes em Jerusalém.

— Vinde — disseram ao mesmo tempo Myriam e Joseph. — Somos hóspedes de nossa parenta Lia e de seu tio Simeão, pai destes dois — explicaram apontando para os levitas Ozni e Jezer.

O jovem da úlcera no peito, que era de família abastada, entregou a Myriam uma bolsinha de seda purpúrea, com moedas de ouro.

Negou-se Myriam a recebê-la, dizendo:

— Somos felizes com a nossa modesta posição. Não necessitamos de nada.

— Tomai-a, fazei o favor! É a oferenda de ouro puro que fazemos, os vinte e um levitas essênios, ao Deus feito homem, como apoio de seu apostolado futuro.

"Mas, se tiverdes necessidade antes que ele seja maior, usai-o sem temor. Há sete moedas de cada um dos 21 levitas que somos. Nós queremos ser os primeiros alicerces do Santuário que ele há de fundar."

— Se é assim — assentiu Joseph —, então o aceitamos para guardá-lo como depósito sagrado, até que o menino seja de maior idade.

O levita da úlcera no peito chamava-se Nicodemos de Nicópolis. A tradição conservou-lhe o nome, juntamente com o de José de Arimathéia, pelo único fato de haverem pedido ao governador Pilatos o cadáver do Cristo. Todavia, antes dessa tremenda hora trágica, muitas vezes haveremos de encontrar-nos com eles, como com muitos outros, cuja atuação ficou perdida na poeira dos séculos por causa do resumo histórico dos Evangelhos e do seqüestro que, no século III, se fez de todos os relatos, crônicas e narrações escritas pelos discípulos e amigos do Verbo Encarnado.

Regressaram Myriam e Joseph para a casa de Lia na primeira hora da tarde.

— Louvado seja Jehová que terminamos com as prescrições da Lei! Estou ansiosa por encerrar-me em casa e não aparecer mais onde passam outras pessoas — suspirou Myriam, deixando-se cair, com sintomas de grande fadiga, sobre um banco junto à lareira.

— Por que falas assim, Myriam? Recebeste algum dano de alguém no Templo? — perguntou Lia, bastante alarmada.

— Não, dano nenhum; mas susto e medo.

— Posso saber o que foi?

— Os Terapeutas-Peregrinos não se cansam de recomendar-nos silêncio, segredo e discrição; mas o caso é que, em todas partes aonde chegamos, vai este segredo sendo divulgado, de maneira que, dentro em pouco, toda gente o conhecerá. É por isso que receio muito por nosso filho! ...

Mencionou Myriam o que havia ocorrido no Templo, desde o momento em que chegaram até que saíram. Sua narração foi, em verdade, fiel e exata no tocante aos acontecimentos ocorridos no plano físico, conforme são percebidos e experimentados pelos sentidos corporais. Mas o aspecto esotérico e real, sob o ponto de vista em que vamos analisando todas as questões, oferecia outras evidências mais definidas; outros alcances muito mais amplos e sublimes.

As cinco Inteligências Superiores, que apadrinhavam a Jhasua em Sua última encarnação messiânica, haviam descido junto com ele para a Esfera Astral do Planeta Terra, com a vestimenta etérea usada pelos Círios da Piedade. Por isso, há de compreender-se que, durante a infância do Cristo, deviam eles prestar grande atenção em despertar as consciências da Humanidade, à qual Ele se aproximava.

Tanto deviam observar o campo essênio como o levítico e o sacerdotal, com o fim de preparar para Jhasua o cenário mais conveniente à vitória final de Sua obra.

O poderoso pensamento e a vontade das Inteligências Superiores, postos na corrente harmoniosa e simpática dos Sacerdotes essênios que atuavam no Templo, no momento da entrada do Menino-Deus em suas naves, foram os verdadeiros operadores dos fenômenos supranormais, que todos puderam constatar, quando da apresentação do Cristo-Menino à Divindade.

Entre as inumeráveis forças do Universo, que a maioria dos encarnados no planeta Terra desconhece de todo, está a chamada *Onda simpática ou Corrente simpática*, força poderosa, que, quando se consegue unificá-la à perfeição, pode, sozinha, derrubar montanhas, muralhas, cidades, pontes e templos, por fortes e bem alicerçados que sejam.

Sabem, acaso, os homens quais as forças que atuaram na abertura de uma cordilheira atlante, provocando a primeira invasão das águas sobre esse continente? Conhecem eles, porventura, as energias tremendas que desencadeiam muitos dos grandes cataclismas que encheram os povos de terror e de espanto nas diversas épocas da Humanidade?

Por isso, sempre temos dito que a interrupção ou alteração das leis naturais *não existe*. O que existe é um conjunto de forças sujeitas às leis imutáveis e precisas que estão no Universo, e que, manejadas por Inteligências de grandes poderes, vêm a produzir os efeitos maravilhosos que o homem qualifica de milagres.

Feita esta breve explicação, segue-se que os três fatos ocorridos no dia da consagração de Jhasua à Divindade são pequenas manifestações do Poder Divino adquirido por Espíritos de grande evolução, que chegaram a ser senhores de si mesmos, bem como dos elementos e de toda espécie de correntes e de forças que vibram eternamente no Universo.

Qual a finalidade que impulsionava essas Inteligências Superiores a desencadearem tais fenômenos? É fácil compreendê-lo. Foi o Chamado Divino às mentes e às consciências dos altos dirigentes da fé e da ideologia religiosa do povo hebreu, cuja educação na Unidade Divina o tornava mais apto para colaborar na obra messiânica daquela época.

Eles, porém, permaneceram cegos e duros, em conseqüência do excessivo apego ao ouro e, em geral, às conveniências materiais. Com isto deram lugar a que se cumprisse neles o que Moisés percebera em Seus radiantes êxtases, no Monte Horeb, e que gravou com fogo, no capítulo 30 de seu Deuteronômio – um dos poucos parágrafos que não foi interpolado nem transformado através das muitas traduções feitas.

Naquele formidável capítulo, Moisés anunciou ao povo hebreu que ele seria dispersado por toda a face da Terra, perseguido e odiado por todos os homens, se seus representantes continuassem fazendo ouvidos surdos à voz de Jehová, quando os chamasse para um novo pacto.

Agiram eles exatamente como o Faraó egípcio Seti I, que – muito embora visse os efeitos das tremendas correntes de justiça que caíam sobre ele e seu povo, originados pela duríssima escravidão em que haviam encadeado Israel – continuava empedernido no Mal, dizendo: "Eu, Faraó, com minha corte de deuses, vencerei o Deus de Moisés."

Há quem diga que todos os povos e raças pecaram mais ou menos contra a Divina Lei. É verdade, mas foi o povo hebreu quem recebeu de Moisés o Mandamento Divino, e foi por ele mesmo conduzido à fértil região em que haveria de praticar essa Lei de *amar a Deus sobre todas as coisas e ao próximo como a si mesmo!* ...

Apenas morto Moisés, e ainda antes de o povo hebreu pôr os pés naquela Terra da Promissão – onde corriam leite e mel, segundo a frase bíblica – a Santa Lei foi esquecida, menosprezada e substituída por um código de feroz vingança, decapitações, apedrejamentos e extermínio de tudo quanto se opunha aos seus passos.

Rapidamente escoaram-se os XX séculos, desde Jhasua até a atualidade, e o povo de Israel, disperso por todo o mundo, amaldiçoado, perseguido e odiado, não pôde ainda, para sua felicidade, voltar, como nação, à Terra Prometida, a qual ele regara com sangue inocente. No entanto, só Israel tinha ouvido dos lábios de Moisés a ordem divina: *Não matarás. Amarás a Deus sobre todas as coisas e ao próximo como a ti mesmo.*

Mas o povo hebreu disse: Jehová é grande e glorioso nos Céus; mas o ouro está sobre a Terra, e sem ouro não poderemos construir tabernáculos e templos para Ele.

Hoje, depois de vinte longos séculos, o ouro, ao qual esse povo sacrificou sua fé e sua Lei, acabou por esmagá-lo, destruí-lo e aniquilá-lo. A espantosa perseguição aos hebreus, hoje em dia, não revela outra causa senão o esforço dos tiranos ambiciosos por despojarem Israel de todo o ouro acumulado pela sua raça no correr dos tempos. Muito mais valioso teria sido para a nação hebréia recolher, como migalhas de pão do Céu, as palavras do Grande Ungido: "Não amontoeis tesouros que a ferrugem consome e os ladrões roubam; mas tesouros de Verdade e de Justiça, que perduram até a Vida Eterna."

Havendo explicado, de forma clara e lógica, a parte esotérica de quanto ocorreu na apresentação de Jhasua à Divindade, continuamos nossa narração:

Alguns dias depois desses fatos, Simeão de Bethel, o sacerdote essênio que fez a consagração de Jhasua, apresentou-se na casa de Lia acompanhado de três levitas: José de Arimathéia, Nicodemos de Nicópolis e Ruben de En-gedi – outro componente daquele grupo que esperara o Divino Menino à saída do Templo, onde presenciaram a cura de Nicodemos.

Ali tiveram também a grande satisfação de encontrar três dos Setenta Anciãos do Monte Moab, com um dos Terapeutas-Peregrinos do pequeno Santuário do Quarantana. Todos eles vestidos de peregrinos, com roupagens escuras, tal como usavam em todas suas excursões ao exterior.

Nesta formosa e terna confraternidade de seres pertencentes, todos, à Aliança do Cristo Encarnado, manifestaram-se, naturalmente, novas e mais íntimas uniões, porque, na claridade radiante daquele que trazia toda Luz para a Terra, as almas encontraram-se sem buscar-se e, amando-se, continuaram juntas por toda a vida.

Foi assim que os três jovens levitas, José de Arimathéia, Nicodemos de Nicópolis e Ruben de En-gedi, encontraram suas almas companheiras nas três filhas de Lia.

José olhou para Susana, a sensitiva, aquela que meditava sempre, buscando a razão de todas as coisas, e ela baixou os olhos para seu tear, no qual estava tecendo linho branco. Porém, aquele olhar, de alma para alma, fez com que ambos se enamorassem. Amaram-se, como necessariamente devem amar-se aqueles que, já antes de nascer para a vida física, haviam-se oferecido, em solene pacto, um ao outro.

Ana, a segunda, aproximou-se de Nicodemos, aquele dos olhos profundos, para oferecer-lhe o alguidar de água perfumada a fim de que pudesse lavar as mãos antes de tomar a refeição da tarde, conforme o costume; e eis que os rostos de ambos se encontraram unidos na água cristalina, no preciso momento em que o levita ia submergir nela seus dedos.

— Que pena romper o encanto dos dois rostos unidos! — exclamou ele, fitando os olhos dela, que, toda ruborizada, esteve a ponto de deixar cair o recipiente cheio de água. Percebeu isto Nicodemos e lavou-se rapidamente, aceitando o branco pano de enxugar que pendia do ombro da jovem. Tomou, então, o alguidar e perguntou:

— Dize-me, por obséquio, se tendes um pé de murta, para que eu possa derramar esta água sobre a sua raiz?

— Por que isso? — perguntou timidamente a jovem.

— Porque a murta fará com que se mantenha, em nossa retina, o encanto dos dois rostos unidos na água.

Nicodemos seguiu a Ana, que o levou a uns poucos passos da porta da grande sala de jantar, que dava para o jardim.

Uma frondosa murta, cujas miúdas folhas pareciam sussurrar canções de amor, recebeu toda a água do alguidar que Nicodemos despejou.

— Murta, boa planta, criatura de Deus! — exclamou o jovem. — Seja ou não verdade que manténs para toda a vida o encanto das uniões de amor, Ana e eu regar-te-emos sempre, se cantares para nós alguns de teus poemas imortais. Não é certo, Ana? ...

— Sim, é certo! ... — respondeu ela ruborizada.

Esta foi toda a recíproca declaração de amor de Ana e Nicodemos, ao entardecer daquele dia, junto ao frondoso pé de murta, no horto de Lia. Nicodemos voltou ao cenáculo, e Ana entrou pressurosamente em sua alcova. Oprimiu o coração, que parecia saltar do peito, e murmurou em voz muito baixa:

— Senhor! ... Senhor! ... Por que fui mostrar-lhe onde estava o pé de murta? ...

Nisto, ouviu a voz de sua mãe que a chamava, e correu para ajudar as irmãs a dispor a mesa. Observou, então, que Ruben, o mais jovem dos três, bebia uma taça de suco de cereja, oferecida por Verônica, depois de haver esta feito o mesmo oferecimento aos anciãos e demais familiares.

— Como te chamas? — perguntou ele.

— Verônica, para servir-te — respondeu ela com graça.

— Formoso nome! Parece que somos os mais jovens desta reunião. Se me permitires, ajudar-te-ei a servir os comensais.

— Como preferires; mas, somente se minha mãe o consentir — advertiu ela.

— Eu o permito com prazer, minha filha, neste qüinquagésimo dia do Divino Menino de Myriam. Que desejais? — perguntou Lia felissíssima, dando os últimos retoques na mesa do festim.

— Estava eu pedindo permissão a Verônica para ajudá-la a servir os comensais — disse Ruben.

— Muito bem, começai, pois — consentiu Lia, passando para o interior do aposento.

— Antes, porém, em sinal de eterna amizade, bebamos, juntos, este licor de cereja. Os persas consagram assim suas amizades.

— Muito embora não sejamos persas ..., bebamos juntos, se te agradar. — E a formosa adolescente molhou apenas os lábios na taça de Ruben.

— Ora, veja! estes jovens celebram seus esponsais! — exclamou Myriam, entrando na sala de jantar com o filhinho nos braços e olhando para as três moças, que, sem procurá-lo, se achavam perto dos três levitas. A sensibilidade de Myriam havia, sem dúvida alguma, percebido a onda de amor que surgia de seu filho e a ele retornava depois de despertar suavíssimas e sutis vibrações nas almas afinadas dos três levitas e de suas três escolhidas.

As moças ruborizaram-se ao ouvir as palavras de Myriam, e os três rapazes sorriram, radiantes de felicidade.

O velho Simeão, tio de Lia, com o sorriso peculiar dos anciãos, quando vêm refletir-se nos jovens seu longínquo passado, disse:

– O ardiloso amor é como o rouxinol que canta escondido! ... Como poderemos saber se há ou não algum ninho escondido em nosso quintal?

– "Escolhe na juventude a companheira para toda a tua vida, e que seu amor seja a videira que sombreia tua porta até a terceira geração" ... diz nossa Lei – lembrou com solenidade um dos três Anciãos do Moab.

– Será coincidência que, sem pretendê-lo e sem suspeitá-lo sequer, trouxe eu três enamorados que tinham aqui suas companheiras? – perguntou o sacerdote Simeão de Bethel.

– "Quando o esposo está próximo, as flores vestem suas roupagens de pétalas, os passarinhos gorjeiam, e as almas se encontram" cantou, em seus poemas proféticos, nosso Pai Essen. Eis que, estando sob este teto o Ungido do Amor, que é o esposo de todas as almas, que outra coisa pode suceder senão que o Amor resplandeça como uma florescência de estrelas espargidas sobre este recanto? – Estas palavras, ditas por outro dos Anciãos, quase não foram ouvidas pelos três levitas que falavam à parte com Simeão de Bethel, o qual, colocando-se em pé no meio da sala, disse à viúva Lia:

– Estes três jovens levitas acabam de autorizar-me a pedir a mão de tuas três filhas para serem suas esposas: Susana para José de Arimathéia, Ana para Nicodemos de Nicópolis e Verônica para Ruben de En-gedi.

– Nosso filho traz festa de Amor a todos os corações – confessou Joseph a Myriam, sentados, ambos, em uma das cabeceiras da mesa.

– Mas, eu não esperava esta surpresa! – declarou Lia, olhando alternativamente para suas três filhas. – Sabiam vocês alguma coisa? ...

– Não, mãe, não! – responderam as moças, que pareciam três rosas encarnadas.

– O Deus-Menino é responsável por tudo! – exclamou o terceiro Ancião, que ainda não havia falado. – Acaso, não sabemos que ele vem para trazer o fogo do Amor à Terra? Deixai, pois, que a labareda se levante e consuma toda a escória.

– Está bem – acrescentou Lia –, então esta simples refeição é uma celebração da promessa recíproca de casamento. Que Jehová vos bendiga, filhos meus, se com isto fazeis Sua Santa Vontade.

O mais idoso dos três Anciãos abençoou o pão e repartiu-o entre todos. Ocupou, com seus dois companheiros, a outra cabeceira da mesa, enquanto os três casais de jovens, Lia, seu tio e os demais essênios ocupavam as duas laterais.

– Somos 15 pessoas! – exclamou o tio Simeão, que os havia contado.

– Somos 16, tio – retificou Myriam, colocando seu filhinho, como uma flor de rosa e nácar, sobre a mesa.

– Certo ... certo! ... Bendito! Bendito seja! Que ele presida à mesa!

Todas estas exclamações surgiram ao mesmo tempo de todos os lábios.

– Ele presidirá muitas vezes quando nós tivermos fios prateados sobre nossas cabeças – vaticinou Susana, com seu olhar como que perdido em horizonte distante.

— Continua dizendo o que vês, menina — disse o mais idoso dos Anciãos do Moab, que estava notando o estado espiritual da jovem.

— Vejo um grande Profeta que preside um banquete de bodas, tendo Myriam a seu lado. Vejo-o no luxuoso cenáculo de um ilustre personagem e que uma consternada mulher ruiva unge seus pés com finas essências e enxuga-os com seus cabelos.

"Vejo-o também presidindo uma ceia à luz de uma lâmpada de treze círios, no fim da qual, ele lava e seca os pés de seus discípulos. Sei que esta é uma ceia de despedida, porque ele vai ... partir para uma viagem que não terá regresso."

— Não, não! Isto não! — exclamou Myriam com um grito de angústia, levantando seu menino e guardando-o sob o manto.

— Já basta de visões, menina! Que Jehová te abençoe; e tu, Myriam, nada temas, pois teu filho está envolto na Vontade Divina como em uma forte couraça. Nada lhe sucederá, a não ser aquilo que ele mesmo queira para si. É senhor de tudo quanto existe sobre a Terra, e tudo obedecerá a Seu mando. Justamente ali estará o mérito de Sua vitória final. — Estas palavras foram pronunciadas pelo mais idoso dos três Anciãos Essênios do Monte Moab.

Simeão de Bethel e os outros essênios fizeram anotações das clarividências de Susana.

Assim começou a refeição entre as ternas emoções de uns esponsais inesperados e da brumosa perspectiva de um futuro distante, cheio de promessas de glória e de tristes incertezas.

Quando a ceia estava já por terminar, o mais idoso dos Anciãos disse:

— Sabemos que, pelos caminhos do Oriente, avançam lentamente três viajantes, ilustres pela sua sabedoria e pelas suas obras. Vêm mandados por três Fraternidades ocultas, como a nossa, para render homenagem ao Homem-Deus, cujo advento lhes foi anunciado pelos astros.

"Chegarão daqui a três luas. Por este motivo, convém que Joseph e Myriam voltem a Betlehem antes desse tempo, para que sua chegada não promova alarme em Jerusalém.

"Há quem vigia nos Céus e na Terra, mas é bom agir com prudência e cautela."

— Abençoai, Grande Servidor — pediu Lia — o amor destes filhos, se é Vontade de Jehová que eles sejam unidos.

Então todos se puseram em pé, e os três casais, com as mãos juntas e as frontes inclinadas sobre a mesa, ouviram e receberam a bênção usada por Moisés:

— Sede benditos, em nome de Jehová, nos frutos de vosso amor; nos frutos de vossa terra; nos frutos de vosso gado; nas águas, para que fecundem vossas sementes; no Sol, para que lhes dê energia, e no ar que leva seu pólen a todos os vossos domínios; assim como no tocante ao pão, ao mel, ao azeite e ao vinho. Que seja tudo isso para vosso proveito, se cumprirdes a Vontade do Altíssimo.

— Assim seja! — responderam todos.

O três levitas beijaram a fronte de suas eleitas, e todos os que presenciaram a cerimônia beberam o vinho nupcial de u'a mesma ânfora.

— Que beba também o menino do nosso vinho — acrescentou Nicodemos, quando Myriam ia beber. — Ela, então, molhou os dedos no roxo licor, e introduziu-os na boquinha rosada do filho adormecido.

Assim terminou aquela inesperada festa de esponsais, a qual, em verdade, foi uma terna comunhão de almas enlaçadas, desde séculos, por fortes vínculos espirituais.

Sendo antigo costume que as donzelas prometidas como esposas de levitas passassem, pelo menos, sete luas no serviço do Templo, pediram eles a Lia que internasse as filhas durante esse tempo.

Como, porém, causava pena à mãe afastar-se assim de suas três filhas de uma só vez e por tanto tempo, os sacerdotes essênios lembraram que havia uma exceção estabelecida tanto pelo costume como pela tradição.

Consistia a dita exceção no seguinte: As sete luas podiam ser reduzidas a três, quando as donzelas-noivas houvessem estado consagradas, dentro do lar paterno, a servir simultaneamente ao Templo, na confecção de tecidos de linho, de púrpura e de bordados a relevo em ouro e pedraria, para os ornamentos do culto. Tal era o caso das filhas de Lia, cuja casa, sob a proteção do velho tio, era um dos mais respeitáveis lares de Jerusalém, dentro de sua modesta e mediana posição.

Assim, concordaram que as três se internassem por turnos, uma de cada vez, a fim de não deixar a mãe sozinha.

Joseph e Myriam voltaram daí a poucos dias, à casa de Elcana, em Betlehem, para aguardar ali a chegada dos três personagens que estavam vindo do extremo Oriente, segundo o aviso dos Anciãos do Moab, e também para esperar que o menino e a mãe se encontrassem em estado de viajar para a província da Galiléia.

Premido pelas necessidades relativas a sua oficina de carpintaria e dos filhos de sua primeira esposa, realizou Joseph sozinho uma viagem a Nazareth, deixando Myriam e o filho aos cuidados de seus parentes, Sara e Elcana.

Além disto, os amigos Alfeu, Josias e Eleázar visitavam diariamente o venturoso lar em Betlehem que, por cerca de um ano, abrigou sob seu teto o Homem-Deus, em sua primeira infância.

Essas humildes famílias de pastores e artesãos foram testemunhas oculares das grandes manifestações espirituais que se desenrolavam no plano físico, ao redor do menino, enquanto ele dormia, e cessavam quando estava desperto.

Que fenômeno era esse? Um dia, presenciaram-no também dois Terapeutas-Peregrinos que desceram do Monte Quarantana; então eles deram esta explicação:

O sublime Espírito de Luz, encerrado no vaso de barro da sua matéria, lançava-se ao espaço infinito assim que o sono físico Lhe fechava os olhos. Mas, para retê-Lo na própria atmosfera terrestre, as cinco Inteligências Superiores, que O apadrinhavam, formavam um verdadeiro oceano de Luz, de Amor e de Paz infinita na casinha de Elcana e em suas imediações, emitindo raios benéficos de harmonia, doçura e benevolência, até as mais afastadas regiões do País. Isto produziu um verdadeiro tempo de bênçãos, de abundância e de prosperidade em toda parte.

As pessoas que ignoravam o que ocorria, por mais conhecimentos humanos que possuíssem, atribuíam tudo a causas meramente naturais. Os governadores louvavam a si mesmos pela boa administração dos tesouros públicos; os mercadores, pelo tino e habilidade com que dirigiam o comércio; os criadores de gado e os lavradores por seu trabalho e pelo acerto na realização de todos os seus negócios. Só os essênios, silenciosos e infatigáveis obreiros do pensamento e estudantes da Divina Sabedoria, conheciam a causa secreta de todo aquele florescimento de bem-estar e prosperidade existente no País de Israel.

Como se uma poderosa rajada de vitalidade e energia tivesse passado, qual asa benéfica, a roçar o País dos Profetas, era muito reduzido o número dos empestados; por sua vez, eram as enfermidades tão leves e ligeiras que facilmente eram curadas; muitos facínoras e marginais, que se ocultavam nas paragens agrestes das montanhas, haviam-se acomodado em paz, depois que um chefe de bandidos, por nome Dimas, se encontrara com Joseph, Myriam e o menino, quando estes regressavam a Betlehem.

Gravemente ferido, havia esse homem ficado à margem do caminho e se arrastara até um matagal, pelo medo de ser preso. Mas, quando viu o aspecto tão inofensivo dos três personagens, pediu-lhes socorro, pois estava perdendo muito sangue e se abrasava de sede. Tinha uma ferida de lança no ombro esquerdo.

Myriam ia deixar o filhinho sobre a relva do caminho para ajudar Joseph a vendar a ferida, mas aquele lhe disse:

– Sou homem mau, pois tirei a vida a muitas pessoas; mas prometo pelo vosso filho que nunca mais matarei a ninguém. Entregai-me o menino para que eu o tenha sobre os joelhos até que termineis o curativo.

Deixou Myriam, sem nenhum temor, o filhinho adormecido sobre os joelhos do bandido ferido. Enquanto preparavam vendas e ataduras de uma fralda do menino, viram que aquele homem se inclinava para beijar-lhe as mãozinhas, enquanto grossas lágrimas corriam pelo seu rosto, que, embora formoso, estava curtido por viver sempre ao relento. Como sentisse grande dor no ferimento, levantou o menino até a altura do peito, e sua cabecinha foi roçar-lhe o ombro magoado.

Fê-lo, sem dúvida, inconscientemente; mas, apenas isso acontecera, gritou com força:

– Já não me dói mais! O menino curou-me. Deve ser algum deus em desterro, ou sois vós magos da Pérsia!

– Bom homem – disse-lhe Joseph –, se o nosso filho te curou, isso deve ter sido por causa da promessa, que acabas de fazer, de não matar mais a ninguém. Deixa-nos, pois, vendar a tua ferida para prosseguirmos a nossa viagem.

Grande foi o assombro deles quando, ao abrirem as roupas de Dimas, viram que a ferida já estava fechada e somente aparecia uma listra mais rosada do que o restante da pele.

Joseph e Myriam entreolharam-se. Depois, olharam para Dimas que, de joelhos, com o menino nos braços, beijava-o e chorava com grandes soluços.

– Que Deus misericordioso és Tu, que assim te apiedas de um miserável? – perguntou ao menino que continuava submergido no mais doce sono, enquanto as forças e correntes emanadas de seu próprio Espírito, desprendido da matéria, trabalhavam poderosamente na alma e no corpo daquele homem. Por fim, entregou o menino a sua mãe e, levantando-se, decidiu acompanhá-los até Betlehem, depois que lhe deram a palavra de não denunciá-lo à justiça.

– Se Deus teve piedade de ti, nós, que somos servidores Seus, não agiremos de forma contrária.

Dimas tomou as rédeas do asno em que ia montada Myriam com o filho e foi puxando pelo cabresto até a cidade.

Já quase anoitecia quando chegaram; então Joseph disse a Dimas:

– Não é justo ires sem comer. Entra conosco nesta casa, que é de nossos parentes; aqui não tens nada a temer.

– Dai-me somente pão e queijo, e seguirei para os montes de Bethura, onde os meus homens me esperam.

Joseph e Elcana entregaram a Dimas um pequeno saco cheio de provisões e deixaram-no partir. Aquele homem não contava mais de 19 anos; no entanto, aparentava ter 30, à vista de sua fisionomia bronzeada, quase totalmente coberta por espessa barba e cabelos desgrenhados.

Poderoso senhor da cidade de Joppe havia assassinado os pais de Dimas para roubar-lhe a irmã, que ele precipitara na desonra e na maior miséria em que pode afundar u'a mulher na flor de sua juventude. Tal ocorrência havia lançado Dimas no abismo do abandono e do crime em que se achava submerso.

Tiveram Elcana e Joseph a gentileza de tirar ao hóspede as roupas manchadas de sangue, e lhe deram casaco, mochila e calças das que, de ordinário, eram usadas pelos pastores. Por causa dessa circunstância, não foi ele reconhecido pelos que o buscavam desde Rama, de onde o vinham seguindo.

Não obstante haver Dimas cumprido a promessa, feita ao Santo Menino, de jamais tornar a matar a quem quer que fosse, passou ele o resto de sua vida errante pelos montes mais áridos e escabrosos, porque, à testa de uma dezena de homens, roubara os bens e a vida de quase todos os membros da família daquele homem poderoso, causador de sua desgraça.

Uma ocorrência na vida de um homem marca, às vezes, rumos para o restante de seus dias, por longos e numerosos que sejam.

Ao redor do fogo da lareira de Elcana, contaram Joseph e Myriam com todas as minúcias tudo quanto lhes ocorrera na Cidade dos Reis e dos Profetas.

Na humilde casinha do tecelão, onde se reuniam diariamente os três essênios que conhecemos, começou a ser elaborada a dourada filigrana da vida extraordinária do Homem-Deus, desde seus primeiros passos pelo plano físico terrestre.

Se a inconsciência e os antagonismos não tivessem malbaratado esse formoso conjunto de recordações e tradições, e os biógrafos do Ungido houvessem tido o acerto de coletar dados nesse campo, que história mais completa e perfeita haveria tido a Humanidade a respeito da passagem pela terra de Jhasua, o Cristo Salvador dos Homens!

Os Terapeutas-Peregrinos, que passavam por ali todas as semanas, eram os únicos a anotar, em suas cadernetas de tela encerada, todos os sucessos de ordem espiritual referidos por aqueles que observavam de perto o Menino-Verbo de Deus.

Desde o Longínquo Oriente

A decorrência do grandioso himeneu de Júpiter e Saturno, ao qual, pouco depois, se unia Marte, pusera em atividade, pelo Divino Conhecimento, a iluminação das mentes daqueles homens que, neste pequeno planeta, semeado de egoísmos e ódios, haviam sido capazes de manter-se à beira das correntes cristalinas, nas quais se refletem os Céus infinitos e se bebe das águas que apagam toda sede.

Na antiga Alexandria dos vales do Nilo, existia ainda, como vaga lembrança dos kobdas pré-históricos, uma Escola Filosófica a poucas braças de onde havia sido levantado, um dia, o venerando Santuário de Neghadá. Fora aquela escola fundada, séculos atrás, por três hebreus fugitivos, os quais, vendo-se atacados por uma grande febre que os levara às portas da morte, não quiseram nem puderam seguir o êxodo do povo de Israel, quando abandonou o Egito.

A fim de que aqueles três não viessem a morrer entre os pagãos, por misericórdia haviam sido conduzidos para as extensas ruínas existentes junto à costa do mar, já quase cobertas de limo e detritos arrastados pelas águas do grande Rio. Eram os milenários escombros do Santuário Kobda de Neghadá, de cuja existência já não ficava nem o mais leve sinal entre os habitantes dos vales do Nilo.

Das ditas ruínas, séculos depois, foram utilizados blocos de pedra e bases de colunas para as grandes construções faraônicas e, ainda, para edificar a antiga Alexandria, sendo que, no melhor dos edifícios em estilo grego, foi instalado, depois da morte de Alexandre, um suntuoso pavilhão. Era este, ao mesmo tempo, Museu e

Biblioteca, Panteão Sepulcral e Templo de Ciências. Aí podia-se contemplar, durante os primeiros séculos de nossa era, em uma urna de cristal e prata, o cadáver de um homem mumificado que empolgara o mundo civilizado com suas gloriosas façanhas de conquistador: Alexandre Magno.

Ninguém sabia que ruínas eram aquelas, em torno das quais se teciam e desteciam inumeráveis lendas fantásticas, trágicas e horripilantes.

Somente as corujas, os bufos e os morcegos disputavam entre si os negros corredores, repletos de sombras e ecos daqueles pavorosos destroços. Também alguns malfeitores, fugidos da justiça humana, misturavam-se com as aves de rapina a grasnarem entre as arcadas destruídas. A par disso, periodicamente, novos desmoronamentos produziam ruídos espantosos, como de trovões distantes ou montanhas que se precipitam nos abismos.

Os piedosos condutores dos três hebreus enfermos, julgando-os já em estado agonizante, e levando uma dianteira de três dias sobre eles a multidão israelita que se afastava, resolveram deixá-los sobre as macas numa espécie de cripta sepulcral, que encontraram ao pé daqueles assombrosos restos desmoronados.

Estavam eles mais mortos do que vivos naquele lugar. Não obstante isto, deixaram-lhes ao lado três cântaros de vinho com mel e uma cesta de pães, para o caso de algum deles amanhecer vivo no dia seguinte.

Agonizantes e exaustos, ali, na velha cripta do antigo Santuário de Neghadá, orgulho e glória da Pré-História dos vales do Nilo, os três moribundos abandonados voltaram à vida. Em virtude dessa circunstância, ficaram eles unidos numa aliança tão estreita e forte que não pôde esta romper-se jamais. Destarte, foram Zabai, Nathan e Azur os que, muito embora sem pretendê-lo, fundaram a célebre Escola Filosófica de Alexandria, da qual uma única pessoa obteve as honras da celebridade, como filósofo de alto gabarito e contemporâneo de Jhasua: Fílon de Alexandria.

Os três moribundos que retornaram à vida tinham o ofício de gravadores em pedra, em madeira e em metais; portanto, conheciam bastante a escrita hieroglífica dos egípcios e a própria língua hebraica em todas as suas derivações e variantes. Começaram, pois, abrindo uma pequena oficina nos subúrbios da cidade de Faraon, disfarçados como obreiros persas, para não serem reconhecidos como hebreus e vir a sofrer as represálias dos egípcios. Como continuaram a visitar a cripta funerária em que retornaram à vida, foram fazendo achados de grande importância.

Copiavam as formosas inscrições das lousas sepulcrais. Em algumas das tumbas desmoronadas, encontraram rolos de papiro com belíssimas lendas, hinos inspirados de poesia e de sublime grandiosidade e emotividade. Guardados em tubos de cobre, entre os brancos ossos dos sarcófagos ou entre as múmias, que pareciam corpos de pedra, descobriram um manuscrito em antiquíssimos hieróglifos. Ao decifrá-lo, compreenderam que era a Lei observada, indubitavelmente, por uma Fraternidade ou Escola de sábios solitários, chamados *kobdas*.

Tais foram as origens humildes e desconhecidas da Escola Filosófica de Alexandria, que adquiriu glória e fama nos séculos imediatos, anteriores e subseqüentes ao advento de Jhasua, o Cristo, Salvador da humanidade terrestre.

Quantas vezes o jovem e audaz conquistador Alexandre se confortou com os solitários mosaístas, os quais, por gratidão a Moisés, que salvara seus compatriotas da opressão, tomaram-Lhe o nome como escudo e símbolo, chamando-se Servos de Moisés! Formou-se a Escola primeiramente de aprendizes em gravação e, pouco a pouco, foi elevando-se aos estudos filosóficos, astronômicos e morais.

Dois anos antes do nascimento de Jhasua, Fílon de Alexandria, jovem de 25 anos, foi enviado com outros dois companheiros a Jerusalém a fim de procurar colocar-se em contato com a antiga Fraternidade Essênia. Malgrado esta permanecesse oculta na Palestina, era ela conhecida até em países distantes, pelos próprios viajantes e mercadores, como, ainda, pelos perseguidos e fugitivos, que sempre achavam amparo e hospitalidade à sua sombra. Desde então, foi a Escola de Alexandria considerada com um prolongamento dos Essênios da Palestina no Egito.

Foi assim que, da Escola de Divina Sabedoria de Melchor, sita nas montanhas de Paran, às margens do Mar Vermelho, partiu um mensageiro para Alexandria, a fim de averiguar os conhecimentos dos Servos de Moisés, com referência ao advento do Avatara Divino, anunciado pelos astros. O mensageiro demorou três luas e voltou acompanhado por um dos solitários de Alexandria, no intuito de empreenderem, juntos, a grande viagem para a dourada Jerusalém, em busca do Bem-Aventurado.

Entretanto, Gaspar e Baltasar, que vinham da Pérsia e da Índia, encontraram-se, por acaso, na mesma paragem, ou seja, em Sela, na falda do Monte Hor, onde Melchor esperava a caravana para continuar essa longa caminhada em companhia de mais algumas pessoas.

As amplas barracas dos mercadores, onde se reuniam estrangeiros de todos os países, foram cenários propícios para o encontro feliz daqueles que, sem se conhecerem e sem terem nada combinado, achavam-se a caminho de um mesmo ponto final: Jerusalém dos Reis e dos Profetas.

Como foi que se descobriram uns aos outros? Vejamo-lo:

Cada qual em sua própria tenda se encontrava embevecido pela causa única da longa viagem que estava realizando. Nenhum deles se interessava pelas tendas de comércio, apesar de exibirem riquezas incalculáveis. Foi assim que Gaspar, Melchor e Baltasar, desejando solidão e silêncio para poderem interpretar mais claramente os avisos proféticos de seus respectivos áugures e livros sagrados – em meio a um dia de feira na qual toda a cidade era um buliçoso centro comercial – dirigiram-se, separadamente, a uma colina vizinha do Monte Hor, com seus alfarrábios e rolos de papiro. Procurou cada um o sítio mais adequado a seu trabalho.

Acharam muito estranha essa coincidência, e, movidos por um imenso impulso de curiosidade, resolveram aproximar-se. Depois de alguns ensaios no sentido de poderem entender-se, conseguiram-no através do idioma siro-caldaico, que era, então, o mais difundido entre as raças semitas. Cada qual explicou as profecias e os avisos de seus clarividentes e inspirados; os fundamentos de suas respectivas filosofias; os ideais de perfeição humana com que sonhavam; enfim, tudo quanto um homem pode esclarecer a outro homem a respeito de seu Eu interno.

Acabaram por descobrir que as filosofias de Chrisna, do Bhuda e de Moisés, no fundo, eram uma única, ou seja: todas buscavam a aproximação à Divindade e a perfeição de todos os homens pelo amor e pelo sacrifício dos mais adiantados para com os mais débeis e retardados.

Chegados a este ponto, os três perguntaram, um ao outro, ao mesmo tempo:
– Para onde ides?

Responderam todos, por sua vez:
– Ao país dos hebreus, porque os astros assinalaram como sendo essa a terra designada para receber o Avatara Divino, que vem de novo e pela última vez para o meio dos homens.

— Em Jerusalém — observou Gaspar — o povo deve estar enlouquecido de felicidade por esse grandioso acontecimento.

— Se é que o sabe — acrescentou Baltasar —, pois temos uma antiquíssima tradição oculta que diz: "Ninguém jamais viu onde a águia faz o seu ninho. Aquele que descobrir o ninho da águia poderá olhar o Sol sem molestar os olhos." Isto quer dizer que são bem poucos os que descobrem o Filho de Deus encarnado entre os homens; e aqueles que chegam a descobri-lo podem ver o Sol da Verdade sem escandalizar-se por causa dela.

— Creio poder assegurar-vos — disse Melchor — que o Glorioso Acontecimento não é do conhecimento do povo, porque estou vinculado a uma Escola Filosófica dos vales do Nilo, que, por sua vez, se acha em comunicação com a Fraternidade Essênia da Palestina, cujas origens remontam a Moisés.

"O caso é que o povo hebreu espera um Messias-Rei, libertador do jugo romano, que tão ferozes lutas tem promovido entre os filhos de Abraham. Mas os estudantes da Divina Sabedoria estão todos de acordo em que o Filho de Deus não vem apenas libertar um povo do domínio estrangeiro, senão salvar todo o gênero humano do aniquilamento que contraiu pelos seus desregramentos e iniqüidades. Não é esta a Grande Verdade Secreta?

— Sim, é esta — responderam os outros ao mesmo tempo. — Sabemos, além disso, que o Avatara vem arrastando atrás de si u'a imensa onda de Inteligências adiantadas, para que, sob os auspícios dos grandes Hierarcas dos Céus Superiores, inundem de tanto amor a Terra quanto as hordas das trevas a encheram de ódio.

Através destas conversações, ao pé de uma colina do Monte Hor, chegaram a entender-se de tal maneira que, desde aquele encontro, se estabeleceu uma forte irmandade entre eles e suas respectivas Escolas de conhecimentos ocultos. Dois dias depois, os três se encaminharam, com seus acompanhantes, a Jerusalém, pelo trilhado caminho das caravanas, em busca do Bem-Aventurado.

Até Bozra e Thopel, primeiras etapas de sua longa jornada, viajaram sobre dromedários e camelos; mas, ao chegar à montanhosa região do Moab, viram-se obrigados a trocar seus grandes animais pelas pequenas mulas e asnos amestrados para os penhascos cheios de precipícios.

Foi essa uma longa viagem de estudos e de meditação, na qual os três sábios transmitiram mutuamente os conhecimentos de suas Escolas, ampliando, com isto, os próprios.

O Culto do Fogo, dos persas, remontava aos Flâmines pré-históricos, que, com o lume aceso permanentemente sobre a pedra sagrada do altar, representavam, de modo simbólico, a alma humana vivendo sempre como eterna aspiração ao Infinito. Seu próprio nome era uma variante de *flamen* (chama), o que os fazia dizer, quando interrogados sobre seus ideais e formas de vida: "Somos chamas que ardem sem consumir-se."

Aqueles Flâmines-Lêmures predispuseram o Sul do Indostão para o advento de Chrisna, juntamente com os Kobdas do Nilo, emigrados do Golfo Pérsico para Bombaim.

Definidas estavam, pois, para os nossos viajantes, as remotas origens da filosofia persa e da indostânica. Faltava encontrar a ligação que levara ao descobrimento da filosofia da Arábia, de onde Melchor era originário. Este desenrolou um antiquíssimo e amarelento papiro e leu:

"Numa época mui remota, nas montanhas do Paran, da Arábia Pétrea, houve uma florescente civilização, gêmea daquela que se desenvolveu nos vales do Nilo.

Ambas emanavam da Sabedoria dos Kobdas, a mais grandiosa instituição benéfica que fez prosperar três continentes. Nos montes Horeb e Sinai – que, na Pré-História, se chamavam Monte de Ouro e Penhascos de Sindi – haviam ficado ocultos os Kobdas, como águias nas cavernas das penhas, perseguidos pelos conquistadores do alto e do baixo Egito.

"Moisés, que, na Sua juventude, tivera que fugir, acusado falsamente de um assassinato, esteve na região de Madian, à qual pertencem ditas montanhas. A Divina Lei pô-LO em contato com os solitários dos montes Sinai e Horeb, e foi ali que ele planejou a libertação do povo hebreu a fim de que servisse de raiz e alicerce para a eterna e grandiosa Verdade: a Unidade Divina. Foi naqueles montes que Moisés recebeu, por Iluminação Divina, a Grande Lei que marcou novos caminhos para a humanidade terrestre.

"Com o ensinamento oculto daqueles solitários temos nutrido nossa vida espiritual durante séculos e séculos. Quem encontrar este papiro e os demais que o acompanham, saiba que estará obrigado, pela Lei Divina, a abrir uma Escola para difundir o sagrado ensinamento que dá paz e felicidade aos homens. Assinado: Diza, Abad-Marvan Elimo, Abad."

– Esta é – disse Melchor – a origem de nossa atual Escola nos Montes de Paran. E a obrigação de abri-la tocou a mim por sorte, porque, num cruel momento de desespero, procurei um precipício para me arrojar do pincaro mais elevado. Ouvindo, porém, um gemido lastimoso, vindo do fundo de uma gruta, internei-me nela, procurando saber se realmente era possível existir lá um ser mais desventurado do que eu. Encontrei um pobre ancião atacado de febre e já impossibilitado de levantar-se a fim de buscar água para beber. Seus gemidos provinham da sede que o abrasava. Procurando socorrê-lo, esqueci-me um pouco de minhas dores cruéis.

"Viveu o homem ainda três dias, graças aos cuidados que lhe dispensei. Era o último sobrevivente daqueles solitários.

"Disse-me que, por ordem de guias superiores, tinha tomado o nome de *Marvan*, e assinalou o lugar onde estavam sepultados todos os outros solitários que haviam morrido antes dele. Por fim, mostrou também o nicho existente em sua caverna onde se achavam estes documentos dentro de uma caixa de carvalho.

"Já que sabeis de tudo, amigos meus de longa viagem, que dizeis de tudo isso?"

– Que as origens de todos os ensinamentos de ordem superior são comuns e provêm da mesma fonte – asseverou Baltasar.

– E que essa fonte é o Verbo Divino, e suas distintas encarnações Messiânicas em nosso Planeta – acrescentou Gaspar.

– Justamente! Estamos em perfeito acordo – prosseguiu Melchor. – Em minha terra celebram-se os acordos bebendo todos os amigos da mesma taça e servindo-se do mesmo pão.

Como este acordo se realizou na tenda de Melchor, o príncipe moreno, serviu ele mesmo a seus amigos e, abraçando-se todos estreitamente, formaram, com isto, um laço que os uniu para muitas vidas. Separaram-se quando a noite já ia muito adiantada, ajustados a continuar a viagem no dia seguinte.

Ocorreu isso nos subúrbios de Thopel, onde deixaram os dromedários e os camelos numa hospedaria, que se encarregou deles.

Até ali, tinham-lhes servido os guias das caravanas; mas, para atravessar as íngremes montanhas do Moab, conseguiram guias práticos, que também eram donos de asnos e mulas, e os contrataram para a perigosa travessia.

Começaram a subir por um caminho tortuoso, lavrado na rocha viva, o qual serpenteava, ora para a direita, ora para a esquerda, e, por vezes, em espiral mais ou menos fechada.

Não obstante, viam claramente que aquele trilho estava cuidadosamente assinalado para segurança dos viajantes. De espaço a espaço, achava-se fincada, nos interstícios da rocha, uma forte vara de madeira, trazendo na parte superior uma tabuleta escrita, com indicações úteis, tais como estas: "Água na curva à esquerda", "Atrás deste penhasco há uma caverna para pernoitar"; "Caminho perigoso. Levai luz acesa, logo ao anoitecer". Durante todo o percurso, foram encontrando advertências que lhes reduziam as dificuldades.

— Quem será que trata, aqui, com tanta solicitude, dos viajantes? — perguntou Gaspar, estranhando o que via.

— Dizem — respondeu um dos guias — que vivem nos antros destas montanhas pessoas de boa índole ou almas pecadoras que aliviam seus pecados fazendo bem aos viajantes. Reza uma lenda que, quando o Grande Moisés andou por estas mesmas paragens, conduzindo o povo de Israel, aqueles que, por infidelidades para com a Lei, morreram nesta travessia, receberam do Profeta a ordem de vigiar este caminho até a Sua volta à Terra.

Os três sábios, iniciados como estavam nas grandes verdades ocultas, entreolharam-se com inteligência, enquanto esperavam sua vez de beber da água fresca do manancial que a tabuleta havia anunciado.

A lenda do guia da caravana tinha um fundo oculto de verdade, pois eram, realmente, almas a expiarem culpas, as que se encarregavam de cuidar dos caminhos. Formavam uma espécie de irmandade dependente dos Essênios do Moab. Seus membros eram bandoleiros arrependidos, que os essênios tinham salvo da forca com a condição de que empreendessem vida melhor em cavernas ocultas, preparadas de antemão. Ali ficavam retidos por tempo determinado, até que, sem perigo para eles mesmos, pudessem ser incorporados nas sociedades humanas dos centros povoados das províncias. Eram chamados *Penitentes*, e, a cada duas luas, dois dos Setenta Anciãos do Grande Santuário do Monte Abarin desciam para visitá-los, prover suas necessidades e dar-lhes consolo.

Para eles não havia outra lei senão esta, gravada nas cavernas que os ocultavam:

"*Não faças a teu próximo o que não queres que te façam, e Deus velará por ti.*"

Nas grutas indicadas pelas tabuletas escritas, encontraram brandos leitos de feno seco, grande quantidade de lenha para as fogueiras e sacos com bolotas de carvalho e castanhas. Mas não avistaram nenhum ser humano que lhes dissesse: "O autor destas gentilezas fui eu."

Assim chegaram a Kir, Aroer, Dibon, Atharat e Beth-peor, onde se achava a colônia-escola dos órfãos leprosos e tuberculosos, que os essênios se incumbiam de tratar por intermédio de seus Terapeutas do exterior.

A povoação de Beth-peor tinha-se tornado pouco simpática aos viajantes em geral, por causa do temor com que eram olhadas, por todos, aquelas enfermidades de que ninguém era curado.

No entanto, nossos três romeiros olhavam, sob outro ponto de vista, as grandes dores humanas, e fizeram questão de armar suas tendas justamente na pequena praça sombreada de árvores, que ficava defronte à colônia. Os Terapeutas residentes saíram para oferecer serviços e atenções aos recém-chegados.

— Se quiserdes poupar o trabalho de instalar vossas tendas por um ou dois dias — disse um dos Essênios-Peregrinos —, então vinde a nosso salão-hospedaria, onde há acomodação para todos vós. Os pequenos enfermos estão reclusos em pavilhões distantes da porta de entrada.

Tão bondoso e amável convite não podia deixar de ser aceito, pelo que os viajantes penetraram na grande sala, que dava para o pórtico exterior.

O alento de Moisés parecia vibrar em todos os tons, apenas se penetrasse ali. Na parede principal, em frente à entrada, via-se um fac-símile das Tábuas da Lei, onde se achavam os Dez Mandamentos gravados em pedra. Em outra parede estava inscrita a célebre "*Bênção de Moisés*" (*) para os fiéis observadores da Lei. Havia, igualmente, sentenças ou pensamentos Seus sobre pequenas plaquetas de madeira, em todas as partes onde se tornava oportuno, como severos ornatos daquela sala. No centro, uma grande mesa rodeada de rústicos bancos, e, junto a todas as paredes, um amplo estrado de pedra, coberto com esteiras de fibra vegetal, de peles e mantas, indicando que serviriam de leitos aos hóspedes.

— Sois aqui os donos de tudo quanto existe — disse o Essênio que os convidara, ao mesmo tempo que entrava outro essênio seguido de dois garotos a conduzirem cestas com manjares e frutas, que foram colocando sobre a grande mesa central.

Permaneceram os peregrinos ali duas noites e dois dias; mas as pessoas da colônia eram tão discretas e silenciosas que eles não tiveram oportunidade de entabular conversação alguma sobre o que os preocupava. Conhecia-se ou ignorava-se, ali, o Grande Acontecimento que os impulsionava imperiosamente de tão grandes distâncias?

— Talvez — supunham os viajores — encontraremos na outra margem do Jordão o entusiasmo que aqui não se percebe em parte alguma.

Um dos Terapeutas sentiu a premente interrogação que os três estrangeiros irradiavam sem falar, e, aproximando-se deles, quando já principiavam a despedir-se, disse:

— Não será indiscrição perguntar para que parte da Palestina vos encaminhais?

— Para Jerusalém — responderam imediatamente. — Deve haver ali grande regozijo!

— Faz cinco dias que cheguei de lá e não notei absolutamente nada do que dizeis — respondeu o Essênio.

— Mas ... será possível? Na cidade dos Reis sábios e dos maiores Profetas desconhecer-se-ia o aviso dos astros? Acaso, Júpiter e Saturno nada disseram a Jerusalém?

— Não há pior cego do que aquele que fecha os olhos para não ver — respondeu o Essênio. — A Jerusalém de hoje não pode ouvir as vozes de seus Profetas, porque o ruído do ouro, que corre qual um rio, transbordando pelos pórticos do Templo, apagou qualquer outro som que não seja o do precioso metal.

— E os astrólogos? ... E os cabalistas? ... E os discípulos dos Profetas calam-se também? — perguntou outro dos viajantes.

— Os discípulos dos Profetas vivem nas cavernas dos montes para proteger suas vidas, e silenciam para não estorvar os desígnios divinos.

— Eu venho de uma Escola indostânica, vizinha da Índia; este companheiro procede das montanhas da Pérsia; este terceiro, da Arábia Pétrea, e viaja acompanhado de um iniciado na Sabedoria Divina, da Escola de Alexandria. Todos nós empreendemos a romagem, obedientes ao aviso de Júpiter e Saturno. Vós o sabeis também, porque vossas palavras fizeram irradiar a Luz que vos ilumina.

(*) Favor reportar-se ao capítulo anterior (N.T.).

— Dizei-nos, em nome do Altíssimo: já nasceu aquele que os astros anunciaram? — insistiu Baltasar.
— Sim, já nasceu. Eu o vi e o tive em meus braços — respondeu o Essênio.
Diante destas palavras, os viajantes caíram de joelhos e beijaram o pavimento.
— Adoremos a terra que ele pisa — disseram, derramando lágrimas de profunda emoção. — Dizei-nos onde está ele?
— Eu o vi em Jerusalém, pois o Grande Acontecimento me havia surpreendido na Bethânia, aonde fora recolher alguns meninos leprosos e tuberculosos, abandonados pelos seus familiares.
— Nasceu, com efeito, em Betlehem, na Judéia, mas foi levado por seus pais a Jerusalém para a apresentação na Casa de Deus, pois era o primogênito de uma varão de família sacerdotal e de mãe que servira no Templo. Ignoro, no entanto, se, à vossa chegada, ele ainda estará naquela grande cidade.
"Ide ao Templo para fazer oferendas de pão, incenso, mirra e ramos de oliveira. Perguntai por Simeão, Esdras e Eleázar, sacerdotes do Altar dos Perfumes, e dizei a qualquer um dos três somente estas palavras: 'Que estas oferendas sejam agradáveis ao Salvador do Mundo, e que nos seja permitido ver o Seu rosto.'
"São estas as palavras de sinal para que sejais reconhecidos como amigos do Bem-Aventurado."
O leitor poderá facilmente compreender a poderosa onda de entusiasmo e energia que surgiu na alma daqueles viajores. Haviam estado a ponto de partir sem uma única notícia; todavia, a força telepática fez com que o Essênio sentisse a vibração anelante dos três estrangeiros, ansiosos por saber algo sobre o Grande Acontecimento.
Um apertado abraço firmou a amizade deles com o Essênio, o qual acrescentou, ao despedir-se:
— Qualquer um dos três nomes que vos dei servirá de indicação para tudo aquilo que deveis fazer. A partir de agora: silêncio! Porque, em Jerusalém, o silêncio é como a grossa malha de lã, que enfraquece a força de todas as flechas e anula o ódio e a morte. Compreendeis?
— Compreendemos bem — disseram — e, dando ao Essênio uma sacolinha com moedas de ouro para a manutenção dos órfãos enfermos, partiram antes do meio-dia.
As duas últimas jornadas antes de Jerusalém eram Baal e Beth-Jesimont. Havia, depois, os vales e os bosques frondosos das margens do Jordão, que eram como que a muralha encantada de esmeraldas e safiras, a ocultar-lhes a vista da cidade dourada de David e Salomão.
Deixemos, por alguns momentos, nossos viajeiros, para observar outro cenário diferente, onde atuam personagens que são o reverso da medalha, ou seja, o pólo oposto daqueles que temos encontrado até hoje: Herodes, o Grande, e seu inseparável mago caldeu: Rabsaces, a quem ele denominava seu médico de cabeceira. Prestava-se este docilmente a satisfazer todos os caprichos de seu régio senhor, mesmo à custa dos mais espantosos crimes.
Rabsaces realizava tudo isso de modo silencioso e discreto, de sorte que pessoas incautas continuavam acreditando que, apesar dos impostos e tributos excessivos e de suas escandalosas orgias, aquele reizinho da Judéia merecia, em parte, o seu cognome de "Grande", não obstante fosse, apenas, por seu esmero em dotar o País de populosas cidades em estilo romano.
Escutemos, pois, a conversa do Rei com seu médico favorito, pouco tempo depois de ter ocorrido a conjunção de Júpiter e Saturno.

— Majestade, Vosso Conselho de Astrólogos assírios e caldeus viu nos céus um sinal de perigo para Vosso trono a Vossa dinastia.

— Que há, Rabsaces? ... Vens com outro fantasma de fumaça, segundo o costume? — perguntou Herodes.

— Não, Majestade. Os astros anunciam o nascimento, na Judéia, de um ser extraordinário, de um Super-Homem, que mudará o rumo da Humanidade. E, se ele nasce aqui, Majestade ..., não será, por certo, para viver oculto atrás de uma porta! ...

— Senão que ele buscará um trono! ... É o que queres dizer?

— Sois Vós que o estais dizendo, Majestade ...

— Está bem; visto que tu e o meu Conselho de astrólogos seguis os movimentos dos astros tão de perto, e sabeis interpretar o que dizem as águias em seu vôo, podereis averiguar, com facilidade, em que determinado lugar nascerá esse personagem e de qual família provirá.

— Majestade! ... convinde em que o mundo é grande, e determinar, agora, que ele nascerá na Judéia já é saber bastante. Entre todas as terras habitadas por homens, é este país menor do que um lencinho do bolso do Vosso imenso guarda-roupa! ...

— Está bem. Compreendo, mas recomendo que, a este respeito, averigues tudo quanto seja possível. E ai de ti e de teus companheiros, se eu chegar a saber por outros meios que esse homem é meu vizinho e que vós, pesquisadores preguiçosos, nada conseguistes perceber!

— Não Vos preocupeis, Majestade, que não voará uma única mosca sem que isto seja de nosso conhecimento.

— Vai e não me venhas com mentiras, porque já sabes que não me agradam os sortilégios de magia negra.

O mago saiu do aposento real amaldiçoando o mau humor do Rei e sua triste sorte, que o obrigava a viver entre o medo e o crime, quando poderia gozar de paz e tranqüilidade em sua longínqua aldeia natal. Foi o medo que o fez colocar espiões e agentes em todos os rincões da cidade e dos povoados importantes da Judéia.

Assim aconteceu que, quando nossos viajantes, vindos do longínquo Oriente, chegaram a Jerusalém, um dos espiões se dirigiu a Rabsaces com a notícia de que estrangeiros procedentes de terras distantes, ao entrarem por uma das portas da cidade, haviam beijado o chão, enquanto exclamavam:

"— Terra abençoada, que recebeste o Rei dos Reis! ..."

Pôs-se Rabsaces na pista daqueles homens que, por certo, deviam saber alguma coisa a respeito do que lhe causava tanta inquietação.

Viu que eles foram no Templo e que, nos átrios, compraram oferendas de pão de flor-de-farinha, incenso, mirra e ramos de oliveira. Aproximando-se humildemente e com grandes reverências, ofereceu-lhes seus serviços como guia, para acompanhá-los por todas as paragens e monumentos da grande cidade, bem como fora dela.

— Com certeza, vindes em busca do Rei dos Reis, cujo nascimento os astros anunciaram?

— Os três viajores olharam-se mutuamente com estranheza, e Baltasar respondeu com grande discrição:

— Os astros não anunciaram um Rei da Terra, mas um Mensageiro Divino que traz a Luz da Verdade Eterna aos homens.

— Será um grande Profeta! ... — exclamou Rabsaces. — De qualquer forma, meus senhores, se fordes afortunados, havereis de encontrá-lo, e não deixeis no esquecimento este humilde servo, que há de sentir-se feliz em oscular o chão que seus pés pisarem. Todos os dias encontrar-me-eis aqui à porta do Templo de Jehová, esperando notícias vossas.

– Que Deus esteja contigo e com os teus, bom homem – responderam os romeiros, entrando no Templo em seguida.

O mago, por sua vez, deixou um de seus agentes para que seguisse os estrangeiros, sem perdê-los de vista, quando saíssem.

Um levita levou-os até o Altar dos Perfumes, onde Esdras oferecia os holocaustos do costume, enquanto as virgens cantavam salmos, e os levitas agitavam os incensários.

Quando os viajantes apresentaram suas oferendas e repetiram ao sacerdote as palavras que lhes ensinara o Essênio da colônia de órfãos de Beth-peor, Esdras fixou seu olhar inquisitivo em cada um deles.

– Falaremos quando vossas oferendas tiverem sido consumidas – disse-lhes ele em voz muito baixa – e continuou os ofícios, enquanto os três visitantes, a poucos passos, adoravam, imóveis, o Uno Invisível, o qual, tanto sob as douradas cúpulas daquele Templo como debaixo do céu bordado de estrelas, ou, ainda, entre as sussurrantes folhas das árvores, Se faz nas almas que atingiram a compreensão de que Deus é o hálito da vida, que vibra em todos os seres e em todas as coisas.

Simeão de Bethel, o Essênio que consagrou Jhasua, saiu das dependências interiores do Templo; e, quando Esdras terminou a liturgia, aquele se aproximou e lhe disse:

– Estes estrangeiros são Iniciados de Escolas Santas, irmãs da nossa. Eles vêm em busca de Jhasua. Não os deixes sair pelo átrio, onde se acham espiões do Rei, cujos magos lhe anunciaram o nascimento de um Rei dos reis. Quando os levitas deixarem os turíbulos, nós os faremos sair pelo caminho secreto. Nosso Pai Jeremias acaba de avisar-me durante a oração.

– Assim o faremos – respondeu Esdras. Voltou Simeão para a sala dos incensários, onde estava a porta secreta do caminho subterrâneo que levava à Tumba de Absalão.

Depois que Esdras deixou suas vestiduras cerimoniais, dirigiu-se aos viajantes, dizendo:

– Não deveis sair pelo átrio por onde acabais de entrar, porque lá estão postados alguns espiões que seguem vossos passos. Sabeis que os filhos da Luz devem viver nas sombras até que a Luz seja tão viva que transpasse as trevas.

– Mas, por onde deveremos sair? – perguntou Melchor com certa inquietação.

– Ficai despreocupados e esperai alguns momentos mais.

Quando todos os levitas haviam deixado seus turíbulos e a sala ficou deserta, Esdras introduziu os peregrinadores no caminho subterrâneo que ia até a Tumba de Absalão. Por seu turno, havia Simeão de Bethel encarregado dois levitas de sua maior confiança para ocultarem os animais dos viajantes, juntamente com suas equipagens, nas granjas de Bethânia.

Enquanto isso, Esdras e os três estrangeiros iam caminhando penosamente pela escura galeria, somente iluminada pelas velas que eles levavam, em lugar de tochas, correndo o risco de tropeçar nas pontas salientes das pedras, que substituíam as colunas naquela rústica construção subterrânea. Foi quando perguntou Baltasar:

– Que país é este em que desce o Avatara Divino, e aqueles que o conhecem e esperam devem ocultar-se como bandoleiros perseguidos pela justiça? Na terra do Iran, toda a população estaria em festa!

– É que o povo judaico – esclareceu Esdras –, exasperado pelas humilhações da escravidão, delira por um Messias-Rei e Libertador, julgando que nenhum bem maior pode ele esperar do que a livre soberania da Nação. O sagaz Idumeu que ocupa atualmente o trono de Israel que não lhe pertence, vive inquieto, acreditando poder surgir, de um dia para outro, um homem capaz de unificar o povo e levantá-lo em armas contra ele.

"Seus magos decifraram a linguagem dos astros, e ele espalhou espiões por todo o país, como um bando de abutres, para averiguar a aparição desse Messias-Libertador, esperado por Israel."

Dessa maneira, tratou Esdras de explicar àqueles romeiros o estranho fenômeno por eles observado no seio de um povo que esperava o Messias, e ao qual, no entanto, era necessário ocultar a chegada dele.

– Quem poderia fazer com que as massas aceitassem a superioridade excelsa de um homem que não vem rodeado por nenhuma grandeza material? – perguntou, por sua vez, Gaspar, com a certeza íntima de ancião experimentado nos modos de ver e de apreciar pessoas e coisas, quando elas não aparecem envoltas nesse esplendor à simples vista que tanto seduz e arrasta as multidões.

– Com efeito, Chrisna foi um príncipe da dinastia dominante em Madura – acrescentou Baltasar – e, por isto, pôde vencer as grandes dificuldades que os gênios das trevas colocaram ante seus passos.

"Quanto ao Bhuda, foi ele o príncipe da dinastia reinante do Nepal. Acontece que as massas sempre se sentem subjugadas pelas grandes figuras que ocupam os tronos.

"Moisés foi o filho oculto da princesa Thimetis, filha do Faraó, e, por este fato, Sua vida foi respeitada, pois aquele governante receava o castigo dos deuses, se viesse a derramar o Seu sangue.

"Mas Jhasua não passa de um pequenino filho do povo, sem antecessores reais, sem nenhuma grandeza material. Porque, devendo ser esta a coroação de todas as suas vidas messiânicas, há de sentir, de uma vez por todas, os grandes princípios de Igualdade e Fraternidade humanas, e que a única diferença existente entre os homens é a conquistada pelo esforço mental e espiritual de cada um. Que outra coisa julgais que um obscuro profeta do Iran quis expressar quando deixou escritos, enigmaticamente, versículos como estes?:

" 'No feno dos campos que verdejam na margem oriental do Mar Grande, aninhará, um dia, o pássaro azul, a cujo canto serão derrubadas as arcaicas civilizações, e surgirão as novas.'

" 'Nas areias dos campos deixará a marca de seus pés e as penas de sua plumagem.'

" 'Comerá o pão escuro dos humildes e tirará com seu esforço as castanhas das cinzas.'

" 'Ninguém cobrará salário das mãos d'Ele nem será jamais levado ao ombro por escravos Seus.' Compreendeis?"

– Vosso profeta desconhecido, em meu entender, quis dizer que o Avatara Divino nasceria e viveria entre as massas anônimas ou ignorado pelo povo – respondeu Melchor. – Tal é justamente a crença que, em geral, se tem nas Escolas Secretas da Pérsia.

– Deveras assim acontece – acrescentou Esdras. – O pássaro azul construiu seu ninho no jardim de um artesão, embora algumas antigas escrituras e tradições assegurem que seus distantes antepassados descendem do Rei David. Um longo milênio apagou necessariamente o brilho dessa brumosa genealogia. É que o tempo derruba realezas e poderios.

Assim falando, continuaram aquela viagem subterrânea até que saíram na Tumba de Absalão. Lá já os esperavam os levitas que haviam ocultado as equipagens e as cavalgaduras numa antiga granja de Bethânia, cujos donos eram Sofonias e Débora, parentes próximos de alguns dos essênios que serviam como sacerdotes e levitas no Templo.

Sofonias e Débora, pais daquele Lázaro que as tradições dão como um dos ressuscitados pelo Cristo, começaram, desde a primeira infância do Bem-Aventurado, a emprestar a própria morada a Seu serviço. Era como se o íntimo Eu lhes houvera marcado o roteiro de antemão, na qualidade de aliados firmes e decididos para toda a vida de Jhasua sobre a Terra.

Para aquele lar foram conduzidos os três viajantes orientais, até que, passados uns dias de ocultamento, puderam chegar a Betlehem, disfarçados em vendedores de azeitonas e frutas secas. Era o que, em grandes sacos transportados sobre asnos, enviavam Sofonias e Débora para a casa de Elcana, que hospedava a família carnal do Deus-Homem, e também para os solitários do Monte Quarantana, cujo servidor era irmão de Sofonias.

Não puderam os espiões de Herodes reconhecer nos rústicos condutores daquela pequena tropa de asnos, carregados de produtos da fruticultura, os graves filósofos do Levante, que, à custa de tantos sacrifícios, buscavam Jhasua, o Cristo, sobre a Terra.

Tal foi, em realidade, o fato que as tradições antigas denominaram: "A Adoração dos Reis Magos."

Assim chegaram à cidade natal do Rei David esse chefes de Escolas da Divina Sabedoria, vindos do longínquo Oriente só para se certificarem, por si mesmos, de que o Grande Ungido havia descido ao Planeta Terra. Contava o menino já dez meses e vinte e cinco dias, quando eles chegaram até seu berço.

Iam acompanhados, nessa viagem, pelos levitas José de Arimathéia e Nicodemos de Nicópolis, para que estes servissem de introdutores, visto que haviam contraído amizade com Myriam e Joseph na casa de Lia, a viúva de Jerusalém.

Antes de serem introduzidos, trocaram a rústica indumentária de vendedores ambulantes pelos graves e severos paramentos usados em suas respectivas Escolas nos dias de grandes solenidades: o branco e o ouro do indostânico; o branco e a turquesa do persa; e o branco e a púrpura do árabe. Colocaram também os diademas com tantas estrelas de cinco pontas quantas graduações haviam galgado na escala inflexível das purificações e das conquistas do Espírito.

Os dois levitas, habituados aos ricos tecidos de seda, ouro e pedraria dos ornamentos sacerdotais do Templo de Jerusalém, acharam demasiado simples e humildes as vestimentas de cerimônia dos peregrinos orientais. Nisto, um deles, que captara a onda de tais pensamentos, disse prontamente, quando já se dirigiam para a alcova onde Myriam embalava a cestinha de vime do seu filho:

— Para sermos discípulos da Divina Sabedoria, não é necessário o esplendor dos templos onde brilha o ouro em todas as partes. Basta vestir a alma e o corpo com linho branco. Assim também há de trajar Jhasua, que vem para ser o Mestre dos Mestres.

Foi grande a surpresa de Myriam quando viu entrar, pela pequena porta de sua alcova, aqueles personagens em número de sete, pois cada um trazia um escriba ou notário de sua confiança. Então, José de Arimathéia e Nicodemos aproximaram-se para tirar-lhe qualquer receio, dizendo estas palavras:

— Estes são irmãos dos Essênios que, com risco de suas vidas, vêm de regiões afastadas para ver de perto este menino, Enviado de Deus.

— Não temas, mulher — disse o ancião Baltasar — que, se tivéssemos cem vidas, dá-las-íamos alegremente para conservar a de teu filho, que, há tanto tempo, esperávamos. Não sabes que os trovadores do Iran O vêm cantando há muitos séculos, embora apenas O tenham visto nas premonições de suas almas carregadas de sonho divino?

— Também lá, no longínquo Indostão — acrescentou Gaspar — em todas as cavernas que o Bhuda habitou, durante suas incursões missioneiras, aparece aos clarividentes a imagem radiante desse Ser Divino para dizer-lhes:

"Já não me busqueis com esta roupagem pertencente ao passado, e que não é mais que uma névoa diluída na Luz Incriada e Eterna.

"Descerei na margem do Mar Grande do Ocidente. Então encontrar-me-eis no fundo de vós mesmos, porquanto sou a própria Chama Eterna que alimenta a vossa vida."

— Igualmente, na minha Arábia Pétrea — informou Melchor — os poetas inspirados têm cantado estranhos versículos como este:

"Qual uma águia, cujo ninho ninguém consegue descobrir, descerei sobre as várzeas floridas da Terra da Promissão, sonhada por Moisés; e, quando levantar vôo, arrastarei comigo todos os que quiseram voar para o Invisível Desconhecido."

Formando um círculo fechado em torno do berço do menino, os sete estrangeiros, juntamente com os levitas e os familiares, iniciaram um minucioso exame, usado pelas antigas Escolas de Conhecimento Superior, para certificar-se de que o pequenino corpo reunia em si as condições físicas próprias para uma encarnação do Avatara Divino: as linhas da cabeça e da fronte, as sobrancelhas, os olhos, o nariz, a boca, o queixo, a estrutura do peito, a largura de ombro a ombro e a forma dos pés. Ia o notário de cada Escola comparando as observações com as velhíssimas escrituras sagradas, onde sábios ocultistas e astrólogos haviam exarado os resultados de iguais exames, feitos em Chrisna, no Bhuda e em Moisés.

O Divino Menino, tranqüilo e aquietado, com Seus grandes olhos cor de âmbar bem abertos, como se procurasse absorver por eles tudo quanto se passava ao Seu redor, parecia aceitar, sem temor, aquela piedosa e reverente investigação. Depois, estendeu os bracinhos para a mãe, que chorava silenciosamente sem saber por quê. Seria temor? Seria devoção e mística unção espiritual, fazendo com que ela se acreditasse perante a própria Divindade?

— Que será deste meu filho, que parece estar vinculado a tão complexos e desconhecidos sentimentos? — perguntou ela, por fim, abraçando com ternura ao pequeno Jhasua.

— Mulher, este teu filho — disse sentenciosamente Gaspar — é, entre muitas coisas, uma que está acima de todas: É o próprio amor Divino que vem salvar a Humanidade.

Os sábios visitantes conferiram, em silêncio, as anotações dos escribas, firmando-as e selando-as com os anéis-sinetes de suas respectivas Ordens ou Escolas; após o que passaram à sala junto à lareira acesa, para aceitar a oferenda hospitaleira de Elcana.

— Agora que compartilhastes de meu pão, de meu vinho e de meus pobres manjares — começou Elcana — atrevo-me a perguntar quem sois e por que observastes de forma tão minuciosa o filho destes irmãos que são meus familiares e hóspedes desde antes do nascimento dele?

— Tomastes isso a mal? — inquiriu Melchor, um tanto alarmado.

— De modo algum — retrucou Elcana. — Nossa Lei proíbe pensar mal, quando a evidência não nos autoriza a isto.

— Já que vossa pergunta é amistosa e cordial, justo é satisfazê-la.

Baltasar, o persa, era o mais idoso e também o mais graduado dos estrangeiros, revestido, ainda, da função de Consultor do Supremo Conselho de Instrutores de sua

Escola, cujos ramos, divididos e subdivididos, se haviam estendido por todo o País. Por isso fez ele o relato da forma e do modo como haviam eles recebido avisos das Inteligências Superiores, por intermédio de áugures, bem como através de sibilas ou pitonisas e em sonhos premonitórios, significando que era chegada a hora da Misericórdia Divina para esta humanidade delinqüente, que, em conseqüência de suas inquietudes, forjara uma espantosa corrente de destruição para si mesma. E acrescentou:

— Desde muitos anos, sabíamos que a conjunção de Júpiter e Saturno, com o concurso, em segundo plano, de Marte, indicaria o momento exato do advento do Verbo de Deus ao mundo físico.

"Se observamos o menino de forma tão minuciosa, foi para comprovar que estamos de posse da Grande Verdade.

"Em cada corpo humano está gravado, de maneira inequívoca, o grau de evolução da inteligência que o anima; a capacidade de amor, de sacrifício e de domínio sobre si mesmo; sua força mental de irradiação e de atração; seu magnetismo espiritual e pessoal, assim como o poder de assimilação de todas as forças vivas do Universo e o poder de transmissão dessas forças a todos os seres e a todas as coisas.

"Todas essas características acabamos de encontrar em grau eminente no corpinho deste menino de dez meses e vinte e cinco dias. Ora, somando a tudo isso o seu nascimento — no instante preciso da conjunção planetária já mencionada — de u'a mãe que é uma harpa viva de vibrações sutilíssimas, a qual jamais deu cobertura a um mau pensamento, a verdade se faz tão manifesta que se tornaria necessário ser muito pobre de inteligência para não compreendê-la.

— Em situação como esta, é, sob todos os pontos de vista, impossível qualquer dúvida — interferiu Gaspar. — Com efeito, aqui a Grande Verdade se torna ainda muito mais manifesta do que no caso de Moisés, pois, em conseqüência de uma impressão horrível que a mãe sofreu quando o menino já estava próximo ao nascimento, esteve Ele a ponto de nascer mudo, defeito que foi reparado pelas Inteligências Superiores. Ficou n'Ele, não obstante, certa dificuldade para expressar-se, que O habituou ao falar descansado e lento dos anciãos em geral.

"Já em Chrisna, notou-se ligeira deficiência nos órgãos visuais, proveniente, segundo alguns sábios, de longo período de obscuridade sofrido pela mãe, quando passou encerrada num calabouço até o nascimento do filho, perseguido por um usurpador mesmo antes de nascer.

"Mas Jhasua devia ser, por suprema lógica, a soma de todas as perfeições morais, espirituais e físicas, ou seja, o sublime triunfo do homem que transpõe o derradeiro umbral do reino humano, para começar a formar parte do Reino Divino; quer dizer: nada menos do que um poderoso receptor e transmissor da Energia Eterna, da Luz Incriada e do Supremo Amor — causa e origem de todo o alento existente no Universo. Está, pois, escrito no corpo deste menino que Ele será tudo isso ..."

— Ó Jhasua! ... Jhasua! ... — exclamou Melchor, o príncipe moreno, caindo de joelhos aos pés de Myriam, que estava com o menino nos braços e beijou os pezinhos dele, que ficavam à altura de seus lábios, trêmulos de emoção. — Jhasua! ... Jhasua! ... Tu vens dar à matéria humana o beijo final, porque superaste para sempre a força de abnegação e heroísmo! ...

Foram os estrangeiros fazendo o mesmo, um após outro, pois, comprovada a Grande Verdade, rendiam, assim, homenagem à Divindade feita homem, como o perfume feito flor, como a chispa convertida em fogueira, como o raio de luz em forma de crepúsculo de ouro!

Fizeram numerosas recomendações a Myriam, referentes à alimentação do menino, a qual devia ser à base de leite, mel, frutas, hortaliças frescas, legumes, cereais e água de manancial. Ensinaram-lhe o modo de preparar licores de suco de laranja, cereja, uva e maçã. Aconselharam-lhe, outrossim, um preparo de suco de uva com azeite puro de oliva, para fazer uma fricção suave, cada dois dias, no tórax, no plexo solar e na espinha dorsal do filho.

Que, na época das laranjas, procedesse da mesma forma com o suco dessas frutas bem maduras e azeite puro de oliva. Da combinação perseverante de ambos os procedimentos, resultaria a perfeita normalidade do sistema circulatório do sangue e um sistema nervoso perfeitamente tranqüilo e sereno. Acrescentaram ainda os sábios Mestres:

– A mãe carnal do Verbo de Deus deve saber quão delicada é esta divina maternidade e que volume de responsabilidade implica o fato de ter dado vida física a um Deus feito homem.

Deixando-lhe uma sacola cheia de moedas de ouro, disseram:

– Isto servirá para que nada falte ao teu cuidado pessoal e ao de teu filho. A cada vinte luas, virá um mensageiro, enviado nosso, que nos levará informações tuas e do menino. Ele chegará entre as caravanas de mercadores e far-se-á conhecer, diante de ti e Joseph, por um anel igual a este. – E fizeram entrega do referido anel aos pais de Jhasua para que pudessem identificar a procedência de tal mensageiro.

– Mulher bendita entre todas as mulheres! – exclamaram antes de partir. – Que nenhuma inquietação nem temor algum agite a tua alma, enquanto o menino alimentar-se de teu seio! Ainda quando virdes que a natureza nega água aos campos e que vossas árvores, por longa estiagem, não dão frutos e que vossos hortos se esgotam e secam; ou que o granizo destrói vossos legumes e cereais, ou que teu marido se vê cheio de dificuldades quanto aos meios de vida ... pensa somente que a Providência Divina estendeu suas redes ao vosso redor e que tudo foi previsto pelos seres escolhidos pela Divindade, como instrumentos Seus, para que se cumpram os Seus Desígnios neste Menino-Salvador da Humanidade.

A doce Myriam escutava, olhando-os com grandes olhos úmidos de pranto, perguntando a si mesma se aqueles veneráveis viajantes não seriam arcanjos de Jehová como aqueles que visitavam os antigos Patriarcas nos momentos solenes de suas vidas.

Ela, tão insignificante e pequena, via-se embargada pelo assombro, ante a magnânima solicitude daqueles estrangeiros vindos de terras tão distantes! ...

Durante o festim de despedida, que Elcana e sua esposa Sara se empenharam em oferecer-lhes, assistido também pelos amigos essênios de sua intimidade, resolveram, unanimemente, levar os viajantes pelo caminho do Monte Quarantana e deixá-los nesse pequeno Santuário Essênio, de onde seriam conduzidos até o Grande Santuário do Moab. Ali, os Setenta os esperavam para confeccionar um vasto programa de preparação, a fim de que todas as Escolas de Divina Sabedoria secundassem a obra apostólica do Grande Mensageiro Divino, descido no seio da Humanidade.

Os dois levitas que os conduziram a Betlehem não podiam prolongar mais sua ausência do Templo e regressaram a Jerusalém.

Alfeu, Josias e Eleázar, aqueles três amigos essênios que presenciaram as manifestações astrais e etéreas na noite do nascimento de Jhasua, ofereceram-se para conduzir os estrangeiros pelo mesmo caminho que já tinha feito.

Eleázar, genitor de cinco filhos pequenos, deixou sua prole aos cuidados de seus companheiros, Elcana e Sara, os quais trouxeram as crianças para sua casa até o retorno do pai. A hospitalidade foi sempre a virtude mais distinta dos essênios e uma das mais belas manifestações de Fraternidade a que deverá a Humanidade chegar no século vindouro.

Apenas surgiu a primavera, com o gorjeio dos pássaros e o florescer das glicínias e das açucenas, dispuseram-se também Myriam e Joseph a regressar para a sua abandonada casinha em Nazareth.

Aproveitaram a viagem dos seis Terapeutas de Beth-peor que se dirigiam à Samaria e à Galiléia, em busca de crianças enfermas e abandonadas, conforme aviso recebido. Em caminho, detiveram-se um dia em Jerusalém, em visita de despedida a Lia e às suas filhas.

Encontraram o velho Simeão atacado de reumatismo agudo nas pernas, que lhe arrancava, a qualquer movimento, grandes gemidos de dor. A sensitiva Susana tomou o pequeno Jhasua nos braços, e, correndo ao leito do tio, colocou-o sobre suas extremidades doloridas, dizendo-lhe:

— O Menino-Deus há de curar-te.

Ficou o filho de Myriam dormindo aí. Após um quarto de hora, acabou o ancião adormecendo também; e eis que, ao despertar, pouco depois, achou-se sem dor alguma! ...

Nos Cumes do Moab

Dois caminhos se apresentavam diante do leitor de *Harpas Eternas*. Partindo ambos de Betlehem, a cidade do Rei-Pastor, dirigia-se um para o Norte da Palestina, ou seja, ao paraíso encantado da Galiléia, com suas colinas tapetadas de plantações, onde as vinhas, as figueiras e as laranjeiras enchiam o ar com suas aromáticas emanações; e outro, em direção ao Sul, ao árido deserto da Judéia, com o tétrico panorama do Mar Morto e as rochas eriçadas e nuas do Monte Quarantana e de suas derivações.

Leitor amigo, por este último, seguiremos os viajantes do longínquo Oriente, que, conduzidos por Eleázar, Josias e Alfeu, se dirigem ao Santuário do Monte Quarantana, já por nós conhecido. Esses nossos amigos só os acompanhariam até ali, pois os solitários se encarregariam de conduzi-los até os altos Montes do Moab, onde, por sua vez, se encontravam os Setenta.

Compreenderam os estrangeiros que, naqueles simples pastores e tecelões, havia Espíritos de grande carreira evolutiva, realizada através dos séculos. Com a clarividência desenvolvida por anos de exercícios metódicos e perseverantes, viram eles os seus três condutores formando parte dos grupos de humanidades que tinham escutado o Verbo Divino em suas distintas etapas terrestres, desde Juno até Moisés.

Isto lhes permitiu abrirem-se com eles a respeito dos elevados e profundos ensinamentos esotéricos de suas respectivas Escolas. Durante os três dias de viagem, por entre cavernas e abruptas colinas, cheias de riscos, os bufos e as corujas agourentas ouviram a palavra serena e moderada daqueles homens, vindos de terras afastadas, a discutirem, com pastores e tecelões betlehemitas, árduas questões metafísicas relativas ao Grande Acontecimento que os reunia: a nona e última encarnação do Verbo Divino sobre a Terra.

Aquelas noites, por eles passadas nas cavernas, à luz de uma fogueira, enquanto permaneciam recostados sobre leitos de feno e de peles, foram períodos de instrução, de aprendizagem e de desenvolvimento mental. Foram, ainda, horas de evocação e de recordações distantes, pois os estrangeiros quiseram recompensar com descobrimentos psíquicos o sacrifício de seus condutores. Do mesmo modo, também os três Mestres de Ciências Ocultas receberam manifestações idênticas, relativamente aos três amigos essênios.

Chegaram os viajantes, por fim, à Granja de Andrés, de onde foram conduzidos, pelo caminho oculto que conhecemos, ao pequeno Santuário do Monte Quarantana.

Os três amigos essênios retornaram a Betlehem depois de um dia de descanso, levando os relatos escritos por Melchor no dialeto siro-caldaico, e, como recordação daqueles Mestres do Oriente, uns anéis de grande valor, que eles foram obrigados a aceitar para "melhorar a situação de sua velhice", segundo suas próprias palavras.

Os solitários do Monte Quarantana tinham, na época das neves, um caminho oculto, semelhante a um grande túnel, com saídas, em campo aberto, para pequenos vales de baixa vegetação. Eram tortuosas galerias de minas abandonadas há muitíssimos séculos, mas que reduziam enormemente a distância dali até os Montes de Moab. Temiam levar os estrangeiros pelos caminhos da fortaleza de Mesada, pensando, mui acertadamente, que os espiões do mago de Herodes andavam por toda parte. Seguindo, ora pelas galerias subterrâneas, ora pelas gargantas e encruzilhadas das montanhas áridas do Moab, chegaram, depois de seis dias de viagem, ao Santuário dos Setenta, no Monte Abarin.

Dois essênios do Quarantana lhes haviam servido de guias. Os estrangeiros eram sete, pois cada Mestre tinha o seu escriba ou notário: dois persas, dois indostânicos, dois árabes e o egípcio de Alexandria. Acrescidos a eles os dois mencionados solitários essênios, formavam, pois, o número nove.

A galeria subterrânea, pela qual haviam chegado, comunicava-se com as cavalariças do Santuário, onde "Nevado", o inteligente mastim, que conhecemos, tinha também a sua morada. Este, prendendo com os dentes a corda de chamada, fez ressoar a campainha destinada a avisar a chegada de visitas.

O Santuário de rochas abriu-se, poucos momentos depois, e os cansados viajantes encontraram-se entre a dupla fila de tochas acesas e dos Setenta Anciãos, que os esperavam com suas túnicas e mantos cor de marfim, o cinto de púrpura e mais o diadema de sete estrelas, símbolo de suas grandes conquistas espirituais. Logo foram conduzidos à sala de repouso onde foram obrigados a descansar em estrados cobertos de tapetes e peles, enquanto os anciãos cantavam, em coro, o hino chamado "Louvor", no qual cada versículo terminava assim: "Louvado sejas, Senhor das Alturas, porque nos uniste em Teu Pensamento e em Teu Amor."

Os viajantes ficaram a sós por alguns momentos, passados os quais, um dos anciãos voltou trazendo xaropes e alimentos quentes, pão e frutas, com que os obsequiaram. Como as paredes daquela sala estavam recobertas de madeira, dali mesmo se faziam sair, por intermédio de simples e originais dispositivos, pequenas mesas, que, abrindo-se diante dos estrados, tanto podiam servir para comer como para escrever.

– Vosso palácio de rochas parece obra de magia – disse Gaspar, vendo uma série de pequenas comodidades de grande serventia, que os solitários haviam preparado durante inumeráveis séculos.

— Observai — respondeu o essênio, mostrando as madeiras lustrosas e desgastadas nas bordas, por força de um uso prolongado. — Quantas cabeças se terão apoiado neste respaldo! Quantos pés haverão pisado estes estrados! Quantos braços terão descansado sobre estas mesas! ...
— Quanto tempo faz que este Santuário foi iniciado? — perguntou Baltasar.
— Sete anos depois da morte de nosso Pai Moisés — foi a resposta.
— Longa cadeia de 1.500 elos! — exclamou Melchor como que estarrecido por aquela enormidade de tempo e de perseverança dos discípulos de Moisés.
— Quinze séculos! — repetiu Fílon de Alexandria, o mais jovem dos estrangeiros, e que, por considerar a si mesmo como aprendiz a aspirar os estudos de Sabedoria Oculta, mantinha-se sempre em silêncio para escutar mais.

Por seu turno, acrescentou Gaspar, enquanto bebia, aos sorvos, o vinho quente acompanhado de castanhas assadas:
— Quinze séculos escavando nas montanhas para aperfeiçoar a obra da natureza, ou de inconscientes mineiros do mais remoto passado! Estes, com certeza, não suspeitaram que as cavernas abertas por eles nas entranhas da rocha, serviriam, depois, para Templo da Divina Sabedoria e hospedagem das humildes "abelhinhas" que a cultivam.

Assim, aqueles homens, que, nem sequer nos momentos em que se dedicavam à alimentação corporal, podiam anular as atividades do Espírito, continuaram tecendo a filigrana dourada de recordações passadas. A esta conversação foram acrescentando elementos valiosíssimos os Anciãos do Monte Abarin, que retornaram à sala de repouso depois de se haverem despojado das vestimentas cerimoniais. Entre eles, estavam sete Escribas ou Notários, e estes traziam seus grandes calhamaços de tecidos, papiros, plaquetas de argila ou de madeira.
— Isto acabará pondo-nos em comum acordo — reconheceu o Grande Servidor, apoiando a mão direita sobre aqueles velhíssimos documentos.
— Acaso, já não o estamos? — perguntou Baltasar.
— Ainda não com os fundamentos desejáveis e desejados. Provavelmente, nem vós nem nós sabemos tudo quanto há por saber para não nos enganarmos no mínimo dos pormenores.

Os Escribas essênios desprenderam das paredes todas as mesas, que foram armadas defronte aos estrados. Ali colocaram todo aquele acervo de escrituras que fazia os estrangeiros pensarem: "Precisaremos muitas luas para tomar conhecimento de tudo isto."

Queriam os Setenta deixar estabelecido que as Escolas de Divina Sabedoria do Oriente formavam parte do grandioso Livro de Conhecimentos Superiores que, no decurso dos séculos, o Verbo Divino trouxera para o plano físico da Terra, em todas as etapas já realizadas por Ele.

A Escola de Melchor, o príncipe moreno, era a kobda-mosaica, nascida como um cacto de ouro entre as montanhas do Horeb e do Sinai, onde o grande Moisés despertara para a compreensão de Seu messianismo, entre os últimos kobdas do Penhasco de Sindi.

A escola de Baltasar, o persa, era uma derivação do Chrisnaísmo Indostânico. Após a morte do Príncipe da Paz (*), Zenda, primo de Arjuna, fugira para os Montes

---

(*) Chrisna (N.T.).

Suleiman, a fim de escapar da perseguição a que estavam sujeitos todos aqueles que lutavam por manter a abolição das castas e da escravidão.

A manutenção das castas e da escravidão era necessária aos sacerdotes do deus Brahma, a fim de proporcionar-lhes meios de manter sua vida de riquezas, de faustosidade e de domínio. O Zenda-Avesta dos persas era o Chrisnaísmo puro, variado e alterado pelos séculos e pela incompreensão dos homens.

A Escola de Gaspar, senhor de Bombaim, era bhudista, razão pela qual, a exemplo do príncipe Shidarta, havia ele abdicado de todos seus títulos em favor de um sobrinho, para dedicar-se somente à Sabedoria Divina.

Fílon, o estudante de Alexandria, era ptolomeísta em seus princípios fundamentais, sendo, portanto, aristotélico; pois Ptolomeu foi discípulo de Aristóteles, e este de Platão, que, por sua vez, havia sido de Sócrates. Resultava disso um formoso novelo branco, cuja extremidade originária vamos encontrar presa no Monte das Abelhas, da Grécia pré-histórica, onde os Dáckthylos conservaram a difundiram, durante séculos, a Sabedoria de Antúlio, o grande filósofo atlante.

Compararam os velhos textos de cada Escola, depurando-os das adulterações maliciosas ou inconscientes, que discípulos sem capacidade ou sem lucidez espiritual haviam introduzido neles; do que resultou tão maravilhoso corpo de doutrina perfeitamente unificado que ele, mais tarde, induziu Jhasua a dizer perante as multidões que o escutavam:

"Amai a Deus e ao vosso próximo como a vós mesmos, que nisto está encerrada toda a Lei."

Também o célebre Sermão da Montanha não foi senão esta mesma grande Lei de amor fraterno, irradiando-se, como um resplendor de ouro, da alma de Jhasua; Lei Viva, enviada pela Divindade à Terra para evitar que a humanidade delinqüente se afundasse no caos, a que, logicamente, chega toda inteligência que se obstina no Mal.

Vejamos, leitor amigo, que grandioso castelo de Divina Ciência surgiu das conclusões dos cinco ramos espiritualistas, daquela época: Os Essênios, mosaístas; Melchor, copto; Gaspar, bhudista; Baltasar, chrisnaísta; e Fílon, antuliano.

O ancião Grande Servidor dos Essênios foi o escolhido por todos para dirigir as deliberações daquela assembléia de Divina Sabedoria, composta de setenta e sete homens, consagrados ao estudo e aos trabalhos mentais, há longos anos.

Depois de uma solene evocação da Alma Universal, fonte da Vida, da Luz e do Amor, o Grande Servidor propôs que se começasse pela definição, base e fundamento de toda a Ciência Espiritual: "o Conhecimento de Deus."

Baltasar, o persa, definiu-o de acordo com seus princípios védicos, herdados de Zenda, segundo discípulo de Chrisna:

"Deus é o sopro vital que, como um fogo suavíssimo e inextinguível, anima tudo quanto vive sobre o Planeta."

Os dez escribas anotaram a definição de Baltasar, o chrisnaísta.
Falou então Gaspar e definiu conforme seus princípios bhudistas:

"Deus é o conjunto unificado de todas as Inteligências, chegadas à Suprema Perfeição do Nirvana."

Melchor, o príncipe sinaístico, falou conforme sua filosofia copta e kobda:

"Deus é a Luz Incriada e Eterna, que põe em vibração tudo quanto existe."

O jovem Fílon de Alexandria, aristotélico-antuliano, disse:

"Deus é o consórcio maravilhoso e eterno do Amor e da Sabedoria, donde emana todo poder, toda força, toda claridade e toda vida."

O Ancião-Servidor acrescentou, no final, a definição de Moisés:

"Deus é o Poder-Criador-Universal; e, como o Universo é Seu domínio e Sua obra, é Ele o Autor das estupendas leis que o governam, e que os homens não conseguem compreender."

Estudadas e analisadas a fundo as cinco definições, puderam eles comprovar que as mesmas não estavam em desacordo, mas completavam-se admiravelmente, como se a mão de um mago houvesse escrito páginas isoladas, que, reunidas, formassem um poema admirável, perfeitamente unificado e completo.

– Por que motivo, pois – perguntaram eles – tantas divisões ideológicas, tantas lutas religiosas, tantas torturas físicas e morais, tantos patíbulos, tantos mártires, se somos um único Todo Universal, que, à maneira de um imenso enxame de abelhas, vai seguindo rotas ignoradas por nós mesmos, mas sempre dentro do raio ilimitado desse Supremo Poder: Deus?

O jovem Fílon de Alexandria, estreitando as mãos de Gaspar, o bhudista, disse:

– Tirastes um enorme peso de cima de mim, pois, até hoje, eu havia duvidado, no mais profundo de meu ser, que o Bhuda houvesse sido um resplendor da Verdade Eterna. Julguei-o sempre um ateu que sustentasse nada existir, a não ser uma pura ilusão em todas as manifestações da vida universal.

– E hoje julgais o Mestre de forma diferente?

– Completamente! Vossa definição de Deus faz-me ver que o Avatara Divino, na personalidade do Bhuda, utilizou a Essência Oculta da Verdade Eterna para derramá-la sobre a face da Terra. Todavia, foi um perfume tão sutil, delicado e complexo que, para uns, era de rosas; para outros, de jasmim; para estes de violeta, e, para aqueles, ainda de murta.

"Dir-se-ia que a Humanidade era ainda demasiado rude e grosseira para aspirar esse perfume. A Luz do Bhuda foi um resplendor semelhante ao do arco-íris, que contém todas as cores fundamentais, sendo que estas se devem definir na retina durante o breve tempo que dura esse fenômeno da luz; porque logo se desvanece no Infinito, e aquele que o viu conserva somente a visão do conjunto sem conseguir dar-lhe definição exata."

– Não somente vós – disse Gaspar – pensastes equivocadamente do Bhuda, mas também muitos pensadores e estudantes das Ciências Ocultas se enganaram. Sem dúvida alguma, nada mais de acordo com a Verdade do que a definição bhudista:

"Deus é o conjunto unificado de todas as Inteligências chegadas à Suprema Perfeição do Nirvana."

"Permitir-me-ei desenrolar esse novelo sutil de seda e ouro·

"Sabemos que, numa longa série de ciclos, de idades chamadas *kalpas* (*), as Inteligências ascendem, à medida que se vão depurando. Mundos e globos inumeráveis vão servindo de moradas apropriadas a seu grau de evolução, até que cheguem a refundir-se como chispas num incêndio, como gotas num oceano infinito; como areias de ouro numa praia sem margens.

"Pelo esforço de unificação, a Individualidade é, até certo ponto, transformada em poder, energia e vitalidade reunidos, inseparáveis e indestrutíveis; e todo esse conjunto de Pensamentos, Vitalidade, Amor e Energia é Deus. Da soma global dessas forças surge a totalidade das criações, bem como todos os poderes e todas as leis imutáveis do Universo. Com efeito, a união da inteligência a Deus torna-a perfeita.

"O Bhuda negou um Deus pessoal, um ser limitado, porque Sua iluminação interior, por determinadas conjunções astrológicas, foi tão propícia à Sua mentalidade que desenvolveu o máximo de lucidez e claridade para compreender o Abstrato da Idéia Divina. Essa claridade, como se fora um deslumbramento, impediu que Ele considerasse a Divindade sob aspectos mais objetivos, por exemplo, como os da Luz, da Energia, do Fogo e da Força, com que as outras doutrinas A têm comparado.

"Em Suas célebres meditações, sob aquela árvore chamada simbolicamente *Árvore da Ciência*, compreendeu Ele, em visões magníficas, esta Grande Verdade Suprema: que os mundos superiores são povoados de Inteligências Potentíssimas, até chegar aos Fogos Magnos Supremos, que, com Seu Pensamento, sustentam a grande máquina universal. Ao redor dos mesmos, não viu o Bhuda senão milhões de miríades de mundos secundários, que daqueles recebiam o Poder, a Energia, a Luz e a Vida. Não é estranho, pois, que Ele desse de Deus aquela definição oculta e profunda.

"Dir-se-ia que o Bhuda não foi um Instrutor para as multidões, mas, sim, um Mestre para os mestres da Sabedoria Divina. Como conseqüência, nenhuma doutrina foi mais desfigurada e impugnada do que a d'Ele, cuja metafísica, altíssima e extremamente abstrata, não podia ser assimilada, a não ser pelos Espíritos avançados na Ciência Divina. Assim, o Nirvana bhúdico é, para as multidões, o repouso absoluto do Nada. Crendo proferir uma grande verdade, alguns lhe chamavam: 'O Messias ateu do Indostão, o defensor do Nada, o fantasma espectral da Idéia sem realidade possível em parte alguma.'

"De relance, compreendeu o Bhuda todo o plano infinito da Evolução, e, sob este ponto de vista, disse: 'Tudo é ilusão, porque todas as coisas passam e se transformam continuamente. Nada permanece.'

"Ilusão a daqueles que crêem absolutos os seus direitos de propriedade sobre indivíduos ou povos, atrelados ao carro de sua prepotência, porque isso é como um instante fugaz na Eternidade do Infinito.

"Ilusão a nobreza do sangue, a pureza das dinastias, a prepotência da ascendência, os direitos milenários sobre tal ou qual porção de terra, que se chama Pátria ou Estado; posto que o rei de ontem é o escravo de hoje, e vice-versa. Aquele que nasceu uma vez no Indostão, nasceu outras vezes na China, na África, na Europa, nos Pólos ou nos Trópicos; na zona quente do Equador ou entre as neves polares. Não são essas coisas, em verdade, meras ilusões forjadas pela pobre mente humana, que delas se

---

(*) Segundo a tradição hindu, corresponde ao período de uma revolução mundana, geralmente um ciclo de tempo, mas ordinariamente representa um "Dia" e uma "Noite" de Brahma um período de 4.320 milhões de anos. Por *kalpa* entende-se geralmente um "Dia" de Brahma (N.T.).

alimenta como as mariposas se alimentam das flores, cuja vida efêmera não chega a ver a luz de um amanhecer e a de um ocaso?

"O repouso bhúdico baseia-se na anulação do desejo, na proporção em que este é perturbador da quietude mental e da paz interior.

"Quem haja estudado a fundo os *Sutras Simples*, encontrará a correspondência entre a metafísica profunda do Bhuda e as doutrinas esotéricas emanadas de todas as personalidades do Verbo Divino. Unicamente nos mosteiros do Nepal encontram-se os verdadeiros livros bhudistas, sem alterações de espécie alguma, com a assinatura e o timbre dos cinco principais discípulos do Grande Mestre.

"O *Mahavastu* é, a meu ver, a obra mais importante e completa, como texto da Divina Sabedoria. No Labitavistara pode ser encontrada a verdadeira biografia do Bhuda; mas é este o livro do qual mais tem exorbitado o fanatismo pelo maravilhoso. Chegou, por isso, a circular por toda parte uma lenda inverossímil, na qual só há de verdade os nomes próprios e alguns lugares que foram cenários daquela grande vida humana, que, à força de querer divinizá-la, foi convertida em u'a meada de fantasmagorias impossíveis de serem aceitas.

"O Vajrachedika, o Megha-Sutra e o Lótus da Boa-Lei são relatos, episódios e pensamentos isolados, complementares da obra básica *Mahavastu*.

"Quem fizer a comparação destes textos primitivos autênticos com o Mahabharata, os Puranas, o Bagha-Vad-Ghitâ, os Uphanichads e o Righvheda, recompilações dos discípulos de Chrisna, encontrará, no fundo, as mesmas verdades, os mesmos princípios ocultos da doutrina antuliana, conservada pelos Dáckthylos, da filosofia kobda da época de Abel e dos livros genuínos de Essen, filho espiritual de Moisés."

Os sete estrangeiros e os sete escribas foram comparando os diversos textos citados por Gaspar, nos quais a mesma verdade ressaltava como um diamante de primeira água, entre as areias douradas do simbolismo dos hinos védicos, das radiantes descrições dos transportes antulianos, das conclusões metafísicas do Bhuda, dos sonhos místicos de Abel o Kobda, bem como das luminosas e magníficas visões de Moisés.

Todos estes delicados e profundos estudos ocuparam os presentes durante sete semanas, passadas as quais, confeccionaram uma ata, cuja primeira cópia foi gravada na parede frontal do Grande Santuário Essênio, junto ao local onde guardavam o original das Tábuas da Lei. Cada um dos Mestres estrangeiros tirou uma cópia em pequenas pranchetas de madeira, acondicionadas de tal forma que, unidas pelas faces laterais, eram prontamente desmontáveis, oferecendo facilidade para o transporte e segurança de serem conservadas sem adulterações e sem trocas.

A ata solene com que selaram aquelas grandes deliberações foi concebida nestes termos:

"Às doze luas do primeiro ano do advento de Jhasua, o Cristo, os abaixo-assinados, reunidos no Grande Santuário Essênio do Monte Abarin, no Moab, deixaram assentados os seguintes fundamentos de uma vasta organização espiritual, com o fim de facilitar a obra redentora do Grande Enviado.

"Havendo comprovado que é u'a mesma Verdade a exposta nas cinco doutrinas conhecidas hoje, ou seja, o Ptolomeísmo de Alexandria, o Kopto da Arábia, o Zenda-Avesta da Pérsia, o Bhudismo do Nepal e o Mosaísmo Essênio, impomo-nos o sagrado dever de providenciar a unificação perfeita destes cinco ramos da Sabedoria Divina, para facilitar a missão redentora do Cristo, em Sua última aproximação à Terra.

"Ezequias de Sichen, Grande Servidor do Santuário do Monte Abarin; Gaspar de Bombaim, primeiro Mestre da Escola Estrela do Oriente; Baltasar de Susa, Consultor da Congregação de Sabedoria Oculta; Melchor de Horeb, fundador da Fraternidade Kopta do Monte Horeb; Fílon de Alexandria, estudante do quinto grau da Escola Ptolomeísta."

Em continuação, gravaram também os seus nomes os Escribas Essênios e os três notários dos Mestres estrangeiros.

Com isto ficou terminada a definição histórica e científica do Verbo de Deus.

– Falta-nos a comunhão espiritual com nossos superiores – observou o Grande Servidor –, e é justo que ela seja o fecho de ouro com o qual encerraremos o grande livro de nosso pacto solene.

– De acordo – responderam todos.

– Esta noite será o festim dos corpos – continuou dizendo o Grande Servidor – e amanhã, ao entardecer, encaminhar-nos-emos ao Santuário do Monte Nebo, onde viveu seus últimos dias nosso Pai Moisés, e onde os anjos do Senhor recolheram Sua alma Bem-Aventurada. Ali descansa a urna física de nosso Pai; ali temos acumulado energia e amor durante quinze séculos; todos os moradores deste Santuário são conduzidos até lá quando morrem, e creio que ali devemos ir a fim de buscar a Divindade, nesta hora solene de nossa aliança com seu Verbo Eterno. Estão todos de acordo comigo?

– Completamente, em tudo e para tudo – foi a resposta unânime.

Na grande sala de jantar, que já conhecemos, e onde unicamente os essênios podiam falar dos acontecimentos mundiais e de assuntos familiares, reuniram-se, naquela mesma noite, essênios e visitantes, num jantar de confraternização e companheirismo que não deixava de ter encantos e animação, não obstante se tratasse de homens maduros que já haviam deixado muito atrás as seduções da vida. Eram tãosomente a amizade e a compreensão – fadas brancas e boas – que coroavam de rosas as cabeças veneráveis e inundavam as almas da água clara do manancial.

Quiseram os anciãos saber o estado do mundo civilizado na época da chegada de Jhasua. A maioria deles estava ali, havia muitíssimos anos, sem sair para o mundo exterior. Os que tinham chegado por último contavam 20 a 25 anos sem sair; mas havia também muitos de 30 a 50 anos sem terem descido daqueles cumes rochosos. Algumas notícias chegavam a eles de tempos em tempos, através dos essênios que iam substituir algum dos Setenta, por morte, mas estas notícias referiam-se, de modo geral, aos povos da Palestina, desde a Síria até a Iduméia e a soberba Roma, cujo domínio absorvia tudo.

Naturalmente, foi de grande interesse para os Setenta aquela reunião, na qual se fez desfilar a resenha das narrações dos mais distantes países, aonde não havia chegado ainda a águia romana. Em verdade, interessou-os muito mais a parte ideológica e a espiritual.

A península indostânica era, em sua maioria, brahamânica, pois o poderoso clero do culto de Brahma havia perseguido até a morte os bhudistas que ficaram refugiados na região do Nepal; daí conseguiram passar para a China do Sul, onde o ensinamento de Lao-Tsé havia preparado sulcos propícios para a difusão do Bhudismo. Outras agrupações bhudistas haviam fugido para as grandes ilhas do Ceilão e de Java, nos mares do Sul, onde mantinham Escolas e Templos de expressiva importância.

Os missionários do Bhuda estabeleceram-se no Arquipélago do Sol Nascente, sob o amparo de alguns imperadores, que, em seu refinado egoísmo, julgaram ser coisa fácil governar povos a quem se ensinava a renúncia de todas as grandezas materiais. Outrossim, os Himalaias foram povoados por monges bhudistas; e, embora se formassem numerosas Escolas com ritos e cultos variadíssimos, conservam elas muito do espírito bhúdico, suave, manso e silencioso.

A Pérsia, dada mais à hospitalidade do que às questões públicas, era, desde a época de Alexandre, u'a mescla de costumes e ideais, onde se confundiam os matizes gregos, macedônios, medas e caldeus. Todavia, por cima de tudo, flutuava, como luz difusa, a claridade do Zenda-Avesta, mantendo viva essa pequena chama da consciência humana que discrimina o Bem do Mal.

Nas raças nórdicas, um ou outro ponto luminoso permite vislumbrar, entre as neves eternas, caminhos tais que os séculos não haviam conseguido apagar.

A noroeste do Ponto Euxino (*), quase aos pés dos Montes Cáucasos, existia um culto estranho, cujas grandes cerimônias eram realizadas em cavernas, a respeito das quais corria uma infinidade de lendas mais ou menos fantásticas. Dizia-se, por exemplo, que essas cavernas haviam sido, na Pré-História, uma cidade subterrânea, na qual se refugiara uma dinastia de reis justos para escapar das hordas selvagens de uma rainha perversa, encarnação de demônios, que havia surgido, como um monstro de sangue, das ondas do Mar Cáspio.

Naquelas cavernas-templos, rendia-se culto ao Sol, tanto ao amanhecer quanto ao entardecer. Era o Sol chamado de *Apolo* por aqueles seres. Segundo eles, tinha o deus Apolo o gosto delicado de que, aos seus altares, só chegassem mãos femininas. Por isso é que ali havia sacerdotisas, denominadas *Walkírias*.

Subindo-se em direção aos mares do Norte, encontravam-se naquelas regiões ainda alguns antiqüíssimos templos, onde predominavam os cultos da Natureza e da Família que transmitiam àqueles povos uma espécie de dependência das manifestações naturais, como a chuva, as tempestades, os aspectos solares, as fases da lua, etc...

Esses cultos, para dizer a verdade, pareciam manter os povos em prolongada infância; mas, da mesma forma como as crianças, eram estes inofensivos. Tudo isso, atribuíam aqueles homens ao fato de haverem existido, naquelas terras, em tempos remotos, pequenos ou grandes ramos da Sabedoria Kobda, levados dos vales do Eufrates aos vastos domínios de Lugal Marada, o *Grande Aitor* dos países de neve.

Aquela noite, na sala de jantar do Santuário do Monte Abarin, foi um serão de História Antiga e Moderna, em que foram descobrindo malhas que os séculos haviam ocultado parcialmente sob as cinzas de seu vaivém eterno. Ao serem desmanchadas, deixaram aquelas redes entrever a figura luminosa de um jovem kobda: Abel, que enchia, com o elixir da Sabedoria, a ânfora de alabastro de uma jovem princesa, destinada a ser guia da humanidade nórdica; era Walkíria de Kiffauser, secundada por aquela dupla eterna: Aléxis e Astrid, continuação magnífica de Adonai e Elhisa, dos kobdas de Neghadá, sobre o Rio Nilo.

Terminou o jantar com a ação de graças habitual, junto ao altar dos Sete Livros, onde pareciam flutuar, com asas luminosas, os radiantes pensamentos dos Sete Profetas, venerados pelos Essênios como seus verdadeiros Mestres de Sabedoria Divina.

Ao entardecer do dia seguinte, os estrangeiros e os essênios empreenderam a viagem pelas escuras galerias, entre as montanhas que já conhecemos, para realizar a comunhão espiritual com os superiores, conforme diziam.

A neve caía sobre os montes à semelhança de um copioso despetalar de rosas brancas. Era lua cheia e véspera do primeiro aniversário do Nascimento de Jhasua.

(*) Hoje: Mar Negro (N.T.).

Por certo, não existia momento mais propício para o encontro daqueles seres, que, ignorados na Humanidade, se reuniam nos antros das montanhas, como representantes das cinco ideologias religiosas imperantes no mundo civilizado!

Ignorava a Humanidade que, naquele afastado rincão da Terra e no círculo de escassa agrupação de homens, se lavrara a estátua imortal da Fé e do Porvir.

Como poderia assimilar o gênero humano de então que do Atman Supremo (*) se havia desprendido uma chama, a qual, individualizada no plano físico, era Deus feito homem?

Menos ainda dever-se-ia esperar que pudessem os homens compreender a importância fundamental de que se revestia aquela congregação subterrânea para preparar os caminhos do Homem-Deus, que tinha vindo.

Quando chegaram ao Monte Nebo pela galeria subterrânea, subiram a rústica escada de pedra que dava acesso à caverna sepulcral de Moisés, a qual os esperava inundada de dourada claridade. O imenso candelabro de setenta círios assemelhava-se a um grande florão de luz rutilante e trêmula, cujos reflexos caíam sobre a face cor de marfim da múmia milenária e imponente em sua austeridade.

Sete incensários de bronze, colocados no teto e acesos, havia pouco tempo, soltavam, em forma de pequenas nuvens cativas, suas espirais transparentes e embranquecidas do mais puro incenso da Arábia, o que trouxe a Melchor a viva recordação de seu Santuário no Horeb.

– Que Deus abençoe o irmão que fez, sozinho, o caminho para esperar-nos com os círios acesos e com os piveteiros ardendo! – disse em voz alta o Grande Servidor. – Quem terá sido?

Nenhuma voz lhe respondeu, porque os essênios não costumavam deixar a descoberto suas próprias boas ações, a não ser quando o bem de um semelhante o reclamasse.

Os estrangeiros esquadrinharam com o olhar todos os rostos, encontrando somente a serena placidez de quem dá importância exclusiva ao que é imperecível e eterno.

Iniciou-se a magna assembléia espiritual com o prelúdio da música composta especialmente para os cantos proféticos de Isaías, dos quais um coro cantou estas passagens alusivas ao Verbo Divino, vislumbrado pelo Profeta seis séculos antes de Sua chegada:

"Como um menino nasceu entre nós; o Filho de Jehová nos foi dado. Leva o principado sobre o seu ombro e será chamado Admirável, Conselheiro, Filho de Deus Forte, nascido do Pai Eterno, Príncipe da Paz. A extensão de seu império e de sua paz não terá fim sobre o trono de David e em seu reino, porque Jehová o confirmará em justiça desde agora para sempre" (Cap. 9 – vv. 6 e 7).

"Quão formosos são, sobre os montes, os pés daquele que traz as boas novas; daquele que faz ouvir a paz; daquele que anuncia o bem; daquele que derrama saúde; daquele que diz a Sião: Teu Deus reina sobre ti!

"Cantai louvores e alegrai-vos, desertos de Jerusalém, porque Jehová se lembra do vosso povo, consolou-o e redimiu-o.

"Jehová mostrou desnudo o braço de Sua Santidade ante os olhos de todos os povos, e todos os homens da Terra verão a glória de nosso Deus" (Cap. 52 – vv. 7, 9 e 10).

(*) Atman (sânscrito): Alma, Sopro, Espírito de Deus (N.T.).

Em seguida, colocaram-se silenciosamente nos estrados ao redor da grande Caverna-Mausoléu de Moisés, e, com o pensamento aberto ao Infinito, como flor de lótus ao orvalho da noite, submergiram-se nesse mar sem fundo e sem margens do Amor Incriado e Eterno, que forja mundos e seres no torvelinho incontável de Sua Energia e de Seu Poder.

Aqueles de maior desenvolvimento psíquico e mais intensidade de amor uniram-se rapidamente aos seus Egos, em busca de conselho e sabedoria; e seus Egos lhes disseram com sua voz sem ruído e inconfundível: "Tereis entre vós a esplendorosa radiação do Cristo, nas cinco encarnações terrestres, as quais deram origem às cinco religiões que representais neste momento."

Eles, porém, guardaram silêncio e esperaram.

Enquanto esperam no mais profundo recolhimento, vejamos, através dos véus mais sutis da esfera astral da Terra, os estupendos trabalhos fluídicos e etéreos que as Inteligências Superiores realizavam por intermédio dos que foram discípulos íntimos do Cristo em cada uma das personalidades em que Sua Excelsa Inteligência devia manifestar-se aos homens.

A ubiqüidade é um poder divino adquirido pelas Inteligências que atingiram o magnífico e completo desenvolvimento espiritual, a que havia chegado o Espírito Instrutor da humanidade terrestre. Consiste este poder em conseguir facilmente a realização de revestir o corpo etéreo sutil de várias personalidades que, em tempos mais ou menos distantes, foram realidades no plano físico.

Assim sendo, as cinco Inteligências Superiores, guias de Jhasua na atual encarnação, puseram-se à frente das cinco legiões espirituais. Havendo estas vivido em contato com o Messias em Suas respectivas existências em que tivera que manifestar-se, achavam-se nas condições necessárias para extrair dos planos eternos da Luz a visão nítida e clara de fatos sucedidos em épocas remotas, separadas, uma da outra, por longos séculos e mesmo por milênios.

De imediato, viu-se a caverna convertida num infinito azul, no centro do qual resplandeceu uma enorme inscrição de ouro e brilhante que dizia: *O Êxtase*. Durou essa inscrição alguns instantes, após o que foi diluindo-se rapidamente no éter.

Todos compreendemos que se tornava necessário esse estado de espírito que se lhes indicava para estarem em condições de ver e ouvir o que desejavam.

Deixaram-se, pois, mergulhar nas vagas sucessivas de topázio e ametista desse grande desprendimento espiritual que, na linguagem mística superior, se denomina "êxtase".

Aqueles que, por seu estado físico ou por falta de suficiente cultivo, não puderam chegar ao êxtase, foram invadidos por um profundo sono para que, desprendidos da matéria, pudessem ver o que, em estado de vigília, não conseguiriam de forma alguma.

Sob um grande pórtico aberto em todas as direções, que parecia feito de safiras e diamantes, apareceu, sobre um pedestal de mármore, uma escultural figura de homem, jovem e formoso, com uma fisionomia mate, aproximando-se do triguenho, iluminada por uns olhos escuros, de infinita profundidade. Sua túnica de ouro pálido e seu manto violeta moviam-se suavemente, como se ondulados por uma brisa imperceptível.

Apenas esboçada essa figura, plasmou-se outra ao seu lado, tão semelhante à primeira como costumam ser irmãos gêmeos no plano físico. Só que as vestes desta última eram de um pálido azul-turquesa; seus cabelos eram ruivos, e os olhos cor de folha seca.

Uma terceira figura apareceu num infinito cenário de safira. Era a de um príncipe indostânico, com escudo e couraça de resplandecente pedraria, em atitude de disparar seu arco contra um monstro que se lançava com fúria sobre ele. O monstro era um espantoso dragão cor de lodo, que levava sobre seu dorso este nome: Usurpação.

Logo apareceu uma árvore imensa, cujos ramos eram de esmeraldas brilhantes. À sua sombra, estava sentado um homem jovem, vestido de humilde túnica, cor de cortiça seca. De seus olhos, cor de avelã, irradiava infinita piedade. Às vezes, corriam deles grossas lágrimas, que, brilhando como faíscas de estrelas, iam submergir-se nas dobras de sua vestimenta de ermitão.

Por fim, de pé, sobre um pedestal de granito, surgiu outro homem, formoso em sua virilidade, de extraordinária energia, sustentando com o braço direito duas enormes tábuas de pedra, como sendo folhas de papel, onde se viam gravados os Dez Mandamentos da Lei.

Essas cinco radiantes personalidades manifestaram seu pensamento de acordo com a época em que atuaram no plano físico.

Antúlio, o grande filósofo atlante, chamou a Fílon de Alexandria pelo nome e lhe disse:

– Jovem ainda, estás indicado para repetir, nesta hora, tua vida de José, filho de Jacob, para acender novamente a tua lâmpada no Egito, porque serás o primeiro precursor de Jhasua no Seu último apostolado messiânico sobre a Terra.

"A Sabedoria Antuliana que deslumbrou em sua época, porque foi o que de mais avançado se conheceu nos Templos da Ciência, não é diferente daquelas que, muitos séculos depois, pareceu fundarem-se sobre princípios e normas novas. A Eterna Verdade é uma só; no entanto a incompreensão dos homens é que tece tramas diferentes, revelando cores diversas. Mas, ai daqueles que desfiguram a Verdade Eterna para amoldá-la à sua cobiça e ao seu egoísmo!

"Sócrates, Platão, Aristóteles e Ptolomeu são os últimos quatro refletores da Sabedoria Antuliana. Quero que sejas o quinto, constituindo o ponto de enlace com o ensinamento de Jhasua nos Montes da Palestina."

Aquela sonora vibração, como de clarins de ouro, desvaneceu-se no silêncio, e a mão direita de Antúlio pousou sobre o ombro de Abel, de cabelos dourados e olhos cor de topázio.

– A Sabedoria dos Kobdas – disse este –, essa velha herança do Numu lemuriano, foi mais um canto de amor fraternal do que um resplendor da Sabedoria Eterna. A maldade dos homens havia encontrado armas poderosas nos profundos princípios de Antúlio, para desenvolver o Mal em seu mais alto grau. Foi quando a Bondade Divina fez surgir a Fraternidade Kobda, cujo amor fraterno levado ao heroísmo serviria de elixir curativo ao envenenamento coletivo de cidades e continentes.

"A Ciência, perversamente aplicada, havia tornado os homens capazes de todas as artes más, e o Amor piedoso dos Kobdas devia fazê-los voltar para a consciência de sua Irmandade Universal.

"Melchor de Horeb, representas a Sabedoria feita piedade e amor dos Kobdas da Pré-História. Que tua Escola seja o primeiro resplendor da Unidade Divina em todos os povos de tua raça, que é destinada a derramar-se por vários continentes.

"Tua aproximação ao berço de Jhasua obriga-te a ser o elo que une a imensa cadeia kobda do passado com os cristãos, que virão a seguir."

Em meio a um silêncio cheio de suavidade e deleite espiritual, a figura de Abel apoiou sua mão direita sobre o ombro do príncipe indostânico, cuja túnica esmeraldina delineava os contornos de sua couraça de ouro, que lhe modelava admiravelmente a galharda silhueta varonil. Sua fisionomia bronzeada dava-lhe um aspecto de força e energia, contrastando com a terna doçura de Abel, filho de Évana.

— Também na justiça invencível de Chrisna, puderam caber o Amor e a Piedade do Salvador de humanidades. Maravilhoso prisma é o Espírito, como essência divina, após escalar os cumes aos quais foi chamado a subir. Sabedoria, Amor, Piedade e Justiça são irmãs gêmeas, nascidas do Atman Supremo, que, sob inumeráveis aspectos, através do sopro de Seu hálito soberano, forja leis, princípios e mandatos, conforme o grau de evolução das Humanidades, surgidas de Sua Infinita Plenitude.

"Chrisna, com seu arco estendido, destruindo o Mal, que, sob múltiplas formas, devora as criaturas humanas, foi símbolo da Justiça Divina, a proteger os pequenos, os débeis, os humilhados e os proscritos, qual novo Juno das idades perdidas na remota época neolítica.

"Baltasar de Susa, Zenda dos dias de Chrisna, o Príncipe da Justiça e da Paz; último descendente de meus aliados naquela época distante: a união do Oriente com o Ocidente está encomendada a teu cuidado, como chefe de uma Escola de Sabedoria Divina, a qual foi baseada em minhas doutrinas e princípios, mas que, já desfigurada, criou a separatividade, que é destruição e morte.

"Da realeza do sangue de Chrisna fez-se o fundamento para violentar a casta real, a mais privilegiada de todas, esquecendo que Chrisna somente usou de seus poderes de príncipe para defender as mais desprezíveis classes sociais. De familiares que se erigiram em fundadores de majestosas liturgias, surgiu a casta sacerdotal. No entanto, irmanadas ambas, transformando-se, bem breve, em cadeias de ferro para os povos que ouviram, outrora, a suavidade infinita dos hinos védicos. Sei, entretanto, que, um dia, responderás à minha voz, que te argüirá para que sejas o defensor das classes oprimidas do Indostão. Chrisna é justiça e paz, Tu o serás também."

O mesmo silêncio de melodias sem ruído, e a mão do Príncipe de Madura, abrilhantada de braceletes, pousou sobre o ombro do radiante Moisés, que, com sua vestimenta branca e purpúrea, como um pedaço de montanha coberta de neve, avermelhada pelo sol nascente, parecia esperar a Sua vez.

Os raios de luz, emanados de Sua fronte, adquiriram tal intensidade que causavam deslumbramento.

— Sou a Lei gravada a fogo nas consciências dos homens! Sou a Lei inexorável e incorruptível que não admite correções nem modificações nem transformações, porque é a concepção eterna do Supremo Poder Legislador, para todos os globos do Universo: "Adorarás ao Senhor, teu Deus, com toda a tua alma, com todas as tuas forças, e só a Ele servirás; e amarás ao teu próximo com a ti mesmo."

"É delito contra o teu Deus usar o Seu Santo Nome em falsos juramentos; é delito não dar trégua nem descanso ao teu corpo; é delito abandonar aqueles que te deram a vida e negar-lhes o sustento; é delito todo dano material e moral feito a teu próximo; é delito o furto do tesouro alheio e a mentira caluniosa; é delito o adultério com que arrojas lodo sobre a honra de teu próximo; é delito cobiçar os bens alheios e despojar do seu sustento aqueles que, como tu, têm direito à vida.

"Sou a Lei Infinita, vibrando como uma eterna palpitação, que não se detém jamais, e que, mesmo turbilhonando como areias levadas pelo furacão por milhares de anos e de séculos, sempre será a mesma, sem mudança nem variação alguma.

"Anciãos Essênios do Monte Nebo, que conservais esta Lei como um tesouro, cujos Dez Mandamentos gravei sobre pedra, em um dia que a Luz Eterna conserva como uma epopéia imortal! Ao vosso lado cantará Jhasua a derradeira melodia de Amor para com esta Humanidade, que O recebeu como Protetor, como Instrutor, como Juiz, como Conselheiro, como Guia e como Salvador, mas que, não obstante, após cada etapa, Lhe destruiu, quanto pôde, as obras e a doutrina, depois de Lhe haver eliminado a vida, como se fosse possível matar a Lei, matar a Verdade, matar a Idéia, matar o Amor!

"Que em vosso silêncio legendário esteja o Seu escudo, a Sua força, a Sua formação espiritual, o despertar para o Seu heróico Messianismo, na hora presente; porque é no país que dorme nas encostas destas colinas esquecidas do Moab que Ele abrirá os sulcos para Sua semeadura final."

Enquanto a radiante figura estendia o braço e se inclinava para colocar a mão direita sobre o ombro do ermitão de grosseira túnica, sentado sob a árvore de esmeraldas, este levantou-se rapidamente, e a túnica tomou matizes irisados de múltiplas cores, como se, ao se abrirem seus olhos entregues à meditação, estes lhe houvessem entremeado de claridade os rústicos fios de sua vestimenta.

— Sou a anulação do eu inferior do homem; sou o silêncio de seus instintos de animal; a destruição do desejo e a renúncia a tudo quanto há de passageiro e efêmero nos enganosos jardins da vida. A Humanidade afundava-se num abismo de ouro e lama, mercê da ambição e da sensualidade, levadas aos extremos da loucura, da barbárie e do crime. A dor, a miséria e a morte prematura, dominando as sociedades humanas, ameaçavam com fúria de avalancha, prestes a arrastar tudo para o abismo.

"Foi pela Lei Divina que o Bhuda, iluminado interiormente, compreendeu, como ninguém, que as dores humanas têm como causa o Desejo.

"Que é a dor senão um desejo não satisfeito? Deseja aquele que ama; deseja aquele que odeia; deseja o rei e deseja o vassalo; o rico e o pobre, o jovem e o velho, o são e o enfermo, o vencedor e o vencido.

"De toda essa efervescência de tumultuosos e contraditórios desejos, forma o homem tão horrenda e tenebrosa abóbada psíquica que se torna impossível a filtração de toda luz, de todo conhecimento, de toda paz e de todo bem. Por isto busquei na anulação do desejo o bem da Humanidade; e, ao levar ao extremo a medida da renúncia, provei que todo homem pode limitar seus desejos ao que é justo, para aniquilar o Mal e propender para o Bem sobre a Terra. A vida do Bhuda, em outras palavras, foi o cumprimento perfeito daquele preceito eterno: '*Ama a teu próximo como a ti mesmo.*'

"Com o preço de uma única das túnicas de Shidarta, príncipe de Kapilavastu, poderia viver, sem miséria e sem fome, uma centena de criaturas humanas durante um ano! Meus luxos eram uma afronta para os deserdados; minha saciedade de tudo era a sua fome; meus atavios eram a sua desnudez; meu gozo era o seu pranto; e, enquanto eu descansava junto às fogueiras aromatizadas de incenso, tremiam eles de frio no lodo dos rios e nas neves.

"Foi a renúncia que abriu ao Bhuda os Céus infinitos; e, da mesma forma como ocorreu a Antúlio em seus transportes siderais, vi eu, em minha meditação, sentado sobre uma esteira, o que é a Divindade: um acúmulo infinito de energias, de poderes, de forças e de amor: oceano sem margens, formado por milhares de torrentes, cada uma das quais fora individualizada a seu tempo; fogueira sem fim, formada por milhares de milhões de chamas vivas, que haviam sido individualizadas na época exata.

"Compreendendo o processo evolutivo das almas, pôde o Bhuda afirmar que é pueril e própria de crianças a idéia de um *ser* como representação da Divindade; de uma só Inteligência, marcando rotas a mundos e seres; de uma única mão gigantesca, sustentando em sua palma o peso dos mundos. Todos os *seres* tiveram princípio. Só o Eterno Invisível não o teve. Logo, *não é Ele um ser.*

"Compreendida, através da meditação, a profunda e estupenda Verdade, disse o Bhuda sem temor de ser desmentido: 'Deus é o conjunto de Inteligências perfeitas.' O mais curto caminho para essa felicidade suprema é o vencimento do desejo, ou seja, a renúncia completa.

"Gaspar de Bombaim: não temais o duro qualificativo de filósofo ateu que a humanidade dará a quem negar a individualidade pessoal de Deus. O princípio da Unidade Divina, posta sobre o Monte Santo da Sabedoria Kobda e Mosaica, é a mesma unificação de Inteligências compreendida pelo Bhuda. A Unidade-Deus não é individualidade, mas unificação. Tal deve ser a clareza de Vossa compreensão e de Vosso discernimento, para chegar à conclusão de que, em todas as personalidades do Avatara Divino, não pôde ser ensinada senão uma só e única verdade.

"Deus é a soma de todos os poderes, de todas as energias, de todos os conhecimentos, de todas as perfeições, de todos os amores. Imponente integração de milhares de milhões de unidades, que formam, estreitamente unidas, a infinita força criadora que chamamos Deus. Gaspar de Srinagar, eu quero que sejais o clarim de ouro a cantar, para o Oriente e para o Ocidente, com as notas entrelaçadas do Mahavastu e dos Upanishads, porque ambas são melodias do Eterno Trovador Universal."

As cinco figuras luminosas se uniram lentamente, como num só facho de luz multicor, até não ficar, de todas elas, senão um só grande resplendor dourado, como de um sol imenso e vivo, a chamejar no infinito azul.

No centro desse sol, que ia tornando-se suavemente rosado, apareceu a figura delicada e terníssima de um menino, a qual era envolvida, como em auréola, por uma enormidade de rostos felizes e radiantes. Estes pareciam ter-se formado dos raios de luz do grande sol, no qual se fundiram as cinco primeiras figuras.

– Jhasua! ... Jhasua! ... – exclamaram a uma só voz todos os presentes, ao mesmo tempo que o Menino-Deus, levantando a mão direita, fazia o sinal de bênção dos Grandes Mestres, ou seja, com o indicador e o médio destacando-se da mão fechada.

Todas as frontes se inclinaram, e a caverna encheu-se de inumeráveis vozes que cantavam em coro:

"Glória a Deus nos Céus Infinitos, e Paz, na Terra, aos Homens de Boa Vontade!"

Entre os reprimidos soluços de indescritível emoção, foi afastando-se lentamente a harmonia das Harpas Eternas, enquanto, no éter, se diluía a esplendorosa e terna visão, até nada mais se perceber do que o trêmulo oscilar da chama dos círios e o suave perfume do incenso, que acabara de converter-se em cinzas entre as brasas vivas dos incensários.

Nenhum deles era senhor para manejar livremente a sua matéria, semi-anulada pela intensidade das vibrações sutilíssimas de tantas Inteligências Superiores, que, na plenitude do Amor e da Felicidade, haviam descido dos Céus para o abrupto recinto da caverna de Moisés.

Regressaram ao Grande Santuário já muito depois da meia-noite. Com um simples *até logo*, pronunciado apenas a meia-voz, refugiou-se cada qual em sua cela de rocha, onde um estrado, forrado de peles e uma almofada branca de lã os esperava para o descanso. Poucos momentos depois, o Grande Servidor e o mais jovem dos

Essênios percorriam, uma por uma, as celas, deixando, em silêncio, sobre cada banqueta de escrever, uma taça de vinho quente com mel, e, no centro do pavimento, um braseiro com áscuas acesas.

Deste modo, a hospitaleira solicitude dos Essênios encontrou, ainda naquela noite memorável, uma terna manifestação.

Três dias depois, os estrangeiros desciam das montanhas, com o fim de incorporar-se à caravana que, de mês a mês, se dirigia para Sela, ponto este onde os quatro se haviam reunido anteriormente, e onde cada qual devia separar-se em direção a seu país natal.

A Luz Divina, que os guiara desde suas pátrias distantes, foi, em verdade, a "Estrela dos Magos", da qual a piedosa poesia da infância cristã fizera uma lenda encantadora.

Maran-Atha

Enquanto o Verbo Divino, feito menino, dorme envolto na bruma de ouro e rosa dessa encantadora inconsciência que chamamos *infância*, aproveitamos o tempo, leitor amigo, para lançar um olhar à obra preparatória realizada pelos agrupamentos humanos, que por sua decidida consagração à meditação e ao estudo, conquistaram o direito de possuir esse grande segredo divino: O advento do Verbo de Deus no meio da Humanidade.

A forma pela qual aqueles grupos empregaram o grande segredo em benefício da evolução humana é o que veremos nesta passagem. Antes de sua mútua separação, no Grande Santuário do Moab, procuraram e compuseram, com os elementos do idioma sírio – que seria o falado por Jhasua – uma frase que unisse todas as pessoas dessas agrupações num único pensamento. Ademais, deveria tal sentença servir para se reconhecerem uns aos outros, já que haviam tomado a magna resolução de lançar-se ao meio da Humanidade como pombas mensageiras, em busca das almas que estivessem preparadas para a Divina Mensagem prestes a chegar.

A frase por eles formada é esta: "MARAN-ATHA", significando: "*Nosso Senhor chega.*" Esta senha, proferida ao pé do ouvido e a meia-voz, permitiria dar-se a conhecer àqueles cujo grau de evolução e lucidez de consciência já lhes anunciara que a hora solene sonhada pelos Profetas era chegada.

Os três viajantes do extremo Oriente e o jovem filósofo-estudante de Alexandria, Fílon, haviam assumido o compromisso, juntamente com os Anciãos, de realizar os maiores esforços no sentido de serem abertas Escolas de Conhecimento Divino em tantas cidades e povoações quantas lhes fosse possível, sem despertar suspeitas nem rancores da parte dos poderes constituídos nos diversos países.

Baltasar, da Pérsia, tinha, na Babilônia, um companheiro de escola, por nome Budaspe, que se retirara do Santuário comum para assumir o encargo de sustentar a idosa mãe e quatro pequenos sobrinhos órfãos, cujos pais, assassinados num motim popular, os haviam deixado no mais completo desamparo. A palavra amiga, cheia de esperanças e promessas feitas ao sacrifício voluntário, vindas da alma de Baltasar para a de Budaspe, mantivera acesa a lamparina neste último de tal maneira que pouco lhe custou reanimar a chama até formar uma tocha viva.

Já na metade do segundo ano do nascimento de Jhasua, Baltasar mudou-se para a Babilônia, e, no maior silêncio e sem alardes, abriu, na grande cidade, uma pequena escola, onde começou a dar lições de Astronomia, de Botânica Medicinal, de preparação de xaropes e pomadas curativas, de confecção de placas de argila para gravuras e, por fim, de Astrologia e de Sabedoria Divina, ou seja, a Ciência de Deus e das Almas.

Cumprindo as resoluções tomadas com os Setenta Anciãos do Moab e realizados os primeiros estudos – que apenas eram um meio de atrair discípulos e observar suas capacidades – o primeiro passo estava naquele sublime "Maran-Atha" (Nosso Senhor chega); e, para predispor-se a esperá-LO, era necessária a purificação de vida.

Os símbolos exteriores formavam uma parte importante em todas as escolas religiosas da Antiguidade e da época pré-cristã. Por esta razão, os Setenta Anciãos do Moab e os viajantes do Oriente, tendo em conta que a humanidade em geral se achava ainda na infância, resolveram que um ato material marcasse o início da purificação e mudança de vida. Este ato devia ficar impresso nas mentes dos neófitos de tal modo que eles jamais o esquecessem. Foi o que, na língua caldaica, se denominou *Sabismo*, que significa *Batismo*.

Devia esse ato ser praticado depois de sete dias de recolhimento e silêncio, de arrependimento e oração, nos quais os neófitos passavam em revista sua vida anterior e mediam as forças para a vida nova que iam empreender. Eram vestidos de túnicas brancas, e, entrados num tanque ou riacho, derramava-se-lhes água límpida sobre a cabeça, dizendo: "Como estas águas de Deus lavam o teu corpo, seja purificada a tua alma pelo arrependimento, porque Nosso Senhor chega."

E o neófito respondia: "Bem-vindo seja Ele a meu coração."

Era um ritual simples e, ao mesmo tempo, profundo, usado naqueles distantes dias, durante os quais a humanidade espiritualista se preparava para receber o Grande Ser que devia anular todas as formalidades exteriores, para deixar somente a plena e voluntária imersão da alma na Divindade, que é a culminação da vida interior.

Esta prática foi estendendo-se através das Escolas Ocultas e Secretas que iam sendo abertas na Palestina, Síria, Caldéia, Pérsia e Arábia, no sentido de preparar as almas para a mística semeadura do amor de Jhasua.

Gaspar, por sua vez, transferiu-se para a região que havia sido seu domínio. Desconhecido daqueles mesmos a quem engrandecera com sua generosidade, pôde abrir, com extremadas precauções, duas pequenas Escolas de Conhecimentos Superiores, em Srinaghar, dissimuladas sob a aparência de Oficinas de Gravações. Após o ensinamento desses trabalhos manuais, os que estavam em condições de pronunciar o "Maran-Atha" regulamentar passavam aos preparativos para os estudos superiores.

No Indostão, estava o Brahmanismo em todo o seu apogeu, havendo já desterrado o Bhudismo da península, a ponto de ficar relegado apenas ao Nepal, nas faldas dos Himalaias. Receosos de um ressurgimento bhudista, vigiavam os brahmanes todos os movimentos que pudessem despertar novamente a fascinante igualdade humana, ensinada e praticada pela suave canção da renúncia e da quietude.

Melchor, o príncipe moreno, o mais ardente e vigoroso dos três viajantes orientais, havia introduzido um grupo de adeptos da sua Escola nas terras do Egito, para além do Mar Vermelho e nas margens do Rio Nilo. Iam como mercadores de perfumes e de essências da Arábia e ensinavam a arte de prepará-los.

Manifestando Melchor o desejo de realizar combinações com as exóticas flores, mais aromáticas, da Ilha de Philé e de Ipsambul, foi tomar posse dos templos subterrâneos da dita capital, nas margens do Nilo, e de outro templo abandonado naquela célebre ilha. Tendo em conta que, em verdade, para a colheita de certas flores e de sua preparação, era necessário realizar estudos meteorológicos e climatéricos, instalou ele um observatório astronômico, com todos os elementos usados na época para os estudos siderais.

Das aulas de botânica floral, os alunos mais adiantados passavam para grau superior, onde eram iniciados com abluções noturnas nas águas do Nilo, quando a Lua estava no zênite. Os iniciados eram somente aqueles que conseguiam penetrar no segredo do "Maran-Atha", a correr, suave e silenciosamente, por vales, pradarias e montanhas, como um misterioso chamado ao âmago das consciências, que iam despertando do sono letárgico, como crisálidas do seu casulo.

Resta-nos, finalmente, expor o modo como Fílon, o jovem estudioso de Alexandria, cumpriu os acordos feitos com os Anciãos do Moab.

Junto ao Lago Merik, obra magnífica com que o Faraó Amenhemat III imortalizara seu nome, encontravam-se enormes ruínas de antigos templos, construídos também por este Faraó; entre elas o célebre Labirinto. Uma destas ruínas emergia dentre um bosque de palmeiras, murtas e tamarindos, e seu bom estado de conservação denotava haver sido um templo construído em épocas mui posteriores às das demais grandiosas edificações. Duas aldeias de lavradores e pastores de antílopes utilizavam-no como depósito de cereais e estábulo para o gado.

Introduziu-se o jovem Fílon com seus seis companheiros entre os pastores, sob o pretexto de comprar-lhes toda a produção de ovos de avestruz e tâmaras para comerciar nos portos do Mediterrâneo. Em Áscalon tinha parentes e, em Hebron, um irmão, na pessoa de Zacarias, sacerdote essênio, encarregado de prover gêneros alimentícios para os ocultos Santuários Essênios. Tencionava Fílon, deste modo, fundar uma Escola nos moldes essênios e manter vínculos com os Anciãos do Moab, sem afastar-se da grande Escola de Alexandria, que abrangia todos os ramos do saber humano.

Esse jovem estudante, dotado de rara habilidade, compreendia que a Escola Alexandrina de Ptolomeu I, seu fundador, após três séculos, já não era a mesma daqueles gloriosos dias, mas que, caída sob a tutela de governantes incapazes de grandes ideais, começara a degenerar em grosseira mitologia de deuses e semideuses, patronos das múltiplas festividades, que o capricho dos soberanos ia criando como um meio de satisfazer o baixo instinto dos povos.

Os Setenta Anciãos do Grande Santuário do Moab, de sua parte, haviam resolvido sair para o exterior, a cada seis meses, em grupos de sete pessoas, com o objetivo de visitar os Santuários pequenos, as chácaras das famílias essênias e até as mais afastadas povoações e aldeias, onde um único essênio mantivesse a lamparina acesa. Assim o místico e silencioso "Maran-Atha" estendeu-se, como uma bruma invisível, desde as alturas do Moab até as costas do Mediterrâneo, desde as escarpadas e sombrias solidões do Mar Morto até a populosa cidade de Tiro, centro e foco do paganismo romano no Oriente Médio.

Desde tempo remotíssimo, quando Tiro não era mais que uma fortaleza numa ilhota de rocha afastada da costa, havia ficado, como vestígio do antigo poderio dos tírios, um velho Santuário ou Torreão, tétrico e sinistro, segundo inúmeras lendas que corriam entre o povo sobre aparições e fantasmas. Para as pessoas vulgares, daquele templo-fortaleza só podiam surgir os demônios perturbadores da paz e da saúde. Em realidade, era um refúgio de leprosos, expulsos, como imundos farrapos, de todos os centros povoados.

Haviam os Terapeutas transformado lentamente em limpo e confortável hospital as alas em que se notava claramente haverem sido alcovas particulares de solitários e monges bhudistas, segundo algumas toscas inscrições que os séculos não haviam feito desaparecer completamente. O grande recinto circular do centro, cujo teto de quartzo transparente dava-lhe a impressão de parecer como inundado por uma bruma de ouro nas horas de sol, e de um diáfano azulado durante as noites de luar, foi destinado a uma grande sala de aula preparatória para os alunos iniciados na Ciência de Deus e das Almas.

Os Terapeutas, médicos gratuitos do povo e também dos deserdados, haviam conseguido do Legado Imperial da Síria – que era o mais alto representante do Governo de Roma – permissão para ocupar aquele velho Torreão, como albergue de leprosos e de enfermos infecciosos em geral. Isto, além de não despertar receios de espécie alguma, era ainda olhado como uma obra altamente benéfica daqueles inofensivos médicos populares, pois poupavam às classes afortunadas da grande cidade o triste espetáculo de tão espantosas misérias humanas.

Um dos enfermos asilados ali, que padecia de epilepsia já em grau mui avançado, durante um de seus espantosos delírios, quebrara uma lousa do piso ao arrojar-se sobre ela com toda a sua força, indo cair ao fundo de um negro poço, do qual subia um forte vento com odores de umidade e limo.

O pobre epiléptico morreu na queda, mas deu motivo a que os Terapeutas fizessem uma boa descoberta. Aquele negro boqueirão, úmido e sombrio, era o ponto inicial de umas escavações que se prolongavam até as encostas do Monte Líbano; lá havia formosas grutas cobertas de vegetação, donde surgiam infiltrações de águas claríssimas, que podiam prestar-lhes grandes serviços para ulteriores finalidades. O ardente entusiasmo do apostolado impulsionava-os a transformar em Templo de Sabedoria as cavernas das montanhas e as velhas ruínas de fortalezas ou de antigos santuários abandonados.

O Monte Hermon, o mais elevado cume dos Montes Líbanos, lembrava-lhes o limite a que haviam chegado em direção ao norte; pois, em suas formosas grutas cobertas de frondosas árvores e de frutas em abundância, existia um dos santuários essênios mais recentes, e também mais exposto a ser descoberto, embora não chegasse até ali a jurisdição do poderoso sacerdócio hierosolimitano, que, para dizer a verdade, era o único inimigo dos essênios.

Aquela escavação, que a queda do infortunado epiléptico tornara descoberta aos Terapeutas-Enfermeiros, havia ficado oculta desde a remota época em que, mediante grandes nivelamentos de terra e de pedras, o rei Hiram de Tiro unira a ilhota da antiga fortaleza com as povoações da costa, formando, assim, uma grande cidade marítima do Mediterrâneo Oriental.

A grande afluência dos mercadores de todas as províncias do Oriente e de navios de todo o litoral do Mar Mediterrâneo estendeu a povoação heterogênea da grande Capital até as encostas do vizinho Líbano, cujas áreas, ermas de verde e de exuberantes vegetações, se viram cobertas de faustosas moradias, assim como de modestas cabanas.

Os Essênios, precursores de Jhasua, homens do silêncio e da meditação, verificaram que aquela escavação – partindo do subsolo do Torreão de Mel-Kart e continuando até as grandes grutas do Monte Líbano, de cujas infiltrações nasce o Rio Jordão – encurtava enormemente a distância até o Santuário do Monte Hermon, oferecendo-lhes ainda a vantagem de poderem fazer quase a metade do caminho sem serem vistos nem observados pelos habitantes daquela província.

Percorrida a escavação com grande cautela, chegaram a uma gruta enorme que apresentava sinais e vestígios de haver sido dedicada aos antigos ritos fenícios de Astarté (*), a deusa de todos os bens. Ali encontraram, num catafalco de pedra negra, um deus Adônis talhado em madeira. Era, pois, o sepulcro do lamentado esposo de Astarté, o qual, segundo o culto e crença fenícia, morria de amor todos os anos, no verão, quando este estava cheio de flores e de frutas, e ressuscitava ao chegar o inverno, com suas tempestades e neves.

A grande solidão e umas poucas cabanas em ruínas e abandonadas davam a entender que aquela paragem não era local agradável para habitação.

Uns pastores de cabras lhes disseram que as pessoas fugiam daquela gruta em virtude dos ressoantes ecos e lamentações, que demonstravam estar a mesma habitada por gênios maléficos.

Os Essênios, homens de estudo e de conhecimento superior, procuraram a causa desses sons, que puderam com efeito comprovar. É que, em brechas e gretas artificiais ou naturais da caverna, haviam sido habilmente colocadas, na direção dos ventos, inumeráveis buzinas de cobre, de diversos tamanhos e estruturas. Eram estes objetos que produziam os sons e as lamentações que aterrorizavam as pessoas.

Sem dúvida alguma, os crentes de Astarté e de Adônis simulavam daquela maneira os lamentos e choros pela morte do deus das flores e dos frutos. Prontamente, o catafalco de pedra converteu-se em altar, onde as Tábuas da Lei de Deus e um candelabro de sete círios, representação dos Sete Profetas Essênios, ocuparam o interior da gruta, e as buzinas de cobre foram transformadas em incensários para queimar o incenso de adoração ao Altíssimo, enquanto seus filhos deixavam voar o pensamento em ardente oração.

Havendo cessado imediatamente aqueles lamentos, foram os Terapeutas tomados em grande consideração pelos poucos moradores daquela temível paragem, pois, segundo estes, haviam aqueles dominado os gênios do Mal, que perturbavam a paz e a tranqüilidade dos lavradores e pastores.

Quando Herodes o Grande mandou construir, ali perto, um templo de mármore, em oferenda ao César reinante, não lhe passou pela imaginação, nem sequer remotamente, que, a uns duzentos metros, se achava uma gruta sepulcral de Adônis, que alguns humildes solitários transformaram, posteriormente, em casa de oração para esperar Aquele mesmo Libertador de Israel cuja chegada, anunciada pelos Profetas, ele tanto receava.

Menos ainda suspeitaria Herodes que esse Homem-Luz, gênio transformador da sociedade humana, descansaria naquela gruta, poucos anos mais tarde, enquanto, já no final de Sua jornada, meditava acerca da estranha situação em que se achava colocado, entre o Paganismo romano, cujo expoente era Tiro, e o Monoteísmo judaico, representado em Jerusalém.

Não era compreendido pelos pagãos nem pelos adoradores do Deus Único. Até onde alcançaria o vôo a Sua alma terna de pomba mensageira da Verdade e do Amor?

Naquela gruta escondida, a menos de um dia de viagem da grande capital mediterrânea, onde os prazeres, o fausto e o luxo absorviam a vida dos seres, o Lírico

---

(*) Ou Astaroth, Istar, Atar, etc., divindade dos povos semíticos; deusa do céu: a Lua; protetora de várias cidades. O Sol era denominado Apolo, e os planetas, Musas (N.T.).

Sonhador, o Gênio Missionário da Fraternidade e do Amor entre os homens, deixaria que, no silêncio e na meditação, germinasse e sazonasse aquela Sua frase de bronze e fogo: "Somente pelo Amor o homem será salvo."

Enquanto os Essênios se multiplicavam para ampliar sua obra preparatória, seus nobres aliados da Pérsia, do Indostão, da Arábia e do Egito faziam outro tanto.

Fílon, o jovem estudante de Alexandria, que havia ocultado suas finalidades ideológicas e religiosas sob um comércio entre Alexandria e Áscalon, onde tinha parentes, realizou uma viagem à terra de seus antepassados e chegou até o Hebron, lugar onde habitualmente residia seu meio-irmão Zacarias, ou Fácega de Jafa, sacerdote já em idade madura, casado com Ana Elhisabeth de Jericó, prima em segundo grau de Myriam, Mãe de Jhasua.

Não haviam tido filhos na juventude; mas, da mesma maneira como havia ocorrido a Joachim e Ana, receberam Zacarias e Elhisabeth, já no ocaso de sua vida, a dádiva divina de um filho varão, nascido doze meses antes de Jhasua, filho de Myriam e de Joseph.

Quando Elhisabeth sentiu que ia ser mãe, Zacarias, estando de serviço no Templo, teve a visão de que Jehová lhe concederia um filho, grande entre Seus servos, que, além do próprio Espírito de Elias, traria consigo sua fortaleza espiritual e magnética, bem como sua vibração poderosa e terrível; mas que ele seria mártir da vil sensualidade e perfídia de u'a mulher.

Na cortina astral da sua visão, apareceu a cabeça cortada de um homem, da qual emanava um caudal de sangue, formando um caminho de Luz, por onde descia um jovem envolto em um sereno resplendor de todas as cores do arco-íris. Tão profunda impressão causou essa clarividência a Zacarias, no momento em que oferecia holocausto no Altar dos Perfumes, que ficou mudo, com a garganta oprimida, como apertada por mão de ferro que não lhe permitia articular palavra alguma.

A voz sem ruído do formosíssimo jovem da visão lhe disse: "Quando teu filho abrir os olhos para a vida, recobrarás o uso da palavra. Seu nome será Johanan." O bom homem caiu de joelhos e tocou com a fronte o frio pavimento do Templo, atitude muito usada pelos essênios hebreus, cuja profunda humildade os levava a querer confundir-se com o pó da terra que todos pisavam. Assim o encontraram seus companheiros de serviço no Templo: Simeão, Esdras e Eleázar, sem que ele pudesse dar explicação alguma do que se passava. Decorridos alguns dias, pôde ele escrever numa prancheta de madeira: "Jehová anunciou que serei pai de um filho que será Profeta e que se chamará Johanan." Seus companheiros pensaram que tivesse enlouquecido, e um deles o acompanhou até uma granja que o casal possuía em Yutta, bem próximo de Hebron. Encontraram ali sua esposa, e, por seu intermédio, souberam ser verdade que ela iria ser mãe.

Quando a criança nasceu, sua mãe morreu; e Zacarias Fácega transferiu seus bens aos parentes mais próximos, entre os quais seu irmão Fílon; depois se retirou, com seu rebento recém-nascido, para o Santuário do Monte Quarantana, deixando-o aos cuidados de Bethsabé, a boa mulher que chegamos a conhecer na Granja de Andrés.

Ao chegar à casa de seu meio-irmão, o jovem Fílon defrontou-se com a triste notícia de sua viuvez; e, tendo-se tornado dono, pela cessão que Zacarias lhe fizera da Granja de Yutta, instalou nela uma pequena escola de letras e trabalhos manuais, para a qual nomeou como mestre um jovem chamado Andrés de Nicópolis, que era artífice de escrita em papiro, madeira e argila.

No desenvolvimento e atividades que essa pequena escola propagou, tiveram grande participação Nicodemos e José de Arimathéia, em anos subseqüentes, como veremos mais adiante.

O menino Johanan, chamado, depois, o Batista, na realidade nasceu e cresceu entre o ascetismo austero dos Essênios, cuja elevada doutrina assimilou totalmente desde seus primeiros passos na vida. Seu pai, que concentrara nele toda sua ternura, visitava-o quase diariamente, pois, através da clarividência espiritual, fora avisado de que ele era a reencarnação de um grande Mestre, o antigo Profeta Elias, que chegava como avançado Mensageiro do excelso Príncipe do Amor, da Paz e da Fraternidade entre os homens.

Enquanto Jhasua crescia em Nazareth da Galiléia, sob a tutela imediata dos Essênios do Tabor e do Carmelo, também Johanan crescia – e bem mais forte e vigoroso do que aquele – sob a amorosa vigilância dos Solitários do Monte Quarantana, para onde fora levado quando completara sete anos.

Grande esforço devia ser feito continuamente pelos Essênios para educar e governar o menino, no qual estava cativo o Grande Espírito d'Aquele a quem consideravam o maior de todos depois de Moisés. Sobretudo os clarividentes que O viam quase continuamente envolto naquela poderosa aura de fogo dos Espíritos de Justiça – quando possuidores de avançada evolução – sentiam-se grandemente coibidos de tratá-LO como a um menino.

Deu isso motivo a que, enquanto Johanan dormia tranqüilamente em sua pequena cela, contígua à do pai, seu Espírito, desprendido da matéria, manifestou-se-lhes no Santuário com severo semblante, e, com pensamentos cintilantes como relâmpagos, deu-lhes a compreender esta singela advertência:

"Essênios, filhos de Moisés, se desejais ser fiéis aos solenes pactos desta existência, não deveis ver em mim aquele Elias que vos traçou rotas de austeridade, pureza e desenvolvimento dos elevados poderes espirituais, senão ao menino Johanan, que vem até vós a fim de que o ajudeis a despertar para a realidade destes momentos, mediante a severa educação espiritual e moral que deveis dar a todo menino que traz u'a missão.

"Se não fizerdes assim, a Eterna Lei, por seus próprios meios, tirar-Me-á dentre vós, por demonstrardes sensível debilidade ao Meu lado, e Ela Me levará para junto de quem coopere valentemente no Meu desenvolvimento e despertar espiritual."

A visão dissolveu-se na radiante atmosfera de fogo que inundava as almas de energia e os corpos de força e vigor. Aqueles vivíssimos resplendores, que perduraram ainda por longo tempo, fizeram compreender claramente aos Essênios do Monte Quarantana qual era a natureza dos grandes *Fogos do Céu*, que, durante a vida física de Elias, apareciam aos olhos de muitos, inclusive aquela imensa labareda vista por Eliseu, o discípulo predileto, representando, em formas vagas e semidiluídas no éter, um carro de fogo no qual subia aos Céus a alma do grande Profeta.

Na organização desta pequena escola, deteve-se Fílon na Judéia cerca de um ano, com o fim de deixá-la estabelecida sobre bases sólidas e sob os auspícios dos Terapeutas da Palestina, que percorriam o País em todas as direções. Este fato facilitava-lhes grandemente a obtenção de alunos apropriados para as ditas aulas.

Foi nessa ocasião que Rabsaces, o mago favorito de Herodes, não pôde, por mais tempo, ocultar ao Rei que os viajantes do Oriente lhe haviam escapado dentre as mãos, sem que seus numerosos espiões houvessem conseguido rastro algum deles.

A cólera real não teve limites, e, depois de se inteirar, por boca de todos os seus magos e áugures, de que o Libertador de Israel havia nascido no dia da grande conjunção planetária, de nós conhecida, e que, portanto, devia ter cerca de dois anos, mandou esquartejar seu mago favorito e aplicar cem açoites aos demais, por não terem sido capazes de averiguar, com sua ciência oculta, o paradeiro do temido menino.

Para acalmar sua cólera e exterminar de uma vez o descendente dos Reis de Judá, de fato existente, ordenou ele a matança de todos os meninos nascidos em Betlehem nos dias da conjunção planetária.

U'a mulher betlehemita, de nome Jael, casada com um dos soldados de Herodes, encarregados da matança dos meninos, teve piedade das crianças de sua terra natal, entre as quais se achavam os filhos de seus irmãos. Sabendo que os Terapeutas-Peregrinos eram homens de influência e cheios de misericórdia para com todos os perseguidos, correu ao hospital dos enfermos, que eles tinham junto às piscinas de Siloé, onde estava certa de encontrá-los. Deu o aviso, não pensando no Deus-Menino, do qual não tinha notícia, mas em salvar os filhinhos de seus parentes.

Um jovem tecelão de nome Tadeu, parente próximo do Terapeuta-Diretor da casa-refúgio de Siloé, foi enviado à Galiléia, a toda a velocidade de seu bom cavalo, para levar o aviso aos Anciãos das grutas do Tabor, pois os essênios receavam que algumas das mães betlehemitas, para salvar seus filhos, informassem quem era o menino procurado; e, sendo que este havia nascido em casa de Elcana e de Sara, deviam eles saber onde se encontrava.

Um dos Terapeutas partiu igualmente para Betlehem, que ficava somente a um dia de viagem de Jerusalém, para alertar o tecelão Elcana do perigo que lhe ameaçava o lar, a fim de que se pusesse a salvo, como, outrossim, seus companheiros Alfeu, Josias e Eleázar; pois, no caso de haver uma denúncia, esta também os alcançaria, conhecida como era sua amizade íntima com Elcana, cuja casa freqüentavam diariamente.

Uniram-se os quatro amigos estreitamente para ajudar a Eleázar, que, tendo filhos pequenos, estava mais em perigo de cair sob o machado dos verdugos. Quando as sombras da noite caíam sobre Betlehem e suas montanhas, que as primeiras neves começavam a branquear, os quatro homens e as duas mulheres, Juana, mulher de Eleázar e Sara, de Elcana, montados em asnos com as crianças menores, rumaram para a aldeia de En-gedi, a fim de refugiar-se nas grutas do Monte Quarantana, em cuja entrada ficava, como se sabe, a Granja de Andrés.

O Terapeuta que trouxera o aviso percorreu, durante toda aquela noite, os lares essênios onde havia crianças da idade do Menino-Deus, para que fossem postas a salvo. Foi também ele que indicou o antigo sepulcro de Rachel, sito a noroeste de Betlehem, o qual oferecia acesso a uma enorme gruta, habitada, às vezes, por velhos mendigos sem lar ou por alguns perseguidos pelos ódios sacerdotais e régios.

Outros se dirigiram aos reservatórios de Salomão, entre cujas antiqüíssimas construções se encontrava a entrada para as grutas, resplandecentes, em outros tempos, de ouro e jaspe, de bronze polido e de mármores finíssimos. Foi aí que o Rei dos Grandes Amores (*) celebrou suas núpcias secretas com Belkis, a encantadora rainha de Sabá, da longínqua Etiópia, a fim de ocultá-la da filha do Faraó egípcio, que era a esposa-rainha.

(*) Salomão (N.T.).

Naquele labirinto de montanhas, entre as quais passava o aqueduto que terminava nos reservatórios, podiam bem ocultar-se várias famílias que seriam socorridas pelos Essênios do Hebron e do Yutta. Lá ficava a Granja-Escola, que pertencera a Zacarias, na qual se achava, nessa época, Fílon de Alexandria.

Informado este da ameaça que pesava sobre o menino Jhasua, deixou tudo e correu ao porto de Áscalon para tomar o primeiro barco que zarpasse rumo a Tiro (*), pois supôs, pelas palavras do Terapeuta-Mensageiro, que, nessa mesma noite, Myriam e Joseph houvessem seguido com o menino para Tolemaida, no intuito de embarcar para a capital fenícia, onde estariam a salvo da fúria de Herodes.

Mas Fílon, sabendo por suas relações e pelo conhecimento da engrenagem política daqueles tempos, que o Legado Imperial da Síria não descontentaria a Herodes, grande amigo do César, estava certo de convencer seus aliados Essênios e os pais de Jhasua, para levá-lo para Alexandria onde, provavelmente, existiria maior segurança para sua vida.

Disse ele aos Terapeutas e aos dirigentes da pequena escola do Hebron: "Levarei o Menino com seus pais para Alexandria, até que passe o perigo." Na Judéia, todos que estavam de posse do segredo ficaram convencidos de que Jhasua tinha sido levado para o Egito.

Vejamos, em seguida, como ocorreram os acontecimentos posteriores.

Na altura de Kaphar, o veleiro em que viajava Fílon foi arremetido por uma furiosa tempestade que atrasou sua chegada ao porto de Tolemaida, onde ele esperava encontrar os Terapeutas que conduziam Jhasua com seus pais para Tiro. Mas o atraso devido à tempestade impediu que isto sucedesse, e, quando o jovem chegou a Tolemaida, os viajantes por ele procurados deviam estar já chegando à cidade de Tiro.

Assim sendo, rumou Fílon para a capital fenícia, aonde o Homem-Deus, menino de somente vinte e dois meses, tinha ido pedir refúgio aos idólatras pagãos, em virtude da perseguição mortal de que era objeto em seu próprio País.

Fora introduzido com seus pais no velho Torreão de Mel-Kart, que os Terapeutas haviam transformado, há tempos atrás, em hospital de leprosos, de inválidos e de órfãos. Sob aquelas sombrias abóbadas e enormes colunas cobertas de hera, entre aqueles velhos muros partidos ao meio, onde se refugiavam os frangalhos da humanidade doente, penetrou sigilosamente, com os pais, Aquele que, mais tarde, diria às multidões: "Eu sou a Luz do mundo; e quem Me seguir não andará em trevas. Eu sou o Caminho, a Verdade e a Vida; e o que ouvir minha palavra viverá eternamente."

Se quaisquer transeuntes passassem, cautelosos, pelas imediações pouco atraentes do ruinoso Torreão, diriam, cheios de compaixão, ao ver Myriam e Joseph entrar ali, encobertos por pesados mantos: "Mais infelizes leprosos estão chegando para esconder sua desgraça entre os muros do Torreão maldito."

Por sua vez, o Terapeuta que os conduzia pensaria silenciosamente: "Quão enganosos e errados são os pensamentos dos homens, ao verem entrar no Torreão, na qualidade de enfermo incurável e deserdado da humanidade, Aquele que, dentro de mais alguns anos, há de curar todas as doenças humanas com a Suprema Vontade de Seu Eu, aplicando-lhes a força espantosa de Sua energia e vitalidade!"

No grande porto de Tiro, ninguém pôde dar notícias a Fílon a respeito do que ele desejava saber. Na chusma de barcos mercantes que ali ancoravam diariamente

---

(*) Hoje, Sur (no Líbano) (N.T.).

vindos de todos os portos do Mediterrâneo, quem poderia ter prestado atenção nos humildes peregrinos carregados de pequenos embrulhos e fardos, os quais, ao anoitecer de um dia acinzentado e chuvoso, desembarcaram entre a multidão de viajantes e se perderam pelas ruelas, fora dos recintos da grande Capital?

Durante três dias, com o desconsolo na alma, Fílon vagou por aquela cidade que lhe era completamente desconhecida e onde a prudência o obrigava a não fazer averiguações que pudessem despertar alguma suspeita.

Na noite do terceiro dia, resolveu dormir na pousada de um mercador judeu com ofício de joalheiro, para onde havia sido recomendado pelo capitão do barco. Seu último pensamento havia sido este: "Jhasua, Filho do Altíssimo ..., faze com que eu Te encontre, se é que posso pôr a salvo a Tua vida que está em perigo!"

Quase de madrugada, despertou com a lembrança viva e nítida de haver falado com Myriam, a meiga mãe do Ungido, que lhe dissera:

"Porque nos dias distantes de glórias e de sombras para Israel, foste Nathan, o Profeta-Consultor de Salomão, e a salvaste, ela te visita em sonho, para dizer que não está em perigo como naqueles dias, mas bem resguardada com seu filho, e aguarda a hora de voltar ao lar abandonado. Vai tranqüilo, Nathan, bom e meigo Profeta, porque Zulamita repousa em segurança."

Tão íntima alegria lhe transmitiu este belíssimo sonho que, apenas clareava o dia, Fílon saiu para absorver o ar do mar, em cuja imensidão, colorida suavemente pelos matizes da alvorada, deixou flutuar a filigrana de ouro de seus pensamentos, de seus ideais grandiosos e sublimes, das líricas fantasias de sua alma de visionário do futuro; e, neste, via ele levantarem-se novos mundos e novas humanidades, regenerados pelo Amor de Jhasua e subindo cumes dourados pelo sol, onde já não existia a dor nem o egoísmo nem maldade alguma, senão apenas o Divino Amor, com um cantar novo, eternamente renovado e eternamente triunfante.

Foi tirado destas esplendorosas visões mentais pelo capitão do barco em que realizara a viagem, o qual lhe perguntou:

— Ireis ficar aqui ou voltareis comigo?
— Irei convosco. Quando partireis? — perguntou o jovem.
— Hoje, antes do meio-dia.
— Bem, vamos até a pousada, que vosso amigo nos espera. Pagarei a conta e retornarei convosco.

Algumas horas depois, o jovem filósofo, de pé, na popa do veleiro, estava a pensar, enquanto observava a populosa capital fenícia:

"Tiro ... Tiro! ... Orgulhosa rainha do mar em outras épocas de grandeza e de glória! ... Entre teus torreões e palácios perdi o vestígio do meigo Jhasua, Salvador dos homens! ... Onde tornarei a encontrá-LO? ..."

Quando intensa emoção lhe fez chegar o pranto aos olhos e encheu seu coração de angústia, julgou sentir uma voz íntima, que, sem nenhum ruído, mas de maneira clara e bem distinta, lhe disse: "No Vale das Pirâmides, devolver-te-ei a visita que me fizeste no berço."

Fílon começou a chorar com grandes soluços, que se perderam entre os mil ruídos da embarcação, no correr dos marinheiros, no levantar das âncoras e no chapinhar dos remos sobre as ondas adormecidas.

O barco que o transportava tinha deixado seu carregamento de trigo dos vales do Nilo e levava a bordo grandes fardos de púrpura, ricas fazendas e rendas de Tiro para as princesas e altas damas egípcias, e, para seus palácios, formosos tapetes da Pérsia.

Entre todas aquelas riquezas e cargas de grande valor, o jovem filósofo alexandrino, perdido entre montões de volumes, escrevia tranqüilamente, em seu livro de notas, os pormenores de toda a sua peregrinação, desde que iniciara seu caminho à procura de Jhasua, até que havia sentido essa voz íntima, serena e dulcíssima, que, para ele, encerrava o solene significado de uma entrevista de honra com o Cristo, na imponente solidão das pirâmides do Nilo.

Embora o barco tivesse escalado em alguns portos da Palestina, Fílon não desembarcou em Áscalon nem fez sentir sua presença aos parentes, mas seguiu viagem diretamente para Alexandria.

De tudo isto pode o leitor perfeitamente compreender que se formou um mar de confusões, de dúvidas e indagações a respeito do lugar onde se refugiara Jhasua com seus pais. Os essênios da Judéia acreditavam que ele estivesse no Egito, conduzido por Fílon, tal como este lhes havia dito.

A espantosa tragédia de Betlehem deixou a população transida de espanto e terror em toda aquela província, pavor esse que fazia aguardar novas ordens de morte contra os meninos menores de dois anos, existentes naquele desventurado país, correndo o risco de ver ceifada toda sua população infantil masculina, devido apenas a um menino fatal, que o poderoso Rei Herodes procurava sem poder encontrá-lo, como se a terra o houvesse tragado.

Veio aquele terror colocar um selo sobre todos os lábios essênios. Tinha-se temor até do vento, que leva as palavras, e que houvesse ouvidos de espiões do Rei mesmo entre os ramos das árvores, razão pela qual ninguém ousava perguntar: "Onde está Jhasua?" Se, porventura, esta interrogação assomava aos lábios de qualquer mulher essênia, ao encontrar-se com um Terapeuta, este movia negativamente a cabeça, enquanto dizia: *"Deus o sabe, e isto basta."*

As famílias essênias do Hebron e as de Betlehem, dispersas pelas montanhas da Judéia – que não voltaram a reunir-se no decurso de vários anos, assim como muitas daquelas que ficaram definitivamente nas paragens, cidades e povoações onde se haviam refugiado – natural e logicamente, continuaram crendo e afirmando que o Divino Menino fora levado para o Egito, a fim de ser salvo da perseguição de Herodes. Os únicos possuidores do segredo, ou seja, os Terapeutas e os Anciãos dos Santuários, evitavam cautelosamente desmentir tal notícia, toda vez que disto dependesse a segurança do futuro Salvador dos homens.

É bem sabido e notório que as tradições orais se perpetuam quase tanto como os relatos escritos e, muitas vezes, se tem ouvido, no correr dos séculos, que uma tradição se manteve com fidelidade assombrosa, como nem sempre se verifica com os escritos, onde muitas mãos vão deixando notas diversas, com o nobre afã de corrigir deficiências e procurar maior exatidão de acordo com os fatos.

Em face do enorme acervo de relatos, recordações e tradições, em torno do extraordinário e grandioso acontecimento – o Nascimento do Deus-Homem –, devem os cronistas cristãos ter-se visto em grandes dificuldades para respigar, com destreza e acerto, nesse imenso campo da tradição e das ternas e fervorosas recordações de todos aqueles que guardavam, em seu coração, algumas cenas daquele drama estupendo.

Se a biografia de qualquer homem, de aparência mais ou menos destacada, já apresenta dificuldades sem conta aos historiadores, pela variedade de afirmações feitas por testemunhas oculares, ou, pelo menos, mais próximas a ele, o que não poderá suceder tratando-se do fato soberanamente transcendental que é o advento, ao Planeta, de um Ser tão extraordinário, quanto à Sua missão e Sua vida, como Jhasua, o Cristo, em Sua última Epopéia de Amor em benefício desta humanidade?

Portanto, longe devem estar de todos aqueles que amam o Cristo as inculpações e censuras acerbas dirigidas contra as primeiras congregações cristãs, por não terem conseguido dar-nos a narração de todos os acontecimentos e sucessos que formaram essa Grande Vida – simultaneamente divina e humana – do Cristo, nascido como homem no país de Israel.

E isso muito menos se – de acordo com a verdade histórica de fatos análogos, tais como a destruição de Jerusalém por Tito e as fugas freqüentes, coletivas ou individuais, dos primeiros cristãos, perseguidos por toda parte – admitirmos que deve ter existido impossibilidade material para catalogar, conservar e comparar uns relatos com outros, bem como certas recordações com demais acontecimentos passados.

Perseguidos e dispersos os primeiros cronistas cristãos – como um enxame de abelhas, ao qual a inconsciência humana não deixou nem um mísero arbusto aonde pudesse reunir-se novamente – acaso não salta aos olhos que as crônicas tenham ficado truncadas ou incompletas, quando não contraditórias em alguns pontos, com relação a outras?

A altura da evolução humana e das capacidades mentais e espirituais a que chegamos, obriga-nos, de outra parte, a reconhecer a grandeza da Lei Divina, e a louvá-LA, por haver dado ao Homem, na época presente, os meios de conhecer a verdade de todos os fatos relacionados com o Cristo e com Sua Magnífica Obra de Redenção da humanidade terrestre.

Nas Montanhas do Líbano

Que coisa teria acontecido ao Menino-Deus e a seus angustiados pais? Sob o espesso manto com que se cobriam os leprosos, vimo-los entrar no velho Torreão de Mel-Kart, situado na parte antiga da cidade, o qual, mercê das novas edificações, feitas nas verdes colinas do Monte Líbano, havia ficado com um paredão derruído e sobranceiro ao mar, que mantinha sua branca moldura de espumas na praia tranqüila.

Os Terapeutas-Enfermeiros fizeram-nos subir a um pequeno pavilhão, construído sobre um terraço coberto de heras, onde aninhavam cegonhas e gaivotas. A par disso, bandos de melros azuis formavam uma orquestra de gorjeios ao alvorecer. Era a única parte alegre do velhíssimo edifício, pois o sol inundava o terraço, ao passo que o panorama do mar, como que bordado de brancas velas, a todas as horas do dia distraía agradavelmente a imaginação.

Joseph, melancólico e pensativo, e Myriam, chorando silenciosamente, pareciam inundar, com uma onda de dor resignada e muda, aquele desmantelado pavilhão. Não havia ali outro mobiliário senão um estrado de madeira encostado às paredes, sobre o qual lhes haviam colocado camas, além de uma grande mesa de carvalho, diante daquele estrado, e, sobre ela, umas ânforas com água e vinho, e também uma cesta com pão e frutas secas. Isto era tudo quanto se lhes oferecia à vista.

Um dos Terapeutas que, apressadamente, acendeu a lareira, disse-lhes, ao deixá-los: "Aqui estareis em segurança. Descansai até amanhã."

O Divino Menino, que já contava um ano e dez meses, não tomava conhecimento, como é natural, do padecimento dos pais, e dava alegres gritinhos acompanhados de vivazes palmas quando as cegonhas e as gaivotas pousavam defronte à porta, depois de grandes revoadas, nas quais brilhavam ao sol suas brancas asas, de bordos negros.

Myriam, olhando tristemente para o filho sentado sobre um grosso cobertor, junto à porta, por onde entrava o sol em dourados resplendores, perguntou-lhe com sua voz de cotovia:

— Quem és tu, meu amor, para te veres perseguido por um Rei poderoso? Que é que trazes a este mundo para aquele que tem tudo nas mãos cobice tua vida? Que podes tirar a esse Rei aliado do César, senhor do Mundo, meu adorado? Que sombra podes fazer, meu doce jacinto em flor, a ele, que é como um gigantesco carvalho sobre o país de Israel? ... Que Jehová haja por bem decifrar-me este impenetrável mistério, que tão profundamente aflige minha alma!

Suas mãos delicadas e brancas, como asas de rolinhas que adejam sobre a água, continuavam fiando a branca lã de seus cordeiros nazarenos, para tecer roupinhas quentes para o pequeno querubim, a quem tanto amava e por quem tanto sofria.

Joseph, por sua parte, cujo hábito de trabalhar era tal que lhe causava profunda tristeza estar em quietude, procurou e encontrou nos escuros compartimentos daquele pavilhão alguns elementos de trabalho manual: grossos feixes de varinhas de vime, amarrados de junco, grandes meadas de fibra vegetal: tudo em confuso amontoado que denotava ter sido posto ali para deixar outros espaços livres.

Levando tudo para onde estava Myriam, disse alegremente:

— Vê só! Ainda que a cólera do Rei nos retenha aqui durante um ano, minhas mãos não permanecerão ociosas.

E entregou-se ao labor, que a Providência lhe deparava, com o mesmo ardor e entusiasmo com que se ocupava em sua oficina ganhando dinheiro para o sustento do lar. Os Terapeutas amenizavam-lhes as noites de inverno, ao redor da lareira, com a leitura dos Livros Santos e com suas conversações saturadas dessa sublime Ciência de Deus e das Almas, que alivia e suaviza as mais profundas angústias da vida.

Assim se passaram cinco meses, ou seja, até o fim do inverno. Tamanha foi a cautela e discrição dos Terapeutas-Enfermeiros que nenhum dos habitantes do Torreão chegou a perceber a presença dos hóspedes do *Pavilhão da Princesa*, como chamavam àquela pequena edificação, pelo fato de ter sido habitado, alguns séculos antes, por uma descendente do Rei Hiram, envolvida numa conjuração, que seu marido promovera para, em seu benefício, destronar o Soberano reinante.

Por estranha coincidência, aquele pavilhãozinho, cativeiro de uma princesa ambiciosa, servia, agora, de amparo e refúgio àquele que, um dia, diria às multidões: "As raposas têm seus abrigos, e os pássaros seus ninhos; mas o Filho de Deus não tem uma só pedra para recostar a cabeça."

Quando a neve começou a derreter-se nos pincaros dos montes, e as encostas e os vales a se cobrirem de pássaros e de flores, Jhasua e seus pais foram levados para o subsolo do Torreão, onde caíra, certa feita, aquele pobre epiléptico, permitindo isso a descoberta do ignorado caminho que conduzia até a misteriosa *Gruta dos Ecos Perdidos*, que o leitor já conhece. Dali, sem perigo algum, a viagem podia ser continuada sobre asnos até o Santuário do Monte Hermon, onde os Anciãos esperavam com grande ansiedade o Menino-Deus, para guardá-LO em seus braços até que passasse todo aquele perigo.

Os Anciãos de todos os Santuários estavam de comum acordo que não era ambiente propício para a infância do Divino Menino aquele triste e sombrio Torreão, habitação de enfermos incuráveis. Foi por isso que aquela mulher, com um menino de tão pouca idade ainda, ali permaneceu apenas cinco meses, ou seja, até que, passado o inverno, ela pudesse pôr-se em viagem, juntamente com o esposo.

A região montanhosa do Líbano era como continuação das risonhas montanhas galiléias, com a diferença de que, naquelas, tudo era imponente, majestoso em sua grandiosidade, cheia de belezas e de infinitos mistérios.

A razão por que os poetas bíblicos e, em particular, o Rei dos palácios de ouro e dos cânticos amorosos comparou a esposa amada com os cedros do Líbano, suas palmeiras flexíveis, seus hortos cerrados e sombrios como vasos de flores, era o fato de serem aquelas paragens verdadeiras regiões de encanto, onde a pródiga Natureza havia feito transbordar seus privilegiados dons de Maga.

— Quão longe vai ficando a nossa amada Nazareth! — dizia Myriam a Joseph, a cada dia de viagem, em que, sob aquela frondosa vegetação, eles se assentavam para descansar.

Dois Terapeutas, conhecedores da região e dos refúgios do caminho, os acompanhavam, simulando serem uma família de montanheses que tivesse ido fazer compras na Capital e regressasse à sua terra nativa. Sendo costume reunirem-se em grupo vários parentes ou vizinhos para realizar essas travessias, não podia o fato causar estranheza a ninguém. Além do mais, a agitada Palestina, domínio de Herodes o Grande e do poderoso clero de Jerusalém, que dominava na Judéia tanto quanto o Rei ou mais do que ele, ficava já muito longe, e não era de temer que seus espiões houvessem chegado a tão grande distância.

Ao saírem da "Gruta dos Ecos Perdidos", uniram-se à pequena caravana de um mercador de Tolemaida, com dois filhos e três criados, o qual, duas vezes por ano, realizava essa mesma travessia, levando ricos tecidos, tapetes, linho e púrpura de Sidon (*) e de Tiro, para Cesaréia de Filipo e para Damasco. Quando ele voltava de lá, trazia artísticos cofrezinhos de madeiras perfumadas, com incrustações de prata, para que as princesas tírias e sidônias pudessem guardar seus perfumes e segredos de amor; e, bem assim, delicados escabelos, como covilhetes talhados em ébano, para que pudessem as belas damas descansar seus pezinhos miúdos e brancos, afundados em chinelas de púrpura, com recamos de nácar e de ouro.

Aman, o mercador, teve a desgraça de sofrer uma queda nos escarpados caminhos da montanha, provocando-lhe isso um deslocamento na coluna vertebral, que o impediu de andar por seus próprios pés durante os poucos anos que sobreviveu a esse acidente.

O menor de seus filhos, cujo nome era Tomás e que contava apenas dezessete anos, veio a ser, mais tarde, um dos doze apóstolos de Cristo. Tendo aceitado a hospedagem dos Terapeutas na granja que dava entrada para as grutas do Santuário do Monte Hermon, assim como a Granja de Andrés conduzia ao Santuário do Quarantana, os dois filhos do mercador de Tolemaida ingressaram na Fraternidade Essênia, graças ao entusiasmo que neles despertaram o amor e a solicitude com que os Terapeutas-Médicos se dedicavam a proporcionar alívio ao pai deles, na dura emergência, acima referida.

(*) Hoje, Saida (N.T.).

O jovem Tomás dedicou grande afeto ao menino de Myriam, para o qual gostava de cantar a meia-voz, acompanhado dos arpejos de sua pequena cítara de ébano e marfim, no intuito de fazê-lo adormecer.

O Santuário do Monte Hermon era um dos que desfrutavam maior número de belezas naturais e também mais fartura. A fertilidade daquelas regiões era maravilhosa.

Tendo em vista que a principal riqueza daquelas paragens consistia na exploração de seus imensos bosques das mais apreciadas madeiras para a construção de palácios, templos e barcos, a maior parte das povoações libanesas era composta de operários ou comerciantes em madeiras, assim como de lavradores e pastores.

Entre as duas vertentes que dão origem ao Rio Jordão, existia, desde tempos mui remotos, uma aldeia que se havia formado num pequeno vale, logo na entrada de duas montanhas paralelas. Era *Dan* essa pequena aldeia de lenhadores e pastores, onde quase todos descendiam da mesma família, espécie de tribo que vivia em completa paz e harmonia sob a obediência do mais idoso, a quem denominavam "patriarca". A cabana deste fora lavrada na própria montanha; lá vivia ele com sua velha companheira, três filhos varões, já casados, e uma porção de netinhos.

Já pode o leitor supor que aquela cabana devia ser enorme para poder dar pousada a tão numerosa família. O *avô Jaime*, como vulgarmente chamavam ao ancião, era o chefe de toda aquela prole copiosa.

Pois bem. Este ancião, sua mulher e seu filho mais velho, Matias, eram os únicos possuidores do grande segredo da entrada para o Santuário do Monte Hermon.

Num dos lados da alcova do velho casal, se encontrava um enorme armário de carvalho, repleto de madeixas de lã e de fibra vegetal, preparadas para tecer roupas de inverno e esteiras para os pisos. Dedicavam-se a estes trabalhos as mulheres em geral, enquanto os homens derrubavam árvores, preparando tábuas ou lenha, que enormes récuas de asnos e mulas conduziam para as capitais vizinhas.

Atrás daqueles montes de lã e fibras, achava-se uma porta bem dissimulada, que dava entrada para um longo corredor praticado na rocha, o qual desembocava em um vale profundo como um abismo, existente ao pé do Monte Hermon. No fundo desse abismo de exuberante vegetação, corria um arroio de pouca profundeza, por cima do qual, e abrangendo ambas as margens, estava semitombado um enorme tronco de carvalho, que, talvez, algum cataclisma das montanhas deixara meio quebrado, mas que, não obstante isto, se mantinha verdejante. Aquela corpulenta árvore centenária era a ponte que dava passagem para o audaz caminhante que se internasse naquele labirinto de bosques e de rochas.

Esse caminho era conhecido tão-só pelo avô Jaime e por seu filho Matias. Apenas vadeado o arroio, um negro bosquezinho de espinheiros parecia interceptar o passo; mas os conhecedores dessa vereda removiam umas trepadeiras entrelaçadas no meio dos troncos, com o que ficava a descoberto uma pequena porta de ferro, cuja respeitável idade a fazia assemelhar-se às próprias rochas em que estava incrustada.

Tal era a entrada do Santuário do Monte Hermon.

Os lenhadores e pastores da localidade estavam já habituados a ver os Terapeutas-Médicos chegarem à casa do avô Jaime, onde se hospedavam de tempos em tempos para recolher ervas e flores medicinais. Então, os enfermos da região se dirigiam, por sua vez, à morada desse ancião, a fim de que os bons Terapeutas lhes medicassem os males.

Uma tarde, chegaram Joseph e Myriam à cabana do avô Jaime com o menino nos braços, em companhia dos dois Terapeutas que os conduziam.

Um deles se havia adiantado e teve com o ancião e com Matias, seu filho mais velho, este diálogo:
— Avô Jaime: Jehová manda a glória à tua casa.
— Que glória é essa, meu irmão Terapeuta? — perguntou o ancião.
— O Messias nascido em Israel procura amparo, para esta noite, em tua cabana. Poderás dar-Lha?
— Oh, meu Senhor enviado de Jehová! Onde está? Onde? para que estes olhos O vejam antes da minha morte!
— Ele vem com seus pais, achando-se agora na entrada do vale; deverás, porém, proceder como se fossem membros de tua família, para o caso de que alguma pessoa os veja chegar. Quando hajam descansado, Matias nos acompanhará ao Santuário, pois ali são esperados.
— Esta casa é vossa, irmão Terapeuta, e os Anciãos são como amos que mandam — disse Matias. — Disponde, pois, como quiserdes.
Inteirada da grande novidade, a anciã Zebai fez aquela casa transformar-se numa barafunda de preparativos, de ir e vir, para dispor uma hospedagem conveniente. Ao mesmo tempo começou a correr, entre todos os familiares, a notícia de que chegava uma sobrinha de Zebai, porque seu marido, que era carpinteiro, trazia encomenda de obras a serem realizadas, e procurava escolher as madeiras mais preciosas para a fabricação dos delicados cofrezinhos e supedâneos.

Tudo sucedeu exatamente como haviam projetado os discretos Terapeutas. A única coisa que não deliberaram foi se, nessa mesma noite, passariam para o Santuário, pois Myriam estava agitada e fatigada por causa da penosa viagem que fizera pelas montanhas, o que lhe produziu esse natural desgaste, cheio de impressões, inquietudes e medo. Qualquer encontro com pessoas desconhecidas lhe causava terror, fazendo-a supor que os esbirros do Rei estivessem seguindo-lhe os passos. Apenas penetrou na cabana do avô Jaime, foi acometida por forte crise de nervos, que se transformou em pranto silencioso.

O terno e espontâneo grito de amor de Zebai, que a chamava com todo o seu afeto: "Minha filha!", enquanto a recebia nos braços, feriu a fibra mais sensível da alma terníssima de Myriam, que explodiu como uma lira, à qual tivessem rompido, de golpe, todas as cordas douradas.

Joseph e Zebai levaram-na para a tépida alcova que lhe haviam destinado. Colocada já no leito, seu esposo aconselhou que a deixassem em completo repouso, dizendo: "Não é nada! O descanso e o silêncio são seu melhor remédio. Ide embora, que eu fico aqui com o menino, junto do leito da mãe, até que a veja dormindo" — suspirou enternecido.

Fez dormir o pequeno na agasalhadora penumbra daquela alcova saturada de silêncio, de paz e de tranqüilidade, e Myriam adormeceu, por fim, igualmente. Instantes depois, viu Joseph que o ambiente estava sendo iluminado por uma claridade rosa-pálido, com tonalidades de ouro. Olhou para todos lados, crendo que tivesse sido acesa alguma lâmpada oculta; mas o clarão crescia de intensidade e foi enchendo a alcova.

Notou, então, que se desenhavam, com linhas mais definidas, duas silhuetas humanas, as quais, aproximando-se uma da outra, se confundiram num estreito amplexo. Em uma delas reconheceu, desde logo, a Myriam, não obstante fosse sua beleza aí muito mais esplendorosa do que na matéria. Na outra, observou uma notável semelhança com ela, e, ademais, com o próprio menino, que estava adormecido entre seus braços. A intuição ajudou Joseph a descobrir o segredo daqueles transparentes personagens no sutil e luminoso cenário em que a alcova se havia transformado.

– Jhasua e Myriam! ... – murmurou ele baixinho, profundamente emocionado. Compreendeu que ambos manifestaram mutuamente seus pensamentos, e, embora não pudesse compreendê-lo claramente, captou a onda com mais ou menos clareza.

– Parece-me que Jhasua diz para sua mãe que viva tranqüila e que nada tema, porque ele tem um caminho longo para andar, e que, por mais que façam os homens, não o farão morrer até que chegue a hora marcada – disse Joseph de si para si.

De igual modo, entendeu que ela dizia: "Que morra eu antes do que tu, meu filho, porque eu não poderia viver nem uma única hora sem ti." E ele respondeu acariciando-a: "Deus é o Senhor da vida das pessoas, e Sua Vontade é manifestada acima de todas as coisas."

A emoção inundou de pranto os olhos de Joseph, e suas lágrimas caíram sobre o filho adormecido em seu regaço. Foi a visão dissolvendo-se lentamente, ao que Joseph, deixando o menino ao lado de sua mãe, passou para a grande copa-cozinha da cabana, onde estava acesa a lareira. Era ali que toda a família se reunia ao cair da noite.

As jovens mães deram de comer às suas crianças e as levaram para os leitos, com o que começou a reinar a tranqüilidade e a quietude na grande caverna central. Após isso, Zebai e suas noras continuaram fiando e tecendo, enquanto, ao fogo, fumegavam as panelas, e, entre as brasas, era cozido o pão para a ceia dos adultos.

Os dois Terapeutas-Guias falavam, num dos cantos, com o velho Jaime e seu filho Matias. Pouco depois, o mais idoso dos Terapeutas chamou a atenção dos outros filhos e dos netos mais crescidos do ancião, para que escutassem o que lhes ia ser dito. Fez-lhes um relato do nascimento de Jhasua, dizendo que nele estava encarnado o Messias esperado por Israel e anunciado pelos Profetas. Mencionou, outrossim, a perseguição de que era objeto por parte do Rei Herodes, e como toda a Fraternidade Essênia havia assumido o encargo de salvar e proteger esse Menino-Deus até que chegasse ao cumprimento de Sua excelsa missão de Salvador dos Homens.

Explicou amplamente o que era a Fraternidade Essênia, da qual eram participantes, há muito tempo, o avô Jaime e o mais velho de seus irmãos, Matias, que já se achava no segundo grau. Foi quando um dos netos, de nome Zebeu, rompeu o silêncio, exclamando com grande impetuosidade:

– Se o avô Jaime e meu pai são da Fraternidade Essênia, eu também quero sê-lo a partir deste momento. – Era ele apenas um adolescente de dez anos, que, consoante a Lei da Evolução e de suas alianças, deveria, futuramente, ser um dos doze apóstolos de Jhasua.

A decisão do menino Zebeu animou a todos, e a anciã Zebai, que, juntamente com seu marido, havia ingressado na Fraternidade, muitos anos atrás, disse com a voz trêmula de emoção e de felicidade:

– Quanto eu pedi a Jehová por este momento, que Ele demorou em me conceder, talvez por causa de minha falta de merecimento!

Sob essas impressões amenas, foi servida a frugal refeição, e, quando todos estavam colocando-se em seus lugares à mesa, chegou Myriam, com o menino nos braços, parecendo transbordante de paz e de alegria.

– Chegais a tempo – disse Zebai, fazendo-a sentar-se ao lado de Joseph – pois íamos começar a ceia.

O formoso menino de Myriam atraía todos os olhares daqueles que já não ignoravam *quem Ele era*. De pé sobre os joelhos de sua mãe, estava muito alegre, brincando com as laranjas de uma cestinha que se achava à sua frente, sobre a mesa. Totalmente alheio à admiração e ao amor que despertava, fazia rodar as douradas frutas, dando sonoros gritos e risadas quando uma se chocava com a outra.

Adivinhando o pensamento de todos, levantou-o Joseph nos braços e foi apresentá-lo aos presentes, enquanto dizia:

— Parece-me justo que seleis com um beijo do fundo da alma a Aliança com o Profeta de Deus, que Ele nos dá como prenda de Amor.

De boa mente todos beijaram o pequeno, que lhes sorria, enquanto conservava entre as mãozinhas uma das laranjas com que estivera brincando.

Todos disseram algo; apenas Zebeu nada disse, mas logo o pediu a Joseph e o levou de novo para a mesa onde estava Myriam. Correu para fora, e voltou com duas lindas rolinhas mansas, que colocou diante da criança, cujo semblante tomou um aspecto de indefinível alegria.

— Agora peço-te um beijo – disse, aproximando-se de Jhasua – porque fiz algo que é do teu agrado. O pequenino estendeu os bracinhos e o beijou longamente. Muitos anos depois, Zebeu, já homem, recordava esta cena com tamanha ternura que o levava até o pranto; e o Mestre, ouvindo-o, disse:

— Com tuas rolinhas ganhaste meu coração naquela época, e agora tornas a ganhá-lo com tua abnegação em seguir-me.

Nesse ambiente de cordialidade, cheio de suave ternura, decorreu o jantar, depois do qual Zebai e suas noras rodearam Myriam e seu filho, cuja alegria espontânea fazia transbordar de satisfação todos os corações.

Nenhum cansaço ou fadiga transparecia no diáfano semblante de Myriam, motivo pelo qual os Terapeutas, que os conduziam, deliberavam silenciosamente: "Esta mesma noite, poderemos levá-los até o Santuário."

Achando-se a noite já bem avançada, o ancião Jaime fez esta oração final: "Jehová, Senhor de toda a Criação, dá descanso a teus servos, e que o sono que lhes concedes reanime suas forças para reiniciarem o trabalho ao amanhecer." Todos se dirigiram para suas alcovas particulares, e na cabana fez-se grande silêncio.

Poucos instantes depois, o mais idoso dos Terapeutas chamou, bem baixinho, junto à alcova de Joseph, perguntando:

— Estais dispostos a partir ainda esta noite?
— Estamos. Levai-nos quando quiserdes.

Na alcova do velho casal, havia luz acesa.

Os Terapeutas e Matias estavam à espera com velas prontas para serem acesas. Também o manso asno de Zebai já estava ajaezado para conduzir Myriam pelo conhecido caminho secreto.

Afastaram, finalmente, para um dos lados os fardos de lã e os montões de fibra vegetal; e, no fundo do armário de carvalho, apareceu a porta, que foi aumentando à proporção que as tábuas de madeira bruta se afastavam da enorme cavidade onde tinha início a galeria.

Joseph ajudou Myriam a montar, colocando-lhe Jhasua no colo; e, agasalhando ambos com um grosso cobertor de lã, tomou o asno pela rédea. Assim foi ele seguindo a Matias, que, com uma grossa torcida de fios de algodão encerado, formando um archote, abria o caminho através da escuridão.

O avô Jaime e Zebai foram com eles até o arroio, que já mencionamos, sendo que os dois Terapeutas cerravam aquela fila, a estender-se no seio das sombras debilmente iluminadas pelas velas acesas.

— Quis a Providência que fôssemos sete nesta jornada — disse um dos Terapeutas. — Sete lamparinas de amor em torno do Verbo de Deus! Não representa isto um belo presságio?

— É pena que minha lamparina só ficará acesa por pouco tempo, irmão Terapeuta — observou o avô Jaime.

— Por que dizeis isto?

— Não vedes como a luz já treme em minhas mãos? Oitenta e nove vezes vi minhas vinhas se cobrirem de frutos, e perguntais por que digo isto?

— Não haveis de morrer, vovô, enquanto vamos levando a Luz deste mundo — observou o outro Terapeuta.

— Mais de duzentas vezes fiz este mesmo caminho, desde que os Terapeutas me tiraram da Galiléia com minha Zebai e me trouxeram para esta cabana.

— Tanto assim?

— Estou aqui há cinqüenta e três anos, e, em alguns deles fiz quatro viagens! Fazei a conta! Diversas vezes gritei por socorro; em outras, resvalei para dentro do arroio transbordado que passava por cima da famosa ponte de carvalho; e, em outras, custou-me algum trabalho escapar das famintas fauces das feras.

— Agora, porém, confiais em Matias, não é verdade?

— Justamente, irmão Terapeuta; mas, como conheço os perigos, não consigo dormir até que o veja voltar são e salvo.

— Vossa obra é grande e meritória!

— Não creiais que faço estas referências para que me engrandeçais. Se, em face de minha pouca capacidade, nem mesmo isto tivesse feito, que coisa me faria ganhar a vida eterna? Não creio que o Senhor tenha que dar-me um prêmio por haver trabalhado para comer e dormir. Não andais vós de um lado para outro recolhendo leprosos, paralíticos e abandonados, sem outra compensação do que tê-los a vosso cuidado e curá-los, e isto durante meses e anos? Se quero ser chamado essênio, então devo forçosamente fazer algo pelos demais.

— Pensais de modo bem razoável, avô Jaime; e, talvez por ter isto em conta, a Lei Eterna determinou que, antes de muitos outros, vos visitasse, em vossa própria casa, Aquele que vem para a Salvação dos Homens.

— Tanto Zebai como eu ficamos muito agradecidos, pois consideramos de pouca importância a nossa solidão nestes montes, em troca desta glória de podermos hospedá-LO e servi-LO.

— E será por muito tempo? — perguntou a boa mulher, desejando, sem dúvida, que fosse longa a estada do Divino Menino naquelas montanhas.

— Deus o dirá — respondeu um dos Terapeutas.

— Isto dependerá, por certo, de que o Rei esqueça sua inquietação mais ou menos depressa — sugeriu o outro.

— Ou que a Justiça de Deus o afaste de nosso meio — acrescentou o ancião Jaime.

Neste ínterim, o menino havia adormecido ao suave balanço do andar parcimonioso do pequeno asno que Joseph conduzia pela brida. Myriam, sumida em seus pensamentos de absoluta entrega à Divina Vontade, deixava-se levar para o desconhecido, detendo-se apenas para considerar a estranha circunstância de que seu filho, a quem ouvia sempre chamar de Salvador dos Homens, devia fugir deles, desde os mais tenros anos.

"Quão cegos e maus deverão ser os homens desta terra, para perseguirem deste modo a quem vem salvá-los!" — pensava ela em sua ingenuidade simples e quase infantil.

De sua parte, Joseph, entristecido, pensava em seu lar abandonado, em sua oficina, entregue à honradez de dois operários competentes, e naqueles cinco filhos de Débora, sua primeira esposa, que ficaram confiados a Salomé, irmã dela, na cidade de Caná, onde possuía parentes.

"Eles estão seguros e felizes, pois Zebedeu e Salomé farão com eles aquilo que Débora e eu também faríamos" – pensava ele, tranqüilizando a si mesmo. E prosseguiu: "Eles, que sabem os motivos desta precipitada viagem, ampliarão ainda mais seus corações para amá-los e cuidar deles, já que seu lar solitário, pela perda dos primeiros filhos, ver-se-á cheio de alegria com os meus, já duplamente órfãos."

Esta lembrança dilacerou-lhe o coração como um estilete, e ele se deteve por um momento para afastar o manto de Myriam e beijar o pequenino adormecido.

– Que é que tens, Joseph? – perguntou ela, pressentindo nele algo doloroso.

– Pensava no lar distante e em meus filhinhos abandonados! ... – respondeu.

– E é por meu filho que tens feito tanto sacrifício! – exclamou ela.

– Sim, Myriam, pelo menor de nossos filhos ... mas que, em verdade, será o maior de todos eles ... Myriam! ... juro-te por Jehová que, conquanto tivesse de perder aqueles filhos por causa desta viagem, bendiria a Deus, se pudesse salvar somente este, que é o Seu Profeta escolhido.

Poucos instantes depois, Matias estacou e disse em voz alta:

– Chegamos. Ouvi!

Todos se calaram para escutar. No imenso silêncio daquela noite amena de primavera, ouvia-se o murmúrio do arroio que passava a poucos passos do final do túnel, por onde eles iam sair.

Já se via distintamente a enorme abertura como que recortada na claridade lunar, a espargir-se sobre a folhagem escura dos cedros e dos carvalhos qual véu sutil de ilusão, envolvendo tudo com delicadas transparências.

– Louvado seja Deus! – disse o ancião – pois minhas velhas pernas começavam já a enfraquecer.

– Sentai-vos sobre os bancos de pedra da saída, enquanto eu vou dar o sinal de chegada – advertiu Matias, adiantando-se para o negro bosquezinho de espinhos, o qual se alcançava, apenas passando o arroio.

– Como!? – exclamou Myriam, vendo que Matias passava rapidamente pelo enorme tronco de carvalho, atravessando sobre o arroio. – Também eu hei de passar por ali?

– Todos, Myriam, todos passaremos por ali. Mas não temas, que eu passarei contigo – respondeu Joseph.

– Não – interrompeu o ancião Jaime –, ela não passará por ali. Esperai um pouco, e já vereis que os anciãos pensaram em tudo.

Poucos instantes depois de Matias haver desaparecido atrás do bosque de espinheiros, apareceram, seguindo-o, dois essênios de túnica escura, tal como as dos Terapeutas. Traziam duas grandes pranchas, e Matias dois sarrafos de madeira muito compridos. Então os três estenderam as pranchas ao lado do carvalho e, em seguida, uns de um lado e outros do lado oposto, sustentaram ambos os sarrafos de tal maneira que serviram de corrimão aos viajantes menos habituados à rusticidade da passagem.

Joseph carregou o menino nos braços e conduziu Myriam pela mão, sendo eles os primeiros a cruzarem o arroio.

O ancião Jaime e sua mulher sustentaram os extremos dos sarrafos na margem oposta até que todos tinham passado. Quando Matias viu que todos tinham desaparecido na negra portinha aberta na rocha, enfiou novamente por ela as pranchas e os sarrafos, fechou por fora, e um pesado ferrolho caiu por dentro. Tomando, em seguida, o asno pela rédea, voltou com seus pais para a cabana, que permanecia adormecida em profunda quietude.

Uma dupla fila de círios acesos e de essênios, revestidos com seus mantos brancos, foi o que primeiro apareceu diante do viajante.

Eram quarenta e nove solitários que habitavam aquele Santuário.

No final daquela galeria viva de almas amantes e de chamas de círios, estava o Servidor, um venerável ancião, de bondoso olhar, em que resplandecia a emoção prestes a verter lágrimas.

Adiantou-se alguns passos e estendeu os braços pedindo o pequeno que dormia sobre o peito de Joseph.

— Canta, Hilarião, o mais belo cântico da tua vida, porque não houve entre os teus dias outro mais glorioso do que este! ... — disse a si mesmo aquele ancião com voz trêmula, ao estreitar suavemente a Jhasua contra o peito. Este continuava adormecido, como se nada de anormal existisse a seu redor.

Profundo silêncio deixou pressentir a enorme onda de emoção e de ternura que cruzou roçando todas as almas, passada a qual, o Ancião-Servidor foi apresentando o menino aos olhares ávidos de todos os solitários que somente se atreviam a beijar-lhe a mãozinha, pendida qual uma rosa cortada sobre as brancas roupas que envolviam seu corpinho adormecido.

— Na mesma proporção em que o amais, outros o odeiam até desejar sua morte! — disse Myriam, sensibilizada à vista do terníssimo amor que os Essênios demonstravam a seu filho.

— Se aqueles que o odeiam soubessem quem é este pequeno e por que vem a esta Terra, já não o odiariam. Os homens, mais inconscientes do que maus, são vítimas da ignorância — manifestou o Ancião-Servidor, devolvendo o menino a sua mãe no momento em que o pequenino despertava esfregando os olhinhos, que pareciam deslumbrados diante da viva claridade de tantos círios que o rodeavam.

— Olhos de piedade infinita! ... — disseram alguns.

— Olhos de amor sem limite e sem dimensão! — acrescentaram outros.

— Olhos que iluminarão os caminhos dos homens! ...

— Olhos que irradiarão a Luz de Deus sobre os pecadores ... sobre os tristes e os enfermos!

Vendo que o menino sorria, a olhar para o pai, alguém acrescentou:

— Olhos de criança que ignora, por enquanto, todas as dores da vida!

Assim foram conduzidos para a habitação que lhes havia sido preparada, onde nenhum de todos quantos se achavam ali podia saber por quanto tempo nela permaneceriam.

Cinco anos e sete meses passou Jhasua ali com seus pais, recebendo dos Essênios, juntamente com a mais doce ternura, os princípios da vasta educação e instrução espiritual e moral, que deviam ir despertando lentamente o excelso Espírito-Luz oculto sob aquele envoltório de carne.

Três vezes, durante esse período de tempo, saiu Joseph e foi a Caná da Galiléia, onde estavam os filhos de sua primeira esposa. Costumava chegar durante a noite, ocultando-se como se fora alguém perseguido pela Lei. Dias depois, saía também de noite, sendo levado pelos Terapeutas, qual pobre leproso, envolto em pesado manto. Fazia o percurso por nós conhecido, até chegar novamente à hospitaleira cabana do avô Jaime, de onde passava para o Santuário do Monte Hermon, que guardava seu tesouro.

Ao regressar da última dessas viagens, trouxe para Myriam a notícia de que o Rei Herodes tinha morrido naqueles dias, consumido por horrível câncer, que o havia roído desde a garganta até os intestinos, fazendo com que emitisse lastimosos gritos, ouvidos a grande distância, tal como as lamentações das mães betlehemitas quando se lhes degolavam os filhos.

Em todo Israel diziam a meia-voz, ainda por temor ao Rei que estava morrendo:
— Justiça de Jehová sobre aquele assassino de inocentes.

No quarto ano de residência de Jhasua no Santuário do Monte Hermon, Hilarião, o Ancião-Servidor que contava noventa e dois anos de idade, entregou seu Espírito ao Senhor, havendo passado sessenta e quatro anos nos Santuários do Monte Carmelo, do Tabor e do Hermon. Foi a primeira dor de Jhasua, que contava já seis anos de idade, pois aquele Ancião, além de tutor, fora seu aio e até seu companheiro de brinquedos.

Fizera-se criança com o Grande Menino e viveu seus últimos anos em estado de beatitude divina, como em êxtase de amor supremo, do qual, uma noite, despertou na imensidade do Infinito.

O pequeno Jhasua, a quem sua mãe não conseguia tirar do lado do cadáver de Hilarião, dizia, repetidamente, a todos os que dele se aproximavam:
— Eu o chamo tantas vezes, e não quer despertar! ... Mãe! ... vai dizer-lhe que acorde, porque me magoa vê-lo sempre adormecido.

Passado este primeiro momento de dor, o Santo Menino sentiu um enfraquecimento físico, proveniente de ligeira febre que o acometera e, por este motivo, foi posto no leito.

Hilarião foi sucedido por Abdias no posto de Servidor do Santuário, tornando-se, assim, o primeiro instrutor do menino Jhasua.

Em determinadas horas, uma guarda de sete essênios, dos mais adiantados, rodeava o leito do pequeno enfermo, até que, passados alguns dias, desapareceu a febre, e o menino voltou às suas diversões habituais e à suave tarefa da sua primeira educação.

Para que se conheça até que ponto o Menino-Luz se viu envolvido na glória daqueles santos amores que faziam de sua vida um paraíso, ouçamos o diálogo mantido com seu novo Instrutor:
— Servidor — disse ele — julguei que jamais houvesse de ficar consolado em ver adormecido o Servidor Hilarião, a quem eu muito amava, mas, como podes notar, já estou consolado e tenho novamente vontade de jogar e de brincar.
— É razoável que assim seja, meu filhinho — respondeu-lhe o essênio — porque é Lei de Jehová que vivamos poucos ou muitos anos sobre a Terra, onde devemos deixar este corpo físico, para dar liberdade ao pássaro azul que canta, prisioneiro, aqui no nosso interior.
— E eu tenho também aqui dentro um pássaro azul?
— Que belo e radiante é o teu pássaro azul, filhinho!
— Terei eu também que adormecer como Hilarião para que o meu pássaro azul voe em liberdade?
— Também terás que adormecer quando hajas terminado a tarefa que deves cumprir sobre a Terra.
— E que tarefa é essa? Poderias dizer-me? — perguntou o menino com seus grandes olhos cor de âmbar radiantes de inteligência.
— Salvar almas ... muitas almas, que são também pássaros azuis, cativos e prisioneiros pela ignorância e pelo pecado.

– E o que é *pecado*?
– É tudo aquilo que contradiz a Lei de Jehová.
– Oh, Jehová! ... Como Jehová é bom! ... Hilarião dizia-me que Jehová está no sol que nos aquece com seus raios e que faz nascer as sementes, abrirem-se as flores e amadurecer os frutos; que Jehová está na chuva que fecunda os campos e alimenta as vertentes de que se formam os rios e as fontes; que é Ele que ilumina a Lua e as estrelas e dá vida aos homens que lá vivem como nós vivemos aqui na Terra; que Jehová está na alma de minha mãe, que é toda bondade, de meu pai, que tanto me ama, e de todos aqueles que eu conheço. Mas, podes dizer como é que Jehová pode caber dentro de mim, que sou tão pequeno?

Era realmente de causar admiração ver aquele pequerrucho de seis anos, parado com firmeza ante o ancião Abdias e olhando-o fixamente nos olhos, enquanto formulava essa pergunta.

– Meu filho, Jehová é qual uma grande luz ou onda de essência, de forças e de energia. És muito pequeno, mas podes ter em tua mão uma tocha que ilumina uma habitação, por maior que esta seja. És pequenino, no entanto podes conter na concha de tua mão uma redoma de sutil essência, da qual umas poucas gotas bastam para encher de perfume todo o nosso Santuário. És pequenino, mas podes levar uma chispa de fogo e acender uma enorme fogueira de lenha, a ponto de incendiar um imenso campo! Compreendes?

– Oh, sim ... estou compreendendo! ... e penso mais ainda. Penso que, como sou tão pequenino, e Jehová é tão grande, Ele deve transbordar de meu corpo para todos os lados. Será mesmo assim?

– Sim, meu filho, Jehová Se derrama de ti, sobre ti e ao redor de ti, como a água de uma torrente incontível, como a luz radiante do sol, como o perfume das flores, como a melodia das Harpas Eternas, cujas ressonâncias não se extinguem jamais. Assim extravasa Jehová de ti.

– E eu, que hei de fazer para Ele?

– Podes amá-LO acima de todas as coisas, fazer Sua Vontade antes que toda outra vontade e amar a todos os seres que saíram de Seu seio, porque Ele é o Pai Universal.

– Poderás dizer-me, Servidor, como posso saber o que Jehová quer de mim? Podes dizer-me onde O encontrarei para conversar com Ele como faço contigo? Quando poderei ver Jehová como vejo minha mãe ou como vejo a ti?

– São muitas as perguntas que fazes, e mais difíceis ainda de responder para um menino ainda tão pequeno. Mas, como Jehová transborda de ti, creio que me compreenderás bem.

Confiadamente, o pequeno sentou-se sobre os joelhos do Ancião, procurando ficar mais perto para ouvir melhor.

– Fala-me, que eu te compreenderei – disse ele com grande segurança.

– Meu filho, a Jehová não se pode ver, mas somente senti-LO. Vamos ver se nos entendemos. Que é que sentes quando tua boa mãe te acaricia com indizível ternura, te veste com uma túnica e cobre tuas pernas frias com umas calças de lã aquecidas ao fogo? Pensa um pouco.

O menino pensou, tendo uma das mãozinhas colocada sobre a maçã do rosto, e logo respondeu:

– Sinto desejo de chorar de amor e de ternura por ela, abraço-a e beijo-a; beijo-a uma centena de vezes na boca, nos olhos, nas faces e nas mãos, até que me farto bastante de querer-lhe. Respondi bem?

— Perfeitamente bem. Toda essa expressão de amor e de gratidão que sentes para com tua mãe em troca de seu amor por ti, é Jehová que Se derrama de teu coração.

— Então, quando me irrito, porque fogem as rolinhas com que brinco e os cordeiros que puxam o meu carrinho; e quando me escondo em algum recanto para não ver nem querer ninguém, é porque Jehová Se afastou de mim e já não me quer mais?

— Justamente, meu filho! Quando somos maus e não temos amor a nossos semelhantes, nem queremos saber nada de ninguém, então é Jehová que esconde Sua presença de nós, para que a dor e a tristeza, em que nos deixa, nos obriguem a voltar para Ele, buscá-LO e amá-LO acima de todas as coisas.

— Jhasua! ... Jhasua! ... soou a voz dulcíssima de Myriam do lado oposto do pátio. — Deixa o Servidor descansar e vem, meu filho, que é hora de alimentar-te.

— É a mãe! ... Posso ir? – perguntou ao Servidor.

— Sim, filhinho, vai ter com ela, porque a voz dela é a Voz de Jehová, a chamar por ti!

— Agora sim, que Jehová se transbordará, porque ela deve estar a esperar-me com o que mais me agrada: castanhas com mel!

O menino deu um beijo no Servidor e atravessou o pátio correndo em direção à moradia onde seus pais o esperavam.

O ancião Abdias cruzou as mãos sobre o peito, enquanto o seguia com o olhar, e as paredes rochosas de seu quarto ouviram estas suas palavras:

— Que fiz eu, Deus meu, para merecer a felicidade de ter em meus braços este Resplendor de Tua Divindade?

Então abundantes e grossas lágrimas, que a ternura arrancava de sua alma, correram pelo branco rosto e se perderam na encanecida barba, enquanto murmurava mais baixo ainda:

— É Jehová que Se derrama de mim por todos os lados de meu corpo, como dizia o Menino-Luz há alguns momentos!

Logo a seguir, dirigiu-se para o Santuário, porque a tarde caía, e era a hora da oferenda do incenso ao pôr-do-sol.

Sentindo transbordar a doçura e o amor de seu coração, pediu aos essênios do coro que cantassem o Salmo 34, que correspondia admiravelmente ao estado do seu Espírito, cheio de imensa gratidão a Deus:

"Louvarei a Jehová em todo o tempo; meu louvor estará continuamente em minha boca ...", etc.

Enquanto os Essênios, reunidos no Santuário, cantavam salmos de gratidão a Jehová, o pequeno Jhasua, sentado à mesa entre seus pais, que tomavam alimento juntamente com ele, dizia com encantadora voz:

— Nestas castanhas com mel também está Jehová, porque me agradam muito; pois diz o Servidor que Jehová está em todo bem que há sobre a Terra. Sabias isto, meu pai, e também tu, minha mãe?

— Sim, filho. É assim como ensina o Servidor – respondeu-lhe Joseph.

— Filhinho, discorres sobre coisas profundas demais para a tua idade – observou a mãe com grande doçura.

— Sempre estás a repetir-me a mesma coisa: que sou muito pequeno ... Jehová sabe que sou pequeno, e, no entanto, Ele Se empenha em estar dentro de mim. Compreendes isto, minha mãe? ...

Myriam olhou para Joseph como que interrogando-o, e ele respondeu:

— Tua mãe e eu somente sabemos amar-te, meu filho, e amar a todas as pessoas que são criaturas de Jehová. Come as tuas castanhas com mel, e, juntos, daremos graças a Deus por todas as dádivas que nos tem dispensado.

Terminada a frugal refeição, o menino apoiou as mãozinhas sobre o peito, como asas de rolinhas, quando se fecham, e murmurou o começo da oração habitual, ao concluir as refeições:

"Bendigamos a Jehová, que mantém nossas vidas para servi-LO e amá-LO acima de todas as coisas."

— Assim seja! — responderam Myriam e Joseph, com a profunda emoção que sempre lhes produzia o recolhimento do pequeno, em sua oração a Jehová.

Uma Luz nas Trevas...

As caravanas de mercadores desempenharam grande papel na transmissão secreta das notícias referentes ao Menino-Deus oculto no Santuário do Monte Hermon.

Seus grandes amigos Melchor, Gaspar, Baltasar e Fílon haviam sido já discretamente notificados; e, quando Jhasua completava seus cinco anos de existência terrestre, recebeu a visita de dois deles, Melchor e Baltasar, ilustres personagens orientais em cujos espíritos resplandecia o precioso tesouro da Sabedoria Divina.

O leitor compreenderá perfeitamente que os mais destacados essênios daquele tempo se aproximaram solícitos do Santo Menino, porém com todos os cuidados necessários para que os agentes e vigias do Rei não encontrassem o mais leve rastro.

De todos os Santuários Essênios da Palestina saíam, ano após ano, alguns anciãos na qualidade de embaixadores, não só para fazer-lhe uma visita mas também para dar-lhe proteção. Os Essênios que prestavam serviço no Templo de Jerusalém foram também, uns após outros. Eram eles, Esdras, Simeão, Eleázar, e os estudantes José de Arimathéia, Nicodemos de Nicópolis e Ruben de En-gedi.

Os três levitas supramencionados se haviam unido em matrimônio, dois anos antes, com as três filhas de Lia, a nobre viúva de Jerusalém, em cuja casa se formou numerosa família, pois, durante os primeiros anos, as filhas ficaram com a mãe.

As famílias do tecelão Elcana e de seus amigos essênios, que viram Jhasua recém-nascido em Betlehem, enviaram sua representação no terceiro ano do desterro do pequeno Jhasua, levando, para ele e para seus pais, cobertores e roupas de lã, tecidos por eles.

A grande Fraternidade Essênia daquela época fez, em verdade, o sublime papel de mãe abnegada e solícita do Grande Menino, que, apenas chegado aos sombrios vales terrestres, via-se perseguido até a morte pelos seus próprios irmãos.

Numa das visitas de Gaspar, o indostânico, às Escolas de Sabedoria Divina fundadas em Bela e em Chanbar (hoje Guadar), chegou ele até a Babilônia. Dali foi guiado pelos Terapeutas até o Hermon, onde fez anotações e cópias de tudo quanto estava relacionado com a derradeira vinda do Cristo à Terra. Deixou uma sacola de ouro para que os Anciãos pagassem todas as despesas necessárias à manutenção do garoto e lhe remetessem, gravados em placas de madeira ou de argila, os relatos que julgassem de importância, pois desejava formar minuciosa biografia do Homem-Deus, em Sua última vida terrestre.

Tal foi a origem dos relatos e crônicas que ainda perduram nos grandes mosteiros budistas de Lassa e do Nepal. Foram transferidas para lá as numerosas escrituras colecionadas por Gaspar e pelos seus adeptos, quando o Templo-Escola dos Montes Suleiman foi incendiado pelos mongóis e outras raças guerreiras, que invadiram, séculos depois, aquelas férteis paragens, regadas pelo Rio Indo.

Todas as Escolas de Sabedoria Divina, fundadas por aqueles homens sábios e astrólogos, que a tradição chamou de *Reis Magos*, tomaram, depois, as colorações e os aspectos dos antigos cultos de cada país, e assim subsistem até hoje.

Foi dessa maneira que as Escolas de Baltasar, na Pérsia, apareceram, mais tarde, como uma derivação do Mazdeísmo, ou seja, o princípio do Bem e do Mal, da Luz e das Trevas do Zenda-Avesta, que, se interpretado sabiamente, não está em choque com a Verdade, visto que, na realidade, as forças ou correntes do Bem lutam para redimir e liberar as humanidades das forças do Mal, simbolizadas pelas trevas.

O erro está em que os adeptos dessa crença privam o Homem de seu livre-arbítrio e da capacidade de libertar-se por si mesmo, se assim o quiser deveras, para fazer parecer, como vítima inevitável da força do Mal ou das Trevas, aquele que é mau, e como privilegiado pelo Bem e pela Luz, aquele que é bom e vive de acordo com a Lei Natural.

De uma dessas escolas fundadas por Baltazar no subúrbio babilônico de Mardinu, veio a ter origem, nos séculos II e III, a seita denominada Maniqueísmo, cujo fundador Manés, filho de Gulak Babak, dotado de faculdades psíquicas mui desenvolvidas, foi tomado como uma encarnação da Divindade, à qual davam o nome de Paracleto.

O referido Manés foi a causa de que a Escola Babilônica, fundada por Baltasar, tenha degenerado em outra seita, que, embora haja durado muitos séculos, estendendo-se bastante pelo Oriente, não pôde lutar com vantagem contra o Cristianismo genuíno e autêntico, fundado pelo Cristo e pelos seus discípulos.

As Escolas fundadas por Fílon, no Vale das Pirâmides do Nilo, que eram uma reminiscência da própria Filosofia Antuliana, da qual Sócrates e Platão foram os últimos ramos no segundo e terceiro séculos, desviaram-se para os velhos cultos mitológicos egípcios. Mantinham estes, com a Filosofia Socrática e Platônica, o ponto de contato do amor reverente aos mortos, que encerrava, com pequenas variações, o princípio da Imortalidade sustentado pelos pensadores gregos dos últimos séculos antes do Cristo.

As Escolas fundadas por Melchor foram, por longo tempo, um amálgama da Lei Mosaica e da Lei dos Kobdas. Foi, portanto, o forte alicerce sobre o qual o Korão levantou, séculos depois, suas mesquitas, como base de uma religião sem imagens, mas com o inconveniente de se haver tornado intransigente até o fanatismo, e, por isso, dura até a crueldade.

Concessões de um lado, tergiversações de outro, acréscimos e supressões, segundo exigiram fins determinados e ulteriores, todas essas fundações ideológicas, iniciadas com os princípios básicos da Verdade e com os fins mais nobres e altruístas, iram aderirem-se-lhes complicadas e pomposas liturgias.

Tal aconteceu, como se sabe, ao próprio Cristianismo, iniciado pelo Divino Fundador com uma única oração, o *Pai Nosso*, e com os alicerces das Bem-Aventuranças ou Sermão da Montanha, ou com sublimes e simples ensinamentos do Cristo sentado numa barca de pescadores sobre o Lago de Tiberíades, ou sobre o tronco caído de uma árvore, ou falando do alto de uma colina florida da formosa e tranqüila Galiléia.

Por mais que a obra ideológica daqueles austeros sábios, conhecidos como *Reis Magos*, pareça haver-se perdido num mar de areias douradas, ficou, todavia, flutuando vagamente, na atmosfera de seus respectivos países, o perfume de Justiça e da Santidade, emanado dos princípios fundamentais da Unidade Divina, com todas as suas infinitas perfeições, bem como a doutrina da Imortalidade da Alma Humana, que receberá recompensas para sua felicidade, ou sofrimentos para sua expiação, no mundo invisível, aonde há de entrar pela única porta que existe: a Morte.

É isso que há de comum entre o Cristianismo e as filosofias ou religiões derivadas das fundações daqueles quatro ilustres aliados de Jhasua e dos seus precursores, anteriores ao Batista: Melchor, Gaspar, Baltasar e Fílon de Alexandria.

Sua obra ideológica foi fecunda, apesar de tudo.

Gaspar contribuiu para que, no distante Oriente, ressurgisse, melhor compreendido e praticado, o Bhudismo, cujos princípios básicos persistem bem definidos na península indostânica, na China, em parte no Japão e em algumas das grandes ilhas do Pacífico.

Baltasar cooperou para que, na Pérsia e em outras nações da Ásia Menor e da Europa Central, fossem dados os primeiros passos – embora curtos e vacilantes – para os princípios de Justiça, Liberdade e Fraternidade humanas.

Melchor preparou a Arábia e países vizinhos para o advento do Korão, que é, no fundo, um vivo reflexo da Sabedoria de Moisés e uma continuação da doutrina da purificação pela água, pela oração e pela penitência, implantada por João, o Batista, nas margens do Rio Jordão.

Fílon de Alexandria contribuiu para o ressurgimento da filosofia kobda e antuliana nos vales do Nilo, a tal ponto que um espiritualista amante do passado e sonhador com o porvir acreditaria ver que, aos pés das Pirâmides egípcias, se davam as mãos Antúlio, o grande filósofo atlante, e Abel, dos vales do Eufrates.

Fazia fundo a essas duas gloriosas personalidades do mais remoto passado, numa paisagem de montanhas verdes e floridas, u'a multidão de gente humilde e simples e um Nazareno, de cabelo repartido ao meio e de olhos garços, que dizia do alto de uma colina:

– Bem-aventurados os misericordiosos, porque eles alcançarão misericórdia!
– Bem-aventurados os limpos de coração, porque eles verão a Deus!
– Bem-aventurados os que têm fome e sede de justiça, porque eles serão fartos!
– Bem-aventurados os que choram, porque eles serão consolados!

É assim que o bom investigador, em questões filosóficas e religiosas, colocado no altiplano de completa imparcialidade, pode apreciar a obra sublime e grandiosa realizada pelos apóstolos missionários do passado, aos quais devemos pequena ou grande parte da Verdade Eterna que ilumina nosso caminho.

No entanto, a Fraternidade Essênia foi a que deu a grande maioria dos discípulos do Cristo, dos quais os cronistas dizem apenas que eram humildes pescadores, encontrados pelo Mestre Nazareno ao iniciar Sua vida pública. Todos eles, menos João, eram mais idosos do que Jhasua; todos eles, menos João, haviam-NO conhecido como menino, pois, quase todos eram originários das cidades vizinhas do Lago de Tiberíades, excetuando as famílias de Jerusalém, da Bethânia e de Betlehem, que já são nossas conhecidas.

Dos doze apóstolos íntimos, somente João, filho de Zebedeu e de Salomé, era doze anos mais moço do que o Grande Apóstolo do amor fraterno, e veio à vida física num momento que ele não podia esquecer jamais, conforme relataremos mais adiante.

Trazemos aqui esta alusão àquelas vidas que tanto se faziam refundir umas nas outras para demonstrar que a unificação de Jhasua com seus apóstolos e discípulos não se fez no final da Sua vida, como pode ser deduzido dos breves relatos conhecidos, mas havia começado com o nascimento do Cristo sobre a Terra, pelo simples fato de que todos os seus discípulos, com pouquíssimas exceções, eram membros da Fraternidade Essênia, mãe espiritual do Verbo de Deus em sua última jornada messiânica.

Cabe aqui examinar e analisar o motivo pelo qual se desvaneceu na sombra a importante obra dessa grandiosa Instituição, que, da mesma sorte como os Profetas Brancos, os Dáckthylos e os Kobdas, realizou obra missionária de alto merecimento para o progresso espiritual das porções da Humanidade às quais prestou benefícios.

Quando, no século II depois do Cristo, a Cristandade nascente começou a dar formas definidas e concretas à disciplina espiritual, moral e material, sobre a qual havia de edificar sua futura existência, houve um sem-número de divergências sobre esse tema. Foram as controvérsias sustentadas com extremo ardor e fogo, cada uma divergindo pela forma e pelo modo como julgava que devia continuar e ser interpretado o ensinamento do Cristo. Assim nasceram grupos contrários, adjudicando cada qual a si mesmo a posse da Verdade; e todos chamaram os demais de falsários.

As cristandades modestas e pobres, com recursos escassos, foram desaparecendo lentamente, refugiando-se seus seguidores isolados no Judaísmo ou nas religiões dos países em que viviam.

Quatro foram os ramos que ficaram com vida depois das grandes lutas dos séculos I e II: os fundados por Pedro, João, Tiago e Paulo. Os Anciãos do Alto Conselho de Moab intervieram a princípio no sentido de convocar todos para uma coordenação de todo o ensinamento, analisando ponto por ponto tudo quanto havia sido escrito referente ao Cristo.

Pedro e João estiveram de comum acordo com as opiniões dos Anciãos. Paulo, depois, também o esteve. O único que não aceitou o acordo foi Tiago, que estava à frente da congregação de Jerusalém, constituindo-a nas normas judaicas, que persistiram nos primeiros séculos.

Vendo que seus esforços eram ineficazes, os Anciãos dos Santuários encerraram-se em suas cavernas para evitar sofrimentos e perseguições e se dedicaram aos enfermos abandonados e a multiplicar as cópias dos originais escritos pelas testemunhas oculares da vida do Cristo.

Os essênios foram considerados como uma fração dissidente da comunidade, quando esta ficou constituída na forma que os dirigentes julgaram justo dar-lhe, depois de desaparecidos os Doze Apóstolos e os mais íntimos amigos do Divino Mestre.

Foi assim que o tesouro da Sabedoria Divina, guardado fidelissimamente pelos Essênios, se perdeu na sombra das suas cavernas de rochas, e o pouco que saiu dali para o exterior por intermédio deles tem mudado de forma e de colorido através dos séculos e da incompreensão humana.

Dentro de pouco tempo, o nome de *cristãos* já não dará aos homens nem a lucidez nem a grandeza de alma necessárias para cumprirem a grande frase do Cristo: "Se queres vir após mim, nega-te a ti mesmo, carrega tua cruz e segue-me."

"Negar-se a si mesmo!..." frase de bronze e de granito como os Santuários Essênios, onde o mais categorizado era o servidor de todos! Quem é que *quer negar-se a si mesmo*, por mais cristão que se considere?

Eu quero! Eu mando! Eu sou! Eis as três lápides sepulcrais sob as quais se extinguem os mais sublimes princípios básicos da Religião, emanada da própria alma do Cristo, em suas diversas jornadas messiânicas... *Eu quero! Eu mando! Eu sou!* Eis aí o panteão sepulcral que, século após século, foi tragando o esforço mental, espiritual e material dos discípulos conscientes do Cristo! Foram sacrificados e mortos em cadafalsos e patíbulos, em fogueiras, na forca, decapitados ou arrojados às feras, por causa da defesa que faziam de seu grandioso ideal de Fraternidade Humana.

Eu quero! Eu mando! Eu sou! dizem igualmente os cristãos de hoje, entre as numerosas filas dos grandes ramos do Cristianismo, organizadas sob diversas disciplinas, dogmas e liturgias.

Qual a força, qual o gênio, qual o acontecimento que as unirá num só pensar e num só sentir?

Somente a palavra do Cristo posta em ação: "Se queres vir após mim, nega-te a ti mesmo, carrega a tua cruz e segue-me."

Negar-se a si mesmo! Dura e heróica frase que significa a Renúncia a toda ambição egoísta e pessoal, qualquer que seja sua natureza. Ela se dirige àquele que pretende lucrar com o ideal, àquele que busca eleger-se em mestre dos demais, àquele que quer erigir um pedestal para o seu nome, àquele que, levado por interesses criados, sonha em recolher o fruto material de seus esforços de missionário do ideal.

Desistir de todas as ambições é o que obriga o *negar-se a si mesmo*.

Nós cristãos de hoje escandalizamo-nos com o que ocorreu aos Essênios do tempo do Cristo, inclusive porque desapareceram nas sombras e no silêncio os inúmeros escritos históricos que analisavam a sua vida. É tão natural esse fato que nos assombraria se tivesse ocorrido de outro modo, pois cumpre levar em conta que os cristãos dirigentes daquelas épocas não tiveram o valor de negar-se a si mesmos, mas, pelo contrário, disseram, como os de hoje: *"Eu quero! Eu mando! Eu sou!"*, crendo que com isso agiam perfeitamente bem.

É assim que a nossa inconsciência retarda a manifestação da Verdade e retardá-la-ia indefinidamente se a Justiça Eterna não tivesse à sua disposição as grandes legiões fulminadoras do Mal, que não admitem dilatações de prazo, dizendo: *Este é o limite*. Passou o tempo de espera. A porta do Céu está fechada. Quem não entrou até agora, fica fora até a próxima ronda.

Quão lenta é a evolução das humanidades!... Quão breves são os séculos ao longo dos quais elas vão subindo a passo de tartaruga!

Vejo diante de mim um mar imenso de areias douradas, e um menino apressado contando, um por um, os diminutos grãos de areia...

Quando terminará? Demorará muito; mas, com certeza, será mais rápido seu trabalho do que o avanço das humanidades em sua marcha eterna através do Infinito.

Chegamos ao ponto em que a Eterna Lei decretou o desaparecimento do Rei Herodes do plano físico. Ele foi chamado "O Grande" por causa da suntuosidade com que rodeou a sua vida, e pelos grandes monumentos, cidades e obras de arte com que enriqueceu a Palestina, procurando captar a simpatia do César, batizando com o seu nome, ou com o de seus familiares, as cidades que mandou construir.

Sucedeu-lhe no trono seu filho Arquelau, que mudou completamente a orientação de seu pai, para ocupar-se tão-só com diversões, caçadas, saraus e orgias, nas quais corrompeu toda a sua corte, soldados, guardas e mulheres. Divertia-se muito com os temores do pai relativamente a um Messias-Libertador de Israel.

Sem fé, sem crença religiosa de espécie alguma, sem dar qualquer valor às tradições hebréias nem a seus avisos proféticos sobre a vinda do Messias, ofereceu oportunidade para que o menino Jhasua, cativo em seu retiro no Monte Hermon, pudesse voltar tranqüilamente com os pais para a casinha de Nazareth, na idade de sete anos e cinco meses (*).

A partir desse momento, começou a tristeza de desterrado para o Menino-Deus, que, já aclimado ao sutil e diáfano ambiente formado pelos Essênios do Santuário que o havia abrigado por mais de cinco anos, teve que sofrer essa dolorosa transferência para um lugar que lhe era totalmente estranho.

Da mesma forma como ocorre com uma delicada planta de estufa, transplantada de súbito para ambiente sujeito às intempéries, exposta, assim, a todos os ventos, o pequeno Jhasua começou a enfraquecer, e o rosado arrebol de seu rosto transformou-se em palidez embaciada, onde seus luminosos olhos cor de âmbar pareciam dois grandes topázios engastados numa ânfora de marfim.

Myriam, que havia recebido grandes instruções dos Anciãos para o tratamento do menino, não o perdia de vista um só momento. Com freqüência, encontrava-o recolhido no quarto, junto à uma pequena cama ou estendido sobre ela, olhando imóvel para o escuro teto de sua pobre morada, como se nele, ou atrás dele, quisesse descobrir algo que pressentia, mas que não chegava, sequer, a perceber.

Sua enamorada mãe sentou-se à beira do pequeno leito e deu início a este diálogo:

– Jhasua, meu filho, que é que tens? Não queres brincar nem correr, comer ou rir. Parece que nem teu pai nem eu te interessamos para nada, e tampouco fazes caso dos outros meninos que desejam brincar contigo.

– Não te preocupes, boa mãezinha – respondeu-lhe bondosamente o pequeno, acariciando a mão da mãe, que tocava em sua testa, nas fontes e no peito, procurando sinais de enfermidade.

"Não te preocupes – continuou o menino. – É que não me agrada muito esta casa. Estava melhor naquela grande casa de pedra, onde as gaivotas, as pombas e, principalmente, os Anciãos alegravam mais minha vida do que tudo isto aqui.

– Farei com que tenhas, novamente, pombas e gaivotas e, ainda mais, os lindos melros azuis que existem aqui – prometeu-lhe a mãe, penalizada por ver a tristeza de seu pequerrucho. – Que mais desejas, meu filho? Os Anciãos do Monte Hermon? Também eles virão visitar-te de vez em quando.

– Visitar-me de tempo em tempo não é viver junto comigo – replicou o menino ponderando as palavras que dizia. – Sabes, mãe, ao bonitas histórias que eles me contavam? Aqui não tenho quem as conte para mim. Compreendes?

– E se eu trouxer aqui quem te conte lindas histórias?... – perguntou a doce mãe sorrindo, enquanto se inclinava sobre o rosto do filho para fitá-lo no fundo dos olhos.

– Oh, isto não pode ser, mãe! Não tens um ancião como aqueles que pareciam cantar em suas palavras doces como o mel na boca.

– Se eu fizer que venha um deles dentro de alguns instantes, alegrar-te-ás outra vez? Tornarás a correr como no Monte Hermon? Voltarás a comer grandes pratos de castanhas com mel? Tomarás, até acabar, a grande vasilha de leite de cabra com pãezinhos tostados nas brasas?

(*) Parece que há aqui um equívoco do Autor na contagem do tempo que deveria ser de 7 anos e 10 meses. O autor não levou em conta os 5 meses que Jhasua passou no Torreão de Mel-Kart ou considerou incluído esse tempo nos 5 anos e 7 meses, passados nesse Santuário, conforme ele esclarece (N.T.).

– Oh, quantas coisas queres ao mesmo tempo, mãe! Deves querer uma só, e basta. Depois outra, e amanhã mais outra. Compreendes?

– Sim, filhinho, sim. Bem, conformo-me hoje em ver que tomas teus alimentos, e, depois, virão as outras coisas. Agora chegou a vez do ancião que te contará formosas histórias. Levanta-te e vem comigo, pois encontrá-lo-ás junto à lareira.

O menino seguiu a mãe para a cozinha da casa, que era o ponto de reunião da família. A tarde já ia bem avançada, e os filhos maiores de Joseph ajudavam o pai a colocar em ordem novamente sua oficina de trabalho, ou entravam e saíam avisando sua antiga clientela que o pai já estava de regresso para não mais abandonar a amada Nazareth.

Os filhos menores, que já tinham de 9 a 12 anos, brincavam à sombra das árvores do pomar.

O Hazzan da Sinagoga, que era um dos irmãos de Esdras – aquele sacerdote de Jerusalém que conhecemos – achava-se sentado junto à lareira. Era essênio do terceiro grau e, além de Hazzan da Sinagoga, era mestre-escola e Terapeuta.

Myriam mandara chamá-lo para que examinasse o pequeno, que ela julgava estar enfermo.

– Este é também um essênio como os do Monte Hermon; ele sabe lindas histórias que te farão muito feliz, meu filho. – Assim dizendo, a mãe aproximou-o do ancião.

O Hazzan, que se chamava Felipe, tomou Jhasua pelas mãos e logo fê-lo sentar sobre seus joelhos.

– Será que me amarás como amavas os Anciãos do Monte Hermon?

– Se és tão bom como eles, amar-te-ei da mesma forma. Mas não tens a túnica branca, e tua barba também não é branca – respondeu o menino, olhando-o insistentemente, como se quisesse descobrir no Hazzan algo de seus amados Anciãos do Monte Hermon. Tua barba tem a cor de meus cabelos. Por que ela não é branca?

– Porque ainda não sou tão idoso como os Anciãos do Monte Hermon. Não obstante, já passei dos cinqüenta anos.

– Minha mãe diz que sabes belas histórias! Contarás algumas para mim?

– Todas quantas desejares, meu filho.

– Pois começa a contar; pode ser que, assim, me venha a vontade de comer castanhas com mel, conforme minha mãe deseja.

Myriam escutava e observava, enquanto ia e vinha em torno da lareira, ocupada com todos esses pequenos e, ao mesmo tempo, complicados afazeres de dona-de-casa.

O Hazzan tirou do bolso um rolinho de pergaminho e começou a ler pausadamente a história do pastorzinho David, que tocava cítara enquanto levava as ovelhas para a fonte ou para os pastos. Quando chegou ao trecho em que o pastorzinho arremessou a pedra com a funda e prostrou em terra o gigante Golias, Jhasua pousou sua mãozinha sobre o texto e disse:

– Não me agrada que ele o atingisse na testa e o matasse, porque a Lei diz no quinto mandamento: *Não matarás*. Bastava que o tivesse atingido numa perna e a houvesse deslocado, para impedi-lo de andar.

O Hazzan calou-se, olhando-o.

– Sim – continuou o menino. – Jeremias, um de meus mestres do Monte Hermon, também arremessava com a funda com grande precisão, e ele me contou que, um dia, andando, pela montanha, foi percebido por um lobo que começou a aproximar-se. Então ele trepou numa árvore e, quando o lobo estava ao alcance, atirou uma pedra com a funda e lhe quebrou uma pata dianteira. Assim o lobo não podê fazer-lhe mal algum. Como podes ver, salvou-se sem precisar matá-lo.

"Os Anciãos do Monte Hermon ensinaram-me que não se deve matar os animais e, menos ainda, os homens, que são nossos irmãos, porque todos somos filhos do Pai Celestial. Não sabias isto?"

– Sim, meu filho; pois também estudo e guardo a Lei dada por Jehová a Moisés.

– Sabes como é o Pai Celestial? Se o sabes, hás de dizer-me, pois os Anciãos de lá disseram que mo explicariam mais tarde, porque, agora, ainda sou pequeno demais para entendê-lo. É uma lástima que tive que vir sem sabê-lo!...

Ao dizer isto, a fisionomia do meigo Menino-Luz adquiriu um aspecto de tristeza, como se sentisse saudade daqueles cuja recordação tanto guardava em seu coração.

– Se eles, que são tão sábios, falaram assim, como poderei eu explicar-te, se ainda continuas tão pequeno como antes? – observou o Hazzan. – Não te disseram também que as crianças devem seguir o conselho dos Anciãos e obedecer-lhes como se fosse Jehová quem lhes fala?

– Sim, assim me disseram, e, por isto, espero que chegue a hora de saber como é o Pai Celestial. Afigura-se-me como se eu ouvisse continuamente falar de meu pai e recebesse as suas dádivas de pão, castanhas, leite e mel sem nunca tê-lo visto. Não seria justo que mo houvessem mostrado ou, pelo menos, que me dissessem se é grande ou pequeno, se é formoso ou feio, se é preto ou branco?

Não sabia o Hazzan se deveria rir ou ficar de semblante sério diante da loquacidade do garoto, que parecia haver esquecido sua taciturna atitude anterior.

– Meu filho – interrompeu Myriam –, o Hazzan ia contar belas histórias, e vejo que não lho permites, porque estás sempre a falar. Não seria melhor que escutasses, enquanto ele fala?

– Isso vale para outros meninos – disse o Hazzan –, mas este é que deve falar, enquanto nós ouvimos.

– E por que eu hei de falar, e os outros meninos não?

– É porque os outros meninos não estiveram cinco anos entre os Anciãos do Monte Hermon, onde a Sabedoria Divina jorra em torrentes como a água do manancial – respondeu o Hazzan para não dizer-lhe a verdade; porquanto existia uma instrução na Fraternidade Essênia no sentido de jamais manifestar a essa criança uma só palavra relativamente à sua própria personalidade espiritual, até que, chegado o momento, seu Eu Superior se apresentasse, mostrando-lhe sua elevada missão de Messias-Salvador da humanidade terrestre.

– Então tu crês que eu, embora ainda pequeno, sei muitas coisas que aprendi com os Anciãos do Monte Hermon?

– Justamente; não pode ser de outra maneira, se foste sempre um aluno diligente.

– Ouve-me – continuou Jhasua, sempre sentado sobre os joelhos do Hazzan. – Pouco antes de sair do Santuário com meus pais, estava eu com um pouquinho de febre; e meu pai, preocupado, trouxe para junto de meu leito quase todos os Anciãos, que, como sabes, me estimavam muito, mas muito mesmo.

– Compreendo, muito bem, filhinho. Continua.

– Vi que um dos Anciãos, a quem chamavam de Escriba-Maior, trazia cadernetas de anotações, e os outros tinham grandes rolos de papiro. Pensei que iriam ler formosas histórias para mim.

– E não foi assim? – perguntou o Hazzan.

— Não foi isso que aconteceu, pois adormeci logo que eles sentaram ao meu redor. Quando fechei os olhos, o sol, que entrava na alcova, estava pondo-se. Quando acordei, amanhecia, e os Anciãos ainda estavam ali; os dois escribas, o Superior e o Auxiliar, escreviam apressadamente o que um terceiro ditava de uma caderneta de tecido encerado.

"O candelabro deitava toda a sua luz sobre eles, deixando o meu pequeno leito na penumbra, motivo por que não perceberam que eu tinha despertado.

"Compreendi que falavam de Moisés e corrigiam, em seus escritos, algo que certamente não estava bem. Ouvi repetidas vezes estas expressões, que jamais pude compreender: 'O menino riscou esta frase e pôs este parágrafo. O pequeno apagou todo este parágrafo. O menino jogou ao fogo três folhas desta caderneta por não condizerem com a verdade.'

"Tu, que és o Hazzan da Sinagoga, deves saber explicar essas palavras. Entendi que a criança era eu, e que, adormecido, havia feito tudo isso que eles diziam. Se a um menino pequeno não se leva em conta o que ele faz, mesmo quando desperto, como é que os Anciãos estavam ali reunidos para decidir tão seriamente sobre o que teria dito um garoto adormecido?"

Viu-se o Hazzan em grandes apuros para responder ao pequeno Jhasua algo que pudesse satisfazer a sua mente, na qual já se revelava em parte o que ele era.

— Presta atenção, meu filho — confessou, por fim. — Não creias que eu saiba tudo, nem que seja uma grande inteligência, mas direi o que compreendi. Terás ouvido dizer que os pequeninos são anjos de Deus, e que, quando dormem, são assistidos por outros anjos, e, às vezes, os sonhos das crianças são reveladores. Não poderíamos pensar que, enquanto dormias, tenhas respondido a perguntas que eles te fizeram, sendo que as respostas vinham dos anjos que velavam o teu sono?

— Pode ser! Agrada-me bastante essa tua resposta. Escuta-me. Uma noite, quando eu estiver adormecido, coloca-te junto a meu leito e faze perguntas. Vejamos se eu respondo. Podes fazê-lo?

— Não, meu filho, isto não, porque eu não tenho a capacidade que têm os Anciãos do Monte Hermon para obter dessa maneira os segredos divinos. Eles são sábios que estudaram muito. Mas, explica-me: como despertaste daquele sono?

— Bem. A febre já não ardia mais na testa nem nas mãos.

— Atenta para o que te digo: Eles sabem curar os corpos e compreender a linguagem das almas. É possível que, um dia, tu chegues a saber tanto quanto eles ou mais ainda; mas, agora, por seres ainda menino, e eu por não ser sábio, devemos conformar-nos em cumprir a Lei e ser muito bons, mesmo para aqueles que não são bons.

"Se fores à Sinagoga no próximo sábado, ouvirás a leitura daquela passagem da Escritura a respeito do menino Samuel, que, quando estava dormindo, foi despertado por uma voz que o chamava. Samuel veio a ser, mais tarde, um Profeta de Deus, ao qual Jehová dava inspirações no fundo do seu coração. Não poderíamos supor que Deus te houvesse destinado para u'a missão profética como Samuel entre o povo escolhido?

— Eu penso às vezes — disse o pequeno; e seu rosto pareceu transfigurar-se com uma estranha luz — que um grande amor enche os meus olhos de pranto; um amor que não se dirige a minha mãe nem a meu pai nem a ninguém deste mundo, mas... a tudo: ao Céu, à Terra, ao ar, à luz, ao Sol, às estrelas, a tudo que meus olhos vêem e também a tudo que não vejo. Compreendes, Hazzan? Quando isto se passa comigo, fico triste, aborrecido, escondo-me em algum lugar escuro e ponho-me a pensar. Que é que penso? Não sei dizer; mas, por vezes, choro às escondidas, até que minha mãe me descobre e ralha comigo, obrigando-me a sair para ajudar a enrolar suas lãs e seus fios até fazer grandes novelos.

"Que será isso Hazzan?" – acrescentou.

– Deve ser o Senhor, que quer falar contigo, meu filho, como falou ao pequeno Samuel.

Estavam neste ponto, quando chegou Myriam, seguida por Joseph, para que o Hazzan lhe vendasse uma ferida que ele havia feito na mão.

Quando terminou seu dever de Terapeuta, ele lhes disse algo sobre o diálogo que tivera com o garoto.

– Oh! – interveio Joseph – Nosso Jhasua é um melro melancólico, que deseja mais chorar do que cantar.

– É um pequeno que pensa mais do que permite sua idade, razão por que vos peço que o leveis à Sinagoga no primeiro dia em que fordes lá.

Como Joseph o acompanhasse até o portão do jardim, o Hazzan acrescentou:

– Vosso melro melancólico começa a estender suas asas. Com efeito, o menino começa a despertar para suas grandes realidades.

"Aqui faria falta algum dos Anciãos, não digo do Moab ou do Hermon, que estão muito longe, mas, pelo menos, do Tabor ou do Carmelo, onde também há alguns adiantados nos caminhos de Deus. Se tiverdes confiança em mim, poderei encarregar-me deste assunto, pois eu não me sinto capaz de aguardar o despertar de sua consciência. Não podemos saber em que dia nem em que hora isto há de realizar-se."

– Vejo que atribuís muita importância às fantasias de nosso Jhasua! Não seria melhor distraí-lo com a escola e o trabalho? – replicou candidamente Joseph, sustendo sua mão vendada, que deixava ver uma ligeira mancha de sangue ressumbrado.

– Não queirais medir Jhasua com a mesma medida que às outras crianças. Esquecestes como se manifestou o Senhor na meninice de Samuel?

– Sendo assim, Hazzan, podeis fazer o que achardes mais conveniente – concordou o bom pai, despedindo-se do essênio, a quem agradeceu o serviço prestado.

Em seguida, aquele humilde mestre da Escola de Nazareth e Hazzan da Sinagoga afastou-se lentamente até sua casa, bendizendo a Deus, que o colocara no caminho de Seu Verbo, a ele que se julgava mais insignificante do que uma formiga nos campos do Senhor, animados por Seu poderoso hálito de vida.

O Menino-Profeta

Quando, no sábado seguinte, a família de Joseph se dirigiu à Sinagoga para ouvir a leitura e explicação dos Livros Sagrados, Jhasua foi também, sendo levado pela mão de sua mãe.

– Hoje não me disseste nenhuma palavra, meu filho – observou Myriam carinhosamente.

– Mãe, quando voltarmos da Sinagoga, falarei tudo quando queiras.

– E por que não agora?

– Porque agora estou escutando como que uma Voz Profunda que diz grandes palavras em meu íntimo.

A mãe calou-se, mas apressou-se em tocar com os dedos na testa do filho.

O Hazzan fê-los sentar nos lugares mais próximos da sagrada cátedra.
Quando chegou a hora, foram cantados alguns salmos. Então ele abriu o Primeiro Livro de Samuel, Profeta de Deus, e começou a leitura, inclusive estes três versos (19, 20 e 21) do Cap. III:

"Samuel crescia, e Jehová estava com ele, e não deixou cair por terra nenhuma de suas palavras. E todo o Israel, desde Dan até Beer-Sabah, conheceu que Samuel era fiel Profeta de Jehová. Assim voltou Jehová a aparecer em Silo; porque Jehová se manifestou a Samuel em Silo." Etc.

Assim que ele acabou de ler, o pequeno Jhasua acercou-se do Hazzan e, com sua vozinha, que parecia uma campainha de bronze, disse:
— Hazzan, se não o sabes, eu te digo que Samuel, Profeta de Deus, virá a Silo daqui a cinco anos, quando eu tiver doze.
— Que estás a dizer, menino?
— O que ouves: Samuel estará no Santuário de Silo daqui a cinco anos, para dirigir novamente suas palavras a Israel, sem deixar que se perca uma única. Não se diz no trecho que acabaste de ler que, naquela cidade, Samuel foi chamado por Jehová para dar a Sua Mensagem ao sacerdote Eli e ao Seu povo? Pois eu te dou esta notícia: Samuel voltará e dirigir-se-á a terras distantes, do outro lado do mar, depois que haja visto tanta claridade que não lhe fique nada mais para ver sobre a Terra.
Joseph, cujo caráter severo o tornava algumas vezes rude, levantou-se, tomou o menino pela mão e fê-lo voltar para o lado de sua mãe, que estava abatida pela audácia do filho.
Consternado, o Hazzan interveio para dizer-lhes:
— Deixai-o; não o repreendais. Por que dizes isto, meu filho?
— Pela mesma razão porque o menino Samuel disse o que Jehová lhe mandara dizer a Eli e ao Seu povo. Samuel ouvia a palavra de Jehová e não a deixava cair por terra; vós a ledes no livro e não a entendeis. Se Jehová mandou que eu dissesse que Samuel voltará a Silo daqui a cinco anos, tenho que dizê-lo. Ou será que quereis impedir Jehová de falar? Ou pensais que Ele não tem agora o poder de falar por intermédio de uma criança, como o fez naquela época, por intermédio do pequeno Samuel?
— Cala-te, por favor, meu filho, e deixa que o Hazzan prossiga a leitura. Quem és tu para interromper? Não vês com que olhos te observam os assistentes? — interrompeu Myriam.
O Hazzan continuou a leitura até onde se diz que, morto Eli e seus dois filhos, e tendo a Arca da Aliança caído em poder dos inimigos, fora, assim, cumprida a palavra profética do menino Samuel, anunciada vários anos antes.
Outrossim, para acalmar a alteração que o caso havia produzido entre os assistentes da Sinagoga, ele falou brevemente sobre diversos casos semelhantes, ocorridos, em tempos remotos, com crianças que falavam inspiradas por Deus para fins determinados.
Como, nesse tempo, o Santuário de Silo, na Samaria, era utilizado como hospital de paralíticos e de anciãos pelos Terapeutas-Peregrinos, pensaram eles que poderia ser Vontade do Altíssimo fazer nascer ali um novo profeta para preparar os caminhos ao Messias, que, de acordo com as notícias, já estava no meio de Israel.
Alguns ouvintes pediram a palavra para perguntar se o Messias esperado não seria o próprio Samuel, achando-se, talvez, no velho Santuário por qualquer circunstância.
O pequeno Jhasua sorriu e disse:

— Não o procureis agora, porque não está lá. Não me ouvistes dizer que ele virá daqui a cinco anos?

— Ah! É verdade, é verdade — reconheceram vários deles.

— É precoce esta criatura — concordou um ancião. — Qualquer um diria que nasceu entre os Doutores de Jerusalém e que ouviu as Escrituras desde o berço.

— Diante disso, menino — observou outro —, dize-nos se o Messias já nasceu e onde está, ou se será o próprio Samuel, que afirmas que deve vir.

— Como quereis que diga coisas que Jehová não me mandou dizer? Se digo outras coisas, serão palavras de mentira. Só posso dizer as palavras que Ele me mandou dizer, pois são a Verdade.

— Não forcemos a Vontade de Deus, nem queiramos saber o que Ele não quer que saibamos — interrompeu o Hazzan. — Bendigamos ao Senhor, Grande e Poderoso, que, sendo dono de todas as criaturas e de todas as coisas, faz uso delas quando e como Lhe agrada. Tenhamos em conta o aviso deste menino para testemunhar se, daqui a cinco anos, aparece um Profeta no Santuário de Silo.

Com estas palavras e mais os variados comentários que os ouvintes fizeram, deu-se por encerrada a assembléia religiosa, e cada qual se afastou em direção a seu lar.

O Hazzan havia feito um sinal a Joseph para que aguardasse, de modo que fosse o último a sair.

Quando já não restava mais quase ninguém, viram, junto a uma coluna próxima da saída, um ancião de manto escuro.

— Desejais algo mais? — perguntou o Hazzan.

— Sou um dos Essênios do Monte Carmelo que mandastes chamar. Fui escolhido entre todos e aqui estou.

— Faz muito tempo que chegastes?

— Foi quando as pessoas começavam a reunir-se aqui.

— Ouvistes o que ocorreu com este menino de sete anos?

— Ouvi tudo.

— Que vos parece de tudo isso?

— Que a Luz Divina está entre nós, nessa pequenina pessoa de sete anos.

— Por que dizeis isto?

— Porque, enquanto o menino falava, vi, com claridade interior, u'a multidão de seres espirituais e resplandecentes que lançavam punhados de flores de luz sobre ele, ao passo que outros cantavam: "Glória a Deus nas alturas, e paz aos homens de boa vontade." Outros disseram: "O Verbo de Deus fala aos homens; e estes não entendem o que Ele diz."

Estavam neste ponto, quando voltou correndo u'a mulher com sua filhinha nos braços, e como um torvelinho entrou na Sinagoga.

— Olhai minha filhinha curada e limpa como um vaso de prata! — e mostrou a criaturinha de uns oito ou dez meses.

— Que tinha a vossa filha?

— Todo o seu corpinho estava feito uma chaga de erisipela maligna, que ninguém podia curar.

— Pois bem, e quem a curou? — perguntou o Hazzan.

— Escutai — explicou a mulher. — Quando esse menino falou daquela maneira, pensei que Deus falava por ele e, quando seu pai o trouxe de volta a seu lugar, eu, que estava atrás dele, com grande fé, pus as mãozinhas da minha menina sobre os seus ombros e rezei ao Senhor:

"Se este menino é um Profeta como Samuel, que minha menina seja curada deste horrível mal." A criança adormeceu, e eu a cobri com o meu manto, até que, faz alguns momentos, quando me dirigia para casa, ela despertou. Então foi grande o meu assombro ao vê-la sã e limpa das horríveis chagas que tinha. Podeis vê-lo? Nem sequer parece ter estado enferma jamais.

— Boa mulher — advertiu o ancião essênio —, louvai ao Senhor dos Céus pelo bem que vos fez; mas nem sempre é bom apregoar os dons de Deus pelas ruas e praças. Sabeis que estamos numa época na qual foi resolvido que, não sendo no Templo de Jerusalém, o Altíssimo não visita os seus filhos. Calai, pois, e demos todos graças a Deus porque desceu a esta humilde Sinagoga, onde apenas O buscamos e adoramos.

O Hazzan pôs incenso nos turíbulos, e todos juntos recitaram um salmo de gratidão ao Senhor.

Quando a feliz mãe se afastou, bem como os filhos maiores de Joseph, foi realizada uma pequena reunião, na qual tomaram parte o Ancião do Monte Carmelo, o Hazzan, Joseph, Myriam e o pequeno Jhasua.

— Venturoso pai — disse o Essênio a Joseph —, não vos alarmeis quando a alma de vosso filho transborda para o exterior, como hoje, numa explosão de divino conhecimento e de luz interior.

"Isso ocorrerá muitas vezes, até que, chegada a hora, ele mesmo reconheça quem é; e, estando mais firme na posse de sua personalidade, tenha o domínio necessário para refrear os grandes impulsos internos, que, necessariamente, o levarão a casos como o ocorrido hoje."

— Mas as coisas que ele disse — refutou Joseph — colocam-nos numa situação difícil perante todos os demais.

— Não temais — acrescentou o Essênio — pois o fato ocorrido será esquecido logo, e, como, de modo geral, entre os galileus devotos não existem pessoas de más intenções, quando muito pensarão que este menino será um futuro profeta e que Deus o fez falar nestas circunstâncias.

"O importante é que eu estou aqui a pedido do Hazzan para encarregar-me da educação imediata do vosso filho, até que ele seja um pouco maior e possa internar-se, de tempos em tempos, em algum de nossos Santuários. Creio que a missão que ele traz para o meio da Humanidade já não é segredo para nenhum de vós."

"Que dizes tu, meu filho?" — perguntou ao menino, tomando-o pela mão e aproximando-o de si.

— Eu não digo nada — respondeu Jhasua secamente.

— Agora Jehová não manda que nos digas alguma coisa? — perguntou o Hazzan.

— Creio que Jehová não está para divertir as pessoas quando elas querem, mas fala somente quando Ele quer.

— Falaste muito bem — disse o Ancião. — Eu sou aquele que Deus envia para ser teu mestre até nova ordem. Aceitas-me?

— Se Deus te envia a mim, quem sou eu para recusar-te? Tens a túnica branca? — perguntou o menino abrindo-lhe confiadamente o manto. E, quando, sob o manto cor de castanha, viu a túnica branca do Essênio, abraçou-se a ele, dizendo cheio de alegria:

— Oh, sim, sim! Tu és como aqueles do Monte Hermon, com a roupagem branca, como o cabelo branco e a barba também, como as pombas de meu jardim e como as gaivotas de minha montanha.

"Vamos lá em casa, e mostrar-te-ei os ninhos das pombinhas e minha junta de cordeirinhos."

– Agora é o menino quem fala – explicou o Ancião, deixando-se levar por Jhasua, que, tomando-lhe uma das mãos, fazia esforços para arrastá-lo para fora da Sinagoga.

O Hazzan interveio.

– Ouve, meu filho. Este Ancião viverá aqui comigo, pois esta casa é a hospedagem habitual de todos os Terapeutas-Peregrinos que visitam esta região; entretanto, ele irá à tua casa com assiduidade, e tu virás aqui todos os dias, juntamente com os outros meninos, para freqüentar a escola.

– Mas, Hazzan! – exclamou Jhasua todo assombrado. – Se Deus o mandou vir a mim, como é que tu te permites dificultar o mandato d'Ele?

– Sim, filhinho – confirmou o Ancião –, vim para ser teu mestre, mas a escola está aqui, e não em tua casa. Compreendes? Convém observar esta ordem para não chamar demasiado a atenção, a fim de que os outros pais não comecem a perguntar: "Por que o filho de Joseph e de Myriam recebe um mestre em sua casa?" É necessário manter a igualdade com todos o mais possível, para que recebas tua instrução com a maior liberdade e que não comecem a surgir dificuldades desde o primeiro momento. As pessoas são maliciosas, mesmo na Galiléia, onde há bastante simplicidade.

– Oh, quão más são essas pessoas! – murmurou Jhasua – que encontram o Mal onde não existe.

"Mais valia que cuidassem de não se roubarem mutuamente os produtos das hortas, os cordeiros dos rebanhos e o trigo das plantações."

Todos se entreolharam assombrados, e até algum riso disfarçado apareceu nos rostos dos presentes.

– Mas, meu filho – interveio Myriam –, acaso viste algo de tudo isso que dizes?

– Claro que vi, e mais de uma vez. Mãe, certa feita, quando fui contigo à fonte, eu vi essa mulher, cuja filha foi curada, tirar maçãs de um pomar alheio. Quando voltou hoje com a menina curada, olhei-a nos olhos; então ela se lembrou que, um dia, eu a vi roubar. Então pensei assim, enquanto a olhava, para que ela percebesse o motivo da cura efetuada:

"Deus curou tua menina, embora não o tivesses merecido, porque faltaste com a Lei, que diz: 'Não furtarás', a fim de que saibas que Ele é bom para contigo."

O Ancião Essênio levantou o menino em seus braços, estreitando-o por longo tempo ao peito.

– Este filho! Este filho! – murmurou Joseph. – Meu coração estremece por causa dele, pois não sei ainda o que é que ele traz, se é felicidade ou desgraça.

Correram duas grossas lágrimas pela face de Myriam, e seus formosos e meigos olhos cor de avelã fecharam-se, enquanto relembrava as palavras do velho sacerdote Simão de Bethel, que lhe dissera, ao consagrar Jhasua no Templo, aos quarenta dias de vida: "Sete espadas de dor hão de transpassar teu coração."

Por muito que os pais e os mestres quisessem preservar o Menino-Deus de Sua indiscutível grandeza, no sentido de que esta passasse despercebida por outras pessoas, muito pouco puderam conseguir.

Surgiram certas dificuldades no próprio lar, com os filhos do primeiro matrimônio de Joseph e Débora, o maior dos quais já passava dos 15 anos. De fato, as exceções e os privilégios despertam necessariamente o ciúme nos espíritos pouco evoluídos.

Foi assim que, tanto em casa como na escola, o pequeno e meigo Jhasua teve a dor de despertar inveja e ciúme nos companheiros da mesma idade e condição.

Poderíamos, mesmo, dizer que o Homem-Deus foi mártir desde o berço, porque profundo martírio foi essa gota de fel derramada dentro de Seu coração, dia após dia e hora após hora, nascida da mesquinhez e do egoísmo dos meninos de então, que, às vezes, se tornavam agressivos para com aquele menino excepcional.

Com efeito, Jhasua não gostava de furtar frutas em quintais alheios, coisa essa muito excitante e deleitosa para a maioria das crianças; ele ficava magoado a ponto de chorar fortes e sentidos prantos quando alguns apedrejavam com fundas as pombas e os melros; olhava com horror e espanto se, ao passar um ancião, um corcunda ou um leproso, a garotada promovesse um vozerio de palavras nada doces nem lisonjeiras.

Não raro se formavam grupos em torno do Menino-Messias, Salvador dos homens: os de maus instintos odiavam-no de imediato; os mais evoluídos amavam-no até o delírio.

Foi por causa disto que Ele disse, alguns anos depois: "Trago comigo a guerra e a separação, não obstante seja de amor e de paz a Missão que meu Pai me confiou."

A Humanidade é sempre a mesma, apesar de seus lentos progressos intelectuais, morais e espirituais, que exigem séculos de esforços. Todo indivíduo que se destaca da multidão por suas virtudes e seus dotes, por suas aptidões ou faculdades, desperta ódio e malevolência nos seres cujo eu inferior domina completamente a personalidade; e, em troca, engendra amor puro e reverente naqueles cujo eu superior sujeita e governa a personalidade.

É evidente que, em torno de Jhasua, devia este problema humano manifestar-se claramente, já que era impossível ocultar a grande diferença entre seu Ser tão excepcional e o de todos os demais meninos que o rodeavam no lar e na escola.

Os de piores instintos começaram a chamá-lo "o filho paspalho do carpinteiro" ou "o simplório filho de Myriam", motivo pelo qual as outras mulheres se compadeciam grandemente de que ela tivesse tido tão pouca sorte com o seu primogênito, pois achavam evidente que se tratava de um menino retardado, débil, esquivo e, em resumo, sem as condições necessárias para ser um varão forte, em toda a extensão da palavra.

Se os pais de Jhasua ou seus mestres tomavam, como é natural, a defesa do ofendido e agravado, o ódio dos outros crescia a tal ponto que ele devia ser levado à escola e de lá trazido pela sua mãe, pois seus irmãos, os filhos de Joseph, não representavam para ele defesa suficiente.

Aconteceu que, um dia, o terceiro filho (*) de Joseph, do mesmo nome que seu pai – que era o mais adiantado dos irmãos e o que mais amava ao filho de Myriam – foi ferido por uma pedrada sobre o coração em virtude de se ter interposto entre Jhasua e o pequeno grupo de "escorpiões" infantis que o agrediam. Esse filho de Joseph e de Débora morreu, jovem, de uma afecção que lhe sobreveio por causa daquela certeira pedra, lançada pela funda de um garoto que não atingia mais que um metro de altura.

Por causa dos martírios infantis a que os meninos do seu tempo o submetiam, um ano depois, ou seja, quando Jhasua completava os oito, seu Mestre Ancião e o

---

(*) Há aqui um equívoco do Autor. Mais adiante consta a idade certa desse outro filho de Joseph, chamado Jhosuelin, para diferenciá-lo do pai. Verifica-se, então, que ele é o quarto, e não o terceiro filho. Mais para o final, quando Jhasua atinge a maioridade, há também confirmação do que acabamos de mencionar (N.T.).

Hazzan tomaram a iniciativa de dirigir-se, em determinados dias, à casa de Joseph, para poderem continuar, embora em pequena escala, a educação do menino, sem expô-lo às rudes alternativas, já mencionadas. Seu irmão Joseph (*), que levara aquela pedrada, cooperou com eles nessa tarefa.

A casa de Joseph tornou-se, assim, como que uma pequena escola, pois os outros filhos do artesão e mais alguns de vizinhos íntimos receberam, juntamente com Jhasua, os primeiros e simples ensinamentos que se costumava proporcionar a todas as famílias da classe média.

Há no Evangelho de Lucas uma frase que, qual delicada flor exótica, merece ser estudada letra por letra: "E o menino crescia em graça e virtude, diante de Deus e dos homens."

É isso tudo quanto dizem os Sagrados Livros sobre a infância e a juventude do Cristo Encarnado.

A Eterna Luz, essa excelsa Maga dos Céus, relata-nos em pormenores o que o Evangelho, escrito por um discípulo, nos diz tão concisamente, se bem que essas brevíssimas palavras já digam muito. Por trás delas, percebem-se poemas de bondade e de inefável beleza.

Segundo o costume hebreu, o ensino às crianças e adolescentes, depois do ler e do escrever, reduzia-se, em primeiro plano, ao estudo dos livros chamados de Moisés; logo a seguir, o dos Profetas Maiores e Menores; e, se o ensinamento fosse muito amplo, eram lidos também os demais livros Sagrados, ou seja, os que formam o Antigo Testamento.

Myriam, a carinhosa mãe, não tardou em observar que Jhasua, desde o amanhecer do dia em que lhe cumpria fazer lição, não era o mesmo garoto dos demais dias. Apenas acordava, ia para o lugar mais afastado e solitário do pomar, atrás de um frondoso emaranhado de amoreiras e parreiras, onde sentava sobre um velho tronco seco e, se não o procurassem, ali ficava longas horas em profundo silêncio.

Buscando-o para que tomasse o alimento matutino, a mãe encontrava-o nessa distraída ou abstrata atitude.

— Que fazes aqui, meu filho — perguntava —, tão afastado de casa, quando é necessário que te alimentes?

— A alma — retrucava ele — deve ser alimentada antes do corpo. Já não recordais como faziam os Anciãos do Monte Hermon? Meditavam primeiro, e depois comiam. — Porém, obediente ao chamado da mãe, deixava seu solitário retiro e dirigia-se para a mesa do lar.

Seu pai repreendia-o quase sempre, porque isso obrigava Myriam a ir buscá-lo pelos caminhos do pomar, molhados pelo orvalho da noite. Quando, um dia, foi expressa a determinação de Joseph que toda a família estivesse reunida para a refeição da manhã, viram Jhasua — então garoto de nove anos — tecendo um longo cordel de fibra vegetal que media cinqüenta braças de comprimento.

— Fazes u'a armadilha para os melros? — perguntaram seus irmãos.

— Sim, a fim de fazer voltar para casa um que foge todas as manhãs — respondeu ele.

Então, sem mais explicações, estendeu o cordel, passando-o cuidadosamente por entre os mais fortes ramos das árvores intermediárias, até chegar ao lugar para onde lhe agradava retirar-se, ao amanhecer, nos dias de lição. Na extremidade

---

(*) Daqui por diante, ele é chamado JHOSUELIN, para diferenciá-lo do pai (N.T.).

colocou pequenos aros de ferro e de cobre, em forma de pendentes, que, chocando-se entre si ao ser agitado o cordel, produziam pequeno ruído. Atou dissimuladamente a outra ponta ao tronco de uma cerejeira, junto à porta do lar, onde a mãe costumava colocar as talhas de água e as cestas de frutas e ovos. Somente ela devia saber o segredo dele.

— Quando necessitares, mãe, chamar-me, puxa por este cordel, e eu virei imediatamente sem que ninguém perceba que chamaste — disse muito baixinho, ao revelar-lhe o mecanismo de seu "chamador".

— Mas, meu filho, — admoestou a mãe —, não podes "meditar" mais tarde ou tem que ser forçosamente ao amanhecer?

— Contigo, mãe, não quero ter segredos: parece que levo um melro oculto dentro de minha cabeça, cujos gorjeios são, por vezes, palavras que entendo claramente. Essas vozes me disseram, um dia, assim: "Ao amanhecer dos dias de lição, retira-te para a solidão e, quietinho, escuta o que te será dito. Eu obedeço a essa Voz e escuto."

— E que é que te diz a Voz Misteriosa desse melro escondido? — interrogou a mãe, encantada e, ao mesmo tempo, temerosa das raras qualidades do filho.

— Ela me explica como devo entender a lição do dia e qual será essa lição, pois, às vezes, a do horto é diferente daquela que me dá o Mestre.

— E, em tal caso, como te arranjas?

— Quando acaba de falar e de explicar, ele pergunta como nós o entendemos. Então eu explico, de minha parte, como ouvi a lição no pomar. Se o Mestre está de acordo, melhor; se não está, mantenho-me em silêncio, embora sabendo que a lição do pomar é a que encerra toda a Verdade, porque essa vem de... — O menino olhou temeroso para a mãe, sem atrever-se a terminar a frase.

— Vem de quem, meu filho?

Com toda a cautela, como quem revela um grande segredo que deve permanecer oculto a não ser para u'a mãe muito amada, Jhasua aproximou a boca ao ouvido de Myriam, dizendo: "Vem do próprio Moisés... Psiu! não o digas a ninguém, porque Jehová não o quer!"

A Luz Incriada, qual Divina Maga dos Céus, relata-nos que, mercê dos sussurros do "melro escondido" na cabecinha ruiva de Jhasua — conforme ele dizia — resultava que, através de freqüentes exteriorizações de Seu Excelso Espírito, esse santo menino, ao explicar, na classe, como havia compreendido a lição de seu mestre, dava manifestações de conhecimento superior, que, por vezes, divergia em muito da interpretação dada por aquele.

Tanto o Essênio do Monte Carmelo como o Hazzan da Sinagoga chegaram a compreender que o menino falava iluminado pela Luz Superior, mas agiam tão discretamente que os demais alunos tinham a impressão de haver Jhasua prestado maior atenção e que ele era um discípulo estudioso e adiantado. Um ou outro dentre eles, remordido por algum ciúme indiscreto e mordaz, costumava dizer-lhe:

— Jhasua, se, conforme parece, sabes tanto quanto o mestre, por que vens à escola? Vai a Jerusalém e torna-te um doutorzinho, pois aqui nos basta saber apenas os rudimentos da Lei.

O meigo Jhasua recebia a forte picada de ironia, inclinava o rosto como um lírio murcho, e, fixando no pavimento o olhar úmido de pranto reprimido, parecia contar as lajes de pedra cinzenta que o formavam. Enquanto isso, a Luz Eterna recolhia o Pensamento do Verbo de Deus, menino ainda, e refletia em seu íntimo:

"Estas pedras estão já gastas pelo tempo e continuarão sendo lajotas frias, mudas e insensíveis, pelos séculos dos séculos... Assim são também as almas que não chegaram à compreensão das altas coisas de Deus."

O mestre e aqueles companheiros que o amavam, supunham que Jhasua, magoado por aquela frase egoísta, se achasse dominado pelo ressentimento, e tratavam de suavizar-lhe a ferida.

Numa ocasião, o professor, em sua explicação da Lei, chegou àquela parte onde se menciona que Moisés designara algumas regiões determinadas para que os hebreus que houvessem cometido graves delitos, como o homicídio, por exemplo, lá construíssem suas casas. O mestre disse: "Isto fez Moisés para separar as maçãs podres das boas, para que as demais não fossem contaminadas."

– Perdoai, senhor – disse Jhasua –, eu creio que Moisés não o fez por esse motivo, mas porque os homens que não se julgam culpados desse delito costumam encher-se de tanta soberba que tornam insuportável a vida àqueles que tiveram a desgraça de cometê-lo. Moisés quis, por certo, que, além de sua desgraça, os outros não lhes tornassem amargo o pão de cada dia, lançando-lhes em rosto seu pecado e apontando-os com o dedo. Por isso designou-lhes uma região onde ninguém pudesse maltratá-los.

Levantou-se, então, um pequeno protesto surdo:

– Que entendes tu das coisas de Moisés? Se apenas sabes para que serve o martelo e o escopro de teu pai – murmurou um dos alunos mais idosos, que estava junto de Jhasua.

– Tens razão, meu filho – disse o Hazzan a Jhasua – porque, muitas vezes, os homens conseguem ocultar pecados tão graves como os que se tornaram públicos em outros. Estes levam o castigo, enquanto aqueles ficam com a falsa honra de uma virtude que não possuem. Tens razão, menino. Deus falou por tua boca.

"E, quanto a vós, não deveis encher-vos de ciúmes porque Jhasua compreende melhor do que vós os Livros Sagrados. Ele não vos tira nada, nem perdeis coisa alguma. Por que, pois, vos revoltais? Se Jehová lhe deu maior capacidade, é porque ele o mereceu. Acaso Jhasua se revolta contra aqueles dentre vós que possuem maior riqueza do que ele? Brigou convosco por serem os vossos vinhedos maiores do que os dele, ou porque vossos olivais vos rendem grandes colheitas?

"O tesouro dele está em sua inteligência e em seu coração. São dons que Jehová reparte com justiça entre as Suas criaturas. Vamos, pois, continuar os estudos, e cada qual deve conformar-se com o que recebeu." – Quase sempre terminava a classe com uma admoestação desta natureza.

Jhasua!... pequeno Jhasua, cheio de luz e de conhecimento!... Em anos futuros, alguns desses companheiros de escola da tua meninice levantarão protestos na Sinagoga galiléia, quando explicares o sentido oculto dos Livros Sagrados; e esses hão de sublevar os ouvintes contra ti, e os mais audazes dentre eles levar-te-ão aos empurrões até a beira de um precipício, tentando arrojar-te nele, para que aí te despedaces... e, depois de os haveres aterrorizado com teu olhar de Filho de Deus, cheio de poder oculto, afastar-te-ás pronunciando aquela dolorida frase: "Ninguém é profeta em sua própria terra."

Anualmente e, às vezes, com maior freqüência, chegavam a Nazareth mercadores vindos de todas as paragens: do norte, do sul, do oriente ou do ocidente, quer de Tiro, Damasco, Joppe ou da Peréia. Acontecia que sempre tinham alguma encomenda a fazer na oficina de Joseph, ou mercadorias para vender-lhe. Aos olhos dos nazarenos, a oficina do carpinteiro adquiria muita importância, de vez que seus excelentes trabalhos eram cobiçados em outras cidades e povoações distantes. Mas, chegados à oficina de Joseph, sob a tosca indumentária de mercadores podia ser vista a túnica branca dos Essênios, que, vindo dos diversos Santuários da Palestina, iam visitar o Verbo de Deus Encarnado, submetido à prova da obscuridade até que fosse chegada Sua hora.

Assim vieram igualmente de Jerusalém Nicodemos e José de Arimathéia, já transformados em doutores da Lei, ansiosos por ouvir as maravilhas da clareza mental e do alto conhecimento de que o Santo Menino, às vezes, dava mostras com a maior simplicidade e quase sem ter consciência de si mesmo.

Ambos haviam empreendido aquela viagem a fim de procurar consolo para u'a imensa amargura. Perdera José recentemente seu pai, e Nicodemos sua mãe e suas irmãs, numa pequena viagem marítima até Sidon, aonde tinham ido para presenciar as bodas de uns parentes.

Uma violenta tempestade avariou o barco, que foi a pique, salvando-se apenas uns poucos viajantes.

Os dois jovens doutores estavam transtornados de angústia, pois foram eles que promoveram a viagem, acreditando proporcionar aos participantes uma grande satisfação. O pai de José de Arimathéia teria podido salvar-se, mas não quis abandonar sua prima e a sobrinha na fúria das ondas; e foi assim que os quatro pereceram. A maré cheia arrojou os cadáveres à costa, onde foram encontrados semidestroçados pelas feras do mar.

Aquela dor era, pois, desesperada, tremenda e.... incurável, em seu imenso desalento.

Joseph e Myriam, que ignoravam tal desgraça, estranharam grandemente quando os dois viajantes os abraçaram em silêncio e, logo a seguir, começaram a chorar com grandes soluços.

Era o início do verão e muito cedo, ou seja, a hora em que o menino Jhasua estava em seu retiro no pomar. Não obstante, apresentou-se de imediato no meio daquela reunião, sem que ninguém o houvesse chamado, e, colocando-se entre os dois viajantes, que faziam esforços para ocultar o seu pranto, tomou cada um deles pela mão e, olhando-os afetuosamente, disse:

— Eu vos estava esperando.

— Tu? — interrogaram seus pais ao mesmo tempo. — Mas, menino ... se não recebemos aviso algum! Por que, pois, tomas a liberdade de fazer tal afirmação?

— Eu estava, há pouco, orando a Jehová para que me desse o poder de consolar todos os que sofrem tristeza sobre a Terra, pelo fato de eu ter visto muitos deles em meus sonhos, esta noite; também vos vi a ambos chorando desesperadamente. Jehová, com Sua Voz sem ruído, me disse: "Eles estão sob teu teto. Já tens esse poder. Vai e consola-os."

Quando ouviram isto, os dois jovens doutores começaram novamente a chorar. Myriam, sensível e terna em extremo, chorava também.

Joseph deixava correr uma ou outra lágrima furtiva, que se perdia por entre os fios de sua espessa barba, enquanto o Santo Menino, com os olhos semicerrados e como possuído de um poder sobre-humano, descansou as mãos sobre o peito dos viajantes e, depois de breve silêncio, disse em voz muito baixinha, apenas perceptível:

— Não ofendais a Bondade Divina com a vossa dor desesperada, porque os que amais não estão mortos, mas vivem. Olhai-os.

Eram vistos no mundo espiritual, num transparente plano inclinado que parecia ser como de um cristal opaco, conquanto brando e suavemente móvel. Era como um leito de águas solidificadas. Juntos, os quatro pareciam adormecidos. Um luz os iluminou repentinamente, e eles despertaram ao mesmo tempo, dizendo: "Que sonho horrível! ... Julguei que nos houvéssemos afogado! Vamos!" E começaram a andar, aproximando-se cada vez mais do plano físico, que eles julgavam ser a costa do mar.

A luz tornou-se mais intensa e a materialização mais acentuada, até que o plano astral e o físico se confundiram em um só. Nesse exato momento, os *mortos* viram os vivos, e a luz atingiu a todos. Exclamações, abraços, infinita alegria; foi tudo um transbordamento de amor e de felicidade. Somente Jhasua continuava como uma estátua de marfim, com os olhos semicerrados e os bracinhos postos em cruz.

— Não choreis, não choreis, pois ofendeis a Bondade Divina e o Amor Eterno, que é mais forte do que a Morte — disse, finalmente, o menino, como que iluminado por claridades internas. — Acabastes de ver que os que amais vivem, e continuarão vivendo, porque Jehová é a Vida e o Amor.

A formosa visão foi se desvanecendo e nas almas doloridas resplandeceu uma luz nova: A Luz da Imortalidade, acesa pela fé e pelo Amor do Menino-Deus, feito homem no seio da Humanidade.

A suave marca de cristal brando e opaco, que formava o plano inclinado no qual apareciam adormecidos os mortos pranteados, transformou-se em campo verdejante, salpicado de flores miúdas e brilhantes, onde foram aparecendo cordeirinhos e pombas, jardins cheios de flores e de frutas e até um pequeno bosque de verdes e brilhantes amoreiras, envolto em sedosos fios cor de ouro-pálido, pendentes de pequenos pontos de luz tremelicantes no éter azul.

Os jovens doutores da Lei compreenderam em parte o Eterno Enigma da força do pensamento humano, pois, no final dessa manifestação, viram claramente plasmados os aspectos e formas de vida que os amados mortos haviam realizado na maior parte de suas existências terrestres. Um deles havia vivido de seus rebanhos; outro cuidara com amor de seus bandos de pombas, criados em hortos de flores e frutas; e outros se haviam dedicado ao cultivo da lagarta bômbix, artífice natural da mais preciosa e delicada seda, tão cobiçada pela Humanidade.

Todas essas formosas manifestações da vida permaneciam vivas em torno dos recém-desencarnados, mediante sua própria força mental, pois eles continuavam criando-os com os seus pensamentos.

Enquanto tudo se dissolvia no éter, o Cristo-Menino recostou-se sobre um banco, como se um cansaço imenso o prostrasse, e ficou profundamente adormecido. A pedido de Myriam, seu pai levantou-o suavemente e levou-o para o leito sem que tivesse despertado.

Uma espécie de fadiga o manteve silencioso e quieto durante dois dias, que passou continuamente estendido no leito.

— Estou cansado — respondia para a mãe, quando ela o interrogava para saber se alguma enfermidade ou indisposição o afligia.

Os deslumbramentos radiantes da Metafísica iluminaram a mente dos jovens doutores, que se filiaram, então, a uma secreta Escola Cabalística fundada pelos Essênios do Monte das Oliveiras, atrás do horto de Gethsêmani, onde uma pequena torrente, chamada Águas de Ensenes, dissimulava a entrada para uma sala subterrânea, que, sem dúvida, em tempos remotos, havia sido gruta sepulcral.

Discutiu-se ali, e foi aceito, como de boa lógica e experimentada verdade, que, nos primeiros planos ou Esfera Astral da Terra, toda atividade das almas e sua vida atual constituem continuação de sua vida terrestre, com seus aspectos, vibrações, formas elevadas e nobres, boas ou más, de acordo com os graus de evolução dos respectivos seres, e sem que as atividades de uns prejudiquem ou molestem absolutamente aos que são de tendências e pensamentos contrários.

Tal é o chamado *Purgatório*, conforme certas ideologias, onde os videntes de várias épocas e países têm visto almas em sofrimentos, acorrentadas em masmorras, atadas em fogueiras, atormentadas de diversas maneiras pelas feras, por asquerosos répteis ou por verdugos humanos, cujo aspecto terrível, a par de vestimentas lúgubres, fizeram pensar em demônios atormentando as almas dos condenados *ao Inferno*. Se, pois, os pacientes demonstravam mansidão e resignação, os videntes julgaram que estivessem no *Purgatório*, onde os justos acabam de purificar suas faltas antes de serem recebidos no Reino Celestial.

A radiante Ciência Metafísica nos diz que o homem sabe ainda muito pouco da múltipla e variadíssima atividade, formas e aspectos desses primeiros planos da Esfera Astral da Terra, que alguns notáveis videntes chamaram de *Primeiro Céu*, ao perceberem formas de vida nobre, feliz e bela, de seres recém-desencarnados, que continuam animando-as com seus pensamentos.

Outros têm denominado esse plano de *Purgatório*, e outros, ainda, de *Inferno*, de acordo com os aspectos e as formas de vida que se apresentaram a sua visão. De modo nenhum podemos dizer que algum deles mentiu, pois todos viram apenas um ou outro dos verdadeiros aspectos e formas dessa variadíssima vida das almas recém-desencarnadas, e que habitam, por tempo indeterminado, a imensa Esfera Astral da Terra.

É tão imensa que se dilata até tocar a orla das esferas astrais dos planetas vizinhos.

Tudo isso foi compreendido por José de Arimathéia e Nicodemos, ao presenciarem essa manifestação no lar de Joseph, junto ao menino Jhasua; e julgaram de seu dever continuar o estudo da Ciência Metafísica, para dar a conhecer esta parte do grande enigma às gerações estudiosas de seu tempo.

A Humanidade passa por estados de dores imensas e ansiedades terríveis, pois, em geral, julga os seus mortos enterrados para sempre nas sombras de seus sepulcros ou em tormentos eternos ou temporais, capazes de fazerem enlouquecer de terror e de espanto até as almas mais bem temperadas.

A maior parte da Humanidade vive, ainda hoje, mergulhada em grave erro a este respeito, e existem interesses fortíssimos que impedirão, ainda por algum tempo, que a Verdade ilumine as mentes no tocante a esse vastíssimo campo de atividades mentais que denominamos "Esfera Astral da Terra".

Os primeiros sábios da Congregação Cristã, homens de estudo e de gênio, como Jerônimo de Panônia, o solitário de Betlehem, Agostinho de Tagaste, Basílio de Capadócia, Clemente de Alexandria e outros, chegaram a essas conclusões ao comentar os Céus a que Paulo de Tarso dizia haver subido em horas de intensa contemplação.

Ocorre, porém, que algumas epístolas e obras desses geniais videntes ficaram ocultas para a Humanidade, porque seus dirigentes espirituais a julgaram ainda na primeira infância para lhe poderem dar alimentos difíceis de digerir.

Em virtude desse modo de julgar, passaram-se quase vinte séculos desde que José de Arimathéia, Nicodemos de Nicópolis, Nicolas de Damasco, Gamaliel de Jerusalém, Fílon de Alexandria e outros comprovaram ditas realidades; e a Humanidade, em sua grande maioria, continua ignorando-as, porque ainda permanece na primeira infância, incapaz de conhecer verdades tão profundas, formosas e reais, que, no entanto, podem ser verificadas, qualquer que seja o prisma e a luz sob os quais se queira contemplá-las.

Em todas as épocas e países, o egoísmo humano tem encontrado o modo de crescer com a ignorância e a incompreensão das multidões, cujo diminuto progresso espiritual, moral e intelectual não lhes permite perceber a Claridade Divina, anunciada pelo Cristo nestas inolvidáveis palavras: *"Eu sou a Luz do Mundo, e quem me segue não andará em trevas."*

Só o feroz egoísmo humano continua lucrando com a ignorância da humanidade que não quer se esforçar para pensar e raciocinar por si mesma, pois acha mais cômodo acomodar-se ao pensamento alheio e conformar-se à lógica acomodatícia dos que se arrogam o direito de mandar nas consciências e no pensamento da humanidade.

Nas Grutas do Carmelo

Foi a partir dessa hora solene que começou a exteriorizar-se a alma escolhida e sublime de Jhasua, a tal ponto que, alarmados, seus pais pediram conselho ao Ancião Essênio, que lhe servia de mestre, e este recomendou-lhes que o deixassem levar ao Santuário, oculto nas grutas do Monte Carmelo, para que os videntes e inspirados o guiassem na senda que esse Grande Espírito havia iniciado.

Para que o acontecimento passasse despercebido, esperaram a chegada do verão, que é como uma chama de fogo naquela parte da Palestina, tempo em que as escolas fechavam suas portas, dando lugar ao descanso dos alunos. Numa noite de lua cheia, o Ancião e o menino empreenderam a viagem, acompanhados por Myriam e Joseph e por um dos filhos deste, o qual tinha o nome do pai, e que, pela sua grande adesão e clara lucidez para compreender que em Jhasua se encerrava um ser extraordinário, dedicava ao meigo menino uma espécie de incondicional e profunda veneração.

Acompanharam Jhasua até Séphoris, através da velha rota dos mercadores para Tolemaida, muito freqüentada por caravanas de viajantes, oferecendo a segurança de não esbarrar com bandos de malfeitores, que, desde as íngremes montanhas da Samaria, costumavam surpreender os viajantes.

Em Séphoris já os esperavam cavalgaduras, ou seja, asnos amestrados em escalar montanhas, que os solitários enviavam de tempo a tempos, em busca de provisões, e que, mediante acordo antecipado, deviam coincidir com a chegada do Ancião e do menino Jhasua.

Era a primeira vez que Myriam se separava do filho, pelo que ela estava desconsolada em extremo.

Vinha-lhe à mente o pensamento do velho Simeão de Bethel que, ao oferecer o menino a Jehová, aos quarenta dias de vida, no grandioso templo de Jerusalém, lhe havia anunciado: "Sete espadas de dor hão de atravessar-te o coração."

– Eis aqui a primeira – disse a jovem e amada mãe, apertando o coração com ambas as mãos e esforçando-se por conter o pranto.

– Devolvei-mo em seguida, por piedade – pediu ela ao Ancião que levava seu tesouro aos montes, deixando-lhe o coração órfão e solitário.

— Viremos a Séphoris com freqüência para encontrar os vossos enviados em busca de provisões, e, assim, teremos notícias do menino — acrescentou Joseph, a quem o profundo desconsolo da esposa deixava desgovernado.

"Eu tinha razão de não ver com bons olhos as qualidades deste filho. Mais teria valido que, como os outros, houvesse sido capaz de empunhar a serra e o martelo, em vez de seguir o caminho dos Profetas, o que equivale a entregar-se voluntariamente ao martírio e à morte."

Ao dizer estas palavras, produziu-se em Joseph uma rápida reação, e ordenou com grande energia:

— Mas ... sou um imbecil! O pai do menino sou eu, e tenho o direito de mandar nele. Jhasua! ... de volta para casa, e que não se torne mais a falar de profetismo e visões. Por que motivo não hás de seguir o caminho de teus irmãos maiores? Acaso é desonra o trabalho pelo qual todos os meus antepassados obtiveram o pão com o suor de seu rosto?

"Por que sua mãe ha de padecer esta tremenda angústia, pelo fato de lhe tirarem o filho tão repentinamente? ... e quem sabe por quanto tempo?

"De volta para casa, já disse, e não se fala mais nisso!"

Myriam estava aterrada; jamais havia visto Joseph daquela maneira, pois conhecia bem o seu caráter reservado e severo.

O menino Jhasua havia segurado a mão direita do Ancião, que esperava ver acalmar-se aquela borrasca, para poder falar.

Jhosuelin, como familiarmente chamavam ao filho de Joseph, que os acompanhava naquela viagem, interveio para suavizar a atitude do pai, sobre o qual tinha grande ascendência.

— Pai — disse ele —, creio que não há razão para agires desta maneira, quando se trata de curar o menino, não de u'a mania extravagante, mas tão-somente da enfermidade que padece. Sabemos todos que os Anciãos solitários do Carmelo são grandes Terapeutas e, certamente, devolver-nos-ão Jhasua completamente curado dessas visões que lhe causam tristeza e melancolia.

"Para tê-lo assim toda a vida, é preferível esta breve separação em busca de sua cura. Não acreditas que seja melhor assim, pai?"

— Em parte tens razão — respondeu Joseph, já vacilante.

Todos esperavam em silêncio.

— Que vá também sua mãe e tu — anuiu de súbito, com um tom que deixava ver uma resolução definitiva.

— E tu? — interrogou timidamente Myriam. — E a casa ... e as outras crianças?

— Não te preocupes. Eu me arranjarei com tudo. Agora mesmo, na viagem de volta, passarei em Caná e levarei uma de nossas primas, para que cuide da nossa casa até o teu regresso. Então ... vão andando, e que, todos os sábados, me tranqüilizem com a notícia de que todos estão bem.

Jhasua abraçou-se ao pai, dizendo-lhe com voz suplicante:

— Perdoar-me-ás por todos os desgostos que estás passando por minha causa?

A severidade de Joseph abrandou-se até as lágrimas e, levantando o menino em seus robustos braços, beijou-o ternamente, enquanto lhe dizia:

— Sim, meu filho, perdôo tudo, embora não sejas culpado de coisa alguma; todavia ainda não posso entender por que Jehová castiga as minhas culpas em ti, e não em mim mesmo, que o mereço.

O pequeno lhe pôs os dedinhos rosados sobre a boca, ao mesmo tempo que murmurava bem baixinho:

— Jehová não te castiga, pai, mas te desperta, porque estás adormecido.

— Eu adormecido? ... que dizes, menino?

— Sim, pai, tu dormes, e meus outros irmãos também. Só Jhosuelin está desperto como os Anciãos dos Santuários.

— Que queres dizer com isso? — interrogou alarmado o pai, olhando para o Ancião a fim de procurar desvendar o mistério.

— Que Jehová me trouxe à tua casa — disse Jhasua — como um cântaro de água para que todos bebam; e tu, em vez de beber, te aborreces, porque essa água não serve para regar as tuas plantações.

"Jehová tem água para os pomares, água para as feras e água para as almas dos homens.

"Eu sou o pequeno cântaro de Jehová para estas últimas. Desejas beber, pai, para que não te enfades mais comigo?" — E, rodeando com os bracinhos o pescoço de Joseph, beijou-o na boca com um beijo mudo e longo, como se, em verdade, estivesse dando de beber da interna e cristalina corrente do amor divino que lhe emanava do seu coração de Homem-Deus.

— Agora acordei, meu filho! — murmurou Joseph profundamente enternecido, enquanto se inclinava para deixar o menino em terra, a fim de ocultar duas grossas lágrimas que lhe rolavam pelo rosto, já sem os vestígios da severidade de momentos antes.

— Deixas-me partir de boa vontade? — interrogou novamente Jhasua.

— Sim, meu filhinho, com a condição de que Jehová me devolva logo o pequeno cântaro que deixou em minha casa já faz 10 anos, porque não é justo que eu continue padecendo sede.

— Na segunda lua cheia depois desta, o pequeno cântaro voltará para tua casa, pai. Agora já bebeste bastante.

Durante este diálogo, Myriam chorava em silêncio, e Jhosuelin, juntamente com o Ancião Essênio, ajaezavam um asno, o mais manso e melhor adestrado de todos, para a carinhosa mãe, cuja dor, pela separação de seu filho, havia causado a revolta de Joseph.

Era ao cair da tarde, e deviam aproveitar o frescor da noite para viajar, principalmente porque u'a mulher e um menino iam na caravana.

Dois Essênios jovens e dois lavradores das faldas do Monte Carmelo vieram a Séphoris para conduzi-los. Haviam descarregado o mel e as castanhas que trouxeram, e voltaram para carregar as provisões que deviam levar para o Santuário.

Joseph ajudou Myriam a montar e colocou o menino sobre o asno montado por Jhosuelin. Fez a este muitas recomendações com o fito de que o menino e sua mãe não tivessem nenhum problema durante a viagem.

— Não te preocupes, irmão — disse um dos jovens Essênios que deviam conduzi-los. — Já conseguimos e adaptamos hospedagens em casas de famílias essênias, disseminadas ao longo do caminho, a fim de que possamos passar ali as horas de sol ardente. Somente continuaremos a viagem desde o entardecer até a metade da manhã seguinte.

— Bem. Que Deus e seus anjos vos acompanhem — murmurou Joseph com voz trêmula e olhos úmidos. No momento em que iniciavam a caminhada — ficando o pai sozinho, de pé, no subúrbio de Séphoris, ou seja, na esplanada sombreada de palmeiras, de onde as caravanas costumavam partir — ouviu-se ainda a voz do menino, a dizer-lhe:

— Não tornes a adormecer, pai, porque Jehová desencadeará furacões para te despertar.

Joseph apenas respondeu com um sinal de despedida e voltou à estalagem para começar, por sua vez, a viagem de regresso a Nazareth.

Ao começar a terceira noite de viagem, chegaram ao pé do Monte Carmelo, onde um alegre arroio, originado por uma infiltração no alto da montanha, formava um tranqüilo remanso, ao redor do qual as vinhas e os castanheiros estendiam seus ramos carregados de frutos.

Era aquele local um formoso pórtico de folhagem, dando entrada a um dos caminhos mais acessíveis, por onde se podia subir até a Gruta de Elias, na qual havia sido construído o Santuário, que consistia em muitas salas lavradas na rocha viva, algumas delas recobertas por dentro com grandes pranchas de cedro.

A fim de descobrir a entrada principal, era necessário procurá-la onde menos se pudesse pensar ser encontrada, tal como ocorria com os Santuários do Quarantana e do Hermon.

Aqui era a choça de pedra e de peles de cabra de um velho pastor, que vivia só, com dois enormes cães e u'a manada de cabras. Era ele que guardava a entrada ao célebre Monte dos Discípulos de Elias e de Eliseu.

Para o viajante conhecedor das velhas crônicas dos Reis de Israel, naqueles montes, levantar-se-iam, como fantasmas do passado, os guerreiros do Rei Achab, os quais para ali foram enviados com o fim de levar preso a Elias, que se negava a apresentar-se ao soberano, desejoso de ver os estupendos prodígios por ele realizados.

Traziam aquelas crônicas relatos horripilantes com relação à chamas de fogo, cheias de dragões, que envolviam o Monte cada vez que os guerreiros de Achab se aproximavam dele.

Muitos dentre eles haviam perecido, não devorados pelos monstros nem queimados pelo fogo, segundo diziam, mas pelo medo e pelo terror que os impulsionavam a fugir, sem dar tempo a que se salvassem dos precipícios nos quais caíram; pois, querendo surpreender o Profeta adormecido, procuravam chegar aproveitando as sombras da noite.

Um dos guias essênios, ao chegar aos lugares mais assinalados pelas velhas crônicas, mencionava aos viajantes os acontecimentos particulares, ali verificados.

Sua chegada à choça do pastor foi anunciada pelos latidos dos grandes cães de guarda. Momentos depois, viu-se um archote de folhas de palmeira, ardendo na ponta de uma vara, que alguém, entre as sombras, levantava para o alto. Um dos guias acendeu também uma pequena tocha, que agitou três vezes no ar. Calaram-se os cães e, em poucos instantes, o velho pastor saiu para recebê-los.

Toda a rudeza daquele ambiente desaparecia à entrada do pátio, que se abria como um pequeno jardim florido ante a choça. Na repartição principal, que era a sala da lareira, aparecia sobre a mesa uma branca toalha, com enormes vasilhames de barro, cheios de castanhas, grandes taças repletas de mel, recipientes com leite fresco e queijo de cabra, bem como pãezinhos dourados nas brasas.

— Mãe — disse o menino ao entrar, levado pela mão dela. — Parece que este velho pastor adivinhou a fome com que eu vinha. — E, sem mais preâmbulos, aproximou-se da rústica mesa, sentou-se e, apanhando um bocado de mel, misturou-o com leite, serviu-se de castanhas, e, com a maior tranqüilidade, começou a comer.

— Meu filho, espera que te sirvam — insinuou Myriam, aproximando-se dele.

— Não posso esperar mais, mãe! — respondeu o menino. — Não é esta a mesa do Profeta Elias? Pois, quando ele tinha fome, não esperava que o convidassem, mas servia-se, e, quando não tinha o que comer, mandava que suas águias protegidas lhe trouxessem pão para alimentar-se. Não ouviste isto, mãe, na passagem da Escritura, que foi lida no último sábado, na Sinagoga?

— Sim, meu filho, mas tu não és Elias.

O menino olhou para sua mãe, e ia responder, quando entrou seu mestre, o Ancião Essênio, que lhe dirigiu um olhar significativo, cheio de inteligência, e fê-lo compreender que devia calar-se.

Todos celebraram alegremente o santo apetite de Jhasua, a quem a viagem parecia haver favorecido em alto grau.

— Já que terminamos a ceia, tio Jacobo — mencionou um dos jovens essênios, dirigindo-se ao velho pastor —, poderás abrir a porta de entrada para nós?

— Mas como? — interrogou vivamente o menino —, acaso já não estamos dentro de casa?

— Estais na ante-sala da vivenda de Elias, o Profeta — respondeu com solenidade o velho pastor.

— Pois, se as castanhas e o mel do interior da vivenda forem tão bons como os da ante-sala, pode-se dizer que aqui se vive muito bem — tornou a dizer Jhasua, enquanto continuava comendo.

— Irmãozinho — disse Jhosuelin — vejo que o ar do Monte Carmelo te faz muito bem, pois comes e falas de maneira maravilhosa.

— A casa do Profeta Elias é energia e vida para mim!

— Muito bem! Muito bem, Jhasua!, não falas como menino, mas como homem — disse sorrindo um dos jovens essênios.

Quando já quase terminavam a frugal ceia, sentiu-se um leve ruído como de um ferrolho quando corre, e isto na escura alcova do pastor, que comunicava com a rústica sala de jantar.

Myriam, sobressaltada, chegou-se mais para junto do filho, e seus grandes olhos tinham um ar de interrogação.

— Não vos alarmeis — apaziguou-a o velho pastor. — O Servidor adiantou-se, sem dúvida alguma. — Levantando uma candeia de azeite que estava sobre a mesa, aproximou-se da entrada que levava à alcova.

A luz deu em cheio sobre a branca figura de um ancião, que se aproximava, apoiado sobre uma vara de carvalho.

— Tardáveis tanto que me adiantei — disse sorrindo. — A paz seja convosco! — Seus olhos, cheios de bondade e de inteligência, buscavam ao redor da mesa até que avistou a pequenina pessoa de Jhasua, cujos olhos claros, arregalados, pareciam querer devorá-lo.

Aproximou-se de pronto, e, abraçando ternamente o menino, disse:

— Pelos séculos dos séculos, não teve o Monte Carmelo a glória deste dia!

— Meu filho está enfermo e vem para que o cureis — advertiu Myriam, depois de responder à saudação que o Ancião lhe dirigiu.

— Não vos preocupeis com ele, que logo ficará perfeitamente curado. O Monte Carmelo tem ar de saúde e vida. Se já descansastes, vamos, que a noite avança, e mais adiante nos esperam.

Numa das paredes da alcova do pastor, via-se uma passagem clara, e o Ancião se dirigiu para ela, levando o menino pela mão. Atrás dele seguiram Myriam e Jhosuelin; depois, os outros essênios e, por fim, o velho pastor, que os acompanhou até a entrada daquele silencioso túnel, iluminado pelas tochas colocadas de espaço em espaço.

— Que Jehová te dê bom sono, irmão Jacobo — disseram os essênios despedindo-se do pastor.

— Que assim seja também convosco! — respondeu o velho, fazendo correr a lâmina de pedra tosca que ocultava a galeria.

Era aquela uma passagem estreita que desembocava em pequena clareira natural de rochas, com grandes castanheiros e oliveiras centenárias. A lua cheia iluminava a belíssima paragem, na qual não se notava outro sinal de vida orgânica senão a chiada das cigarras, interrompida, às vezes, pelo grasnido das águias que aninhavam nas árvores do cume do monte.

Aquela imensa solidão intimidava o ânimo, e Myriam tomou o braço de Jhosuelin, a caminhar a seu lado.

— Não temas, mãe — murmurou-lhe ao ouvido o pequeno jovem —, pois aqui não há feras que possam causar-nos dano.

Adiantou-se um dos jovens essênios, e, trepando numa rocha, alcançou a ponta de uma corda, puxando por ela. Soou imediatamente uma campainha; quase ao mesmo tempo, foi aberto por dentro um portão, e forte luz iluminou tudo.

— Estamos na casa do Profeta Elias — disse o Ancião-Servidor, fazendo Jhasua passar em primeiro lugar.

O menino, sozinho e sem temor algum, adiantou-se em direção ao numeroso grupo de Essênios que saíam a seu encontro.

Eram 40 anciãos e 30 jovens, hospedados na *Casa de Elias*.

Causava prazer ver a diminuta pessoa de Jhasua ante aquele círculo branco que ia fechando-se ao seu redor, enquanto todos lhe estendiam os braços.

— Começarei pelos mais idosos — disse — e entregou-se ao terno abraço de um velhinho de corpo curvado, que tremia ao caminhar.

— Filhinho! ... Filhinho! ... Eu esperava isto para coroar a minha vida — disse entre lágrimas o meigo Ancião, a quem chamavam Azarias e que era um dos poucos que, por causa de sua senilidade, não tinha podido chegar até Nazareth para ver o Cristo encarnado.

O menino ficou olhando-o fixamente durante alguns segundos.

— Tu — disse ele, logo a seguir e com grande firmeza — puseste-me um dia uma túnica celeste e caíste morto sobre o meu peito. Não me ponhas nenhuma túnica agora, pois, do contrário, morrerás novamente.

Os Anciãos ficaram como que paralisados ante esta magnífica manifestação de lucidez espiritual. Mas calaram, porque ali estavam Myriam e Jhosuelin, que ainda não haviam chegado a esses conhecimentos.

— O menino começa novamente a dizer inconveniências! — suspirou Myriam ao ouvido do enteado. — Com que espécie de túnica o Ancião iria vesti-lo, se agora o está vendo pela primeira vez?

— Não te aflijas, mãe, que tudo sairá bem. Os Anciãos do Monte Carmelo são médicos maravilhosos — respondeu o jovem.

— Não temas, Jhasua — respondeu o Ancião — que minha hora já está marcada, para que tu, no apogeu do teu apostolado, possas fazer penetrar a luz na urna escura que tomarei para glorificar a Deus.

Jhasua continuou abraçando os demais Anciãos, até que, chegando a um deles que soluçava intensamente, olhou-o com firmeza, como se encontrasse algo conhecido naquela fisionomia. Rápido, ergueu-se, olhando-o bem de frente e disse:

— Aarão! ... agrada-me encontrar-te aqui antes que eu chegue ao Moab, para avisar-te que lá terei de reunir-me contigo. Por que não foste nenhuma vez a Nazareth?

— Porque estive num país mui distante ... justamente lá onde Moisés e Aarão glorificaram a Jehová com feitos maravilhosos. Lá está Essen, que Moisés amava, e que hoje se chama Fílon de Alexandria.

— Eu irei encontrar Essen na terra das Pirâmides — acrescentou Jhasua.

A pobre Myriam começou a chorar e, aproximando-se do filho, procurou afastá-lo dos Anciãos, cuja proximidade fazia o menino delirar, segundo lhe parecia.

O Servidor interveio.

— Não sofras por este menino, irmã — disse ele com grande doçura. Não está delirando, mas recordando. Não ouviste o que foi lido nas Sagradas Escrituras, na parte que faz referência aos Profetas, os quais, em dados momentos, tinham conhecimento do passado e do futuro?

"Já é tempo de compreenderes que este teu filho é da Alta Escola dos Enviados, e não deve causar-te estranheza o que nele vês. Se não puderes cooperar, pelo menos com tua tranqüilidade, para o desenvolvimento de suas faculdades superiores, a Lei terá que retirá-lo de teu lado antes da hora que estava determinada."

O menino ouviu este diálogo entre o Servidor e Myriam, e a impressão produzida pelo pranto da mãe fê-lo voltar ao seu estado físico normal. Aproximou-se dela e, tomando-a pela mão, elevou-se nas pontas dos pés para chegar-lhe até o ouvido e dizer-lhe bem baixinho:

— Mãe, se tens medo de ficar nestas cavernas tão escuras, Jhosuelin e eu faremos uma pequena choça ali fora, junto ao remanso, debaixo de um castanheiro, que vi carregado de frutos. Do Santuário levaremos pão e mel, e, assim, teremos a existência assegurada. — Olhando para todos com os olhos iluminados de alegria infantil, disse cheio de satisfação:

— Ali haverá melros, calhandras e torcazes, que farão ninhos, e os filhotes gostarão de comer migalhas em minha mão. Oh! realmente, esta é a casa do Profeta Elias. Acaso não sabíeis isto?

Os Anciãos observaram-no em silêncio e notaram a grande mudança que se operou no menino quando percebeu que sua mãe estava chorando.

Assim comprovaram mais uma vez o enorme dano que causa uma impressão, por leve que seja, no psíquico de um ser adiantado, nos momentos em que ele exterioriza suas grandes faculdades.

Myriam já se havia tranqüilizado, e o Servidor, deixando os Anciãos naquela primeira caverna de entrada, convidou a todos, inclusive Jhosuelin, a passarem por um corredorzinho que se abria à esquerda e conduzia a um pequeno largo, sombreado por figueiras e videiras.

— Esta é a "*Cabana das Mães*" — mencionou o Servidor, designando uma caverna, na qual ardia um bonito fogo e onde várias velhinhas fiavam. Aproximaram-se.

Havia ali oito anciãs, vestidas também com túnicas brancas, cujos rostos serenos e plácidos denotavam claramente que eram felizes.

— Mãe Salomé — disse ele a uma das anciãs —, vem aqui u'a mulher de Nazareth com dois meninos, que hospedareis por uma temporada. O menino menor está enfermo, e teremos de curá-lo.

"O menino Jhasua — disse o Servidor a Myriam — comerá e dormirá aqui a vosso lado; mas, durante as horas do dia, ficará conosco, até que notemos que está completamente curado.

"Quanto ao mais, podeis estar aqui como em vossa casa, pois estas anciãs, sobre serem essênias, são também mães de vários dos essênios que vivem no Santuário; de sorte que elas sabem a importância que tem, para nós, o cuidar esmeradamente dos hóspedes que permanecem aqui. Como acabais de chegar de viagem – acrescentou – necessitais de refeição e de um bom leito."

– Eles o terão em seguida, Servidor – respondeu a que havia sido chamada de *Mãe Salomé*, e que era quem governava a cabana durante essa lua, pois costumavam fazer turnos de administração de mês a mês.

O Servidor voltou para a casa do Profeta Elias, deixando que nossos hóspedes se acomodassem para poderem entregar-se ao descanso.

Vejamos o que ocorreu no Santuário. O Servidor encontrou seus companheiros de solidão fazendo entusiásticos comentários referentes a Jhasua; e, como quase todos tinham grandemente desenvolvidas as faculdades superiores, pôde cada qual dar uma opinião acertada sobre o estado psíquico do menino, naqueles momentos.

Compreenderam, desde logo, que ele não estava bem centralizado em sua nova personalidade, motivo pelo qual flutuava entre as anteriores, sobretudo nas de Antúlio, Abel e Moisés, que haviam acumulado maior desenvolvimento em seu Eu Superior. Em sua grande carreira messiânica, haviam elas sido os três vôos decisivos, por estarem estes vinculados a inícios ou fins de ciclos ou etapas gloriosas de novas civilizações.

Compreenderam, outrossim, que suas missões de mestres do Verbo-Menino consistiam em ajudá-lo a centralizar-se na sua personalidade de Jhasua, desligando-se completamente das outras, nas quais vivia de vez em quando.

Sabiam, ademais, que estava próximo a encarnar o Espírito que fora a mãe de Antúlio – o grande filósofo atlante – ou seja, a incomparável *Walkíria do Monte de Ouro* (*), que lhe havia dado vida física e que tão intimamente o acompanhou em sua vida espiritual de então.

O Profeta Elias, discípulo de Hilcar, um daqueles cinco meninos abandonados, com os quais ele fundara seus Dáckthylos nas grutas do Monte das Abelhas (**), na Ática pré-histórica, depois de várias encarnações naquelas mesmas paragens, caíra prisioneiro dos piratas da Cretásia (***), que o levaram à dita ilha como médico, em virtude de uma espantosa epidemia que lá se havia desenvolvido.

Encarnaram em mulheres humildes, com diferença de meses ou de poucos anos, Gaudes, Walkíria e vários outros Dáckthylos e Kobdas das velhas escolas, entre eles dois conhecidos arquivistas dos tempos gloriosos do Monte das Abelhas e de Neghadá: Walker, o arquivista do Cáspio; Eladyos, arquivista de Neghadá, o Atlas do Monte das Abelhas na vinda de Abel, Adonai e Elhisa, Sênio e Núbia.

Os Dáckthylos e os Kobdas da Pré-História haviam passado, e deles existia somente uma recordação gloriosa, estupendamente grande, das quais se conservava a lembrança como de uma epopéia legendária, mais fantástica do que real, conforme o parecer da humanidade anã, a qual vive apenas de mesquinhos ideais e de satisfações grosseiras.

Eis que, na Cretásia, ilha semi-selvagem, povoada por piratas e malfeitores, estabeleceram seus ninhos grandes águias do passado para limpar aquela região dos "abutres" e "lagartos", pois nela devia surgir também uma nova civilização. Estavam já próximos da Fenícia e da Síria, onde o Verbo de Deus realizaria sua derradeira encarnação messiânica.

(*) Monte de Ouro: era um país da desaparecida Atlântida, parte do qual abrangia a atual península do Lavrador, no Canadá (N.T.).

(**) Hoje é chamado Monte Himeto, ao sul de Atenas (Grécia) (N.T.).

(***) Hoje, Ilha de Creta (N.T.).

Verdade é que faltavam ainda vários séculos, mas as transformações para uma situação de tal magnitude, na História da Humanidade, não se operam em um ou dois séculos. Era, pois, o Mediterrâneo o cenário escolhido para se propender a um novo impulso, apto a preparar as almas para o grandioso acontecimento que era a apoteose do Verbo Divino, em sua missão de Redentor de humanidades.

Tudo isso foi rememorado pelos Anciãos do Monte Carmelo em virtude da chegada de Jhasua, garoto ainda; e eles se dispuseram a tirar o maior proveito possível desse acontecimento favorável.

Começariam, pois, seu trabalho pela personalidade de Antúlio, a mais longínqua das três que pareciam reviver a cada instante no Verbo-Menino.

Quando, no dia seguinte, trouxeram Jhasua para o meio deles, ocorreram os fatos que vamos relatar.

O Santuário propriamente dito era rústico e simples. Era o que mais tinha da simplicidade dos Dáckthylos e menos da grandeza imponente de Moisés. Este, nascido e educado na faustosidade estupenda dos Faraós do Nilo – cujas tendências ao monumental e ciclópico são bem manifestas – devia impor-se ao povo materialista e utilitário, que lhe serviria de instrumento para seus desígnios; pelo que se viu obrigado a colocar-se em sintonia com ele, a fim de melhor conduzi-lo, impondo-se a seus egoísmos e debilidades.

No grande Santuário do Moab, era bem notório o colorido mosaico, enquanto nos do Hermon, Tabor e Carmelo predominava a modalidade dos Dáckthylos, não obstante ser a mesma a ciência espiritual e os elevados conhecimentos que lhe eram comuns.

O Santuário do Carmelo era a grande caverna do Profeta Elias, no centro de uma série de pequenas e grandes grutas, que se abriam nas profundas gargantas da montanha, em cujo sopé o Mediterrâneo lambia quando deslizava suas ondas com mansidão, ou açoitava com fúria selvagem quando rugia embravecido.

Não se viam ali mais de cinco grandes círios, colocados em pedestais, cada qual sobre um bloco de rocha. Simbolizavam os cinco meninos com os quais Hilkar de Talpaken havia fundado sua escola. Em memória a este fato, Thylo, ou seja, Elias, havia começado também com cinco, dos quais o primeiro fora Eliseu a quem Thylo chamou *Patrioka*, o que, na sua linguagem ática, significava: *caverna de pedra*.

Um estrado circular lavrado na própria rocha, coberto de peles de cabra e com o piso forrado de rústico tecido de fibra vegetal, era tudo que ornava a Casa do Profeta Elias. Em mesas ou bancos feitos de troncos toscamente polidos, viam-se, empilhados, livros de panos encerados, tabuletas de madeira com inscrições, unidas umas às outras por longos cordéis, como se fossem páginas de um livro, habilmente enlaçadas para facilitar a leitura.

No centro havia uma rocha branca, lavrada em forma de taça, cujos bordos chegavam à altura do peito de homens de estatura média. Essa taça estava sempre cheia de água e simbolizava aqueloutra em que a Humanidade fizera beber a morte física ao maior homem de ciência, até então conhecido: Antúlio de Maha-Ettel.

Tal era o Santuário do Monte Carmelo, onde o menino Jhasua entrou no dia seguinte ao de sua chegada.

O incenso da Arábia, queimado numa pequena cavidade da rocha, que servia de queimador, e o som apenas perceptível do saltério, que parecia chorar em melodia suavíssima, num ápice produziram seu efeito no sensitivo Jhasua, que foi caindo em suave letargia entre o Servidor e o pequeno Ancião de corpo curvado, aquele mesmo a quem ele abraçara e reconhecera, tão logo havia chegado.

Todos evocavam Antúlio, mas apresentou-se Thylo (*), que, como sabemos, estava estudando no Santuário Essênio do Quarantana e era menino de 11 anos, Johanan, chamado, depois, o Batista.

– A paz seja convosco – disse. – Aviso-vos que o Mestre virá mais tarde, pelo que, enquanto Jhasua dorme, fareis a leitura dos relatos que sobre ele escreveu sua mãe Walkíria. Como está próxima sua encarnação, habita já os planos mais chegados à Esfera Astral da Terra, e ela própria servirá de introdutora e guia nestes trabalhos.

Durante essas breves manifestações, o sensitivo, que, com seu transe, serviu de intermediário (médium), apareceu envolto em suave bruma de ouro, da qual emanavam chispas de fogo radiante, iluminando intermitentemente a penumbra da caverna.

Daí a instantes, caiu em transe um dos jovens essênios, e uma aura azulada suavíssima difundiu no ambiente a doçura extraterrestre de sua vibração.

Um rumor surdo como uma brisa delicada surgiu de todos os lábios: – Walkíria do Monte de Ouro!

– Sim, sou eu – respondeu a voz trêmula do intermediário – e, da mesma sorte como no passado remoto, venho colaborar convosco na obra gigantesca da redenção da Humanidade.

"Sei o que quereis fazer e também sei qual a tarefa que me corresponde." Então desenhou-se claramente a figura astral da formosa mulher, que, afastando-se do corpo do sensitivo, aproximou-se de Jhasua adormecido.

"Antúlio, meu filho, vem; pois, acima de tudo, teremos que levantar a gloriosa personalidade de Jhasua, nesta hora única na História da Humanidade, em que o seu Messias-Salvador haverá de imolar-se pela última vez no santo altar do Amor Imortal.

Do corpo adormecido do menino desprendeu-se uma nuvenzinha cor de ouro-pálido, com ligeiros matizes de um branco-neve resplandecente, que foi enchendo, pouco a pouco, a imensa caverna, onde não havia outra claridade senão a dos cinco círios.

– A paz seja convosco! – disse a voz do menino adormecido, que parecia haver adquirido vibrações de clarim.

"A partir deste momento – declarou – anulo todas as minhas personalidades anteriores, para viver tão-só, em toda a sua amplitude, energia e vigor, a presente, na qual, por determinação da Lei Eterna, todas as demais devem ficar refundidas para sempre, pois, terminada esta, ficarei eternamente unido ao meu Ego, desaparecendo, em absoluto, toda dualidade. Então meu Ego e eu não seremos mais do que uma única e poderosa entidade, que passará a formar parte da Unidade Divina, em sua infinita grandeza e soberana plenitude.

"Ainda quando, futuramente, necessitar fazer uso de qualquer uma de minhas personalidades humanas, em determinados momentos e com fins demonstrativos da imutável Verdade, ditas manifestações serão apenas reflexos, pois, terminada a vida de Jhasua, serei, unicamente, o Cristo-Luz-Idéia-Verbo Eterno, durante séculos incontáveis, ou seja, até que as últimas legiões de almas da Terra hajam entrado nas moradas da Luz e do Conhecimento.

"As correntes de forças inferiores que quiseram frustrar a vitória final do Messias, somente porque esta lhes marca o começo de sua derrota sobre este Planeta, têm contribuído para produzir a descentralização da personalidade de Jhasua, procurando fazê-lo reviver as idades passadas. Tal ocorrência acabaria provocando, pouco

---

(*) Uma das encarnações do Profeta Elias, segundo foi mencionado pouco antes. Foi contemporâneo de Antúlio (N.T.).

a pouco, um desequilíbrio entre a mente e o cérebro e também entre as faculdades da alma, cujas qualidades e poderes ficariam reduzidos a vibrações sem coordenação possível.

"Amigos e companheiros meus de ontem e de hoje, de idades antigas e novas, avante! Jhasua, que surge entre vós como um rebento de palmeira, na luta gloriosa de sua apoteose como Cristo-Messias, ficará fortificado, com o vosso contato, na sua memória, no seu entendimento e na sua vontade. Paz, Esperança e Amor aos homens de boa vontade!"

A névoa de ouro-pálido foi se transformando até ficar totalmente branca, confundindo-se, finalmente, com as débeis espirais da fumaça do incenso que perfumava a caverna.

Quase todos os Essênios se haviam colocado em situação extática, de modo que, ao voltarem a si, tiveram a plena convicção de haverem estado no mundo dos Amadores, no plano sutil dos Egos, onde um emaranhado de óvalos com reflexos de ametista havia deixado neles a impressão de esplendorosa aurora, dando nascimento a inumeráveis sóis de um rosado vivo e fulgurante.

O Servidor e seus cinco Conselheiros, ouvindo os dados mencionados por todos, resolveram começar a instrução de Jhasua, lendo, em sua presença, as atividades espirituais dos Profetas, começando por Antúlio, considerado Mestre e Pai dos Profetas, por ter sido o primeiro a lançar-se à exploração dos Mundos, habitações de humanidades.

Um deles percebeu que o menino despertara, mas mantinha-se recostado no estrado, com a cabeça apoiada sobre o peito do ancião Azarias.

– Jhasua! – disse ele, aproximando-se. – Estás tão quieto que dás a impressão de estar ainda semi-adormecido!

– Não; estou até bem acordado e espero que comeceis essas leituras que ides fazer para curar-me.

– Está bem – continuou o Servidor. – Vamos começar. Faz apenas uma hora que o sol nasceu. Temos o resto da manhã até o meio-dia. Não ficarás cansado, menino, aquietado durante tanto tempo?

– Não me chameis de menino! Chamai-me de Jhasua, por favor. Acreditai-me, parece que tenho pressa de ser maior, pois estou cansado de perder tempo nesta pobre infância, que só me serve para procurar ninhos e comer castanhas. Lede ... lede, que vos estou escutando com avidez.

O menino acomodou-se como para resistir a uma longa imobilidade, apoiado sobre grandes almofadas de palha de trigo, forradas de linho, que as anciãs da cabana fabricavam para o descanso dos solitários.

– Os irmãos leitores que estão de plantão – ordenou o Servidor – preparem seus livros de modo que não haja interrupções. Escutaremos a Escritura conservada por Thylo, que relata as explorações espirituais e as primeiras visões de Antúlio, coligidas e escritas por sua mãe Walkíria do Monte de Ouro e traduzidas para o idioma fenício por nossos Pais Elias e Eliseu (*).

Trazendo uma rústica banqueta, um jovem essênio se aproximou da porta da caverna, cuja cortina de junco foi descerrada para que penetrasse em cheio a luz daquele formoso dia de verão, e começou a leitura:

"O Mestre Antúlio descreve a criação da nebulosa que deu origem à formação de nosso Sistema Planetário.

(*) Estes relatos das explorações extraterrestres do Profeta Atlante Antúlio somente interessam àqueles que desejam conhecer esse mundo que a alma humana encontra depois da Morte.

"O Absoluto, ou Grande Todo, é Energia, Luz e Amor: três Eternas Potencialidades residentes nas sete Forças Inteligentes e Vivas, chamadas *Fogos Magnos*. São estas que determinam o lugar, a época e a forma das criações, que são realizadas prontamente pela esplendorosa Legião das Inteligências Superiores. A estas a sublime Ciência de Deus e das Almas denomina *Tochas Vivas*, cujo número é igual a setenta multiplicado por setenta.

"Numa idade que, por ser extraordinariamente afastada, não se pode fixar com precisão, embora pudesse ser calculada aproximadamente em setenta bilhões de séculos, os *Fogos Magnos* impulsionaram as *Tochas Vivas* para o vazio mais próximo, existente no infinito oceano azul, onde a substância etérea estava já em condições de ser fecundada pela Energia Eterna.

"A idéia surgiu à semelhança de um relâmpago, ao mesmo tempo naquelas Inteligências ultrapoderosas, exprimindo, como uma só voz, vibração ou som: 'Uma nova espiral deve encher este vazio dos céus.'

"O Absoluto encheu nosso cântaro de Energia até a borda. Esvaziemo-lo aqui, e que novos mundos surjam de Seu Poder Infinito e de Seu Eterno Amor!

"Os *Fogos Magnos*, que são sete, estão dispostos assim: quatro representam o princípio ativo ou masculino; e três, o princípio passivo ou feminino. A cooperação de ambos os princípios é indispensável em toda criação.

"Tendo como auxiliares a Legião de *Tochas Vivas*, divididas pela metade nos princípios ativo e passivo, injetaram o fecundo germe no seio materno: o *Éter*, e uma ígnea borbulha, como um botão de fogo, se plasmou no fundo escuro do vazio, através do qual foi esboçando-se vagamente a nova espiral, ao longo de graciosas curvas, que se dilataram paulatinamente, até ocupar enorme extensão. A espiral, diminuta e sutil, transformou-se primeiramente em pequena nuvem e, depois, em grande nebulosa, salpicada, a intervalos, de linhas de luz e chispas de fogo.

"Quando a ultrapoderosa Energia Eterna conseguiu imprimir nessa nebulosa o impulso necessário para girar vertiginosa e permanentemente, os Fogos Magnos recolheram em si mesmos o impulso criador, o que equivale a dar a ordem de *cessar* ou *quietude*, porque a gestação já estava feita, e ela sozinha continuaria seu processo evolutivo durante o longo e pesado correr dos Tempos.

"Foi, pois, o *Éter*, carregado de forças vivas, a primeira mãe de nosso Sistema Planetário, como o é de todos os Sistemas Estelares que constituem os incontáveis universos do espaço infinito.

"Durante longas idades, a recém-formada nebulosa girou, dobrou-se e retorceu-se no vazio, até que o vertiginoso movimento a impregnou de calor, de gases e de fogo, fazendo assemelhar-se a imensa labareda, animada de loucos rodopios e ébria de energias, que, em seu formidável rodar sobre si mesma, arrojou ao espaço línguas de fogo ardente e bolhas de gases inflamáveis. Estes, por sua vez, corriam girando, como enlouquecidos, qual procurassem reunir-se em grandes massas incandescentes, constituindo um conjunto confuso de globos de fogo, até que a grande massa central dominou, na horrenda voragem, as menores, que, então, passaram a rodar em torno daquela, obrigadas pelas iniludíveis leis da atração.

"Imensas épocas passaram antes que se formassem nitidamente os planetas maiores, os planetóides, os satélites e os asteróides, que, aos milhares, se intercalam nas órbitas daqueles, acompanhando-os, às vezes, como séquitos de honra das grandes estrelas, cuja força de atração os arrasta irresistivelmente, obrigando-os a girar, em conjunto com elas, no imenso oceano azul.

"Novas épocas imprecisas, resultado de sua própria imensidão, caminham sem pressa – pois não há pressa na eternidade – até que aqueles vertiginosos movimentos vão tornando-se mais lentos, e os globos afastando-se lentamente uns dos outros para incomensuráveis distâncias.

"Tudo isso coopera para o esfriamento e solidificação daqueles materiais gasosos e inflamados, que passam, assim, a converter-se em rochas de lava, úmidas de vapores incessantes, produzidos pelos orbes ainda incandescentes. O enorme acúmulo de tais vapores dá origem a correntes de água, chuvas torrenciais carregadas de eletricidade, a invadirem, pouco a pouco, os globos em formação.

"Quando, depois de outra imensa cadeia de tempos, conseguiram essas águas estacionar nas cavidades das montanhas de lava semi-apagada e ainda fumegante, constituíram-se em lagos ferventes e pantanosos. Nessas águas quentes, e retidas em cavernas e profundidades, reúnem-se, então, milhares de milhões de átomos e de moléculas vivas, que começam a crescer, unindo-se uns aos outros, como bolhas informes, dando, com tais uniões, lugar à formação de células vivas, se bem que microscópicas, originando, portanto, as primeiras manifestações de vida, sob a aparência de vermículos de estrutura semilíquida no início e mais densa depois, até formar diminutas lingüetas, de movimentos quase imperceptíveis à primeira vista.

"À semelhança do que ocorre com os planetas de todos os universos, que se integram em sistemas, essas células, pela lei da atração, buscam-se, agrupam-se, estreitam-se, e, nessas águas pantanosas, geram princípios de larvas.

"É, pois, a *Água* a segunda mãe da vida universal.

"Em continuação, foram aqueles pântanos cálidos ampliando-se com novas correntes de vapores, condensados em chuvas, engrandecendo-se as larvas por aproximação e, ao mesmo tempo, segregando sedimentos e escórias cheios de células vivas, que, por sua vez, se difundiram em infinitas e variadas modalidades de vida semivegetal e semi-animal, ou seja, princípios de algas, esponjas e corais.

"Novas idades de incontáveis séculos passaram até que as correntes de águas pantanosas invadiram as partes rochosas dos planetas; e essas vidas embrionárias, aderidas ao lodo que banhava as rochas, foram assimilando-se, com grandes esforços, ao novo ambiente em que deviam desenvolver-se.

"A vida passara, pois, da Água para a *Terra*, sendo esta, portanto, a sua terceira mãe.

"Estava, assim, realizada a formidável gestação.

"Agitaram-se as primeiras células vivas, formando larvas ou vermes nas águas pantanosas e nas rochas de lava, umedecidas por elas. Em ambos os elementos, *Água e Terra*, a vida perpetuar-se-á desde a larva do inseto, das lombrigas da água e das minhocas da terra – primitivos antepassados dos grandes monstros marinhos, bem como dos enormes répteis – primeiros habitantes dos globos. Todos eles serão, um dia, o palácio de cristal e de ouro do ser inteligente, que se negará, sem dúvida alguma, a reconhecer como ancestrais aqueles ínfimos e repugnantes entes rudimentares.

"Manifestada já a vida sobre a face da Terra, é facilmente compreensível a evolução ascendente das espécies inferiores para as superiores, levando-se em conta, desde logo, os milhões de anos necessários a cada transformação.

"Dez mil milhões de séculos, aproximadamente, necessitou este Planeta para chegar a manter vidas e humanidades como as que vemos hoje.

"É esta a primeira etapa da sabedoria de Antúlio, transladada para o Monte das Abelhas, na antiga Cretásia, da Ática pré-histórica, por Thylo, discípulo de Hilcar II, príncipe de Talpaken, que foi o primeiro notário do Mestre Antúlio."

Jhasua tinha adormecido profundamente, e sua diminuta pessoa aparecia envolta em suave bruma de ouro pálido, aparentando a forma ou silhueta de um homem de elevada estatura, que, firme, de pé e fazendo o sinal dos grandes iniciados na Sabedoria Divina, parecia escutar também a interessante leitura. Os clarividentes começaram a ver a materialização desde o princípio, tão logo o menino caiu no estado de sono, e viram-na igualmente desintegrar-se, assim que ele despertou.

– Adormeci – disse Jhasua, ao abrir os olhos – e sonhei algo que se parece com o primeiro capítulo do Gênese, mas tão terrível e espantoso como se todo o universo estivesse em convulsão. Felizmente, vejo que aqui não se passou nada e que todos estão tranqüilos. Como se explica isso?

– Jhasua – disse o Servidor –, embora os teus anos de vida física sejam poucos, tua idade espiritual é imensamente grande, e deves saber que, em teu sonho, assististe novamente à formidável gestação deste Sistema Planetário.

– E por que disseste *novamente*? Porventura, assisti outra vez?

– Sim, duas vezes antes desta; ou seja, na vida de Antúlio e na de Moisés. Mas falaremos disto mais adiante.

"Agora o que queremos é que ponhas toda tua vontade em dominar essas impressões de teu passado distante, para não deixá-las transparecer aos profanos. Compreendes?

"Quando surgir o impulso de dizeres *essas palavras que Jehová te diz*, conforme tens manifestado, deverás ter a força de vontade de calar perante pessoas incapazes de compreender-te, a fim de evitar que te tomem por um desequilibrado ou enfermo. Apenas diante de nós podes deixar desafogar livremente os teus impulsos internos e dizer tudo quanto te venha à mente. Nessas ocasiões é que iremos explicando o sentido oculto e o significado dessas mesmas coisas que dizes."

– Nem sequer diante de minha mãe poderei falar livremente? – perguntou o menino olhando para todos que o rodeavam.

– Nem sequer ante ela, pois, embora seja essênia como teu pai, ainda não chegou ao segundo grau, no qual a Sabedoria Divina começa a explicar o *porquê* de todas as coisas. Com Jhosuelin podes desabafar de vez em quando, pois, embora ele seja ainda jovem, seu espírito é bastante idoso.

Este diálogo foi interrompido por um dos essênios, que disse:

– Está aberto o segundo Livro Sagrado que, na tradução de nosso Pai Elias, diz assim:

"Prosternada ante o Altíssimo, minha alma pedia luz para conhecer a si mesma; e, sendo que, em determinados momentos, ela se agitava como uma ave cativa, que procura lançar-se ao vôo, eu me perguntava:

"Que sou eu, homem da Terra? Como é que sou?

"Eis que a Luz Eterna se fez em mim, e vi claramente o que é o ser humano encarnado na Terra. Foi-me dado compreender, então, que são três os princípios que o constituem:

"1º. Matéria densa ou corpo físico.
"2º. Corpo mental ou intermediário.
"3º. Princípio espiritual ou Ego, que é o Eu propriamente dito.

"Faço a descrição dos três componentes ou princípios, tal qual me foram mostrados através da claridade interior que recebi.

"*Matéria densa ou corpo físico*:

"A matéria densa ou corpo físico, que todos vemos e apalpamos, constitui, por si mesma, uma complicada maquinaria, para cujo estudo e compreensão, têm sido necessários ramos de Ciência. Mas não é sobre ela que este relato tratará com mais amplitude, visto como o corpo orgânico do homem tem sido estudado e conhecido pelos sábios que se dedicam à Anatomia. Direi unicamente que esse corpo está envolto numa aura ou irradiação de substância etérea ou astral, de cuja composição participam os quatro elementos do globo terrestre: Fogo, Ar, Água e Terra.

"Possui também, esse corpo, o *fluido vital ou fogo circulatório*, que o percorre vertiginosa e inteiramente, constituindo a aura do sangue, de um rosado mais vivo ou mais pálido, conforme este seja mais ou menos puro e forte.

"Apresenta ele, outrossim, a irradiação ou aura particular do cérebro e da medula espinhal, como prolongação daquele, irradiação essa que se denomina *fluido etéreo ou nervoso*.

"Todos esses componentes formam, em conjunto com a matéria, o corpo físico do homem.

"*Corpo mental ou intermediário*:

"Quando o Ego, primeira origem do ser, passou de centelha da Eterna Chama Viva para borbulha, e desta para óvalo, o processo evolutivo lhe confere o poder de criar personalidades nos mundos físicos, ou seja, nos planetas capacitados para alimentar humanidades.

"Chegado a este grau de adiantamento, sob a tutela e guia das elevadas Legiões Criadoras das Formas, o Ego começa a extrair matérias sutilíssimas do Éter e vai configurando lentamente um corpo que acompanhará, como protótipo e modelo, em todas as personalidades humanas que ele revestirá nas futuras idades e em múltiplas existências, até completar sua evolução.

"Esse é o *corpo mental ou intermediário* que se une ao corpo físico no momento do nascimento da criança, cuja vida gestatória se efetuou sob sua ação e sob a tutela das Inteligências Superiores, encarregadas das gestações humanas.

"Vê-se, pois, que o corpo mental ou intermediário é como a emanação direta do Eu ou Ego, ou, exemplificando de outro modo, como sua vontade posta em ação, descendo ao plano físico para buscar a união com a matéria orgânica, que ele mesmo formou à sua imagem e semelhança para realizar todas as existências planetárias que necessite, até chegar à suprema perfeição.

"O referido *corpo mental ou intermediário* está sujeito a variações infinitas, de acordo com as atividades que desenvolve, conforme os ambientes em que sua matéria física atua e também segundo a orientação que se lhe imprime.

"Se a união com a matéria, ou seja, o nascimento, ocorre sob influência astral decadente, esse corpo Mental ou Intermediário sentirá mui debilmente a influência de seu Ego ou Eu Superior, motivo pelo qual os instintos próprios da matéria orgânica terão notável predomínio sobre ele, dominando-o, às vezes, quase inteiramente.

"O *corpo mental ou intermediário* varia e troca de aspectos e de cores a cada pensamento, a cada desejo, a cada emoção. É por isto que os clarividentes inexperientes nas investigações extraterrestres o vêem de tão diversas maneiras, parecendo-lhes, por vezes, que se trata de personalidades diferentes.

"Suas variações estão sujeitas às cores fundamentais do arco-íris, em conformidade com as emoções, os desejos ou os pensamentos: uma intensa aspiração à Divindade revesti-lo-á como de roupagem sutil ouro-pálido; um profundo sentimento amoroso, de suavíssimo matiz rosado; um ansioso pensamento ou desejo de conhecimento elevado agasalhá-lo-á em sutilíssima vestimenta azul-turquesa resplandecente; a melancolia ou a tristeza, conforme os graus de intensidade que tenha, levá-lo-á desde o violeta-pálido ao escuro e desde o cinzento ao negro; um pensamento de ódio e de crime tingi-lo-á de azul-violeta pútrido ou negro-lodo; o desejo vivo de fecundidade e de se ver reproduzido em filhos envolve-lo-á em bruma verde-pálido ou mais vivo, de acordo com a intensidade de seu desejo.

"*Princípio espiritual ou Ego*:

"O *Ego ou Eu Superior* é o mais simples dos componentes do ser humano perfeito. Nasce da Eterna Energia – que é Luz e Amor – como um pequeno foco luminoso, a encerrar, em germe, todos os poderes e formas da Eterna Potência Criadora que lhe deu vida. Apenas nascido, começa a acumular a seu redor substâncias cósmicas sutilíssimas, plasmando a própria aura, que é seu envoltório ou corpo mental.

"Quando conseguiu formar com perfeição essa aura, cria, como já disse, o protótipo ou modelo para suas múltiplas existências planetárias na espécie humana.

"É nesse momento que o Ego, como entidade, começa a desenvolver sua vontade e o livre-arbítrio e, lentamente, vai adquirindo consciência do seu ser e de suas responsabilidades e poderes.

"Quando o Ego, sob a tutela das Inteligências criadoras das formas, conseguiu dar estrutura perfeita a seu protótipo, então o lança, como um feixe de raios ou reflexos de sua vontade, para o plano físico em que deve atuar, o qual é sempre um planeta que começa a receber humanidades em estado primitivo.

"Essa é a definição do homem encarnado na Terra, conforme a clarividência recebida do mundo espiritual pelo grande Mestre Antúlio. Seus discípulos recolheram-na e conservaram, transmitindo-a, em forma oral ou escrita, aos seus continuadores, através de longas idades e de inumeráveis contingências.

"É o que se contém na tradução que os nossos Pais Elias e Eliseu, Profetas do Altíssimo, fizeram do idioma cretense ao ático pré-histórico."

Panoramas Extraterrestres

Chegados a este ponto, o Servidor fez ver a necessidade de um estado de silêncio, durante o qual todos ajudariam a que o corpo *Mental ou Intermediário* de Jhasua se apropriasse perfeitamente de todos esses profundos princípios e se unificassem em perfeito equilíbrio com as potências da sua alma e com o seu próprio cérebro. Tudo isso era indispensável para que um ser de grande evolução se revelasse em toda a plenitude das faculdades e dos poderes que deveria manifestar em sua vida gloriosa, como era a que Jhasua estava por desenvolver.

A concentração mental profunda produziu em quase todos esse sutilíssimo estado espiritual que chamamos *êxtase, desdobramento ou transporte*. Aconteceu então o que, por lógica, devia ocorrer: a visão interior dos extáticos plasmou-se primeiramente no éter e quase que imediatamente na Esfera Astral, com reflexos vagos e sutis na própria atmosfera que envolvia seus corpos físicos. Tal é o processo seguido para que se produzam todas essas manifestações supranormais no plano físico.

Todos viram com nítida clareza a forma e o modo como as forças vivas do Cosmos vão se unindo para ordenar essas massas enormes de átomos a moléculas aparentemente mortas, até chegar à célula viva, princípio dos organismos vegetais, semi-animais, larvas apenas movíveis, embora ainda sem individualidade, pois atuam somente como informe montão de forças vivas, mas que se acham preparadas e dispostas para a individualização da porção ou fragmento que cada Ego há de assumir no momento oportuno de começar a sua eterna tarefa de transformações contínuas.

Assim chegaram eles a perceber a hora luminosa e radiante em que Círio, da mesma maneira que outras Inteligências gêmeas, colheu, do montão sem forma definida, células ou borbulhas de vida para encarregar-se de sua evolução em longas idades futuras. Naquela hora começou a individualização dessas células, cada um das quais seria, em futuro distante, um ser com vida própria, primeiro um vegetal, depois um animal.

No desenrolar maravilhoso daqueles panoramas extraterrestres, perceberam os extáticos o instante supremo quando um Ego – que, por iluminação intuitiva, compreenderam ser o de Jhasua – dirigia o feixe de raios de sua vontade sobre uma célula viva, a palpitar como borbulha rosácea, amarelada, azulada e esverdeada, de acordo com o colorido daqueles raios refulgentes de energia e vitalidade.

A partir desse momento solene e grandioso, a vívida e palpitante célula realizava seu esponsal eterno com o único Senhor para todo o sempre, ou seja, com o seu Ego, seu Eu Superior, que haveria de conduzi-la desde seus humildes princípios até os mais gloriosos destinos.

Viram, inclusive, a passagem lentíssima daquela célula por belas e delicadas modalidades de vida física, nos vales fecundos e florescentes do primeiro planeta, que girava junto ao grande sol central, Sírio, sendo que este percorria a sua órbita em torno de um centro maior, assim como todo o sistema girava, por sua vez, sobre outro ponto central, que se perdia na imensidão do espaço infinito! ...

Aquela formosa constelação que, graças à sua configuração, foi chamada posteriormente *Kan ou Cão Maior*, era constituída de milhares de planetas grandes e pequenos, planetóides, asteróides e satélites. Em seu girar vertiginoso e constante, alguns deles se desprenderam, atraídos por forças maiores, e foram unindo-se a outros sistemas planetários, até que, depois de longas épocas, a constelação ficou reduzida a sete estrelas de primeira grandeza e milhares de categoria e tamanho inferior.

Ao longo dos tempos, num mar de transparências azuis, tomou forma uma alga amarelenta e esverdeada, trepando por uma rocha branca, que era o alicerce de uma torre, à qual subia um jovem, ao entardecer, para acender o grande farol da cúspide.

Por causa de um abalo sísmico, a rocha, com a alga nela aderida, rolou, um dia, para o fundo do mar. Passado algum tempo, um brilhante coral rosado se prendera a outra rocha, fundamento do farol que já estava em ruínas. Ao pé dele, humilde sepultura, situada numa gruta das rochas, indicava o final da vida daquele jovem faroleiro, que, através de um descendente seu, continuava a proporcionar luz, todas as noites, aos navegantes daquele mar de transparências azuis ...

E assim, sucessivamente, desfilou com inaudita rapidez aquele eterno viver até passar do Reino Vegetal para o Reino Animal cujas espécies de mansidão percorreu durante longuíssimo tempo até chegar à última: um belíssimo animal quadrúpede de amplo pêlo branco irisado muito semelhante à rena das terras polares, tirava um náufrago das ondas bravias de um rio caudaloso e enfurecido. O heróico amor inteligente desse animal em favor de um ser humano, que a ele estava ligado por antigas alianças muito longínquas, foi a chave de ouro que abriu a porta do Reino Humano à humilde *célula viva* que havia percorrido mares e terras do seu planeta de origem, sob inúmeros aspectos e formas, até chegar ao pleno despertar da sua consciência e da sua vontade.

A célula viva chegara ao palácio encantado da inteligência humana e sua primeira vida de homem foi a de um menino num lar de pastores de antílopes, que por herança paterna foi também pastor por muito tempo.

Aquele pequeno zagal, apesar da cor bronzeada da sua pele, assemelhava-se muito com Jhasua, sobretudo no seu doce e sereno olhar ...

Ao chegar a este ponto culminante, todos os essênios caíram de joelhos com o rosto prosternado em terra, adorando a Suprema Energia Criadora, que, sem outros elementos, a não ser o tempo, assim transformava as coisas inanimadas até convertê-las em imagem palpitante e viva de Si Mesma.

— Tudo quanto temos visto é minha própria vida na Eternidade de Deus — disse o menino Jhasua com voz clara e vibrante. — Será verdade tudo isso ou seria criação vossa, que, porventura, sois magos como o foram Moisés, Elias e Ezequiel?

— Jhasua, — disse o Servidor — todos os homens têm uma história semelhante, e é bom que jamais venhas a esquecer o que foi visto, para que saibas relacioná-lo perfeitamente com a tua atual missão de Instrutor e Salvador desta Humanidade.

No dia seguinte, e à mesma hora, o trabalho espiritual dos solitários continuou de modo igual, e o Essênio-leitor leu o seguinte:

"O Mestre Antúlio explicou aos seus discípulos como se havia apresentado à sua clara visão a escala imediatamente superior ao homem, ou seja, a dos *Guardiães*, que são Inteligências de evolução avançada, e que, pela sua própria natureza, podem atuar mais no plano físico, quer em coletividades ou legiões, quer individualmente.

"São os que, no Sephirot da Ciência Oculta mais remota, se denominam *Legiões do Reino*, por serem as mais numerosas. Noutras Escolas de Sabedoria Divina, são denominados *Hierofantes, Bodhi-Satvas, Profetas*. Eu lhes dou o nome de 'Guardiães' em vista das tarefas e missões que os tenho visto desempenhar de preferência. Todas as obras de bem e de justiça são defendidas por essas Inteligências de grande pureza e lucidez.

"Encarnam com bastante freqüência nas humanidades cujos planos físicos são iguais aos desta Terra. Quando estão na matéria, podem ser facilmente reconhecidos pela lucidez que possuem para discernir o bem do mal, o certo do errado e o verdadeiro do falso.

"Todos os seres que encarnam com missões espirituais de importância têm um ou mais guardiães que os ajudam a encaminhar-se para o cumprimento de suas missões. Às vezes podem tomar formas materiais a partir do plano espiritual ou esfera astral e tornar-se visíveis aos seres encarnados, quando grandes causas do bem comum assim o requerem.

"Em tais ocasiões, é comum ouvir-se falar de aparições de Inteligências Luminosas a seres encarnados, em momentos ou circunstâncias que exigiam assistência especial. As Escrituras Sagradas das mais remotas Escolas de Conhecimento Divino relatam inumeráveis aparições dessa natureza.

"Os Guardiães representam sempre esse algo superior chamado *Providência*, que acode para prover uma necessidade imprescindível ou evitar uma catástrofe não prevista pela Lei. São os depositários dos segredos das vidas físicas que começam e das que terminam. Em outras palavras: eles sabem quando, como e onde deve começar uma vida, e quando, como e onde deve terminar.

"Mas, como a Lei menciona a conveniência de que os encarnados ignorem, em geral, tais segredos, esses elevados espíritos os guardam com austera severidade. São eles, pois, os Guardiães do grande Livro da Vida e da Morte, e somente por motivos graves e justos permitem que sejam reveladas a determinados seres coisas que pertencem aos mistérios que a Eterna Sabedoria lhes confiou.

"Essas imensas Legiões de Guardiães estão formadas por espíritos originários de diversos planetas, cujas humanidades são de evolução mais elevada do que a humanidade terrestre.

"Quando encarnam, realizam, de ordinário, vidas breves, salvo casos em que razões poderosas os retêm por mais tempo no plano físico em que atuam. Próximo de mim, por ordem superior, tenho encarnados dois Espíritos Guardiães: Hilcar de Talpaken, meu primeiro discípulo, e Walkíria, minha mãe amadíssima. Entre ambos está formada a aura de proteção que me é necessária para desenvolver a minha vida terrestre.

"Os Guardiães estão repartidos em sete grandes divisões ou Legiões, cada uma das quais obedece a um superior imediato, o qual leva a denominação de *Guião*, ou seja, *Indicador*, que é o significado daquele nome. Esses sete *Guiães* recebem as ordens do Messias-Instrutor correspondente. Cada Legião leva o nome de uma das sete cores fundamentais do arco-íris: Ouro, Azul, Escarlate, Esmeralda, Violeta, Turquesa e Branco.

"Suas características mais destacadas são o amor suave e meigo, manifestado com força de persuasão e uma grande firmeza e perseverança para levar a um feliz termo suas obras de bem e justiça.

"Toda beleza os atrai e toda ruindade lhes causa repugnância e asco.

"Nos planos físicos, encarnam, de preferência, em civilizações espirituais elevadas, e pouco nas épocas de decadência. Ordinariamente, existem na proporção de um por mil naquelas paragens do Planeta onde, com mais freqüência, se realizam obras de ajuda social, com tendência para a elevação da Humanidade. A falta de harmonia e a frivolidade em que, de ordinário, vivem os casais, constitui impedimento para que esses Espíritos encarnem em maior número.

"Sucede por vezes que, ao tomarem a matéria, o ambiente terrestre escolhido resulta tão asfixiante e pesado que isto lhes produz alterações orgânicas invencíveis, pelo que voltam para o espaço, sem ter podido realizar a missão de que se encarregaram.

"A maioria das Inteligências purificadas, que formam as filas gloriosas por sua abnegação de holocausto perpétuo, chamadas *Círios da Piedade*, saem destas imensas Legiões, com o nome de *Guardiães*, que são a primeira evolução superior a que chegam os habitantes dos planos físicos, destinados à procriação pela Eterna Lei.

"Os *Arcanjos* fazem parte de uma grandiosa escala evolutiva das Inteligências, formando outra imensa Legião, que o Divino Conhecimento chama de *Muralha de Diamantes*. Tais são as inteligências que desenvolveram, com freqüência, grandes poderes, forças e energias, que elas colocam a serviço dos elevados e ocultos desígnios do Eterno Poder.

"São sete categorias diferentes, cabendo a cada qual uma ação própria, como seja: *Vigias, Potências, Arautos, Colunas, Aquilões, Setas e Raios*. Acham-se sob a direção de sete Hierarcas, que obedecem à idéia do Messias correspondente ao planeta em que atuam.

"Em minhas clarividências, esses Espíritos se me apresentam vestidos de túnica curta, cor de prata ou azul, com asas luminosas de suave irradiação purpúrea e com duas longas chamas de fogo, semelhantes a espadas, de uma fulguração que deslumbra, as quais se projetam das palmas abertas de suas mãos. Eu percebia a sua proximidade através de um agradável calor, que é, simultaneamente, vibração, energia e poder.

"Todos eles podem encarnar nos planos similares ao da Terra e na própria Terra, com exceção dos *Setas e Raios*, cujas poderosas vibrações não podem ser suportadas por um organismo físico terrestre. Seus poderes dominam correntes magnéticas poderosas e eletro-radiantes; podem desintegrar corpos inanimados e mudar de um lugar para outro, a distância, corpos animados, e, bem assim, dispersar como pó os átomos e reuni-los novamente, se tal for a sua vontade.

"Encarnados, têm a força de sugestão necessária para se fazerem amar até o delírio, com fins de bem e de justiça, sem que intervenha, de maneira alguma, o interesse sexual, quando se tratar de seres de sexo diferente. Podem paralisar o processo ordinário de qualquer enfermidade em organismos físicos, quando a vida de determinados entes deve ser prolongada por motivos de grande importância. Gozam, igualmente, do poder de acelerar ou atrasar nascimentos para evitar influências astrológicas adversas à missão que trazem para a vida seres de evolução avançada, de cuja atuação dependerá o progresso ou o atraso de grandes porções da Humanidade.

"Sua força predominante desprende-se da íris de seus olhos e dos extremos dos dedos de suas mãos. Uma dessas grandes e fortes Inteligências presidiu ao meu nascimento, que ocorreu uma lua antes do tempo normal. Com isto conseguiu-se que ele se realizasse sob a influência de Júpiter e de Vênus, segundo convinha para a tarefa que me estava designada pela Lei para essa ocasião da minha eterna viagem. Era um *Arauto* que obedecia a Ahelohim, um de meus Guias atuais, a quem devo, em grande parte, o fácil desenvolvimento de minha atual missão.

"Ordinariamente, desenvolvem suas importantes atividades nas Esferas Astrais dos mundos elevados, pois quase sempre são encarregados de preparar os caminhos e desembaraçar de obstáculos as aproximações de longa ou de curta duração dos Enviados aos planos em que, por desígnios superiores, devem atuar.

"São eles também incumbidos da custódia dos Arquivos da Luz Eterna, desde os princípios da criação das nebulosas e dos Sistemas Planetários.

"Constituem, ainda, a vanguarda das Inteligências que dirigem a transformação de globos e de humanidades que já não correspondem à marcha harmônica determinada pela iniludível Lei da Evolução. Cabe-lhes, por isso, presidir aos grandes cataclismos siderais, em que planetas apagados e sem força de atração nem de coesão se precipitam pelo vazio como pedras lançadas ao acaso, sem rota marcada e com velocidades espantosas, produzindo enormes catástrofes que essas fortes Inteligências convertem em utilidade para as humanidades e os mundos já chegados a seus períodos de transformação.

"Quando algum desses Seres desencarnados aceita a missão de ditar ou de receber conhecimentos superiores, históricos ou filosóficos, para determinadas humanidades, devem formar aliança, ao encarnar, com uma ou várias dessas Inteligências chamadas *Muralhas de Diamantes* (Arcanjos), ordinariamente com os *Arautos* e os *Vigias*, que são os encarregados da custódia do Arquivo Divino da Luz Eterna, no que diz respeito à evolução das humanidades. Vi com clareza o processo seguido para esses casos, e relato-o conforme aquilo que me foi permitido ver.

"Figurai-vos um incomensurável recinto com muitas entradas, todas elas cobertas com radiantes véus fluídicos, de tão variadas cores e matizes que o observador crê serem azuis e logo se tornam ouro, ametista, esmeralda ou púrpura vivo, como se tais mudanças viessem de longínquos focos luminosos que não é possível precisar onde estão situados. Tudo isto se deve aos pensamentos evocadores que, em busca de conhecimento e verdade, chegam de todos os mundos a essas portas cobertas com véus.

"Quando os cambiantes se tornam como de uma efervescência vertiginosa de cores, os véus desaparecem como por arte mágica, e em cada porta se destaca a figura radiante de um *Arauto* ou de um *Vigia*, que, estendendo as mãos abertas e fixando os olhos resplandecentes num determinado ponto do espaço infinito, atrai, com força irresistível, as Inteligências que vão transmitir a Verdade às humanidades, onde existe certa quantidade de almas em expectação, já chegadas à evolução necessária.

"As Inteligências que vão transmitir ou ditar penetram no primeiro recinto, onde inumeráveis esferas luminosas giram majestosamente, como sustentadas por eixos invisíveis, e cuja superfície, à semelhança de imensos espelhos, deixa que o observador veja o que quer transmitir ou ditar. Mas não creiais que sejam bosquejos ou esboços vazios de acontecimentos ou vidas de um passado remoto, como se vêem numa pintura mural, senão a própria vida, com todas as suas emoções, movimentos e atividades, tal como se fora, não o passado, mas o próprio presente, com todo seu realismo vivo, palpável, sensível, imponente ou aterrador.

"Compreendi que daqui nasce o velho ditado: 'Deus tudo vê'; pois nada ficou sem ser coletado pela Luz Eterna. É daqui e desse modo que se reconstituem as existências planetárias dos seres que, através de imensas idades, realizaram ações boas ou más, em união com os grupos de humanos entre os quais viveram.

"Esses fortes e adiantados Espíritos, assim como podem tornar-se visíveis aos encarnados quando o julgarem conveniente, podem, igualmente, tomar o aspecto que concorde com o tom ou vibração daqueles que os invocam e das circunstâncias especiais em que são evocados ou esperados.

"Um conselho de homens de ciência, animados das mais nobres e puras intenções, e que forem favorecidos por aparições dessas Inteligências, vê-las-ão com aparência e cor determinadas, ao passo que mães, esposas e filhas angustiadas, em horas de terríveis catástrofes, hão de vê-las com forma e cor diferentes, porque nelas opera a força irresistível de seus próprios pensamentos e desejos, além da força dos desejos e pensamentos daqueles que delas necessitam ou que a elas estão ligados por velhas alianças.

"Tendo-se conhecimento de que toda Inteligência é como um foco de contínuas vibrações e, sendo estas tanto mais intensas quanto mais elevadas e puras forem, bem se compreenderá que é difícil, para um relator dos planos espirituais, dar definições precisas, relativamente a aspectos dos excelsos Seres que povoam os Reinos Eternos da Luz.

"A alma que haja conquistado o dom divino da percepção espiritual pela clarividência, poderá, por si mesma, comprovar esta asseveração.

"Os puríssimos seres denominados *Esplendores e Vitórias* compõem a escala imediatamente superior à *Muralha de Diamantes*. Algumas antiqüíssimas Escolas de Sabedoria Divina os têm chamado '*Os Habitantes da Onda*'. Tal designação se deve a que sempre são vistos com os pés como que submersos numa enorme vaga ou corrente de energia viva, de cambiantes cores e tonalidades, a qual avança para o observador com tal potencialidade que causa a impressão de avassalá-lo e inundá-lo inteiramente.

"Quando essa poderosa onda o atinge, sente ele apenas a delicadíssima carícia de suas radiações, que o transpassam e penetram sem causar dano algum, produzindo, pelo contrário, suavidade divina tão intensa que até lhe faz perder a noção de sua existência e leva-o a crer que ele mesmo se tornou uma explosão de luz e de felicidade.

"É a isso que algumas Escolas têm chamado de *Terceiro Céu* ou *Terceiro Reino*; e, a não ser com a poderosa ajuda de guias experimentados, a subida a esse esplendoroso lugar custará a vida a quem o tentar, pois não poderá tornar a entrar em seu corpo material, se for abandonado por mais tempo do que permite a Lei dos organismos físicos.

"E aos *Esplendores e Vitórias* – que são princípio masculino, os primeiros, e princípio feminino, os segundos – que alguns antigos mestres do Conhecimento Superior chamam de *Esposos Eternos* porque, conforme se há de compreender muito bem, na união espiritual dessas duas gloriosas falanges são criadas todas as formas que servirão, depois, de protótipo para todas as criações no plano físico.

"Da poderosa onda de Energia Viva em que gozam sua vida eternamente feliz, eles criam e modelam tudo quanto se torna visível como forma nos incontáveis mundos que se conhecem desde este Planeta, e também naqueles que ainda não se conhecem.

"De suas pequeninas mãos rosadas e luminosas, que se acham sempre em ativo movimento, como se estivessem tecendo e modelando impalpáveis borbulhas ou sedosas cabeleiras, surge tudo quanto existe na vasta criação universal:

"Ora são preciosas criancinhas brancas e rosadas, que parecem surgir da própria onda em que essas sublimes Inteligências submergem suas mãos, seus pensamentos e a luz radiante de seus olhos;

"Ora são delicados ramalhetes de flores, de múltiplas formas e cores, que coroam e bordam, de intervalo a intervalo, as intermináveis flutuações da imensa onda, com seus vaivéns, que se aproxima e se afasta, até perder-se nas lonjuras de um horizonte cor de opala e rosa;

"Ora são bandos de pássaros que, como resplandecentes cristais lapidados, emergem, em dados momentos, do seio daquela mesma vaga, que, qual fecundo grêmio materno, concebe eternamente o que lhe imprimem os sublimes pensamentos desses divinos criadores.

"Creio que, com o que acabo de dizer, há de ser possível avaliar medianamente a capacidade e a vida desses elevados e puros Espíritos.

"Aqui há necessidade de chamar a atenção para um fato mais maravilhoso ainda, que se observa a cada intervalo em que a imensa onda, anteriormente mencionada, se arreda quase até desaparecer de vista. É que, então, o observador descobre algo assim qual imensa abóbada resplandecente e, ao mesmo tempo, tão transparente que afigura ser o grandioso templo ou santuário em que atuam os *Moradores da Onda Mágica*.

"Se alguém apenas pensar na dita abóbada, já se encontra nela, como suspenso sobre nuvens impalpáveis, e percebe que ela é formada por inumeráveis véus encrespados e sobrepostos, que estremecem ao mais ligeiro sopro, ostentando cores de indescritível beleza.

"Ainda antes que a inteligência interrogue algo, umas mãozinhas, como que feitas de lírios e rosas, afastam graciosamente os véus e, pelo resquício aberto, o observador contempla uma selva deslumbrantemente luminosa, exclusivamente formada de óvalos, cada qual de tamanho maior do que o de um homem de alta estatura.

Esses óvalos, que são de inúmeras tonalidades, mas todas suavíssimas, irradiam energia e calor; sendo que alguns deles com maior potência do que outros.

"Quem descerrou os véus são os mesmos seres da 'onda mágica', que, por Lei, são os guardiães desse magnífico Céu ou Reino.

"Sem saber como, nem por quê, sinto-me levado ante um arco de finas colunas, como feito de pedra luminosa e dourada, e apreendo que aquilo é uma porta que se abre diante de mim. Num daqueles óvalos, cor-de-rosa-dourado, que fica ao alcance de minha mão, começa a desenhar-se uma silhueta, como se eu mesmo estivesse a observar-me no fundo transparente de um espelho de ouro.

"Algo perplexo, penso: Sou eu que chego, e eu que saio para receber-me! O que é isto, meu Deus? ... O que é isto? Uma iluminação interior responde na minha mente: *É o teu Ego, o teu Eu Superior*, o teu Criador, o teu Pai, a centelha divina que, à semelhança de Deus, criou todas as suas existências terrestres, da mesma sorte que o artífice esboça em tela todas as figuras que formam o argumento do seu quadro.

"Esse outro Eu me demonstra amor infinito e terníssima complacência; em verdade, como de um pai que, depois de grande ausência, torna a ver seu filho querido.

"Ao mesmo tempo que ele me estreita em seus braços etéreos e luminosos, parece dizer-me: 'És meu filho, no qual tenho toda minha complacência.'

"O intenso abraço adormece-me, tira-me o conhecimento e desapareço em sua essência ... já não me sinto viver em mim mesmo, mas nesse outro Eu.

"Não sei o que se passou, mas despertei inundado de felicidade e sem saber ao certo se estava novamente no plano físico terrestre ou se ainda flutuava nesse outro Reino Divino, de beleza indescritível, para onde havia sido levado pela força do Amor Eterno e de meu próprio desejo de Sabedoria Divina."

O Menino Clarividente

A leitura dessa passagem do Mestre Antúlio teve a força de submergir, nas profundas quietudes do êxtase, a todos os Essênios que a escutavam, e também a Jhasua, que, de instante a instante, ia despertando para a consciência própria dessa hora solene de sua vida de Messias-Instrutor de humanidades. Semidesprendido de sua pequena urna material de poucos anos, murmurou com voz apenas perceptível:

– Basta, basta, basta! Minha débil natureza física não resiste mais. Três dias de esquecimento, de ar puro e de sol ardente dar-me-ão nova vida e energia para continuar escutando.

Caiu, em seguida, em profundo sono, do qual despertou ao cair da tarde, e a primeira pessoa que ele viu foi Myriam, sua doce mãe, que fiava um punhado de lã branca.

Os Essênios haviam-no levado adormecido para o leito na alcova de sua mãe, recomendando-lhe encarecidamente que não o despertasse nem fizesse ruído algum até que o menino, por si mesmo, voltasse ao estado habitual.

– Que fizestes com ele, que dorme desta maneira durante o dia, ao contrário do seu hábito? – perguntou Myriam alarmada, vendo o filho sumido, como em profunda letargia. – Destes-lhe alguma droga que o narcotizou?

– Não, mulher, não! – respondeu o Servidor. – Não temas. São simplesmente os processos da cura espiritual que tu mesma pediste para teu filho. Acaso não desejas que ele seja um garoto normal como os demais, de sua idade, e que se veja livre dessas profundas melancolias que o absorvem de vez em quando, fazendo-o procurar lugares retirados e a solidão? Não disseste que, às vezes, o encontravas em estado de letargia sobre o musgo de teu horto, inteiramente frio, como se a vida o houvesse abandonado? Não é verdade tudo isso, Myriam?

– Sim, é verdade! ... inteira verdade – respondeu ela.

– Pois então, mulher, deves compreender que toda cura exige um processo, um método, após o qual o enfermo recobra sua força vital e suas energias, com todo o domínio das faculdades. É isto que fazemos com o pequeno Jhasua, esperando de ti toda colaboração necessária para conseguirmos o êxito.

– Que coisa quereis de mim? – perguntou Myriam ansiosa, voltando novamente à tranqüilidade. – Que devo fazer, pois?

– Ter plena confiança em nós, pois sabemos quem é Jhasua e o que ele vem a ser para a Humanidade, que o recebe sem conhecê-lo.

Myriam envolveu com um olhar cheio de indefinível ternura a figura adormecida de Jhasua, estendida no leito, como se quisesse protegê-lo com aquele olhar.

E, como se sua sensibilidade houvesse captado a onda do pensamento do Servidor, ajoelhou-se silenciosamente, junto ao leito do filho, sobre cujo bordo inclinou o rosto, enquanto exalava suaves soluços, como sussurros de folhas agitadas pelo vento ao entardecer.

– Mulher! – disse-lhe o ancião essênio – por que choras com tão profundo desconsolo? ... se és a mãe bem-aventurada entre todas as mães!? ...

– Parece que uma voz interior me disse neste instante que meu filho será o *Varão de dores*, alvo de todas as desavenças dos homens, segundo vaticinou o Profeta.

– Se é realmente assim, mulher, ele necessitava de u'a mãe para descer à Terra ... Porventura, estás pesarosa de haver sido a escolhida?

– Não! ... Isto não! ... Jamais! ... Se a sua vida há de ser como um encadeamento de mortes lentas e terrivelmente dolorosas, quero sofrer todas elas a seu lado, durante toda minha vida ... Mas espero que, ao menos, me seja permitido o desafogo do pranto, neste instante em que meu próprio coração me anuncia o que ele deverá padecer.

O Ancião, profundamente comovido com tais palavras, apoiou a mão direita sobre a cabeça inclinada de Myriam, ao mesmo tempo que os seus eflúvios de paz, de consolo e de esperança a envolviam amorosamente.

– Bem sabes, minha filha – disse ele, quando a viu mais serena –, que todos os Grandes Servidores de Deus suportaram vidas de abnegação e de sacrifício até a morte. As Sagradas Escrituras de nossa Fraternidade não relatam uma única vida de prazer e de deleite das grandes almas que nos precederam na realização do ideal de libertação humana, que vimos aspirando. É Lei Divina que aos altos cumes não se há de chegar, a não ser com inauditos e heróicos esforços.

– Qual o interesse que existe em escalar altos picos? ... – perguntou a jovem mãe, sempre procurando uma lógica para o seu amor materno, que repelia a dor em defesa do filho de suas entranhas.

– Myriam! ... o amor é mais forte do que a dor e a morte. Se visses teu filho no alto de um cume, não farias esforços para reunir-te a ele? Há um amor mais intenso e avassalador que o materno; é o amor das almas conscientes dirigido ao Supremo e Eterno Bem.

"Quando tais seres chegam ao conhecimento desse Amor, não podem viver sem estar unidos a Ele tão estreitamente como a gota de água que lanças à fonte, como uma brasa viva que jogas à fogueira, como uma nota da tua cítara entre a torrente de melodias de nossos hinos sagrados. Pelo impulso desse Amor, eles tomam sobre si todas as dores humanas que procuram remediar; então essa imensa e turbulenta marulhada os envolve, açoita e golpeia violentamente até arrancar-lhes o sangue e a vida, depois de haver espremido e sugado sua energia e vitalidade.

"É isso que ocorre aos Salvadores de humanidades e aos que cooperam com eles para o mesmo fim. Teu filho, Myriam, é o Salvador, e tu és sua íntima colaboradora. Compreendeste, minha filha?"

— Que se cumpra em meu filho e em mim a Vontade do Altíssimo — respondeu Myriam, enquanto, ocupando novamente seu pequeno tamborete de trabalho, continuou torcendo com os dedos rosados os finos fios de lã que envolvia no fuso.

Houve um momento de silêncio em que, se as palavras calavam, não silenciavam os pensamentos; e Myriam perguntou prontamente, traduzindo em palavras o que cruzava por sua mente:

— É meu filho o Messias que Israel esperava ou temos que esperar outro depois dele? O fato de estar escrito que ele será da família de David e de sua descendência, porventura já se perdeu na imensidão dos tempos que passaram? Joseph e eu somos descendentes de David, segundo me parece, pois ouvi dizer que o éramos de acordo com os livros das genealogias.

— Minha filha — disse o ancião —, as profecias, como todos os cantos sibilinos dos grandes inspirados, não devem ser lidas com os olhos do corpo, mas com a luz divina, dada por Deus à nossa alma. Assim, essa profecia esclarece que o Messias nasceria da família espiritual de David, o qual foi chamado ao trono de Israel, do campo em que pastoreava cordeirinhos.

"A família espiritual de David é a Fraternidade Essênia no plano físico. E a procedência venusiana de David, que veio de Vênus à frente de uma porção da humanidade que lhe era afim, e que, chegada a hora precisa, encarnaram ao mesmo tempo na Palestina e na Síria para preparar os sulcos para o grande Semeador do Amor e da Fraternidade entre os homens.

"Tu, Myriam, vens de família essênia, desde séculos, e vieste fazendo parte das almas aliadas de David. Joseph, teu companheiro, está no mesmo caso.

"Nosso Pai, o Profeta Samuel, que o ungiu Rei, sabia todas estas coisas e, no que diz respeito ao grandioso poema das almas em relação aos eternos desígnios, pouco será o que possa escapar à nossa visão, de vez que consagramos a isto todas nossas vidas, há muito séculos.

"Agora vou retirar-me, porque teu menino logo despertará, e não convém que me veja aqui, para que não se reavive nele, demasiado cedo, a lembrança do que ouviu ler no Santuário. Não lhe fales nada a nosso respeito; e procura dar passeios com ele pela pradaria vizinha, onde deve viver, durante três dias, a alegre vida de um garoto são e bem equilibrado. Deixa-o correr, brincar, molhar-se no arroio e trepar nas árvores para procurar ninhos.

"No começo do quarto dia, ele mesmo voltará sua recordação a seus velhos mestres essênios. Então o trarás à nossa presença, para que possamos prosseguir sua cura."

Depois de contemplar um instante o pequeno adormecido, o Ancião regressou ao Santuário, com a promessa de Myriam de que faria exatamente o que lhe havia dito.

Quando Jhasua despertou, quase anoitecia; e da grande caverna-cozinha chegava uma algazarra de risadas de meninos, misturadas com alegres batidas de palmas.

— Ouves, mãe? — perguntou Jhasua surpreso, pois ali, de ordinário, só estavam as anciãs que os hospedavam.

— Sim, meu filho; são os netinhos das anciãs; pois, a cada lua, eles sobem a montanha para ver suas avozinhas.

— Oh, ventura de Deus! — exclamou o menino, saltando do leito. — Eu tenho uma vontade louca de brincar e correr pelos campos. Agora, sim, deixar-me-ás ir! Não é verdade, mãe?

— Sim, meu filho, porque estes meninos montanheses conhecerão muito bem os lugares em que aninham as gaivotas, os melros e as calhandras. Devem conhecer todas as paragens mais belas do Monte Carmelo, e, seguindo-os, não poderemos perder-nos.

— Mas ... tu também irás?

— E por que não? Acaso, sou tão velha que não possa correr por onde tu corres? Além disto, devemos celebrar a chegada da caravana, amanhã ao meio-dia; ela, decerto, há de trazer-nos notícias do teu pai e dos irmãozinhos.

— Com toda a certeza! Mãe, deixa que eu vá ter com esses meninos, que riem com tamanha alegria?

— Vamos para junto da lareira, que logo será a hora da ceia.

Mãe e filho foram participar da alegre algazarra das crianças montanhesas, a brincarem de galinha-cega (*) e de rãs saltadoras, causando, assim, uma indizível felicidade e alegria às velhas avozinhas, que as contemplavam com simpatia e carinho.

— Faltavas tu, raio de sol, para que a festa fosse completa — disse uma das anciãs cujo nome era Sabá, ao mesmo tempo que fazia lugar para Myriam no estrado diante do fogo.

— Sou eu raio de sol? — perguntou ingenuamente Jhasua.

— E quem há de sê-lo senão tu? Vem, que faço com que esses grilos se calem para dizer-lhes que tu és o raio de sol! — Tomando Jhasua pela mão, foi ao outro extremo da imensa cozinha de pedra, onde as crianças, em confuso amontoado, se comprimiam umas com as outras, na luta das rãs saltadoras para submergir-se cada qual em primeiro lugar no lago. É necessário esclarecer que o lago era, para esses meninos, uma grande pele de camelo estendida para secar, com as pontas enfiadas em estacas de madeira e sobre um colchão de feno seco.

— Eh, pirralhos! ... Durante bastante tempo brincastes de rãs e de girinos. Mostrai agora que sois crianças bem educadas e olhai para o amiguinho que vos trago — disse Sabá, rindo das piruetas e posições grotescas daqueles diabinhos soltos.

Jhasua ria também com eles, vendo as ridículas poses que pretendiam imitar.

Os pequeninos puseram-se rapidamente de pé, como em linha de batalha, encarando a Jhasua com olhares irritados.

— Agora não brincareis mais de rãs, mas de cordeirinhos, porque este menino será o vosso pastorzinho. Entendestes? Deveis ser muito obedientes e submissos, porque ele é como um pedaço de pão com mel. Entendestes?

Ninguém respondeu.

— Mãe Sabá! ... — disse Jhasua — eles ficaram tristes porque eu interrompi sua brincadeira. Estavam tão divertidas essas rãs escarranchadas! ...

— De modo que tu também, meu luzeiro, queres ser um girino saltador?

— Eu sou menino como eles. Por que eu hei de ser o amo, e eles hão de me obedecer? ...

(*) No Brasil, esse jogo denomina-se "cabra-cega" (N.T.).

— Deixa, mãe Sabá — interrompeu Myriam — que ele tome parte nas brincadeiras dos outros meninos; foi o que o Servidor determinou para que meu filho se fortaleça, pois está um pouco debilitado.

— Está bem ... Que não se fale mais nisso! Brincai, pois, ao modo das rãs e dos girinos, contanto que não vos causeis dano algum — consentiu a anciã.

Eis, pois, aqui Jhasua — o Messias, Salvador da Humanidade — misturado com uma dezena de meninos das serranias do Monte Carmelo no confuso enxame de carinhas sorridentes e mãozinhas queimadas ao sol, à espera da ceia. Nas alegres correrias pelos vales e montanhas, durante o dia, em busca de flores e ninhos, a alegria de Jhasua foi subindo de tom, dando a seu formoso semblante tonalidades de energia e vitalidade.

As crianças montanhesas permaneceram dois dias na caverna das avós, até que suas famílias as levaram para os respectivos lares. Foi com pena que Jhasua as viu distanciando-se. Uma pequenina de oito anos sentiu na alma a tristeza do menino e, voltando para junto dele, disse:

— Jhasua, se vais ficar mais tempo aqui, eu e meu irmãozinho Matheus viremos fazer-te companhia.

— Não sei até quando ficaremos, mas, se voltardes sem demora, ainda havereis de me encontrar. Vinde ...; eu me sinto tão só!

— Matheus ... — gritou a menina ao grupo barulhento que já empreendia a caminhada montanha abaixo. Um menino de 10 anos afastou-se do grupo para perguntar-lhes:

— Que há, Myrina? ...

— Jhasua fica triste porque estamos indo embora! Que devemos fazer? ...

— Ficar — respondeu resolutamente Matheus.

— Mas o tio não vai querer deixar-nos ficar ... — alegou timidamente a menina, a quem ele havia chamado Myrina, diminutivo de Myriam.

— Vamos experimentar! — E Matheus correu para a grande cozinha de pedra de onde trouxe, semi-arrastando, a avó Sabá, a quem convenceu que solicitasse permissão para eles ficarem por mais alguns dias junto a Jhasua. A anciã, que estava enamorada do "Raio de Sol", como chamava ao menino, apenas se inteirou de que ele também desejava a companhia deles, conseguiu com facilidade a desejada permissão. Assim Matheus e Myrina ficaram na caverna das anciãs essênias do Monte Carmelo por mais alguns dias.

Eterna Lei das atrações e das afinidades das almas! Ele foi um dos cronistas do Cristo com o nome de Matheus, o Evangelista.

E Myrina foi, mais tarde, aquela triste e lamentosa viúva que se encontrou com Jhasua quando estava seguindo o cortejo fúnebre de seu filho adolescente que ia ser enterrado num velho sepulcro das proximidades.

— Mulher, não chores, que teu filho não está morto; apenas dorme. Eu o despertarei! ... És tu, Myrina! ...

Dando, então, de sua própria vitalidade ao corpo que jazia imóvel por esgotamento vital, fê-lo sair de seu féretro, transbordante de energia e saúde. Vendo filho e mãe abraçarem-se em meio ao estupor dos presentes, disse Jhasua aos seus: — Vamos! ... — E continuou andando pelos caminhos de musgo e flores da Galiléia, sem, sequer, esperar uma única palavra de agradecimento.

Estas breves alusões esclarecedoras são como uma antecipação dos minuciosos relatos que faremos, quando, mais adiante, se desenrolarem esses acontecimentos.

Deixamos para então a explicação racional, lógica e natural dos fenômenos psíquicos produzidos pelo sábio manejo dos inauditos poderes do Espírito do Cristo, em relação com as forças da Natureza, de que era senhor, em virtude da superior evolução intelectual e moral que havia conquistado.

Ao amanhecer do quarto dia de descanso, apenas Jhasua abriu os olhos, disse ele para sua mãe, que preparava com terna solicitude as roupas dele para poder levantar-se:

– Que terão feito os meus mestres durante esses dias em que não os tenho visto?

– Meu filho, a vida deles, contigo ou sem ti, é sempre a mesma; meditação, trabalho e estudo – respondeu Myriam, que já aguardava estas recordações do menino.

– Eu queria voltar a vê-los hoje! Poderás levar-me?

– Já estás cansado de Matheus e de Myrina?

– Jamais me canso dos bons companheiros, mãe; mas eles iam hoje de madrugada à aldeia com a avozinha Sabá para comprar provisões e três pequenos asnos a fim de passearmos pelas pradarias. Ontem à noite me contaram em segredo que Sabá quer fazer-nos uma surpresa.

"Pobre avó Sabá com a sua surpresa frustrada!" – disse Jhasua, rindo-se alegremente.

– E por que frustrada, meu filho?

– Porque a descobrimos antes que ela chegue. Agora mesmo, quando formos para junto de sua lareira, direi que todo o seu segredo foi esparramado pelo vento ...

– Não, meu filho, não faças isto. Deixa-a com sua alegria de surpreender-nos com os asninhos. Os anciãos têm tão poucas alegrias que todos devemos cuidar das raras felicidades que a vida lhes oferece, como se fossem pães abençoados.

– Mas, como falas, mãe! ... Estás tornando-te santa como os Essênios?

Saltando do leito, abraçou-se com a mãe, que lhe sorria amorosamente.

– Ficamos, pois, combinados que nada dirás à avó Sabá de que já sabemos do seu segredo?

– Como é difícil cuidar para que ele não me escape, mãe! ... A fisionomia que faria a avó Sabá quando eu lhe dissesse: avó, poderias mostrar-me os asninhos que compraste na aldeia? ... Ela daria imediatamente uns beliscões em Matheus e em Myrina por terem contado o caso.

– Sabendo de tudo isso, deves ficar calado – disse Myriam ajudando-o a vestir-se.

O menino esqueceu prontamente seus pensamentos de criança e disse:

– Eu a brincar e rir, e o Deus dos Profetas esperando as minhas orações para começar um novo dia!

Ajoelhando-se no pavimento, com as mãos cruzadas sobre o peito, fechou os olhos para que sua alma se elevasse com intensa adoração ao Infinito.

Seus lábios começaram a murmurar o salmo da adoração:

"Louvado sejas Tu, senhor, porque és justo, santo e bom; Tua misericórdia é eterna, e Teu poder não tem fim!" ... A vibração intensíssima da oração daquele Menino-Deus fez estremecer de júbilo as fibras mais sutis da alma de Myriam, sua mãe, que, tomando a cítara, começou a acompanhá-lo suavemente, arrancando das cordas a mística melodia dos Salmos. E a oração continuou:

"Escuta, ó Jehová, as minhas palavras, e leva em consideração a minha meditação.

"Atende ao meu clamor, porque desde o amanhecer me apresento a Ti e em Ti esperarei.

"Ó Jehová, Senhor e Deus meu! ... Quão grande é Teu Nome em toda a Terra, porque puseste a Tua glória sobre todos os Céus.

"A Ti, ó Jehová, elevo a minha alma; não te afastes de mim, para que eu não seja confundido com aqueles que descem às trevas!

"Bendito sejas Tu, que ouves minha voz. És a minha fortaleza e o meu escudo; em Ti espera o meu coração!

"Salva, Senhor, o Teu povo, e abençoa a Tua herança!"

Dobrando o corpinho, o santo menino tocou o pavimento com a fronte, e Myriam ouviu que dizia:

— Terra, esposa minha ... aqui estou eu de novo para fecundar-te mais uma vez com o meu sangue!

— Começa novamente o delírio! — pensou a pobre mãe, ao ouvir a tremenda frase, sem sentido para ela, que o filho acabava de pronunciar.

"Vamos, meu filho, que as avós já nos esperam com as castanhas assadas e o leite aquecido — disse em voz alta para interromper o que ela chamava *delírio*, e que não eram senão relâmpagos da claridade divina, que, a intervalos, iluminava a alma do Messias-Menino.

O pequeno olhou-a com dolorosa emoção, como se essas palavras o houvessem ferido profundamente.

— Vamos — respondeu muito baixinho — e, depois, levar-me-ás ao Santuário, ou, se não quiseres molestar-te, irei sozinho.

— Jamais me molesta estar contigo, meu filho — respondeu a mãe. — Eu mesma te levarei.

O menino tomou o desjejum em silêncio, como se houvesse esquecido completamente a ironia com que pensava tratar, em seguida, o segredo dos asninhos da avó Sabá.

Instruídas as avós, da mesma sorte que Myriam, sobre a educação espiritual que estava sendo dada ao menino, trataram de não fazê-lo mudar de atitude com ruidosas conversações a respeito de coisas materiais e efêmeras.

— De modo que, hoje, tens trabalho com os Mestres, Jhasua? — perguntou uma das anciãs.

— Sim. Já descansei três dias, que passaram voando. Durante esse tempo, fui passarinho livre na montanha. Agora volto para a gaiola.

— Até quando? — perguntou timidamente Myrina, que, como seu irmão Matheus, havia guardado silêncio por indicação das anciãs.

A voz da menina comoveu a Jhasua, que, sorrindo ligeiramente, respondeu:

— Ao cair do sol, voltarei para cá, e contar-vos-ei formosos contos, que mais parecem sonhos.

— Serás, sem dúvida, um doutor da Lei; e é, decerto, por isto que te fazem estudar tanto — argüiu Matheus, estranhando que seu amiguinho passasse todo o dia no Santuário.

— Sou tão pequeno que não posso saber o que serei. Só sei que preciso ir com os meus mestres, porque para isto vim até aqui. Vais me levar, minha mãe?

— Está bem, filhinho, vamos. — Sem dizer uma palavra mais, seguiu a Myriam através da galeria coberta que conduzia ao Santuário.

— Mas, vovozinha Sabá — lembrou Matheus, apenas eles saíram —, e a surpresa dos asninhos? Para quando fica?

— Para esta tarde, filho, para esta tarde.

— E por que não agora? Eu, que me esmerei tanto em ajaezar o asninho de Jhasua, fico aqui com o meu trabalho perdido!

— Tem um pouco de paciência, pois esse menino não é como tu. É um profeta como Elias e como Samuel; ele veio para cumprir as grandes promessas de Jehová aos homens desta Terra.

— Ah, pobre Jhasua! — exclamou Matheus, emocionado. — Quase todos os profetas viviam de raízes e bolotas, e vieram a morrer violentamente. Malgrado todos os sofrimentos dos profetas, pois continua havendo ladrões e assassinos; os soldados do César espancando os hebreus; e os esbirros do Rei recolhendo todo o ouro para os banquetes do seu amo ...

— Cala-te, rapaz, que não sabes o que dizes! Vem trazer lenha; e tu, Myrina, põe a farinha na bacia, pois vamos fazer pão.

Com isso terminou o protesto de Matheus. Agora, tu e eu, leitor amigo, vamos seguindo a Jhasua, que se encaminha com sua mãe para a porta do Santuário Essênio.

Na metade do caminho, esperava-os um dos Anciãos.

— Aqui vos trago meu filho — disse Myriam. — Descansou bastante, e, como podeis ver, seu aspecto melhorou. Hoje, apenas acordou, pediu para vir ter convosco, e aqui o tendes.

— Muito bem, Jhasua; ficarás conosco até a nona hora, quando eu mesmo te levarei novamente para tua mãe.

— Estás ouvindo, mãe? Na nona hora estarei contigo. — Beijando-a ternamente, desapareceu com o Ancião na obscuridade da galeria de pedra.

— Deus meu! ... — murmurou a mãe entristecida. — Eu sei que meu filho é mais Teu do que meu. Dá-me forças para entregá-lo a Ti quando queiras pedi-lo! — Enxugando uma lágrima furtiva que lhe corria pelo rosto, voltou para a alcova, onde o fuso e a roca esperavam suas ágeis mãos para converterem em finos fios o branco tosão de lã que jazia na cesta de junco.

Quando o Ancião e o menino apareceram na porta da sala das assembléias, os Essênios começaram a cantar as primeiras palavras do salmo evocador:

"Ó Jehová! esperança minha, serás o meu escudo e a minha fortaleza; castelo do meu refúgio e resplendor dos meus caminhos, ... etc."

— Continuaremos seguindo o Mestre Antúlio na sua ascensão aos Céus, que o Altíssimo permitiu que ele visitasse, em recompensa por seus sacrifícios e para servir de ensinamento à Humanidade. Irmão leitor, podeis começar:

"O cronista, discípulo de Hilcar de Talpaken, testemunha ocular dos grandes fatos relativos ao Mestre Antúlio, continuou sua narração da seguinte maneira:

"O infatigável explorador celeste tomou vários dias de descanso, a fim de reparar suas energias desgastadas, e ficou à espera de nova indicação por parte dos seus guias espirituais.

"Teve aviso de que seria Okmaya quem o acompanharia na próxima exploração sideral, em virtude de pertencer à poderosa e forte Legião denominada *Raios*, e que iriam visitar os Reinos habitados por essa Legião, e também sua similar na Justiça e no Poder, chamada *Potestades*.

"*Potestades* e *Raios* são a quinta e a sétima hierarquias de Inteligências purificadas, cuja missão, na criação universal, é exercer o seu poder de destruição e desagregação, quando é chegada a hora para os mundos e para as humanidades que devam passar para outra etapa evolutiva.

"Os globos siderais, do mesmo modo como as humanidades que os habitam, seguem incessantemente o seu progresso infinito.

"Essas gloriosas Legiões de Justiça e de Poder residem nos sóis centrais de cada Sistema Planetário, cuja irradiação, força e energia estão em relação com as poderosas Inteligências que os habitam.

"Fui conduzido com o meu Guia à esfera astral de nosso Sol e a um sistema de sóis tríplices, vermelho, azul e amarelo, bastante próximo, dentro das enormes distâncias, do nosso Sistema Solar.

"Naquele sistema de Três Sóis e no nosso, pude ver parte das grandes Legiões que me era permitido conhecer.

"Estavam esses seres da Justiça e do Poder vestidos de turquesa e de ouro tão vivo e resplandecente como se as suas túnicas curtas e amplas fossem tecidas com fios de fogo das ditas cores amarelo e azul. Levam, como os das Muralhas de Diamantes, asas que são antenas e que se assemelham a duas labaredas de fogo, as quais, a intervalos, têm reflexos de púrpura viva.

"Dos dedos de suas mãos saem raios luminosos, em forma de estiletes muito longos. Suas frontes são cingidas com um diadema formado de raios iguais aos de suas mãos. Compreendi que meu guia Okmaya dizia com seu pensamento:

"Nesses raios da fronte e nos das mãos reside toda a sua força.

"Poucos instantes depois de estar absorvido por essas contemplações, percebi um pensamento que penetrava como uma flecha, sem ferimento e sem dor, mas que eu não podia precisar de onde vinha. Compreendi que era uma ordem vinda de mais longe, e que, traduzida em palavras, poderia ser interpretada assim:

"*Desintegrar globos apagados.* Foi uma vibração de relâmpago, uma explosão sem ruído, mas que teve a virtude e o poder de reunir, num instante, tantos desses elevados seres como sete multiplicado por sete, ou seja, quarenta e nove. Então presenciei um espetáculo sideral tão estupendo, em sua formidável grandeza, que não o poderei esquecer jamais.

"Pela imensidão de um espaço azulado alvacento, precipitavam-se, com muito mais velocidade do que pedras arrojadas por fundas, cinco globos de diferentes tamanhos, cuja negra massa podia ser percebida distintamente naquele espaço cinza-claro.

"Pensei: se essas enormes massas – que já não seguem nenhuma órbita nem obedecem à lei da coesão, e que se desprenderam, quem sabe, de que Sistema – forem chocar-se com algum dos inumeráveis globos habitados do espaço infinito ... que destruição de seres, que dores, que prantos, que mortes seriam produzidos por esses gigantescos cataclismas cósmicos!

"Vi que os quarenta e nove seres se abriram em semicírculo, como que esperando a aproximação daqueles monstros negros, e correrem como enlouquecidos e com velocidades vertiginosas.

"Estenderam para eles, todos juntos, as mãos cheias de raios, e as negras massas errantes foram aproximando-se umas das outras quase até se tocarem. Quando já parecia iminente o choque delas com as Inteligências ultrapoderosas que os esperavam, racharam-se *como bolas de terra* esmagadas pelo pé de uma criança, e escura poeirada cobriu inteiramente aquele espaço cinza-azulado, por onde os monstros haviam corrido, quem sabe desde quanto tempo.

"Julguei que o ruído formidável daquela espantosa destruição me enlouquecesse, mas, com grande assombro, não percebi som algum e me vi unicamente, não sei por quanto tempo, como que envolto naquele abismo negrejante que se havia espargido a meu redor.

"Imediatamente ouvi uma harmonia de intensas ressonâncias, sugerindo cantos de júbilo e de glória, enquanto aquele majestoso concerto, qual oração para o Eterno Princípio da Vida, saía dos lábios dos quarenta e nove seres, que mantinham as mãos radiosas estendidas, com as palmas para baixo, os rostos olhando quase horizontalmente, achando-se, portanto, os raios das frontes apontados para cima.

"Compreendi que aquele estupendo cantar dizia assim, em suas frases que pareciam toques de badalo de diamantes numa enorme campana de bronze:

" 'São Amor a Vida e a Morte que emanam de Ti.

" 'São Amor a borbulha que nasce e se converte em estrela, e a rocha inerte que se desagrega como pó no abismo insondável.

" 'São Amor o átomo errante que surge para a vida e o átomo vivo que escapa para a morte.

" 'Nuvens de átomos libertados pela destruição de cinco globos mortos, correi pelos espaços infinitos e reuni-vos novamente sob o olhar de Deus, para formar um novo sistema de mundos no ponto que Sua Eterna Vontade marcar.'

"Foi a vibrante ressonância reduzindo-se lentamente como que tragada pela imensidão, e um profundo silêncio cheio de suavidade envolveu-me completamente.

" – Compreendeste? – perguntou o meu Guia. Quando voltei a mim do estupor sofrido, tive a clara noção de que eu era um espectador do distante plano físico, onde meu corpo inerte dormia em profundo sono.

" – Sim, compreendi – respondi-lhe. – A destruição não é aniquilamento, mas renovação. Globo que se destrói e morre, há de tornar a nascer em algum lugar da vastíssima imensidão, e isto, talvez, depois de inumeráveis períodos seculares.

" 'Da mesma sorte morre o homem e renasce. As estrelas e as almas se assemelham em todos os aspectos de suas vidas eternas.'

" – Falaste certo. Tua visão desta noite basta para que compreendas que, ainda a mais tremenda justiça é somente um aspecto do Amor Eterno. Basta apenas isto para que conheças as atividades em que se ocupam, por toda a eternidade, as Legiões de Justiça e de Poder a que pertenço.

" 'Agora acompanhar-te-ei no regresso para a Esfera Astral do teu Planeta, habitação temporária, para que animes novamente a tua matéria, que, dentro em pouco, será iluminada pela luz do amanhecer. Encontramo-nos, tu e eu, quando apenas havia começado a noite.'

"Mal pensáramos um instante, e já estávamos tocando a Esfera Astral da Terra. Embora Okmaya se houvesse prevenido com vestimentas fluídicas apropriadas para estar em minha companhia, não pôde entrar nos círculos mais densos desta Esfera Astral; pelo que meu deixou com os primeiros *Círios da Piedade*, que encontramos entregues à tarefa de fazerem passar u'a multidão de almas dos planos densos, onde ainda vivem os desejos materiais, para a diáfana sutilidade das moradas onde a alma só aspira o conhecimento divino.

"Despertei imediatamente, e a primeira pessoa que se me apresentou foi minha mãe, que havia acudido aos meus clamores de espanto. Alguns dos meus discípulos tinham intentado acompanhar-me nessa viagem sideral, mas o meu Guia os deixara entre os *Círios da Piedade*, onde os encontrei em meu regresso, finalmente ocupados em aliviar, nesse elevado lugar, tantas dores humanas.

"Poucos dias depois, foi-me anunciado, mediante uma mensagem recebida pelo meu discípulo Hilcar que, antes de prosseguir as explorações espirituais, receberia a visita dos companheiros que, tal como eu, habitavam o Sétimo Céu, chamado *Céu dos Amadores*, com o fito de me prepararem para subir – deste pesado plano físico, cuja matéria revisto – àqueles sutilíssimos planos onde a matéria, se é que existe, é tão-somente como um sopro suavíssimo, como uma vibração, uma harmonia.

"No meu penoso desterro, seria visitado pelos meus irmãos *Amadores*, que, cheios de infinita piedade para comigo, viriam, sem dúvida, confortar-me em meu abatimento, em minhas profundas tristezas de cativo na grosseira vida terrestre.

"Minha alma esposa estava encarnada em Vênus, em missão redentora como eu na Terra; e ela, em estado de sono, serviria de introdutora aos amados companheiros, que, por breves instantes, voariam até junto de mim.

" – Como hei de preparar-me para tão excelsas visitas? – perguntei a um de nossos guias familiares.

" – Amando e orando – foi a resposta.

"Convidei, pois, os meus cinco discípulos íntimos, para que nos entregássemos, durante sete dias, a um grande silêncio e recolhimento, sem prejuízo das ocupações de ordem material a que eles e eu deveríamos atender em prol do nosso sustento e da nossa Escola.

"Dedicaríamos três tempos à meditação das grandezas divinas, a saber: ao amanhecer, ao meio-dia e ao anoitecer. Redobraríamos as nossas obras de piedade e a misericórdia para com os aflitos que cruzassem em nossos caminho. Nenhuma dor deveria ficar sem ser consolada, e nenhum mal sem remediar.

"Nas horas de confidência espiritual, faríamos leitura dos comentários que eu tinha feito sobre os meus companheiros do Céu, ou seja, aqueles Amadores que viriam visitar-me em meu desterro terrestre. Esses comentários estavam baseados nos símbolos de cada um deles, isto é, no significado oculto e profundo dos nomes que lhes eram dados no Reino de Deus. Minhas visitas seriam:

Vênus (Odina)	Sou um beijo de Deus.
Alpha	Bálsamo de Piedade.
Vhega	Luz que dá vida.
Kapella	Vibração íntima.
Hehilep	Amor compassivo.
Orfeu	Canta o amor em mim.
Urânia	Sondo o insondável Infinito.
Beth	Aquele que une corações.
Régulo	Como perfume, queimo-me ao fogo.
Jhuno	Sou o canto da paz.
Shekaniah	Amor piedoso.
Jhapeth	Vaso cheio de orvalho.

"A leitura desses comentários unificar-nos-ia cada vez mais com os elevados visitantes que deveríamos ter dentro de breves dias, ou seja, quando as correntes atmosféricas, etéreas e espirituais oferecessem as oportunidades que facilitariam o grandioso acontecimento.

"Para amar-se, é necessário conhecer-se. Do conhecimento nascem o amor e o desamor. Tratando-se de seres de elevada perfeição, o conhecimento que deles se tivesse deveria necessariamente produzir, como resultado, o amor intenso a eles.

"Quando estivemos compenetrados daquilo que essas doze Inteligências eram, em suas capacidades de amor e na perfeição de sua beleza, e bem assim do que haviam realizado nos globos e humanidades por elas adotadas, esperamos com essa aprazível serenidade que desfruta o espírito entregue inteiramente à Vontade Divina.

"No quinto dia de nossa preparação, as vibrações de amor já eram muito intensas. No sexto dia, nossa oração se resumia toda em lágrimas, pois a emoção era tão íntima e profunda que fazia correr silencioso pranto pelo rosto inclinado sobre o peito, em concentrado recolhimento.

"No sétimo dia, fomos forçados a passar todo o tempo aquietados em nossas poltronas de junco, de vez que já não era possível nem a palavra nem o movimento. Éramos todos uma "harpa viva", a vibrar numa cadência sem ruído, mas que tinha a alma absorta em indefinível felicidade. Estávamos, em verdade, participando do Céu dulcíssimo dos Amadores.

"No meio desse transbordamento de felicidade espiritual, impossível de definir nem de compreender por quem não o tenha sentido, fez-se, para nós, uma claridade mental tão excelente que começamos a perceber a aproximação dos nossos visitantes do Céu dos Amadores. (*)

"Em primeiro lugar, apareceu o nosso modestíssimo recinto como convertido numa selva de árvores, cujos ramos, folhas e flores eram das cores do arco-íris. Essas árvores esplendorosas eram musicais, como se cada uma delas fosse uma harpa onde cada folhinha luminosa era uma corda a vibrar em suavíssimas melodias, sem que mão alguma as tocasse. Foi-nos dado compreender que essas suavíssimas vibrações e ressonâncias eram como a prolongação das ininterruptas ondas do amor divino, irradiadas pelos espíritos Amadores até grandes distâncias.

"No meio dessa selva de luz, harmonias e cores, que não se conhecem na Terra nem podem ser definidas com a nossa paupérrima linguagem, vimos destacar-se doze figuras semelhantes às humanas em seus aspectos exteriores, se bem que dotadas de tal beleza que tudo quanto se dissesse resultaria em pálida comparação com a realidade.

"Comparar esses seres com esculturas de mármore ou de alabastro torna-se demasiado grosseiro, ainda que se lhes suponha a mais extremada perfeição de linhas.

"Aquelas imagens eram entes incorpóreos e como feitos de uma luz diáfana, rosada e viva, a difundir, ao seu redor, uma doçura infinita. Sorrindo, aproximavam-se de nós, confundindo-se com o eco das notas divinas de um cantar que chegasse de longe.

" Nosso pensamento deslumbrado e absorto perguntou-lhes:

" – Quem sois?

" – Manifestações do Amor Divino.

" – Que fazeis?

" – Derramar o Amor Divino sobre todas as esferas.

" – Que buscais neste grosseiro plano terrestre?

" – Enchê-lo de Amor Divino, para que tua vida física seja possível nele. Ó Amador, desterrado voluntário de nosso Céu de Amor! Observa!

(*) Para que os leitores entendam melhor direi que essa legião é formada pelos puríssimos seres que as Igrejas chamam de *Serafins*, dos quais se diz visitavam a dois extáticos: Teresa de Jesus e Francisco de Assis.

"Ao pensar nessas frases sem som material, desfilou, por algum tempo – que não posso dizer se foi longo ou curto – algo assim como gigantesca tela, que se desenrolou diante de nós, sem que pudéssemos precisar como nem por quê.

"Eram esboços vivos e reais de diversas paragens deste globo, cidades e povos que estavam em lutas ferozes por vis interesses materiais, e que, naquele preciso momento, arremessaram ao chão as armas fratricidas, enquanto os chefes guerreiros estreitavam as suas mãos ou se abraçavam cordialmente.

"Chefes piratas desembarcando em aldeias, com a intenção de roubar meninos e donzelas para seus delituosos comércios de carne humana viva, e que, de súbito, sentiam as suas entranhas movidas de compaixão ante o pranto das mães e dos pequeninos arrancados de seus braços. Por isso, em vez de seres humanos, levaram aves, animais e frutas, em cuja aquisição encontravam maiores vantagens.

" – Quem sois? – voltou a perguntar o nosso pensamento extático. – Quem sois vós que fazeis tais transformações?

– "Somos o canto do Amor Divino, que chega a esta Terra através de nós e afasta momentaneamente o ódio e o egoísmo para que tu, Amador, desterrado voluntário, possas continuar a tua missão de Salvador desta Humanidade.

" – É por mim que fazeis tantas maravilhas? ...

" – Neste instante, fazemo-lo por ti. Na eternidade de nossa vida gloriosa de Amor, fazemo-lo constantemente em todas as Esferas onde ainda predomina o egoísmo. Fazemo-lo por todos os Salvadores de humanidades que, necessariamente, e por Lei Eterna, são irmãos de nossa Legião, pois está escrito nos Céus de todos os Orbes que *Somente através do Amor serão salvas as almas*.

"Como um dardo de fogo que não prejudica nem queima, te desprendeste do nosso Céu de Amor, juntamente com outros, os quais foram para outros mundos que, da mesma sorte como este, estavam prestes a merecer o decreto divino da destruição.

"*Harpas Vivas do Amor Misericordioso*, a nossa *Legião de Amadores* devia interpor-se entre a espada da Eterna Justiça e os mundos pecadores, para salvar aqueles que ainda podiam ser salvos. Desgarrou de seu seio fragmentos de Si Mesma, que deixou cair como lábaros de Paz e de Misericórdia, e que, carregando sobre si todas as iniqüidades e aberrações, se fizeram mártires voluntários pela salvação dos miseráveis.

"Nesse momento percebi, ou senti, que um daqueles Seres que pareciam recortes de tênues nuvens da aurora se aproximava com intimidade, até o ponto de colocar uma das mãos sobre minha nuca e outra sobre o plexo solar; então compreendi que dizia aos seus companheiros pelo pensamento – única linguagem usada entre eles:

"Agora ele terá capacidade para ver tudo.

"Apenas pronunciadas tais palavras, vi rodar, no escuro vazio, vinte e três esferas de diversas dimensões; maiores, iguais ou menores que este planeta, e nelas, encarnados como eu, os meus vinte e três companheiros em missão salvadora daquelas humanidades. Vi, também, as torturas e o gênero de morte por intermédio dos quais ofereciam suas vidas à Eterna Justiça, pela salvação de seus irmãos pecadores. Alguns deles seriam decapitados, outros queimados, outros precipitados de altas montanhas, outros entre os dentes das feras e alguns envenenados. Entre este último, eu vi a mim mesmo sentado numa banqueta de pedra, bebendo a droga mortífera, enquanto, junto a mim, soluçavam minha mãe e meus discípulos mais íntimos.

"O Ser piedoso que me confortava era Odina, minha alma-companheira, que, inclinando-se sobre meu corpo gelado, dizia com sua voz sem ruído: 'Meu Amado!

... Deixarei a matéria dentro das ardentes chamas da fogueira, alguns anos antes do que tu, e estarei a teu lado quando beberes o elixir da liberdade.'

"Sei que perdi o conhecimento e despertei no meu canapé de junco, ao lado do qual minha mãe terrestre tratava de devolver-me o calor e a vida, aproximando de meu corpo rígido recipientes de cobre, cheios de água quente."

"Há aqui uma nota esclarecedora – acrescentou o leitor essênio – e ela diz assim:

"Este e outros relatos dos êxtases do Mestre Antúlio não aparecem nos originais de Hilcar de Talpaken, porque foram tomados pela mãe do grande filósofo, testemunha ocular íntima desses momentos. As poucas variantes que neles se observam são devidas a que foram consignadas por diferentes relatores."

– Por hoje basta – acrescentou o Servidor – contemplando a Jhasua, que, muito quietinho, a seu lado, permanecia com as pálpebras caídas.

– Dormes, Jhasua? – perguntou ele docemente.

– Não durmo, mas penso – respondeu o menino.

– Em que pensas?

– Penso qual será o motivo por que somente a Legião dos Amadores se sinta obrigada a sacrificar-se pela salvação das Humanidades que se afastaram da sua Lei.

– Pensas isto? ...

– Sim, penso.

– Estás pesaroso por pertencer a essa Legião?

– Não, porque compreendi que a Lei é tal qual é, e não como quiséramos que fosse. Se estou entre os Amadores, alguma razão haverá para isto, já que, nas alturas, não se permitem os caprichos daqui de baixo. Bem sei que todos vós pensais que esse Antúlio dos papiros sou eu, que vivi antes essa vida. Por que é necessário o sacrifício dos Amadores para salvar as Humanidades? Esta é a minha pergunta!

– Muito bem, Jhasua. Com isto demonstras que compreendeste o relato lido, e procurarei explicar-te o que compreendo e como nós, os essênios, interpretamos a Lei Divina neste ponto.

"A Solidariedade Universal é uma das imutáveis leis do Universo, e ela se manifesta tanto mais perfeitamente quanto mais purificados e perfeitos forem os seres.

"A Legião dos Amadores chegados a uma grande evolução é constituída dos habitantes do que chamamos Sétimo Céu, em cujos dois planos mais baixos, dos sete que tem cada Céu, vivem as Inteligências que ainda podem tomar matéria nos mundos atrasados que elas protegem. Antúlio estava no primeiro desses dois planos e, portanto, ainda podia encarnar no plano físico terrestre.

"Quando os Setenta daquela vaga evolutiva criaram, por mandato superior, esta nebulosa, entre eles ficou o encargo supremo de todos esses globos e das humanidades que haveriam de habitá-los. Como, entre esses Setenta Guias de Humanidades, se achavam Inteligências pertencentes a todas as hierarquias dos mundos Superiores, necessariamente devia existir entre todos eles a grande solidariedade que lhe é indispensável para conduzir humanidades e mundos até a meta final.

"Assim, os Espíritos de Poder e de Justiça encarregar-se-iam da depuração mediante as expiações coletivas dirigidas por eles. Simultaneamente os Espíritos da Legião dos Amadores, mensageiros e transmissores do Eterno Amor Misericordioso, fariam contrapeso na Justiça Eterna da Lei, descendo para junto das humanidades pecadoras com legiões de espíritos Amadores de categoria inferior, a fim de que estes os secundassem em seu imenso e heróico sacrifício.

"Por isto, Jhasua, nós Essênios estamos nesta Terra ao mesmo tempo que tu. De igual modo, estiveram com Antúlio e com Anfião os Profetas Brancos, dos quais surgiram os Dáckthylos da Ática pré-histórica; com Abel os Kobdas da época pré-faraônica; os Flâmines da Índia com Chrisna e o Bhuda; e os Koptos do Sinai com Moisés.

"A Eterna Lei das causas e dos efeitos é estritamente severa. A tal quantidade de egoísmo e refinamento de maldade, capazes, por si sós, de acabar com uma Humanidade, deve opor-se igual quantidade de amor desinteressado e de heróicas abnegações, desde que se queira manter o justo equilíbrio, no qual apenas podem conservar-se e desenvolver-se as criações dos mundos e das humanidades.

"Compreendes, Jhasua, a razão por que os Salvadores de humanidades pecadoras saem da Legião de Amadores?"

– Sim ... compreendo ...! E compreendo também muitas outras coisas! ...

Quando o pequeno pronunciava tais palavras, os clarividentes viram que flutuavam sobre ele, como ondulações radiantes, inumeráveis espíritos de Luz e de Amor, formando um céu de claridades tão diáfanas que era possível ler os pensamentos com os quais eles povoavam a mente do Verbo Eterno feito garoto.

– Poderemos, Jhasua, conhecer quais são essas muitas coisas que compreendes? – interrogou docemente o Servidor, para dar ao menino a confiança de esvaziar completamente os seus pensamentos.

– Compreendo que os seres que pertencem à Legião dos Amadores, desde que chegam à compreensão do Bem e do Mal, começam a ensaiar para serem redentores e salvadores de almas – respondeu a criança.

– Em que forma compreendes tu que eles fazem esses ensaios?

– Primeiramente, compreendo que nessas Inteligências desperta-se grande piedade e misericórdia pelos miseráveis, e sob o influxo dessa piedade trabalham constantemente. Compreendo que essa piedade os coloca frente a frente com os egoístas, ambiciosos, soberbos e prepotentes.

"Compreendo, também, que os espíritos que pertencem à Legião dos Amadores iniciam vidas de grandes padecimentos, muito antes de chegarem à purificação. São os que mais sofrem nos mundos atrasados, porque não podem tomar, por si mesmos, medidas contra seu cruel egoísmo. Compreendo, outrossim, que os Amadores, qualquer que seja a sua categoria, quando cumprem suas missões de salvar almas, são como um ponto de atração dos espíritos Guardiães que lhes dão assistência e inspiram as mais belas obras da redenção humana.

– Quantas coisas grandes compreendes, menino abençoado de Deus! – exclamou o Servidor, externando sua admiração, que era comum a todos os presentes, não obstante os demais permanecerem calados.

– Mas, agora – disse de repente o pequeno – já não compreendo coisa alguma e também não sei dizer mais nada.

Viram os clarividentes, com efeito, que as radiantes Inteligências, que lhe formaram esse céu de claridade mental, haviam desaparecido, e Jhasua encontrava-se submergido nas sombras da inconsciência infantil.

– E agora – acrescentou o menino – não é verdade que me deixareis ir para brincar com Matheus e Myrina, que estão esperando-me? Temos em vista três ninhos com filhotes de melros e dois de calhandras, que, se nos descuidarmos, voarão para longe, de um momento para outro.

– Sim, filhinho, sim. És criança e tens o direito de responder aos anseios da tua idade, não obstante a grande missão que te trouxe a esta Terra. Mas, antes disso, tomarás do vinho de teus velhos Mestres.

Levaram-no ao refeitório, e, com eles, tomou vinho com mel e castanhas assadas.

Jhasua, de volta à realidade do momento presente, relatou para eles com muita graça a surpresa da mãe Sabá com os asninhos luxuosamente ajaezados, por ela escondidos numa gruta da montanha; que ele os havia espiado, escondido atrás de uma ramagem de terebintos, onde observara um ninho de calhandras. Ria-se repleto de felicidade, contagiando, com sua ruidosa alegria, até os Anciãos, que imaginavam ser, de verdade, outra vez meninos, ao lado daquela deliciosa criatura, cuja simples presença, entre eles, era como um antecipado céu de amor e de luz.

Uma hora depois, acompanhado de Matheus e de Myrina, seguidos de perto por sua amorosa mãe, Jhasua, Salvador da Humanidade Terrestre, passeava pelos vales florescentes do Carmelo. Ia montado sobre um pequeno asno branco, com ajaezamento e mandis azuis, entre os alegres risos e gritos com que as outras crianças celebravam o acontecimento, montados, por sua vez, em asninhos acinzentados.

No entretanto, Myriam, sua mãe, suspirava num desafogo feliz de sua alma atormentada pela incerteza:

– Oh! filho querido ... Sou muito mais feliz vendo que estás brincando, alegre e ditoso na tua infância, do que sob as perspectivas de uma grandeza que me espanta! ...

Apertando ao peito um casaquinho de lã, que tecia para ele, seguia-o com o olhar mergulhado num êxtase de terníssima devoção.

Plus Ultra...

Por que deixaste o leito tão cedo, meu amor? – perguntou Myriam ao filho, no momento em que ele se aproximava de mansinho do estrado de sua mãe para espiar se ela dormia.

– Oh, mãe! ... hoje é dia de muito trabalho – respondeu o menino com grande seriedade.

– Que trabalho é esse? ... Irás quebrar todas as pedras da montanha?

– Oh, não! Tanto assim, não; mas sabes, mãe, hoje teremos que preparar três gaiolas de vime para os filhotes de melro que trouxemos ontem à noite! Observaste como abrem os biquinhos pedindo comida? São nove, mãe! Matheus e Myrina sozinhos não bastam para eles; assim, eu tenho que ajudá-los.

– Oh, que tarefa, meu filho! ... Mas não vejo necessidade para que deixes o leito, quando a noite ainda não se foi de todo.

– Entretanto, esqueces, mãe, que, apenas estejamos na metade da manhã, deverei ir ao Santuário para o ensinamento?

– Ah! ... Certamente, meu pobrezinho! ... Não sabes se és criança ou homem! ...

E, sentando-se no leito, tomou as mãozinhas do filho e cobriu-as de beijos. Juntou-as depois entre as suas e disse:

– Oremos juntos, meu filho, para que Jehová ilumine nossos pensamentos e que nossas palavras e obras sejam dignas d'Ele:

"Louvado seja Jehová, Criador e Senhor de tudo quanto existe, e que sua mão poderosa se estenda sobre nós ..."

A suave oração da mãe e do filho foi despetalando-se da alma como um ramalhete de rosas brancas que as brisas do amanhecer levavam suavemente, semeando de doces pétalas de amor e de fé as faldas verdejantes das colinas carmelitanas.

Cumprida a tarefa junto aos filhotes de melros e calhandras, o Cristo-Menino voltou para o Santuário, onde seus Mestres essênios o aguardavam.

Na metade do caminho, saiu a seu encontro, segundo era costume, um dos solitários, e a mãe, tendo-lhe entregue o filho, voltou para os trabalhos domésticos.

– Irmão Joachim – disse o menino antes de entrar –, esperai-me aqui um momento. – E afastou-se alguns passos para um ângulo do caminho. O essênio ficou a observá-lo silenciosamente.

Viu que o pequeno foi sentar-se numa saliência das rochas, fechou os olhos e juntou as mãozinhas sobre o peito. Concentrou-se o essênio também, para compreender e sentir o que se passava no mundo interno dele. Como quase todos eles haviam desenvolvido a clarividência, percebeu, na aura mental de Jhasua, uma luta entre o Eu inferior e o Eu superior.

Nesse turbulento horizonte mental apareciam Matheus e Myrina, desgostosos porque alguns ninhos que eles vigiavam cuidadosamente haviam sido destroçados pelas aves de rapina, que devoraram os filhotes.

Ambos julgavam, que, se Jhasua não tivesse demorado tanto no Santuário, no dia anterior, não teria ocorrido aquela desgraça, pois os passarinhos haveriam de estar em suas gaiolas.

" – Esses velhos – disse Matheus – querem, a toda força, fazer de Jhasua um profeta, não levando em conta que ele tem apenas dez anos. Quando eles tinham essa idade, decerto não estariam queimando suas pestanas sobre os Livros Sagrados. Em vez de continuar vendo isso, volto para casa."

Myrina, entristecida, chorava em silêncio, tendo entre as mãos os pequenos ninhos vazios e desfeitos.

Todos esses pensamentos envolviam a mente de Jhasua de tal maneira que o pobrezinho lutava para aquietar-se antes de entrar no Santuário. O essênio ainda viu o pensamento do menino voltar a correr para onde estavam os companheiros de brincadeiras.

Então interpôs um fortíssimo pensamento no sentido de dissolver aquelas penosas brumas que o atormentavam; e viu como estas foram desmanchando-se no horizonte mental do pequeno, o qual, pouco a pouco, foi tornando-se tranqüilo e sereno.

– Entremos – disse prontamente o menino, aproximando-se do solitário e tomando-o pela mão.

– Se não tens vontade de entrar agora, Jhasua, fica, e virás outro dia.

– Não tinha vontade há pouco, mas agora tenho. Já passou tudo.

E entraram.

Estavam esperando-o com os papiros desenrolados; e, depois da oração costumeira, o essênio-leitor começou assim:

"Continua o relato do Mestre Antúlio:

"Meu Guia havia feito compreender que estava faltando, para mim, conhecer o Sétimo Céu, além do qual somente pode chegar uma Inteligência encarnada quando rodear-se de circunstâncias e elementos muito especiais.

"Mas a Eterna Lei, que te abre nesta hora suas mais ocultas magnificências, dará tudo quanto for necessário para que vejas e compreendas o que Ela quer que saibas.

"Isto disse o meu Guia para dar-me o ânimo necessário à continuação de minhas explorações, que, às vezes, se faziam demasiado intensas para a minha pobre e débil matéria física.

"Logo depois da conveniente preparação, os Guias uniram-me a minha alma gêmea, para que, em conjunto, fizéssemos aquela magnífica exploração.

"Encarnada ela em Vênus e eu na Terra, realizávamos missões idênticas; e era-nos necessário, sem dúvida, conhecer nossa Morada Celestial, a fim de termos a força indispensável para suportar o grande holocausto que se aproximava.

"Faltavam a ela apenas vinte luas para deixar sua matéria entre os tormentos, e, para mim, trinta e duas.

"Quando fui tirado da Esfera Astral da Terra, encontrei-a com o seu Guia que me esperava. Cheguei com o meu, e nós quatro nos lançamos na imensidão!

"A alma perde-se naquele vasto abismo azulado brilhante, que ela vai cortando em linha reta por entre as Esferas Astrais de milhares de globos de maior ou menor evolução, o que lhe permite perceber sensações diferentes de infinita felicidade ou de angustiosa tristeza.

"Por fim, aquele imenso oceano azul foi ficando rosado e sutilíssimo, e nossos Guias nos detiveram ante uma bruma de rosa e ouro, tão viva que quase causava deslumbramento.

" – São as redes que os Amadores mantêm estendidas em todas as direções para captar as ondas de amor ou de angústia das humanidades que pertencem a cada um deles – disseram mentalmente os Guias, respondendo às nossas perguntas, também mentais.

" – São os pescadores de amor e de dor, no seio do insondável Infinito. Agora podereis ver de que maravilhosa maneira o cumprem em sua eternidade.

"Nem bem foram pensadas tais idéias, lançamo-nos, os quatro, em linha reta através daquela suavíssima bruma de rosa e ouro. Ela nos parecia ser sólida e compacta, como se fosse formada de quartzo abrilhantado, de ametistas e de topázios; e, não obstante, atravessamo-la sem dificuldade alguma.

"Nossos Guias, que, nessa exploração, foram Orfeu e Kapella, irmãos de evolução, colocaram-se de um lado e outro, deixando Odina e a mim no centro. Nossa condição de encarnados obriga-os a usar muitas precauções, a fim de que nenhuma emoção demasiado intensa venha a prejudicar nossa matéria física.

"Não pude precisar o tempo que levamos em atravessar aquele imenso mar de eflúvios de amor intenso, de fé vivíssima e de doce e firme esperança de contemplar a infinita grandeza do Altíssimo Ser, ou Alma Universal. Eu mesmo não me conhecia.

"Cheguei a pensar que não era eu, mas que o Atman Supremo (*) me houvesse absorvido completamente, e que era Ele quem vivia em mim.

"Meu Guia percebeu o meu pensamento, pois me respondeu imediatamente com o seu:

" – À medida que avançamos para essas sublimes e felizes regiões, aumenta em nós a sensação do Infinito a tal ponto que chegamos a esquecer-nos e a perder-nos n'Ele, de sorte que sentimos até a impressão de haver sido absorvidos totalmente

---

(*) Atman (sânscrito): Alma. "Atman Supremo": Deus (N.T.).

pela Divindade. Não deveis assustar-vos, se vierdes a perceber claramente que desaparecestes e que não mais existis.

"Chegamos ao primeiro portal, que era como um grande arco luminoso de uma suave cor turquesa, cuja intensidade deslumbrava.

"Estava ele todo como bordado de imensos lótus em alto-relevo, e descrevo-o desta maneira para aproximar-me, o mais possível, da imagem exata daquilo que percebi.

" – Toda esta beleza – pensaram os nossos Guias – é o original das formosuras que podeis contemplar em vossos planos físicos, se bem que, naturalmente, muito deficientes ali.

"Aqui, toda esta magnífica beleza são só vibrações de amor, que tomaram a forma que seus criadores quiseram dar-lhes.

"Experimentai tocar em um desses lótus que vos parecem de alabastro incrustado no arco de turquesa, e vereis como é verdade o que dizemos.

"Minha alma gêmea e eu estendemos as mãos para apalpar aquelas pétalas, que eram impalpáveis, e uma corrente tão intensa de amor nos invadiu as entranhas que o pranto começou a correr-nos dos olhos, e a alma a submergir-se numa intensidade que nos aniquilava como que em suprema felicidade, impossível de descrever.

" – Retirai as mãos – pensaram os Guias – para que não venhais a perder o conhecimento neste infinito abismo de amor, antes de haverdes compreendido tudo o que a Eterna Lei permite compreender.

"Obedecemos, não obstante nos produzisse sutilíssimo deleite deixar-nos absorver por aquela divina suavidade.

"O grande arco de turquesas abriu-se pelo centro, e encontramo-nos ante uma assembléia de seres radiantes, todos eles sustentando por suas próprias mãos uma espécie de cornetas pequenas, que pareciam ser de cristal dourado.

"Mantinham-nas aplicadas sobre o plexo solar e, pela outra extremidade, saía uma infinidade de raios sutilíssimos, como fios de fogo, que vibravam vertiginosamente, e a intervalos, de acordo com a maior força e intensidade que aquelas Inteligências lhes imprimissem.

"Apareciam aqueles gloriosos espíritos como que sentados sobre um grande estrado circular, com altos respaldos, espécie de dosséis, tão transparentes que, através deles, podiam ser vistos sucessivos estrados circulares, com outros seres igualmente ocupados com aquelas cornetas.

"Nossos Guias pensaram em respostas para os nossos pensamentos indagadores:

" – Essas coisas que parecem cornetas são receptores e transmissores. Por ali eles percebem, com admirável nitidez, a dor e o amor que lhes chegam dos planetas por eles protegidos e cuja evolução está a seu cargo; e por ali mesmo irradiam até eles o seu amor infinito e a sua infinita piedade.

"Então, pela vontade dos nossos Guias, fomos vendo desfilar, no espaço infinito, um por um, os globos que aqueles espíritos protegiam das alturas do seu Céu de Amor.

"Eram todos habitados por humanidades de evolução semelhante a desta Terra. Alguns um pouco mais atrasados; outros, algo mais adiantados.

"Em alguns globos ainda era espantosa a luta do ser inteligente com os elementos da natureza e com as grandes feras de espécies parecidas com as de nossa Terra.

"Em outros globos, os seres inteligentes lutavam contra as duras condições climatéricas, que pareciam tais como existem nas regiões polares: neves eternas e escassa Luz, por causa das grandes distâncias dos sóis centrais de cada sistema.

"Em contrapartida, vimos os planetas que vivem e se movem dentro da órbita do sol central, abrasados como em chamas vivas e com seus vulcões ardentes, de cujas erupções os seres fugiam como enlouquecidos.

"Pudemos observar que algumas humanidades absorviam, mais do que outras, os doces e intensos raios de amor, de esperança e de fé, que seus respectivos Messias irradiavam para elas.

"Outras humanidades, semi-embrutecidas ainda por sua escassa evolução, apenas percebiam vagamente esses raios como um vento fresco que amenizava o calor implacável dos climas ardentes.

" – Olhai esse globo de aura esverdeada – pensou um dos nossos Guias – que está sob a tutela de Hehilep, como podeis ver, seguindo a direção dos raios de amor desse Messias.

"Observai as altas montanhas desse globo, coroadas por penachos de fumaça ardente, presságio de formidáveis erupções.

"Correi a vista pelas bases desses montes e observai como dormem tranqüilas essas cidades, povoações e aldeias, com suas campinas cobertas de rebanhos.

"Três luas iluminam essa paisagem noturna que, dentro de alguns momentos, será horrivelmente alterada pela erupção de cem vulcões, que abrirão a cordilheira em profundas fendas, e as águas do mar, represadas por essas montanhas que lhes serviam de dique, precipitar-se-ão sobre povos, cidades e rebanhos.

"Observai essa parte do globo e não percais de vista o Messias Hehilep, o segundo do estrado, começando pela direita.

"Imediatamente a paisagem foi coberta de chamas, fumaça e cinzas e, ao sinistro resplendor daquelas vermelhas labaredas, as pessoas abandonavam suas vivendas numa desesperação sem limites.

"Hehilep estremecendo todo em suave vibração semicerrava os olhos radiantes para dar mais intensidade à amorosa força que ele emanava de si mesmo e que se assemelhava a um caudal enorme, a dirigir-se, qual torrente de ouro e de luz, para os Círios da Piedade, que, na Esfera Astral desse globo açoitado pelo cataclisma, desenvolviam extraordinária atividade para acalmar a desesperada angústia daqueles que perdiam a vida.

" – Não se cansam nunca em irradiar tantas ondas de amor? – perguntei com o meu pensamento.

" – Acaso te fatigas de amar tua mãe e de prodigalizar-lhe toda sorte de ternuras e de carinho?

" – Não, nunca, porque eu a amo em demasia.

" – Muito mais amamos nós, os Amadores, desde nosso Céu de Amor e Luz, por toda a eternidade.

" 'Acabastes de observar os Amadores do primeiro portal. Este Céu tem, como todos os demais, sete moradas e diferentes graus de elevação.

" 'Os dois primeiros portais permitem ainda a encarnação nos planos físicos. Os outros já não o permitem, porque as Inteligências chegaram a tão alto poder vibratório, que não há matéria física capaz de resistir-lhes.'

"Em seguida, foi-nos apresentado um segundo grande arco, cor de marfim, igual ao anterior, com a única diferença, à primeira vista, de que, em vez dos lótus brancos como em alto-relevo, ostentava grandes rosas vermelhas de púrpura vivo, como se suas pétalas fossem de cor vermelho-rubro-cristal.

"Essas rosas estremeciam ligeiramente, qual se uma aragem suavíssima as agitassem. Jamais esquecerei essas divinas rosas vermelhas, cada uma das quais parecia um coração humano palpitante de amor.

"Desta vez, nem Odina nem eu necessitamos que nos dissessem 'tocai nelas', porque ambos pusemos numa delas nossos lábios com um beijo tão profundo como um abismo que não se poderia medir. Aquelas rosas vermelhas haviam fascinado a nós dois.

" – Entrareis por esse arco – disseram os nossos Guias – quando abandonardes a matéria que revestis no presente.

" – Por que não agora? – interroguei eu com veemência.

" – Porque ainda não terminastes a vossa missão redentora atual, que marca o tempo médio das oito encarnações messiânicas preparatórias para a libertação final.

" 'Passastes quatro encarnações no primeiro portal, e, depois de outras quatro, passareis pelo segundo, de onde descereis para a matéria pela última vez, onde o triunfo final e decisivo vos fará superar a matéria física, da qual vos despedireis para não voltar a tomá-la jamais.'

" – Realizaremos mais quatro encarnações depois de passar pelo portal das rosas vermelhas! ... – exclamou minha companheira.

" – E depois? ... – interroguei, ansioso.

" – Depois morareis nos outros cinco portais Superiores do Céu dos Amadores, conforme quiserdes dedicar-vos à Sabedoria ou ao Amor.

" 'Os que se dedicam ao estudo investigam profundamente todas as mais secretas e sublimes Leis do Cosmos e experimentam os meios de aplicá-las em novas criações.

" 'De outra parte, os que se dedicam ao Amor formam Legiões de Círios da Piedade, escolhidos entre os Espíritos Amadores de categorias inferiores, e espalham-nos sob sua tutela como bandos de pombas brancas, mensageiras de paz e de amor por todos os mundos do vasto Universo.

" 'Não lhes sendo possível descer aos planos físicos da dor, impulsionam e dirigem os seus afins, através dos quais continuam consolando e amando os pequenos sofredores dos mundos expiatórios.'

" – Desposar-me-ei com a Sabedoria por algum tempo, mas a minha eternidade será toda consagrada ao Amor – exclamei com veemência.

"E abracei-me a delirar com o portal das rosas vermelhas (o segundo), onde chorei intensamente.

"Odina afastou-me daquele delírio, dizendo com grande doçura:

" – Eu também agirei como tu, por toda a eternidade.

"Orfeu e Kapella pensaram fortemente para que eu reagisse ante aquela impressão, e, ato contínuo, vimo-nos ante uma série de colunas semicirculares que pareciam construídas de âmbar transparente, as quais eram, como tudo mais ali, exclusivamente de matéria astral sutilíssima.

"Aquelas colunas apareciam todas orladas de suaves trepadeiras, cuja esplêndida floração era constituída de campânulas de um branco tão resplandecente como a neve quando recebe a luz do sol.

"Vibravam como os lótus brancos e as rosas vermelhas dos dois primeiros portais, mas esta vibração era harmônica e exalava uma dulcíssima melodia.

"Não eram notas musicais nem arpejos ou acordes como aqueles que ouvimos arrancar de instrumentos de sopro ou de corda.

"Eram sons delicadíssimos e contínuos, como vozes humanas que sobem ou descem de tom sem se poder precisar onde começam nem onde terminam.

"Tampouco eram palavras, e houve momentos em que cheguei a pensar que fossem rouxinóis ocultos nas trepadeiras a emitirem aquelas suavíssimas melodias.

"Nossos Guias perceberam este pensamento e, mentalmente, responderam:

" – Não são humanas nem de pássaros. Vêm a ser apenas vibrações de amor dessas brancas campânulas, que são receptáculos e transmissores do Eterno Amor, dispostas perenemente e sem interrupção, para que dali possam alimentar-se os Amadores que se encontram encarnados nos planos físicos, quando o desprezo e a incompreensão das criaturas os deixam transbordantes de decepções e de desânimo.

" 'Quantas vezes bebestes desses brancos cálices de amor, e não os reconheceis!

" 'Assombra-vos o forte laço solidário que existe entre todas as puras Inteligências que povoam estes Céus. Nem o mais leve pensamento de angústia de um Messias encarnado passa despercebido por essas flores vivas do Amor Eterno.

" 'Se as plantas e as flores de vossos planos físicos têm certa inteligência dentro de suas formas de muda expressão, quanto não terá essa divina floração do Eterno Amor que, indefinida e constantemente, transborda pelos pensamentos de amor dessas gloriosas Inteligências?'

"A colunata de âmbar estava fechada no interior por um véu rosado vivo, com tênues fios de ouro que irradiavam ininterruptas chispas de luz dourada.

"O pensamento dos nossos Guias descerrou parte desse véu, o bastante para que contemplássemos o que havia atrás dele.

"Um radiante cortejo de seres, que pareciam lâmpadas formadas de estrelas, fazia observações por uma espécie de ogiva recortada sobre um fundo turquesa.

"Compreendi que aquela observação era semelhante à de um inteligente operador, que, sustentando nas mãos os fios elétricos de um complicado mecanismo, vai aferindo atentamente a forma e o modo como decorrem seus próprios procedimentos.

" – Quem são? – perguntamos.

" – Estes são os Querubins ou Desposados da Divina Sabedoria, que ensaiam novas criações nos vazios do Espaço Infinito. Gênios sublimes do Amor, buscam a maneira de estabelecer uma possível solidariedade entre as humanidades de globos próximos.

" 'Para tanto, efetuam a interposição de astros nas órbitas dos companheiros do mesmo sistema, de tal modo que, em épocas determinadas e o mais freqüentemente possível, se encontrem a uma distância adequada para comunicações, tal qual se efetua de um continente para outro.

" 'Já compreendereis que, para realizar isso, devem eles estudar a forma de conseguir a homogeneidade do éter e da atmosfera dos globos solidários.

" 'Olhai!'

"Nossos Guias descerraram outras pregas do amplo véu rosa-vivo que fechava aquela colunata e, por outra ogiva próxima à que servia de observação dos Querubins, contemplamos, minha companheira e eu, este extraordinário espetáculo sideral:

"No fundo escuro de um abismo azul-turquesa, revoluteava, como bando de grandes pássaros em luta, uma agrupação de pequenas esferas que rodavam vertiginosamente, aproximando-se cada vez mais umas das outras.

"Simultaneamente, suas imensas órbitas, como anéis luminosos, interpostos uns nos outros, iam colocando-se num enlaçamento tão magnífico que, à grande distância em que as víamos, pareciam qual uma rede de fios de ouro em cujo centro houvessem sido bordados, em alto-relevo, os dez globos desse sistema nascente.

" – Mas, nesses mundos – disse eu – as humanidades vão poder falar entre si como de janelas de casas vizinhas.

" – Isso nos parece à primeira vista, porque aquelas esferas parecem tocar-se; mas, na realidade, não é assim. Poderão entender-se umas com as outras, pois tal é a intenção desses Gênios do Amor. No entanto, isto só será possível através da onda sonora transmitida através do éter e da atmosfera.

"Para tanto será necessário que todos esses globos estejam envoltos em uma única aura conjunta; e à consecução de tão estupendos resultados dedicam eles toda a sua gloriosa eternidade.

" – Quanto tempo demorarão eles para deixar terminada e perfeita essa criação? – interrogamos.

" – Bem sabeis – responderam os Guias – que o tempo aqui não se mede como nos planos físicos, e que, para estes Céus – que são globos de matéria completamente sutilizada, onde o pensamento corre tão rápido como a luz – as idades passam com velocidades que produzem vertigem.

" 'Se, porém, medir-se o tempo segundo as vossas moradas planetárias atuais, havereis superado a matéria, ou seja, estareis libertados para sempre de encarnações quando essa nova criação entrar em perfeito funcionamento; e será, talvez, dessas mesmas ogivas que vós cooperareis para a conclusão de tão magnífica obra de solidariedade e amor.

" 'Como essa criação que acabais de ver, fazem-se muitas em todos os âmbitos do Universo, aonde os Querubins, Gênios criadores do Amor Eterno – que é eterna solidariedade – fazem chegar a força irresistível dos seus pensamentos.

" 'Se a Eterna Lei vos revela seus grandes segredos, é para que sigais semeando a Sabedoria Divina nas inteligências mais adiantadas de vossos respectivos planetas. Fazemos isto com todos os Messias encarnados em idênticas missões de redenção.'

" – Dizei-me, – interrogou minha companheira – poderão os seres de um globo dessa nova criação mudar-se para outro?

" – Os espíritos desprendidos pelo transe, sim; mas os corpos físicos só poderão fazê-lo quando as inteligências avançadas encarnarem neles e, mediante grandes esforços mentais, elas mesmas descobrirem e forjarem os veículos adequados para atravessar a atmosfera intermediária entre um globo e outro, nessas novas criações.

" 'Esses gênios do Amor e da Solidariedade Universal obtêm densidades iguais de éter e de atmosfera para a criação de globos solidários e vizinhos, e, deste modo, desaparece a impossibilidade de que sejam transferidos corpos orgânicos de um globo para outro.'

"Fizeram-nos compreender que a nossa visita havia terminado, e ambos os Guias nos deram a ordem mental de recordar perfeitamente, em vigília, tudo quanto havíamos visto, para servir de ensinamento a nossas humanidades, e com a promessa de que eles repariariam qualquer falha involuntária de nossa memória.

"Despertei no plano físico, sobre o canapé de junco, quando o Sol estava na metade de sua trajetória. Através disso compreendi que meu sono havia durado toda a noite e metade da manhã seguinte.

"Minha mãe e meus discípulos íntimos rodearam-me no leito, mas não pude coordenar os pensamentos até muito depois de chegada a tarde, em virtude de uma sensação de frio intenso que me produzia ligeiro tremor em todo o corpo, e, sobretudo, na cabeça e nas extremidades. Meus pés e minhas mãos estavam insensíveis.

"A reação tardou mais desta vez do que das outras; no entanto, quando se produziu, foi acompanhada de tão poderosa energia e vitalidade que, ao penetrar, no dia seguinte, no nosso pavilhão de enfermos e de anciãos decrépitos, originou-se, em todos eles, uma reação coletiva, à proporção que eu ia passando pelas salas, como sempre o fazia, com a idéia de derramar neles minha força vital.

"Com toda a verdade, pudemos qualificar de cura coletiva instantânea a reação obtida naquele dia, se bem que não perdurasse por muito tempo nos mais velhinhos, cujos organismos estavam no limite da dissolução da matéria orgânica.

"A metamorfose foi completa, sobretudo nos atacados de úlceras cancerosas e afecções pulmonares e cardíacas.

"Assim, os puríssimos eflúvios do Céu dos Amadores haviam descido à Terra por intermédio de um insignificante mortal, sujeito às penosas leis da natureza física, comuns a todos os homens deste planeta."

O leitor essênio enrolou o velho papiro amarelado, e todos os olhares se voltaram para Jhasua, que, semi-recostado no estrado, olhava para o teto com evidente insistência.

– Compreendeste, Jhasua, a leitura deste dia? – interrogou o Servidor.

– Sim, compreendi muito bem, e penso que Antúlio devia encontrar-se em grandes apertos com tantos conhecimentos, e sem ter ninguém a quem pudesse contar tudo quanto sabia.

– Mas ele tinha toda a Humanidade para isso, meu filho.

– Meus companheiros de escola arrancaram-me os cabelos e lançaram-me pedras, porque, um dia, lhes pedi que não matassem os passarinhos por serem criaturas de Deus.

"Que fariam eles a Antúlio, se este lhes dissesse que, para se sacrificarem por outros, os Amadores deixam esses Céus de Luz? Certamente lhe gritariam: Louco, louco, louco!, arrojando-lhe pedras até despedaçá-lo.

Ao dizer isso, o menino deu um grande suspiro e semicerrou os olhos, como se quisesse isolar-se em seu mundo interior.

Os essênios olharam-se uns aos outros ante essa resposta, que jamais haviam esperado obter de um menino de 9 anos.

– É verdade, meu filho, que a Humanidade está cheia de egoísmos e maldades, que lhe produzem essa treva mental à qual chamamos ignorância e inconsciência; contudo, não podemos negar que existem em seu seio almas que brilham com luz própria e que são os arautos avançados da evolução.

"Se tu, por exemplo, te encontrasses nas condições de Antúlio e rodeado de seres como estes Essênios que aqui vês, consagrados durante toda a sua vida à Sabedoria Divina e ao amor aos seus semelhantes, haverias de pensar que estavas perdendo tempo em adquirir conhecimentos superiores para transmitir a eles?"

A grande irradiação de amor com que o Servidor formulou esta pergunta estremeceu a sensibilidade do pequeno, que se levantou rapidamente e, abraçando-se ao pescoço do Ancião, disse com voz trêmula de emoção:

– Perdoai-me, Servidor. Sou um menino muito mau, que, em vez de docilidade para escutar, traz aqui juízos duros e amargos.

"Não sei como pude dizer essas más palavras."

Os Essênios compreenderam que Jhasua estava vivendo a personalidade de Antúlio quando pronunciou essas frases, pois, segundo algumas crônicas dessa época distante, o grande filósofo atlante se havia queixado amargamente de que a Lei Eterna lhe revelara muitas grandezas, mas que, pela incompreensão humana, deviam morrer por entre uns poucos e obscuros discípulos.

— Escuta-me, Jhasua: fizeste muito bem em pronunciar essas palavras que estavam no teu mundo interior. É justamente para isso que te encontras com estes velhos amigos, a fim de que o teu Eu íntimo se desafogue aqui, entre nós; e, quando saíres para o mundo exterior, quer sejas um adolescente, um jovem ou um homem normal, fales conforme o auditório que tiveres, e não conforme aquilo que viverá e se agitará no teu mundo interior ... Compreendes?

"Quando não tiveres perto de ti Essênios que possam compreender-te e sentires que teu mundo interior quer derramar-se para o exterior, então retira-te por alguns momentos para a solidão e evoca os teus aliados invisíveis. Eles acudirão de imediato, para que tua débil matéria física não estoure nessas explosões de grandeza Divina.

"E, depois que saíres daqui, volta a ser menino outra vez, ao lado de tua mãe, que, só alguns anos mais tarde virá a compreender os segredos divinos."

— Com isto quereis dizer-me que já é hora de voltar para casa? — perguntou Jhasua quase com tristeza.

— Sim, filhinho — respondeu-lhe o Servidor.

— Pensei que iríeis desvendar-me o segredo do Pai Celestial.

— Que segredo é esse?

— Já estou ficando homem e ainda não sei como é o Pai Celestial do qual tanto ouvi falar. Antúlio conheceu o Pai Celestial?

— Claro que o conheceu, e muito bem até!

"Nas leituras dos próximos dias, irás compreendendo tudo quanto Antúlio compreendeu do Pai Celestial."

— Com esta esperança, vou contente.

O meigo filho de Myriam beijou seus mestres, que tanto o amavam, e voltou para a alcova, onde já o esperava a refeição do meio-dia.

A Visão do Pai Celestial

Quando voltou o Essênio que acompanhara Jhasua até a gruta das avós, o Servidor evidenciou a conveniência de examinarem minuciosamente as passagens que deviam ser lidas na presença do menino daí em diante.

Então, os grandes armários lavrados na rocha viva começaram a entregar os segredos guardados, desde longos séculos, por aqueles ignorados solitários, que não viviam senão para estudá-los e cuidar de sua conservação.

Foi aberto um dos armários, com a retirada de uma prancha de cedro, a qual parecia fazer parte do forro que cobria as demais paredes da sala, e ele trazia, gravado no alto, nas mais usuais línguas desse tempo:

Antúlio de Manh-A-Ethel

Esse armário era constituído de vários compartimentos, em cima de cada um dos quais se viam gravadas indicações como estas:

"Cópia dos originais do testemunho ocular de Hilcar de Talpaken.

"Cópia dos originais da mãe do grande Mestre, Walkíria do Monte de Ouro.

"Cópia dos originais de Huas-Karan de Tehoa-Kandia, Notário Maior dos Profetas Brancos, mestres do Grande Mestre.

"Cópias de originais isolados, provenientes de outros discípulos do Mestre."

Havia, portanto, quatro porções de escrituras referentes ao grande filósofo atlante.

Tendo-se em vista que os Essênios procuravam desenvolver até o maior grau possível os grandes poderes psíquicos latentes na alma de Jhasua, deviam eles, necessariamente, escolher, no vastíssimo campo das escrituras antulianas, aquilo que mais pudesse despertar no Messias-Menino essas faculdades ocultas.

Através dessas inumeráveis escrituras, observava-se claramente o grau de evolução dos seus autores.

Alguns haviam sido testemunhas da vida do filósofo, em relação à porção da humanidade que o havia rodeado, ou seja, no plano físico em que ele atuou como médico, como mestre das ciências de seu tempo e como filantropo consagrado ao bem de seus semelhantes. História puramente material, era uma série de relatos da sua vida cheia de grandeza.

Outros, embora apreciando em seu justo valor a vida do grande homem sob o aspecto material e humano, haviam tomado, com notória preferência, a parte esotérica, os poderes supraterrestres, que, por sua longa evolução, havia ele conquistado.

Daí a necessidade em que se encontravam os Essênios de proceder a uma deliberação para escolher o que existia de melhor naquele vasto campo em seu duplo aspecto físico e metafísico.

A pergunta que o pequeno Jhasua fizera ultimamente no interesse de saber *como é o Pai Celestial*, fazia-lhes compreender que, em determinados momentos, aquele grande Espírito, chegado a seu apogeu, se destacava já da nebulosa infantil, devendo eles, portanto, achar-se preparados para proporcionar-lhe os conhecimentos adequados.

Decidiram, pois, continuar a narração das investigações espirituais que o grande Mestre havia realizado com a cooperação de seus Guias.

O papiro em que se relatava a visão dos planos sutilíssimos – morada das *Tochas Eternas* e dos *Fogos Magnos* – era o mais adequado a ser lido.

Além disto, essa leitura faria com que o Menino-Luz vislumbrasse como era essa Divindade que ele chamava de *Pai Celestial*.

Assim sendo, quando o levaram novamente ao Santuário, o essênio-leitor começou esta leitura:

"Uma noite, meus discípulos tiveram a idéia de realizar a nossa concentração no terraço do Santuário, que se achava quase coberto de trepadeiras em flor, com brancos cachos perfumados, ao passo que o infinito azul se nos apresentava bordado profusamente de estrelas.

"Meu Guia Aheloim disse-me, por meio do transe de Hilcar, o mais adiantado de meus discípulos, que havia chegado a hora de realizar o mais árduo trabalho espiritual para um ser revestido de matéria física.

" – Os Céus que visitaste – disse ele – estão constituídos de uma forma de matéria que, vista de teus campos habituais de ação, é sutilíssima e radiante.

" 'Mas agora necessitarás de outros veículos para chegar às alturas onde toda matéria já desapareceu, ficando só a poderosa vibração de pensamentos, que não são mais do que Energia, Luz e Amor, e possuem tal intensidade que a alma encarnada se sente invadida completamente pela sensação de aniquilamento.

" 'É isto que devemos evitar se pretendemos conservar a memória do quanto irás ver e sentir, de vez que os frutos de tuas conquistas não são apenas em teu benefício, mas para a humanidade que aspira chegar à Sabedoria Divina.'

" – Faze como quiseres – respondi – pois a mim só cabe obedecer.

" – Durante três dias, alimentar-te-ás tão-somente de pão, mel e suco de laranjas e farás imersões diárias na piscina de água por ti mesmo vitalizada.

" 'Cuida para que, nesses dias, não chegue ao teu conhecimento nenhuma notícia desagradável, nem emoção alguma que possa mudar a vibração do teu espírito.

" 'Eu virei buscar-te na saída da Esfera Astral deste planeta, e num determinado sítio, encontrar-nos-emos com um de nossos irmãos, Delphis, cuja evolução o leva diretamente, antes que nós, a entrar em contato com essa gloriosa hoste de *Tochas Eternas*.

" 'Ele formará, com suas vibrações próprias, o veículo sutil radiante que necessitas para compreender e recordar, sem que nada sofra o laço fluídico que te une à matéria física terrestre.

" 'Que tua mãe e teus discípulos sigam idênticas indicações durante os três dias de preparação, para que formem a aura conjunta, apta a cooperar conosco para a melhor realização deste delicado trabalho espiritual.'

"Tudo foi feito de acordo com a indicação de Aheloim e, na terceira noite, esperamos em completo silêncio e obscuridade, estendidos, como sempre, em nossos canapés de junco e sob a atmosfera morna de vários piveteiros acesos que exalavam perfume de diversas essências.

"Meu Guia conduziu-me até o lugar em que nos esperava Delphis, cujo símbolo, "Resplendor da Idéia Eterna", revela, por si mesmo, o que esse gênio divino da Luz e do Amor tinha conquistado.

"Compreendi que chegávamos à entrada da Esfera Astral de um globo, cuja matéria constitutiva era mais sutil do que aquilo que há de mais tênue e delicado no nosso éter terrestre.

"Era ele o sol central de um sistema, cujas matérias densas se haviam desagregado em épocas imensas, ficando só a parte fluídica, tal como quando o espírito abandona a matéria que se desfaz em pó e continua a sua eterna vida sutilizando cada vez mais suas vestimentas ou veículos, que lhe permitirão a entrada nos Céus mais puros e luminosos.

"Isto fez vir à minha memória o velho pensamento: 'As estrelas e as almas assemelham-se.'

"Dentre os irmãos da minha evolução, ou seja, entre os Setenta, Delphis é um dos mais adiantados; pois, embora façamos os caminhos eternos em conjunto, sempre se dá o caso de que alguns dão passos mais largos.

"Desde que eu estou encarnado neste planeta, só uma vez havíamos tido contato espiritual, em razão de suas próprias atividades, mui distantes do plano em que eu desenvolvo as minhas.

" – Por hoje – disse ele com intenso amor – estreitamos novamente a nossa antiga amizade.

" – Mas em que situação tão diferente! – exclamei, aludindo a que ele estava em sua magnífica liberdade de espírito de Luz, e eu atado a u'a matéria tão grosseira.

" – Já verás – respondeu-me – como, nos Eternos Laboratórios do Infinito, o Amor tem o segredo de fazer-nos todos iguais.

"E, sem dizer nada mais, estendeu sobre mim as mãos radiantes como duas chamas douradas, ao mesmo tempo que seus olhos, de um azulado vivo de doçura infinita, atraíam os meus; e ambos nos olhávamos como se quiséssemos fundir-nos um no outro ... Jamais senti tão intensa onda de amor como naqueles momentos.

"Observei que o meu ser astral ia convertendo-se também em chama viva e que todas minhas lembranças terrestres iam apagando-se lentamente até o ponto de esquecê-las de todo, como se eu fora um ser inteiramente livre de todas as ligações com a minha matéria.

"A felicidade que me invadiu em tais momentos não é possível ser descrita com esta torpe e mesquinha linguagem.

"Delphis, Aheloim e eu éramos como três imensas chamas vivas, lançando-nos ao espaço infinito, que sulcávamos com velocidade fantástica.

" – Será que nos perceberam dos mundos próximos pelos quais passamos? – perguntei, pensando que aqueles que nos vissem poderiam julgar estar ante o fato insólito de três cometas atravessando, juntos, os abismos da imensidade.

" – Todo este Universo – respondeu Delphis – está formado por globos, e seus moradores, desmaterializados, são Inteligências avançadas que sabem que não somos cometas como tu pensas.

" 'Além do mais, casos como este não são exceção, mas a observância de uma lei que hoje se cumpre em ti, como se tem cumprido em todos que estão em condições idênticas às tuas.

"Perdi a noção do tempo, razão pela qual não sei dizer se a travessia foi longa ou não. Só sei dizer que sentia uma sensação de energia e de poder tão grande que me julgava capaz de transportar-me com essa mesma velocidade durante muitos dias e até anos.

"Observei também que, cruzando entre milhares de mundos completamente sutis e desmaterializados, não se percebem essas sensações penosas que se sentem ao transpor as Esferas Astrais de globos atrasados e com humanidades em sofrimento.

"Eu sentia em meu ser uma diafaneidade tão suave, uma corrente de simpatia e de amor tão puros que me parecia como se cada vibração fosse um beijo intenso que toda partícula deixava em cada um dos átomos dos quais eu mesmo estava formado.

"São só amor, puro amor, aqueles Céus inefáveis!

"Como que em vagas periódicas e regulares, pude perceber ressonâncias suavíssimas à maneira de música divina, que se aproximava até envolver-nos em suas melodias e tornava a distanciar-se para voltar novamente.

" – Por que a música se vai e por que volta de novo? – perguntei ao meu Guia.

" – Não é ela que se vai – responderam-me –, é o ritmo potente e soberano da Eterna Energia que circula vertiginosamente por todos os mundos do Universo, da mesma sorte como o sangue percorre um corpo físico no qual o próprio movimento o renova e vivifica constantemente.

" 'São as palpitações intermináveis do Eterno Infinito, a cujo coração vamos chegando, e é por isto que aqui se percebe tão fortemente o incessante vaivém, de igual maneira como, num organismo físico, nas proximidades do coração, órgão do sistema circulatório, se sentem mais intensas as palpitações, sendo ele o último que cessa o movimento quando a vida física se extingue.'

" – Então – disse eu – é bem verdadeiro o velho ensinamento: 'Assim como é embaixo, também é em cima!'

" – Tudo é uno no Infinito, e essa Unidade Suprema se percebe e compreende mais claramente nestes mundos avançados, onde já não existe o Mal, sob nenhum aspecto, porque este é o Reino do Amor, e o Amor é o Bem Eterno.

"Detivemo-nos de pronto no nosso gigantesco vôo sideral, até que uma fulgurante claridade dourada esboçou um enorme disco, que foi se ampliando pouco a pouco.

"Compreendi que esse disco desempenhava o papel de uma lente poderosíssima capaz de aproximar as imagens e as coisas que se olhassem através dela.

"O disco permitia-me ver uma porção de Chamas Vivas, que, embora sendo semelhantes a fogo, sua proximidade não somente não queima nem produz dano, como irradia tamanha sensação de plenitude, energia e amor, que o observador se sente próximo ao aniquilamento da personalidade.

"Eu acreditava que era apenas uma vibração daquele fogo, e todo meu ser parecia estar naquelas radiações de sol, que me penetravam completamente, até me fazerem pensar que me houvesse diluído naquela soberana claridade.

"Um daqueles seres superiores me olhou fixamente com tão infinita doçura que perdi toda idéia de individualidade e me senti também como uma luz que vibrava dentro daquela outra Luz.

" – Essa *Tocha* governa o Universo ao qual pertence teu Sistema Solar – disse Delphis –, e, por isso, sentes tão irresistível atração.

" 'Um desses raios que partem de seu plexo solar está vivificando incessantemente todos os globos de teu Sistema. Não podes contar o número de raios luminosos que partem dele. No entanto, cada raio está ligado a um Sistema Planetário que lhe pertence.

" 'Para essa sublime Inteligência, és como uma ave mensageira que lhe traz a prova de que seus eflúvios de Amor e Vida são recebidos e absorvidos pelo pequeno globo que é a tua morada atual.'

"Meu pensamento não pôde responder nada, porque estava como diluído naquela poderosa Chama Viva, que me fazia morrer de amor e de felicidade com o seu profundo e divino olhar.

" – Este é Deus, o Infinito? – pude pensar finalmente.

" – Deus vibra e anima todo o Universo, no entanto podemos senti-LO e compreendê-LO plenamente desde os cinco planos superiores do Céu dos Amadores, ou seja, quando as Inteligências já purificadas hajam superado o Reino Humano, ao qual já não voltarão, porque passaram a fazer parte do chamado Reino de Deus.

" 'As *Tochas Eternas* que vês já estão semi-refundidas na Divindade e são o resplendor vivo d'Ela, em grau muito maior do que quaisquer outros seres de menor evolução.

" 'Não diz a Lei que de Deus nascemos e a Ele haveremos de voltar convertidos em chama viva?'

" – Quero conhecer a Deus! Quero saber tanto d'Ele que não me fique dúvida alguma – disse eu – com pensamento e sentimento suplicantes, pois só o pensamento e o sentimento ficam vivos e palpitantes naqueles reinos divinos da Luz.

" – O Amor atrai o Amor – respondeu-me o Guia, e ele mostrar-se-á completamente a ti na hora que está chegando.

"Enquanto assim se expressava, estendeu de novo as mãos radiantes sobre mim, em virtude do que eu mesmo me perdi de vista, confundido inteiramente na labareda viva que, nesses momentos, era Delphis.

"Neste preciso instante, vimo-nos tão próximos do recinto de ouro transparente das *Tochas Eternas* que me foi possível fazer mais algumas observações.

"Vi que essas excelsas Inteligências não pareciam pousadas em nada, pois, tanto abaixo como ao redor, não havia senão radiações de luz tão viva que produzia algo assim como aniquilamento da personalidade, como um transe dulcíssimo, do qual a alma não quisesse despertar jamais.

"Não obstante isso, o contato de meu Guia mantinha-me desperto e plenamente lúcido.

"Observei também que, no meio daquela explosão de chama viva em que aqueles grandes seres estavam envoltos, se destacavam, como bordados em azul vivíssimo de safira, em grandes florões de conformação semelhante ao lótus, com as corolas voltadas para cima, em forma de taças.

"Pareciam-me lótus de ouro, tendo suas pétalas ornadas com fios de safira, a vibrarem delicadamente, lançando, a intervalos, miúdas chispas de luz azulada, que corriam vertiginosamente até longa distância.

"De incomensurável altura, baixavam, em ritmo periódico, umas setas como dardos sobre aquelas taças que coroavam as cabeças de todos aqueles seres.

"Delphis respondeu ao meu pensamento:

" – Não são lótus nem taças de ouro e safiras o que chama a tua atenção, mas centros de recepção que todos os seres possuem, que se manifestam e engrandecem na medida da evolução que vamos conquistando através dos séculos e das idades. São receptores de Energia, de Luz e de Amor, vindos constantemente da Trindade Divina que os emite sem cessar.

" 'Com essa Energia, Luz e Amor, esses potentíssimos seres vivificam e animam os mundos que lhes foram confiados.

" 'Experimenta contar – continuou ele – essas faixas de luz ardente que partem do seu plexo solar em todas direções.'

" – Impossível – retruquei, vendo o feixe de fios radiantes que, na sua origem, tinha uma dimensão tal que quatro mãos colocadas abertas ao redor não abarcariam, tocando-se apenas com as pontas dos dedos.

"Impossível! – repeti – pois há ali milhares de raios luminosos.

" – Cada raio corresponde a um sistema planetário, maior ou igual ao teu. Já podes ver, só por esta informação, qual será a poderosa força de vibração de cada um desses Excelsos Espíritos.

" – A que proporção fica reduzido – pensei eu – o poder e a grandeza de um homem terrestre, que, de cima de um mísero trono que a erupção de um vulcão reduz a pó, se julga com direitos de espezinhar todos aqueles que se opõem ao seu passo?

" 'Orgulho, arrogância estúpida, ignorância inaudita da infeliz formiga terrestre, que, apenas nascida, já se desfaz no pó!'

" – Agora força e valor! – pensou intensamente Delphis, unindo suas mãos de luz à de Aheloim e à minha, ficando entre nós dois.

"Foi um momento, como o cruzar de uma flecha ou de um raio de luz, e havíamos atravessado por entre um mar de claridade que, a intervalos, tinha todas as radiações coloridas do arco-íris, mas em ondulações eriçadas que vibravam suavemente, como se uma fresca aragem as pusesse em movimento.

"Essas maravilhosas vagas iridescentes e encrespadas iam tornando-se cada vez mais intensas no breve intervalo de nosso vertiginoso avanço.

"Por fim, e como repousando nesse imenso mar ondulado de cintilantes e volúveis ondas, percebemos sete magníficos sóis que irradiavam todas as cores do arco-íris; eram as suas radiações que tingiam todo aquele vibrante mar, o qual não era senão Energia, Luz e Amor.

"Percebi, de imediato, que cada um daqueles sóis tinha em seu centro uma face formosíssima, além de toda imaginação. Não existem palavras para descrever tão perfeita beleza.

"   – Pensei: isto é Deus, com sete rostos de maravilhosa formosura.

"   – Eles são a mais perfeita semelhança de Deus – pensou meu Guia. – São os *Sete Fogos Magnos*, os Supremos Hierarcas da Criação Universal.

"   'São eles que emitem a Idéia Divina e o Supremo Amor aos seus Ministros imediatos, as *Tochas Eternas*, que governam os Universos de Sistemas Estelares, os quais povoam o incomensurável Infinito.'

"Desses sóis não vi forma nenhuma, mas tão-somente a face dentro de um grandioso sol resplandecente, de tão poderoso fulgor que, por longo tempo, ficamos petrificados na sua contemplação.

"A vibração sonora de todo aquele mar de luz produzia tão profundo sentimento de amor que eu, imóvel e aniquilado na minha personalidade, chorava incessantemente e sentia que todo o meu ser queria explodir por não poder conter em si a visão de tão incomparável beleza.

"Sentia-me morrer como em êxtase de amor, de felicidade e de infinita ternura! ... Já não era *Eu*, mas tão-só uma aspiração ao Grande Todo, que me inundava até aniquilar-me.

"Sem saber se eu era presa de uma vertigem, de um sonho divino ou de uma loucura de amor supremo, vislumbrei, por cima dos sete magníficos Sóis, uma espiral imensa que se perdia no Infinito, formada por larga faixa encrespada das cores do arco-íris, e que cada cor nascia no alto da frente daquelas sete faces radiantes.

"A espiral, girando sobre si mesma, perdia-se na imensidão salpicada com intermitências e ritmo de palpitação, por focos de luz intensa, que transmitiam suficiente claridade de entendimento para que eu, mísero vermículo terrestre, pudesse pensar:

"   – Eis aí a origem de toda Energia, de todo Amor, de toda Idéia! É a Causa Suprema! A Eterna Espiral circulatória, sem formas definidas, imprecisas, como uma Essência que flui eternamente de si mesma e dá vida a tudo quanto existe nos milhares de milhões de mundos que existiram e que existirão!...

"   – O Grande Todo! A Idéia Divina! O Amor Eterno!... Deus!... – pensaram Delphis e Aheloim, respondendo ao meu pensamento.

"Fez-se o caos no meu pensamento e na minha vontade, e perdi toda noção de ser.

"Quando despertei, pude notar que havia perdido o uso da palavra e que os meus sentidos físicos não me respondiam.

"Não via, não ouvia, não percebia absolutamente nada! Só minha mente permanecia vívida, como uma tocha entre um abismo de trevas, e a recordação das minhas recentes visões ia sendo despertada de maneira cada vez mais intensa.

"De súbito, comecei a sentir um agradável calor em torno de mim. Meus olhos foram percebendo sombras que se moviam; e meus ouvidos ouvindo vozes leves ao meu redor.

"A cabeça de minha mãe juntava-se à minha, que jazia inerte sobre a almofada. .. Algumas de suas lágrimas caíram como gotas de fogo sobre o meu rosto. Suas mãos de açucena colocavam os meus cabelos em ordem e também as minhas roupas.

"Por fim, eu a vi claramente, e meus olhos se encheram igualmente de pranto, enquanto meus lábios puderam dizer:

"   – Deus, o Grande Todo, a Idéia Suprema, o Amor Infinito!... O Eterno Ideal sem formas, porque é Luz... Essência... e permanente Vibração!...

"E um caudal de pranto, que eu não podia conter, continuou derramando-se de minha alma, que permanecia ainda sob a poderosa ação do desconhecido, apenas vislumbrado por ela."

O essênio-leitor enrolou o papiro, e todos guardaram o indispensável silêncio para que se diluísse no éter e no fundo das almas a vibração intensa da leitura que acabavam de ouvir.

O menino Jhasua, em profunda quietude, parecia dormir, mas não dormia, senão que chorava silenciosamente.

– Por que choras, meu filho? – perguntou-lhe, por fim, o Servidor quando comprovou que grossas lágrimas sem soluço e sem ruído corriam pelo rosto belíssimo, contudo intensamente pálido, do pequeno de Myriam.

– Pelo mesmo motivo por que chorou Antúlio – respondeu sem mover-se.

– Compreendeste o Pai Celestial? – voltou a perguntar o Servidor.

– Compreendi que Ele está em mim, e eu n'Ele – respondeu o garoto – e que tudo quanto me rodeia é o Pai Celestial, que me envolve, me leva e me traz; que me faz andar, rir, brincar, orar e comer castanhas com mel. Até nas castanhas, no pão e no mel está o Pai Celestial.

"Oh, quão belo é isto, irmão Servidor, como é belo! Nunca mais terei medo de nada nem de ninguém, porque o Pai Celestial me rodeia sempre."

– E, quando te ocorre algo desagradável, que faz o Pai Celestial?

O pequeno pensou alguns instantes e logo respondeu:

– Um dia desses, subi a uma árvore com a idéia fixa de tirar uns filhotinhos de calhandra, que já estavam a ponto de voar. Caí lá de cima e recebi um golpe regular. Nem minha mãe nem as avós souberam disso.

"Do solo vi que os passarinhos esvoaçavam desesperados em torno do ninho, crendo que eu houvesse roubado os filhotes. Finalmente, empurraram-nos para voar, e saíram.

"Compreendi que queriam livrá-los de cair em minhas mãos, e que era ação má aquela que eu ia cometer.

"Agora digo: O Pai Celestial fez-me cair da árvore sem causar-me dano, para que eu deixasse os passarinhos livres. Ele é, também, o Pai das aves e, por isto, as protege e cuida delas.

"Parece que o Pai Celestial me vê, pois está em mim mesmo e a meu redor.

"Antúlio mereceu ser levado a esses mundos magníficos, porque cuidou de fazer todo o bem possível às criaturas de Deus: aos bons e aos maus, aos grandes e aos pequenos, e também porque se humilhou apagando os seus desejos para aliviar a dor dos seus semelhantes.

"É nessa ocasião que o Pai Celestial nos diz: *És meu filho, e Eu estou contente contigo.*"

– Jhasua! – exclamou o Servidor. – Falas como um ancião. Em verdade, meu filho, o Pai Celestial está em ti!...

– Está também em vós, Servidor, e em todos os vossos companheiros, porque procedeis como Antúlio: deixais de lado vossas satisfações pessoais para ocupar-vos, de preferência, com a dor alheia.

– Por que dizes isto, Jhasua?

– Porque eu sou curioso e observo tudo quanto ocorre a meu redor. Vi o irmão Absalão, numa tarde de intenso calor, carregar muitos cântaros de água para encher o pequeno tanque que está junto à porta da alcova de Azarias, o velhinho, porque, nesse dia, suas pernas se negaram a mover-se, não permitindo que ele descesse até o arroio.

– Mas isso é muito natural, meu filho. Absalão é jovem ainda, e Azarias sofreria excessivo calor sem o atenuante de um banho.

— Isso eu sei, no entanto penso que nem todos fariam tão grande esforço por um pequeno ancião que já não pode mais retribuir, de modo algum, essas atenções... Absalão não se deteve em pensar que desperdiçava o tempo de seu banho para proporcioná-lo a Azarias.

— Justamente, está na privação das satisfações o mérito das obras feitas em benefício de um irmão — esclareceu o Servidor, interiormente assombrado pela agudeza de Jhasua em suas observações.

— Se eu dou do que me sobra, faço muito pouco; mas, se dou daquilo que me agrada e do que necessito, então sim, faço algo. Não é verdade, Servidor?

— Exatamente, meu filho. É assim mesmo!

— Parece-me que não é tão difícil ser um bom Essênio como vós — disse Jhasua, olhando para todos os que o rodeavam em largo círculo.

— Que pensas ser necessário para isso?... — perguntou um dos anciãos.

— Amar aos meus semelhantes um pouco mais do que amo a mim mesmo — respondeu o pequeno. — Todos vós sois capazes de dar as vossas vidas para salvar a minha, e eu tenho que atingir a capacidade de dar a minha vida por vós e por todos quantos necessitem dela.

— Muito bem, Jhasua, muito bem — exclamaram todos a uma só vez. — Já és Essênio em toda a extensão da palavra.

— Falta que eu o seja por minhas ações — sentenciou como um Iluminado. — Eu o serei... Oh, sim, eu o serei!

Os anciãos, comovidos quase até o pranto, olhavam-se uns aos outros com o natural assombro que tais palavras produzem, quando são ouvidas da boca de uma criança de 9 anos.

— Já se esboça o Salvador de humanidades — observou o Servidor em voz baixa para os que estavam ao seu lado.

Com isso, deram por terminada a lição daquele dia, para proporcionar descanso ao menino Jhasua, porquanto, embora pudesse ele, espiritualmente, suportar muito maiores esforços mentais, seu físico sofria desgastes tremendos, conforme os anciãos viam claramente nos círculos violeta que lhe apareciam ao redor dos olhos, como se estivessem carregados de sono e de preocupação.

Moradas de Expiação

O jovem Jhosuelin, desde sua chegada ao Monte Carmelo, havia sido internado na enfermaria dos Essênios, pois o achavam tanto ou mais necessitado de tratamento especial do que o menino a quem procuravam curar.

Uma afecção bronquial com tendência a estender-se aos pulmões obrigou os Terapeutas a se preocuparem seriamente com ele, motivo pelo qual o afastaram de Myriam e de Jhasua logo depois da sua chegada.

Sendo de temperamento sensitivo e nervoso, sua cura exigia repouso absoluto, sem emoções de nenhuma espécie e tão-somente com a presença dos dois Essênios médicos que o atendiam.

Espírito seleto e de grande evolução, havia encarnado apenas para acompanhar os primeiros anos do Messias no plano físico, servindo-lhe de escudo protetor na matéria, até que o excelso Missionário houvesse conseguido o domínio perfeito de seu mundo interno em relação ao mundo exterior que o rodeava.

Por espiritual revelação, os Essênios tiveram conhecimento disso e aplicaram, em conseqüência, todo seu saber, para que este grande Espírito cumprisse conscientemente a missão que o havia trazido ao plano físico.

Quando comprovaram que seu sistema nervoso estava suficientemente fortalecido, em virtude de entretenimento ameno e suavemente deleitável, os médicos Essênios convidaram-no a ouvir a leitura dos velhos rolos de papiro que eles guardavam em seus milenários cofres lavrados na rocha viva.

– Essa leitura – disseram-lhe – acabará de fortalecer e serenar o teu espírito, já que conseguimos reprimir o mal de teu peito ferido por aquela pedrada recebida há dois anos atrás.

– Antes dizei-me, por favor – implorou Jhosuelin –, como estão a mãe e o menino?

– Perfeitamente bem, e, assim que terminarmos esta leitura, reunir-te-ás novamente a eles.

– Começai, pois, que já estou ouvindo.

– Leste bem os Livros Sagrados? – perguntou o essênio que ia iniciar a leitura.

– Não sei se os li bem, mas li bastante.

– Então, não será difícil para ti compreender esta leitura.

"Ouve, pois:

"O Eterno Pensamento designou a hora precisa em que devia nascer, sobre este planeta, um resplendor Seu, na região dos Cinco Mares, junto ao grande Rio Eufrates.

"E nasceu Abel, filho de Adamu e Évana, cuja missão salvadora devia marcar o glorioso começo de uma grande civilização.

"Inumeráveis Inteligências evoluídas, que se encontravam na Esfera Astral do Planeta, tomaram matéria, uns antes e outros ao mesmo tempo que o grande Espírito Missionário, com a finalidade imediata de cooperar com Ele no progresso da Humanidade daquele tempo.

"Espalhados em grupos reduzidos ou numerosos, colocaram-se de acordo com o plano divino demarcado no Infinito pelas Inteligências Superiores.

"Três amigos, como três gotas de água caídas de um mesmo nenúfar sacudido pelo vento, nasceram na vida terrestre, às margens dos mares vizinhos.

"Um deles, como que em ninho de águias, nasceu nas rochas ocidentais do Mar Cáspio; outro, ao pé da cordilheira do Cáukaso e às margens do Ponto Euxino (Mar Negro); e o terceiro, nas luxuriantes pradarias vizinhas do Lago Van (*), que, na Pré-História, em épocas de grandes transbordamentos, formava um único imenso mar com o Cáspio e o Ponto Euxino.

"Identificados com os próprios nomes, e unidos por uma aliança de longos séculos, Solânia de Tuhuspa, Walkíria de Kiffauser e Walker de Atropatene desceram à vida terrestre na mesma época, com a diferença de poucos anos.

"Solânia e Walker haviam-se adiantado por vários anos à chegada do Homem-Luz. Walkíria, por sua vez, atrasara-se, procurando remediar sérias dificuldades na escolha dos seres que deveriam servir-lhe de genitores.

"Para aqueles que desconhecem as grandes e imutáveis leis que regem o mundo espiritual, o que acabamos de dizer torna-se quase incompreensível.

(*) Este lago fica situado a sudoeste da Turquia. É esta a região do dilúvio. O Monte Ararat fica próximo (Armênia) (N.T.).

"No entanto, é um fato indiscutível, pela lógica que o acompanha, que as Inteligências avançadas na evolução buscam, rebuscam e escolhem com grande cuidado a família que há de abrigá-las em sua vida física; não no que diz respeito à fortuna e à posição social, mas quanto às condições espirituais dos seres que serão seus pais.

"Esta escolha, além de tomar-lhes tempo, deve ser feita com relação ao programa ou atuação que eles queiram desenvolver no plano terrestre, a fim de não defrontarem, depois, com obstáculos ou dificuldades que os exponham a um fracasso lamentável.

"Walker de Atropatene formava parte dos vigias do Homem-Luz, nessa sua quinta encarnação, e cumpriu sua missão tão solicitamente que, nas diversas oportunidades em que a vida física de Abel esteve em perigo antes do tempo fixado pela Lei, foi ele, juntamente com Solânia, quem deu a voz de alerta desde o espaço infinito.

"Na imensidão dos séculos que rodaram, até chegar à etapa final do Grande Espírito Instrutor dessa humanidade, Walker de Atropatene cumprirá fielmente seu pacto como Vigia das vidas terrestres do Excelso Ungido.

"Quando virdes perto do Homem-Luz um ser que, sem vacilação nem demora, expõe sua própria vida para salvar a d'Ele, pensai em Walker.

"Tão grande e forte é a solidariedade que existe entre os grandes seres, conscientes de seu dever, como espíritos unidos por uma aliança milenária de redenção humana."

O essênio chegou até aqui na leitura do papiro amarelento e gasto, que havia tirado do fundo do armário de rochas.

— Que pensas de Walker de Atropatene, Jhosuelin? — perguntou ele ao pequeno jovem profundamente abstraído.

— Que eu me sinto capaz de proceder como ele, em igualdade de condições.

— Já o fizeste — respondeu o Essênio — é o que, de modo bem claro, demonstra essa lesão maligna que padeces nos órgãos internos do peito, resultante daquela certeira pedrada que era dirigida a Jhasua.

— Mas, quem é o meu pequeno irmão Jhasua? ... — interrogou com ansiedade Jhosuelin, deixando quase refletir em seus olhos escuros a idéia que já lhe flutuava na mente.

— O mesmo pelo qual Walker de Atropatene se esforçou tão heroicamente na época de Abel, filho de Adamu e de Évana; ele agora é Jhasua, teu irmãozinho, filho de Myriam e de Joseph.

— Jhasua! ... O Homem-Luz sonhado pelos Profetas e anunciado por eles há seiscentos anos! ...

"É possível tanta grandeza ao meu lado, ao alcance de minhas mãos ... sob o meu próprio teto, tão modesto que nem sequer pode ser visto entre as colinas e florestas galiléias? ..."

— É possível e é realidade! Acaso a Eterna Lei deve pedir conselho aos poderosos da Terra para realizar Seus grandes desígnios?

— E quem é, então, meu pai e Myriam, minha segunda mãe, para merecerem um tal filho? Por que tal merecimento, se tudo é justiça e igualdade no Altíssimo?

— Justamente! Joseph, teu pai, foi, em séculos distantes, aquele honrado e firme Jacob, que trabalhou 14 anos para obter a mão de Raquel.

"O misterioso sonho da Escada de marfim, que começava ao lado dele e chegava até o Céu, por onde subiam e desciam os Anjos do Senhor, não foi mais do que uma longínqua visão premonitória, através da qual o Deus das Misericórdias lhe fazia ver que suas grandes dores não eram senão o crisol purificador para que, nesta época, surgisse junto a ele o seu Verbo Eterno – a escada mística pela qual sobem a Deus as almas purificadas, e descem outras, trazendo suas dádivas às almas que o merecem.

"As rotas do Cristo são povoadas pelos Anjos de Deus, alguns dos quais descem para iluminar os escuros abismos em que se afundam os homens."

Jhosuelin ia como que submergindo-se lentamente num suave torpor, parecido com o transe, e, em sua aura mental, esboçou-se aquela passagem dolorosa da vida do patriarca Jacob, quando seus filhos maiores venderam a uns mercadores seu próprio irmão José que, com o pequeno Benjamim, formavam toda a alegria do pai.

O Essênio pensava fortemente em tal época, sem atrever-se, ainda, a descerrar para Jhosuelin o véu que ocultava essa parte da Verdade.

Mas a lei da telepatia cumpria-se amplamente, e a sensibilidade de Jhosuelin captou a onda daquele pensamento e, quase em estado de transe, disse, com voz apenas perceptível: Benjamim, filho de Jacob e hoje Jhosuelin, filho de Joseph! ...

– Deus seja bendito, porque despertaste para esta realidade! – exclamou o Essênio.

– Quão formoso é estar entre vós e possuir, assim, esse tesouro de sabedoria que guardais! Eu não poderia ser também um essênio?

"Quero dizer, viver aqui convosco" – acrescentou timidamente o pequeno jovem, como se julgasse não merecer tanto bem.

– És um essênio, Jhosuelin, visto que teus pais já o são.

"Para tanto necessitas do consentimento de teus pais; e se consegues isso e se os Anciãos te agradam ... já o veremos."

No entanto, enquanto eram levados a cabo esses trâmites, Jhosuelin conseguiu assistir, juntamente com Jhasua, à leitura dos velhos papiros antulianos.

Três dias depois, o menino Jhasua voltava ao Santuário, onde devia conhecer outra face da sabedoria antiga, que o grande filósofo atlante havia descerrado para a Humanidade de seu tempo.

Escutemos, leitor amigo, junto com Jhasua, o menino que era o Verbo de Deus.

O Essênio-leitor abriu o papiro e leu:

" 'Moradas de trevas – Globos em estado ígneo – Globos com vida orgânica primitiva – Globos de lamaçais ferventes – Mundos apagados e em processo de destruição.'

"O grande Mestre Antúlio continua narrando suas explorações extraterrestres:

"Quando meus guias espirituais julgaram conveniente, predispuseram-me para continuar as explorações pelas moradas para onde vão, depois da morte física, as almas daqueles que transgrediram a Lei Divina com toda sorte de crimes e de delitos.

"Eu havia visitado as moradas de luz e felicidade dos justos e das mais puras Inteligências já submergidas no infinito seio da Divindade.

"Era necessário, agora, conhecer também o reverso da medalha, para completar os meus conhecimentos ultra-estelares.

"Indubitavelmente devia ser uma grande e quase insuportável tortura. Ia ver a dor mais tremenda em todas as suas mais pavorosas formas, e, ante a qual, as dores que sofre a Humanidade deste planeta não são senão pequenos arranhões de um sarçal espinhoso.

"Assistir-me-iam Okmaya e Aheloim, que deviam revestir-me de roupagem astral e etérea, indispensável para penetrar nos mundos onde reina a dor.

"No plácido terraço coberto de trepadeiras em flor, adormeci tão logo sobreveio a noite, estando acompanhado apenas por dois de meus discípulos íntimos e pela minha mãe, que jamais quis afastar-se de mim durante esses desdobramentos da minha personalidade.

" – Por hoje não sairemos deste sistema planetário – disseram-me os Guias – pois, dentro dele, temos tudo que deves conhecer e recordar, para que possas deixá-lo, como uma herança, para esta Humanidade à qual foste enviado.

" 'Visitaremos um mundo de trevas tão densas que cada um dos seus moradores julga estar sozinho no meio delas.'

"Apenas tinha o Guia emitido este pensamento, já estávamos chegando a uma grande esfera de coloração verde-opaco, quase cor de fumaça.

"Um calor sufocante causava sensações penosas, motivo pelo qual os Guias tiveram que cobrir-me com uma vestidura fluídica densa, a fim de melhor harmonizar-me com a pesada atmosfera e o éter daquele globo, que era um planetóide de terceira grandeza.

"Sei que este globo estava nas proximidades do grande planeta Jóvia (atual Júpiter), mas não pertencia à sua corte de satélites.

" – Globos como este – disse o meu Guia – não podem ser percebidos de nenhum modo do plano físico terrestre, porque a esfera astral que os envolve é, como observas, tão sombria que se confunde com os abismos siderais.

"Sentindo meu pensamento que interrogava o porquê das ditas sombras, ele respondeu imediatamente:

" – São inumeráveis os globos iguais a este, e sua cor sombria deve-se a múltiplas causas, sendo que uma delas é serem destinados a servir de expiação às inteligências que, havendo tido a Luz da Verdade Eterna em suas mãos, apagaram-na para inumeráveis almas, às quais deveriam servir de guias nos caminhos da evolução.

"Almas tenebrosas irradiam trevas ao seu redor, como um vulcão, que, não tendo ainda os gases necessários para produzir labaredas vivas, somente arroja negros penachos de fumo a escurecerem a atmosfera até longas distâncias.

"Em virtude, sem dúvida alguma, da claridade mental que os meus Guias emanavam, pude perceber o estado físico daquele globo, para o qual havia começado a decrepitude, quem sabe, desde quantos milhões de anos, e que ainda parecia lutar para não morrer.

"Outrossim, pude compreender que os mundos que se acham em tal estado já não podem alimentar vidas orgânicas nem, tampouco, seres com vida embrionária. Ali, tudo é escuridão, morte e desolação.

"Apenas são utilizados para moradas de espíritos velhos, cujos muitos conhecimentos foram usados para arrastar as multidões ao erro, à corrupção e à delinqüência.

"Pude entender, igualmente, que, no infinito campo sideral, ocorre com os mundos em geral o mesmo que sucede em cada mundo com os seres que o habitam: gestação, nascimento, idade infantil, adolescência, juventude, virilidade, velhice, decrepitude e morte.

"Compreendi, finalmente, que todos os globos têm, como os corpos orgânicos, duas espécies de existência, que se completam e até se fundem como se fossem uma só: existência-energia e existência-matéria. A primeira é como a alma. A segunda é como o corpo, pois até a rocha inerte tem aura e vibração.

"A existência-energia forma-se, antes de tudo, pela aglomeração de átomos com células vivas, em obediência aos mandatos das poderosas Inteligências, impulsionadas pela Trindade Divina ou Poder Criador, Renovador e Conservador.

"Em seguida, encarrega-se, ela mesma, de ir acumulando tudo quanto necessita semelhante aglomeração para desenvolver e aumentar sua existência material, de tal maneira que, através de um longo processo de "kalpas" e ciclos, milênios, séculos e anos, vai colocando-se nas condições necessárias para cumprir o fim a que está destinada, ou seja, para habitação de humanidades, com vida física primeiro e com vida espiritual, puríssima, depois.

"Quão claramente vi então a semelhança que há entre os seres humanos e os globos que giram com velocidades vertiginosas no espaço infinito!

"Meu pensamento perguntou aos Guias que me acompanhavam:

" – Este mundo em trevas, para onde se encaminha?

"Eles deram maior intensidade a seus pensamentos para que penetrasse em minha mente de encarnado a estarrecedora e estupenda verdade:

"Vi que a existência-energia, ou seja, o imenso duplo astral ou alma daquele globo ia como que saindo lentamente para um lado, já apresentando três quartas partes livres de matéria, e só uma quarta parte como aprisionada ainda pela matéria morta e tenebrosa.

"Oferecia, aquele globo, o aspecto de um sol que sofre um eclipse parcial, ou seja, parecia um disco de sombra interposto na enorme e viva claridade, que aumentava por momentos.

"Minha observação tornou-se ainda mais profunda e me permitiu ver que, nessa parte do globo em que ainda palpitava, direi assim, a *energia*, mantinha com vida física uma colônia ou agrupação de seres humanos de evolução escassa e mui primitiva.

"Seus meios de vida eram tão mesquinhos, e os elementos que os rodeavam tão desfavoráveis que iam extinguindo-se por esgotamento.

"Concluí, por isso, que, quando aquela pequena parte do globo fosse abandonada pela energia, todas essas vidas se extinguiriam, tal como fica inerte o corpo quando a alma ou princípio inteligente o abandona através daquilo que se chama *morte*.

"Além disso, compreendi que, entre os espíritos tenebrosos, havia alguns, ao menos dois, que, nesse momento, podiam ser resgatados por alguém que houvesse feito os caminhos que eu tinha percorrido na eternidade.

"O amor falou tão forte em todo o meu ser que pedi os tais à Eterna Lei, e Ela me permitiu envolvê-los no meu manto de explorador sideral e transplantá-los para a Terra, a fim de iniciar nova evolução.

"Como persistisse minha interrogação mental: 'para onde caminha este globo?', meus Guias mentalizaram, com seus poderosos pensamentos, uma órbita ou caminho de sombra que se perdia em longínqua distância, qual nebulosa sombria ou bruma densa.

"Pareceu que aquele triste panorama se aproximava, ou era eu que me aproximava dele, e vi algo como um amontoamento informe de monstros mortos.

"Digo monstros, porque não consigo dar-lhes outro nome que se adapte a seu aspecto exterior. Algo assim como restos de olhos luminosos com pálpebras avermelhadas, que me fizeram pensar que alguma vida animava ainda aquele informe montão de matéria morta.

" – Também na incomensurável imensidão dos espaços infinitos há cemitérios como os do teu planeta físico – pensaram os meus Guias – se bem que a Lei seja, aqui, mais austera, não se preocupando em levantar os artísticos mausoléus nos quais guardais a matéria morta daqueles que amastes.

"Assim que eles viram meu estupor, pensaram novamente:

" – Estás ante um cemitério de globos mortos, nos quais ainda vivem, como vermes em cadáveres putrefatos, os espíritos vampiros, para quem está indefinidamente retardada a redenção, porque eles assim o quiseram e nem mesmo a querem.

"Eram essas as faíscas avermelhadas que, qual luz intermitente de relâmpago, iluminavam a intervalos aquela espantosa negrura.

" – Regressemos! – insinuaram os meus Guias – porque tua matéria física está sofrendo enormemente.

"Minutos depois, eu despertava, agitado ligeiramente por uma crise nervosa, que passou após algumas horas, deixando meu corpo dolorido e extenuado, como se houvesse realizado um trabalho de grandes esforços físicos."

Quando o Essênio-leitor enrolou de novo o papiro, viram todos que Jhasua jazia em profundo sono; um suor gelado banhava sua fronte, e suas mãos estavam apertadas fortemente sobre o peito.

Uns ligeiros estremecimentos denotavam seu estado de crise nervosa, motivo por que os Essênios fizeram profundo silêncio, e seus fortes pensamentos tranqüilizadores foram caindo sobre o menino adormecido como uma chuva de madressilvas de paz, quietude, sossego.

Quando tudo nele denotava um sono normal, chamaram-no com uma ordem mental.

E Jhasua despertou:

– Se me houvésseis deixado dormir mais um pouquinho – disse alegremente – teria acabado de corrigir o feio sonho que tive.

– Como é isso possível? – perguntou o Servidor.

– Pois é assim. Eu sonhava com uns lugares horrorosos nos quais morriam homens mais horríveis ainda; e, quando tudo isso passou, e me rodearam anjos bons, como aqueles que visitaram Abraham e Jacob, e cantavam salmos que eram uma glória, vós me despertastes.

– Irmão leitor – acrescentou –, desta vez portei-me muito mal convosco, pois não me mantive atento à vossa leitura e adormeci.

– O sonho é a libertação momentânea do espírito, e o teu, em estado livre, viveu uma época retrospectiva mui distante, para sentir e ver novamente o que, naquele remoto passado, ele viveu e sentiu – esclareceu o Servidor.

O menino pensou e disse:

– Eu vivia nesse Antúlio de vossa história, e Deus deixava-me ver coisas maravilhosas, tal qual a seus grandes profetas.

"Se Jehová iluminou tanto a esse Antúlio, manterá Ele o pequeno Jhasua na escuridão?"

– Certamente que não, meu filho, mas tudo chega a seu tempo. Na circunstância atual, Jhasua não será o Profeta da Sabedoria, mas o Profeta do Amor.

"O Amor é a coroa Suprema, que marca a mais excelsa meta a que pode chegar o Ser, e, no momento presente, Jhasua caminha para essa coroa."

– Então? ...

O Servidor olhou-o com indizível ternura, abrindo os braços.

O menino, emocionado, lançou-se neles como invadido por uma onda de irresistível amor e, apertando seus pequenos braços em torno do pescoço do ancião, que chorava de emoção, disse:

– Sabes que te quero, e desejas que eu diga isto de modo mais forte! Não tenhas medo que se acabe o amor que sinto neste momento, pois tenho amor suficiente para encher todo o mundo!

Como se um acesso delirante de ternura o houvesse invadido, começou a abraçar de maneira precipitada e excessiva todos os Essênios que o rodeavam.

Ficou um tanto esgotado e, sentando-se novamente, disse em tom reflexivo:

— Sou um garotinho estouvado, não é verdade? Até hoje, unicamente com minha mãe procedi desta maneira; agora, não sei por que, o faço convosco. Quando chegar a ser homem, com quem haverei de fazê-lo?

— Com toda a Humanidade! — responderam em coro os Essênios.

— Os homens são maus — disse ele. — Enganam e fazem pouco daqueles que têm piedade e amor. Os companheiros de escola atiravam-me pedras quando eu defendia os paralíticos e os leprosos que se arrastavam pelas ruas pedindo esmola. Como hei de amar esta Humanidade?

— Dá tempo ao tempo, filhinho — respondeu o Servidor. — Não queiras antecipar a hora de Deus.

Desse modo terminou aquela hora de ensinamentos que os solitários davam ao grande Mestre, descido à Terra para iluminá-la pela última vez.

O pequeno foi levado para sua mãe, à qual recomendaram que, no dia seguinte, descesse também com Jhosuelin para a orla do mar, onde eles tinham um barquinho ancorado numa enseada profunda, e que ficava escondido da vista de estranhos.

— Quatro de nós, que são bons remadores, estarão de madrugada, esperando-vos para zarpar — disse o Servidor a Myriam, ao entregar-lhe o filho.

— Para onde iremos? — perguntou alarmada a mãe.

— O ar do mar fará muito bem ao menino, e chegareis em Tiro; lá ele encontrar-se-á com os Essênios do Monte Hermon, onde passou sua primeira infância. Seis deles irão à grande capital para embarcar em viagem a Gaza, de onde os conduzirão ao Grande Santuário do Moab.

O rosto de Myriam iluminou-se como de uma luz celestial.

— Oh! Os santos solitários do Hermon! — exclamou. — Jamais esquecerei o amor e a solicitude com que nos brindaram: a Joseph, ao menino e a mim, nos longos anos de nosso desterro.

— Agrada-me, mulher — acrescentou o Servidor —, haver-vos trazido essa boa nova; pois os vereis na capital síria e fareis com eles a viagem até aqui, onde ficareis enquanto eles seguem para o sul.

— Mas, farão toda a viagem no vosso barquinho? — perguntou outra vez.

— Não, mas esperarão aqui, em nosso Santuário, a vinda do barco mercante mais próximo, e nele realizarão a travessia.

— Oh, quão feliz ficará o meu Jhasua quando rever seus primeiros Mestres! — exclamou a meiga mulher, sempre pensando em proporcionar felicidades e alegrias ao filho.

— É a última saída desses irmãos para o mundo exterior, pois já em Moab somente se sai para a cripta de Moisés.

"Por este motivo presenciareis uma grande solenidade espiritual que realizaremos em nosso Santuário, em companhia também dos Essênios do Monte Tabor, que virão para despedir-se, juntamente conosco, dos felizes irmãos que vão morrer para a vida no mundo, a fim de viverem apenas a vida espiritual em toda sua excelsa grandeza.

— Quando ireis vós, Servidor? — atreveu-se a interrogar a tímida Myriam, temerosa de que também este amável ancião se ausentasse para não mais voltar.

— Não te alarmes, boa mulher — respondeu ele —, que eu ainda não cheguei a essas alturas e, pelo menos, devo passar mais cinco anos aprendendo e purificando-me.

"Para chegar a ocupar um lugar entre os Setenta do Moab, é necessário haver deixado de ser carne, para transformar-se em serafim de amor, que arde sempre sem consumir-se.

— E esses seis que vêm? ... — interrogou Myriam.

— Irão substituir seis anciãos do Moab que tiveram cortados os fios de suas vidas durante uma exploração sideral como as de Antúlio, quando foram atingidos por um deslizamento nu'a montanha próxima ao Grande Santuário.

— Que desgraça! – exclamou Myriam profundamente comovida.

— Não penses assim! Quando se chega a essas alturas, tal ocorrência é apenas um simples incidente sem maior importância.

— Como? ... É a morte!

— É a vida, mulher, é a vida na Luz e no Amor!

"Seus corpos estão mumificados na gruta de Moisés e suas almas continuam ditando, do espaço infinito, o resultado da exploração que continuarão realizando sem a pressa do chamado da sua matéria e sem a necessidade de medir o tempo que transcorria.

"Não compreendes que, para tais almas, a matéria é uma prisão demasiado incômoda e pesada?

"Que mais podem querer do que a liberdade absoluta?"

— Mas eles não têm algum membro de sua família que os prenda à vida?

— Não, mulher, não! Para que um Essênio possa subir ao quinto grau, já não deve ter laço algum que o vincule à vida material, nem sequer uma recordação que turve sua quietude interior.

"À vista disso, para haver ultrapassado o sétimo, que há de ser ele? Uma lâmpada eterna no infinito ou uma vibração que sobe e continua subindo de tom até confundir-se com a harmonia eterna das esferas!"

— Meu Deus! Quanta grandeza nas almas purificadas! Estarrece-me só pensar nisso – exclamou a jovem mãe, cobrindo o rosto com ambas as mãos.

— Também tu chegarás a isso, Myriam, depois de uma dezena de vidas terrestres, vividas em mosteiros, se não iguais aos Santuários Essênios, pelo menos bastante parecidos em sua dedicação à vida espiritual.

— Como o sabeis? – interrogou ela, assombrada.

— O Altíssimo acende Sua Luz onde Lhe apraz, e essa Luz nos fez ver vossos caminhos futuros, com a mesma clareza com que vemos o caminho de vosso regresso a Nazareth, daqui a pouco tempo.

A chegada de uma das avós anciãs, com uma cesta de frutas recém-cortadas, interrompeu a conversação.

— Esta é a vossa parte, Servidor – disse ela –; o nosso pomar não se esquece jamais de vós.

— Está bem, avó, que o Senhor vo-lo pague. Parece que só esperava isto para ir-me, posto que já é meio-dia.

"Com que então, até amanhã, quando sair o sol, na enseada. Não falteis ao encontro."

— Até amanhã – respondeu Myriam, acompanhando-o com o olhar enquanto ele se afastava pelo caminho da montanha.

Os Festivais Místicos do Carmelo

A aurora estendia seus véus de púrpura e ouro sobre o Mediterrâneo e sobre as faldas floridas do Carmelo, quando Myriam, Jhosuelin e Jhasua embarcaram no pequeno veleiro que estava sendo habilmente dirigido por quatro Essênios, vestidos com as escuras túnicas dos Terapeutas-Peregrinos.

— Como? — inquiriu, em seguida, o menino. — Eu vesti uma túnica branca para estar igual a vós, e vos pusestes escuros como tordos.

— Nós usamos o branco somente dentro do Santuário — responderam os Essênios, rindo da espontaneidade de Jhasua. — Não sabes que há muito lodo no mundo e que a brancura se mancha facilmente?

— Suspeito que não é por isso — disse o garoto meditativo.

— Por que é então?

— Porque o branco vos denuncia como Essênios, e, talvez, temais algo que eu não posso compreender.

— Menino! ... — exclamou a mãe. — Como é que estás a pedir explicações? Isso não está bem!

— Mãe! ... os Essênios são os meus mestres, e devo saber o porquê de seus atos para agir da mesma forma. Não é isto justo?

— Sim, meu filho — disse o Essênio encarregado da viagem, cujo nome era Abinadab. Quando a Humanidade for mais consciente, não será necessário ocultar certas coisas, das quais ela não faria o uso devido.

"A Humanidade crê que os Essênios querem cortar-lhe as liberdades e direitos; por isso, ela nos tem perseguido, há uns anos atrás, como se fôssemos seres daninhos para a sociedade. Ela se sente bem crendo que não existimos. Por que, pois, renovar seus receios, tornando-nos presentes?"

— Ah! já compreendo! Fazeis o mesmo que os criadores de abelhas, que se cobrem com uma redezinha encerada para que não sejam picados. Não é isto?

— Justamente.

O veleiro seguia vogando para o norte, apenas a u'a milha da costa sombria, onde as casinhas disseminadas por entre as verdes colinas apareciam como brancas pombas pousadas nos ramos.

Cheia de encantos e belezas, a viagem não oferecia circunstâncias dignas de serem referidas. Quando chegaram a Tiro, Myriam lembrou com pesar aquela outra viagem precipitada, realizada nove anos antes para salvar a vida do filho, ameaçado pela cólera de Herodes.

Jhosuelin, que havia feito a viagem lendo o Profeta Samuel, guardou o livro para ajudar sua mãe adotiva no desembarque. Jhasua, ansioso por falar, disse com muita graça: "Jhosuelin, queres ser essênio antes do tempo e, por isto, bebes e comes a Sabedoria dos Profetas, como eu ingiro castanhas e figos." E, sem dizer nada mais, tomou o saquinho de frutas e pão e, depois de oferecê-lo a todos, começou a comer tranqüilamente, enquanto durava a operação de atracagem e desembarque.

Semelhante a um bando de garças e gaivotas, o porto de Tiro aparecia coberto de veleiros, lanchões e barcos de grande tamanho.

Uma bandeirinha branca, com uma estrela azul, apareceu na costa, no rincão mais afastado do cais.

— Ali está ele à nossa espera — disse Abinadab, agitando, por sua vez, uma bandeirinha igual.

Atracaram naquele sítio e logo chegaram ao lado do homem da bandeirinha, irmão de Abinadab, que os conduziu para sua morada, próxima àquele castelo, destinado aos enfermos protegidos pelos Terapeutas.

O irmão de Abinadab, com sua esposa e filhos, compunham a família essênia de confiança que os solitários sempre tinham nos lugares de suas residências ou onde desenvolviam atividades apostólicas em favor da Humanidade.

— Este é o menino, que, há nove anos atrás, foi conduzido daqui para o Santuário do Monte Hermon — disse Abinadab como apresentação dos viajantes.

— Bênção de Deus! — exclamou o bom homem, juntando as mãos sobre o peito.
— Como está crescido e formoso!

— Quem és, bom homem, que demonstras tanto carinho para conosco? — interrogou Myriam.

— O guia que vos conduziu naquela ocasião até a "Gruta dos Ecos Perdidos" para poder retornar com os asnos — respondeu aquele homem.

— Em nove anos envelheceste muito! Padecimentos grandes sem dúvida!

— Fui submetido à prisão e a torturas, pois tiveram algumas suspeitas sobre a minha cumplicidade, mas, ante as minhas negativas categóricas, acabaram pensando ter sido enganados por um tal mago que tinha espiões em todos os caminhos.

"Como conseqüência das torturas, sobreveio-me um grande mal que me prostrou, e quase acreditei que ficaria inutilizado, pois minha coluna vertebral ameaçava não mais sustentar-me de pé. No entanto, como podeis ver, os irmãos Terapeutas encontraram o jeito de fazer-me andar novamente."

— Em toda parte ficamos devendo gratidão — disse Myriam penalizada com o que acabava de ouvir.

— Vinde para comer alguma coisa — disse a mulher —, pois os seis viajantes que esperais não chegarão antes da entrada da noite.

— E eles — disse Abinadab — passarão de imediato para o veleiro, a fim de que possamos zarpar em seguida.

Grande foi a alegria de Jhasua, quando os anciãos chegaram; e eles, dando-se a conhecer pelos seus próprios nomes, abraçaram-no ternamente.

E o menino, recordando, disse:

— Tu, irmão Benjamim, eras o encarregado do refeitório e assavas as mais lindas castanhas para mim.

"E tu, irmão David, levavas-me para recolher ovos de codornas ... oh, eu me lembro bem!

"Como estão os meus cordeirinhos, irmão Azael?"

— Agora já se transformaram em ovelhas e são mães de outros cordeirinhos — respondeu afavelmente o Essênio.

E assim foi falando com todos os demais, recordando cenas do Monte Hermon, de onde saiu quando tinha oito anos de idade.

Uma hora depois, faziam-se à vela, rumo ao sul, para as várzeas do Monte Carmelo, onde os Anciãos deviam permanecer duas semanas para levar minuciosas notícias aos Setenta, sobre as condições em que se encontravam os essênios da parte norte do país de Israel.

Acudiram os Terapeutas dispersos pelo país, no cumprimento de suas respectivas missões, como também os do Tabor e um ou dois membros de cada família essênia da província, que, segundo o grau que tivessem, participariam de uma ou outra das congregações a se realizarem na grande Assembléia Espiritual.

A notícia da chamada corria em segredo de boca em boca, e cada assistente arranjaria um pretexto adequado, que, quase sempre, era a compra ou venda de lã, cera ou mel das faldas do Carmelo, tão abundantes na produção de vegetais e animais.

— Quase não estou reconhecendo meu Jhasua — disse docemente Myriam observando o filho, que, com alegria transbordante, contava aos Anciãos suas correrias pelo Carmelo, os presentes das avós, as travessuras com Matheus, Myrina, etc...

— Menino de Deus! Contigo daríamos dez vezes a volta ao mundo sem sentir fadiga.

— Oh, não! – exclamou ele. – Este veleiro é muito pequeno; em sua despensa cabe apenas um saco de castanhas, muito pouco pão e um só cântaro de mel.

— Oh, rapazinho guloso! – disse sua mãe rindo, como todos, da observação do menino. – Quem te dá direitos para examinar as despensas alheias?

— Mãe, não fiz nada de mal! Não dizem os Essênios que para eles não existe *o teu e o meu*, mas o que é de um é de todos? Então, a despensa deste veleiro essênio é minha, é tua e é também de Jhosuelin. Assim, não fiz nada mais do que examinar o que é meu.

E ficou quieto, olhando para todos com os seus grandes olhos claros que interrogavam eloqüentemente.

Em vista disso, um dos Essênios lhe respondeu.

— Sim, filhinho... a despensa deste veleiro, e mesmo todo ele, é teu, de tua mãe e de teu irmão, pois tal é a lei dos Essênios.

Por fim, Jhasua entregou-se ao sono, pois a noite já estava bem adiantada, e foi conduzido ao único compartimento que a pequena embarcação possuía, onde passou a noite, junto com sua mãe.

Ao amanhecer, o barquinho lançava âncoras na profunda enseada do Carmelo e, alguns momentos depois, Myriam e Jhasua descansavam em sua alcova na cabana das avós.

Os Anciãos e Jhosuelin seguiram o caminho da montanha em direção ao Santuário, oculto como um ninho de águias, por entre a espessa ramagem.

Dois dias depois, começaram a chegar, dos diferentes pontos da região, os compradores de peles de cabra, lã, mel, cera e frutas secas.

As inumeráveis cavernas do Monte Carmelo povoaram-se, como por encanto, apresentando, durante as noites, o pitoresco espetáculo de pequenas luzes douradas que chameavam alegremente à entrada das grutas, como se fossem vibrações febris e ansiosas das almas que aspiravam o Infinito ...

Os Terapeutas que, no decurso de muitos meses, haviam feito a colheita dos produtos da fértil montanha, corriam apressados deixando, em cada gruta, o que cada qual necessitava para completar seu carregamento.

— Tranqüilizadas as almas a respeito da provisão equitativa e necessária à matéria, poderemos chegar mais facilmente a obter o sustento espiritual que desejamos – disseram os solitários aos essênios seculares que iam chegando.

Durante a noite, eles faziam ronda por todas as grutas, lendo as mais formosas passagens dos antigos Profetas, cantando as lamentações de Jeremias ou os Salmos de David. As flautas dos pastores e os alaúdes dos solitários formavam suave fundo musical para aquelas tocantes e elevadas poesias ... cheias de emotividade e devoção religiosa ...

Isso durava apenas três dias, pois, enquanto, nas horas de luz solar, se fazia a distribuição das provisões, durante as noites preparavam-se as almas para as Assembléias Maiores, para o acesso de graus de todos os que houvessem cumprido os períodos regulamentares.

Os compradores pagavam suas aquisições com fazendas de lã e de linho, fiadas e tecidas por eles mesmos; com calças e sandálias de couro; com farinha branca ou azeite dourado – que os solitários necessitavam, por sua vez, para a manutenção.

Quando as tarefas de ordem material haviam terminado, deixando todos satisfeitos e tranqüilos, dava-se início, no dia anterior ao do festival, às oferendas florais, para o qual, antes da saída do sol, todos os participantes percorriam as faldas das montanhas para despi-las de suas roupagens de múltiplas cores, com o fito de tecer grinaldas e galhardetes com que adornavam os pátios e jardins adjacentes ao Santuário.

— As flores são criaturas de Deus, que estão prontas para ajudar o homem em sua tarefa de elevar-se ao Infinito — diziam as legendas que apareciam em pranchetas presas nas árvores, à entrada das grutas.

Isto fazia vibrar nas almas o suave sentimento, mescla de delicada sensação, para com esses pequenos seres da criação, que formam a parte mais bela do reino vegetal: as flores.

Neste ambiente surgiram, outrossim, como por encanto, as suaves canções, e os elevados pensamentos em harmonia com a beleza das flores, delicadas criaturas de Deus.

"Lírios brancos! Oh, tão brancos
Como a neve invernal,
Cobri com vossa brancura
A miséria terrenal! ...
   "Campânulas azuladas
   Como o Céu e como o mar ...
   Céu e mar sejam as almas
   Ansiosas de imensidão ...
"Rosas vermelhas do Carmo
Com pétalas de rubi ...
Como ardentes corações
Que de amor querem morrer! ...
   "Mirtos silenciosos,
   Racimos de ouro de Ofir,...
   Bordando mil arabescos
   Sobre um céu de turqui ..."

Nesse estilo brotavam, como do fundo das almas, esses delicados pensamentos, suscitados pela beleza ideal das flores, que, naqueles momentos de emotividade e de profundo sentir, pareciam ter também alma capaz de corresponder ao amor com que eram tecidas as grinaldas, as palmas e os grandes ramos, a serem despositados nas passagens, corredores, túneis e jardins.

Era o início da grandiosa festa espiritual.

Dir-se-ia que o amor e a pureza das flores enobreciam e purificavam as almas, que, quase inconscientemente, iam submergindo-se nessa doce quietude preparatória para os grandes vôos do Espírito.

O próprio Jhasua, mais sensitivo do que qualquer outro, disse a seus companheiros de folguedos:

— Não sinto mais vontade de brincar, mas de meditar. Parece-me que flutuam pelos ares misteriosas mensagens que eu devo escutar.

Alguns de seus companheiros disseram, temerosos:

— Se queres, Jhasua, oremos para que Jehová perdoe nossos pecados.

— Tendes medo de Jehová? — perguntou então o Menino-Luz.

— Quando há trovões e relâmpagos, sim e muito.

— Por que, tolinhos? Os Mestres do Santuário ensinaram-me que os trovões, os raios e os relâmpagos são manifestações de forças elétricas e magnéticas que existem na Natureza e que os homens do porvir, um dia, dominarão e utilizarão, como os de outras idades distantes também já as utilizaram.

"Jehová é nosso Pai e não pensa senão em fazer-nos o bem.

"Eu temo os molequinhos malvados que atiram pedras, e as feras, que podem devorar-nos; mas a Jehová ... oh, não! porque Ele é a Bondade e o Amor."

Chegou, finalmente, o dia e a hora da almejada Assembléia; e, quando a lua cheia subia como um disco de prata no azul sereno dos céus, foram vistas sombras brancas a saírem de todas as grutas, dirigindo-se, por inumeráveis caminhos, em direção ao Santuário. Este brilhava como ouro polido à luz dos círios, cuja chama dourada exalava perfume de cera virgem, misturada com as emanações do incenso e da mirra que as donzelas queimavam no altar das Tábuas de Moisés.

As anciãs-avós formavam a corte que custodiava as quarenta virgens, que, cobertas com longos véus, tangiam as cítaras, cortavam os pavios dos círios e lançavam novos perfumes no recinto dos holocaustos.

As grandes cavernas laterais e as dianteiras, como se fossem os pórticos do Santuário de rocha viva, foram enchendo-se de brancas sombras silenciosas, das quais se ouviam apenas suaves murmúrios de preces a meia-voz.

De vez em quando, aparecia alguma sombra de cor cinza que inclinava o seu rosto coberto, inclinava a fronte, no meio daquele solene silêncio, enquanto se ouvia uma voz clamorosa a pedir:

— Rogai, irmãos, para que o Senhor perdoe os meus pecados, a fim de que eu mereça estar unido convosco na Assembléia espiritual.

Os irmãos diziam em voz alta alguns versículos do "Miserere", o hino sublime com que David cantava seu profundo arrependimento e pedia misericórdia ao Senhor.

Um dos Anciãos aparecia então e cobria o pecador arrependido com o manto branco, que o igualava a seus irmãos e que deixava sua personalidade no anonimato. Ninguém sabia quem ele era, embora soubessem tratar-se de um irmão que havia pecado e que estava arrependido. Ao proceder assim, o Ancião que o havia coberto, dizia em voz alta: "Que Tua Mão poderosa nos ampare, Senhor, para que não mais venhamos a transgredir Tua Santa Lei."

Com isto, lembrava a todos que também eles podiam vir a pecar como o irmão que acabava de confessar a sua fraqueza.

Myriam, com Jhasua pela mão, achava-se entre o branco grupo das avós e, finalmente, apareceram os Anciãos do Santuário com os seis recém-chegados, que abriam caminho com os da mais alta graduação.

Levavam cingida na fronte a estrela de cinco pontas, símbolo da Luz Divina que haviam conquistado e, na mão direita, o candelabro de sete círios pequenos, que recordava os graus por eles galgados na Ordem.

Todos os Anciãos, empunhando cada um o seu candelabro de tantos círios quantos graus tinha conquistado, iniciaram o magnífico desfile, que era seguido por todos os essênios com seus respectivos círios.

Um Ancião afastou-se do grupo para buscar o filho de Myriam, o qual foi colocado entre os seis Anciãos chegados do Monte Hermon, e lhe deram também um candelabro de sete círios.

— Sou pequeno demais para levar isto — protestou o menino em voz alta.

— Obedece e cala — disse o ancião, e o desfile continuou pelos longos corredores laterais, que formavam como que uma grande circunferência em torno do Santuário Central.

Cantavam, todos juntos, os salmos em que David glorificava a Deus por Sua magnificência, Sua misericórdia e Sua justiça.

Dir-se-ia que era uma só alma que se prosternava ante o Infinito num ato de suprema adoração.

Chegaram à sala circular onde os livros dos Profetas Maiores estavam fechados, cada qual sobre a sua estante.

O Ancião que estava de plantão abriu um dos livros e leu alguns versículos, dos quais tirava o tema para uma dissertação breve, mas cheia de fervente entusiasmo, para se prosseguir no caminho da purificação da alma pela santidade da vida e pureza de costumes.

Depois o mesmo Ancião fez as três perguntas do cerimonial, a que a multidão respondeu em coro.

— Irmãos: reconheceis a Lei de Moisés como a mais perfeita emanação do Altíssimo para encaminhar a Humanidade a seu eterno destino?

— Nós a reconhecemos e aceitamos em todas as suas partes — responderam em coro os homens, as mulheres e as crianças.

— Reconheceis e adorais ao Deus-Único, eterna força criadora e conservadora de tudo quanto existe no vasto Universo?

— Nós O reconhecemos e adoramos — tornou a multidão a responder.

— Estais de acordo com a Ordem Essênia a que pertenceis e dispostos a fazer, pela sua conservação e pureza, tudo quanto estiver ao vosso alcance?

— Amamos a Ordem com a nossa vida e faremos por ela tudo quanto nos for possível dentro de nossas forças e capacidade.

Então os seis Anciãos vindos do Hermon, que eram os mais categorizados na Ordem, levantaram ao alto seus candelabros de sete círios e pronunciaram em voz alta, clara e lenta, a Bênção Solene chamada de Moisés, para todo fiel cumpridor de seus compromissos para com Deus, com a Ordem e com todos os seus semelhantes.

Haviam feito também com que o pequeno Jhasua levantasse seu candelabro e pronunciasse as palavras da sublime Bênção de Moisés para todas as forças benéficas do Cosmos, sobre todos aqueles que estivessem em harmonia com Suas leis imutáveis.

Todas as frontes se haviam inclinado reverentes ante a suprema evocação, que sempre deixava nos seres tão benéfica influência. Se havia enfermos, tristes ou desorientados espiritualmente entre os presentes, experimentavam, de imediato, um grande alívio e, às vezes, cura completa.

Era esta a parte mais solene da Assembléia espiritual, que podia ser presenciada por todos os essênios em geral, de qualquer grau que fossem.

Vinha depois o hino de ação de graças, cantado em coro por todos, e a entrega das flores, feita pelas donzelas, que iam depositando ramalhetes em cada mão que se estendesse ante elas.

Logo em seguida repartiam os pãezinhos chamados da *Propiciação* que haviam sido preparados de antemão e que simbolizavam a união de cada alma com a Divindade, sendo também um presságio de que, no ar onde estivesse o pãozinho sagrado, sempre haveria de existir o sustento necessário para a vida.

Em caso de enfermidades graves, quando os médicos nada mais podiam fazer, era tradição que muitos enfermos quase moribundos haviam recobrado a saúde, por terem bebido da água em que o pãozinho sagrado houvesse sido dissolvido.

Eram eles, sem dúvida, vitalizados como as águas e as flores, e essa influência benéfica unida à fé do enfermo e de seus familiares produzia o fenômeno da cura de algumas enfermidades que podiam ser dominadas por aquelas forças espirituais.

As brancas sombras silenciosas voltavam para as grutas mais silenciosas ainda, quando a noite já estava bem adiantada, para repousar em leitos de feno e peles, até serem novamente congregados os que pudessem ter outra participação na Assembléia espiritual, que se celebrava a cada ano em todos os Santuários Essênios.

As reuniões prolongaram-se durante sete dias, podendo ser observado, como é natural, que cada reunião era menos numerosa do que as anteriores, e que, à medida que elas passavam, ia sendo efetuado o regresso, para os seus respectivos lares, daqueles que haviam assistido às primeiras.

Os que partiam primeiro pediam aos irmãos que ficavam:

— Orai ao Senhor por nós a fim de que, no próximo ano, possamos acompanhar-vos em mais outro dia.

A regularidade inalterável e precisa dessa ordem eliminava, entre eles, todo sentimento de ciúme e inveja, que abre tão profundos abismos entre as almas que se entregam praticamente à vida espiritual.

Todos sabiam que a perseverança os igualaria, um dia, a todos, nessa mística escada de conhecimentos e de virtudes cujos degraus iam galgando.

Em cada uma das reuniões subseqüentes, foram explicadas, por um dos Anciãos, passagens obscuras das Sagradas Escrituras, ou seja, o sentido oculto que o Profeta havia querido fazer figurar para entendimento das almas adiantadas.

Isso se obtinha através da evocação da mesma Inteligência que, anos ou séculos atrás, havia derramado esses ensinamentos. Os Essênios do Arquivo anotavam em suas cadernetas o significado daquelas enigmáticas frases, convertidas, assim, em clara doutrina, emanação da Divina Sabedoria.

Comparando os enigmáticos escritos dos Profetas hebreus com os antiqüíssimos arquivos conservados pelas grandes Escolas do mais remoto passado, pelos Dáckthylos e os Kobdas da Pré-História, podiam eles compreender tudo claramente e, ainda, formar um corpo de doutrina, uniforme e relacionada intimamente, quase desde os começos da Humanidade consciente sobre o Planeta.

De tempos em tempos, os Anciãos do Moab ordenavam aos sacerdotes Essênios que estavam a serviço do Templo que, nas assembléias com os Doutores da Lei, soltassem, como ao acaso, alguma chispa da Luz Divina da Verdade, descoberta pelos meios que acabamos de enunciar, mas quase sempre suscitavam acaloradas discussões, nas quais, mui poucas vezes, os Essênios saíam triunfantes, pois eram, como se sabe, marcada minoria.

Os Doutores de Israel odiavam as inovações, temerosos, sempre, de que um novo rumo, porventura dado aos princípios aceitos, acabasse com as grandes rendas e os privilégios de que a classe sacerdotal gozava há muitos séculos.

A interpretação das mais antigas profecias era assunto sobre o qual discordavam sempre, principalmente quando elas se referiam ao advento do grande Messias, esperado para sacudir o jugo romano e engrandecer Israel sobre todos os povos da Terra.

Essa grande aspiração nacional, justa, se for considerada humanamente, não era compartilhada pela Escola Essênia, que estava plenamente convencida de que o Avatara Divino seria um Instrutor, uma Voz, uma Luz nova, não só para um pequeno povo da Terra, mas também para toda a Humanidade.

Que Deus seria esse que só se preocupava com o povo hebreu e permanecia indiferente para com os demais? Seguramente não era o Deus que os essênios concebiam e compreendiam, para quem o Grande Atman era a Causa e a Origem, alento e vida de tudo quanto palpita e vibra na imensidão do Universo.

Para isso tendiam sempre as grandes assembléias espirituais dos essênios, ou seja, para ampliar cada vez mais o já vasto campo de seus conhecimentos sobre as Verdades Eternas, meta e cume para os quais marcham as humanidades conscientes.

Quando chegou o dia e a hora da segunda Assembléia, a metade dos assistentes da primeira havia já regressado para os seus lares. Somente haviam ficado os do terceiro e os subseqüentes.

Passados os hinos do costume, um dos Anciãos vindos do Hermon, ostentando as sagradas insígnias do seu alto grau, subiu os degraus do altar dos livros dos Profetas e, com os olhos cerrados e às apalpadelas, apoiou as mãos sobre o livro do Profeta Malaquias e, abrindo-o ao acaso, leu versículos dos capítulos terceiro e quarto que dizem assim:

"Cap. 3º – 1º – Eis aqui, que Eu envio o Meu mensageiro, o qual preparará o caminho diante de Mim; e logo virá a Seu Templo o Senhor a quem buscais ...

" – 2º – Quem poderá suportar o tempo de Sua vinda? Ou quem poderá subsistir quando Ele Se mostrar? Porque Ele é como o fogo purificador e como sabão de lavadores.

" – 3º – Sentar-Se-á para fundir e limpar a prata; assim purificará os filhos de Levi; Ele os refinará como ouro e como prata; e eles oferecerão a Jehová oferenda com justiça.

"Cap. 4º – 1º – Porque, eis que vem o dia ardente como um forno; todos os soberbos e todos os malvados serão como palha, que arderá e se abrasará.

" – 2º – Mas, para vós, que amais o Meu Nome, há de nascer o Sol da Justiça, que trará em suas asas (*) a salvação; e vós saltareis de felicidade como bezerrinhos de um rebanho.

" – 5º – Eis que Eu vos envio o Profeta Elias, antes que chegue o grande e terrível dia de Jehová.

" – 6º – Ele converterá os corações de pais e filhos; para que, quando Eu vier, a Terra não seja ferida com a destruição (**)."

Fechando o Livro Sagrado, o orador falou:

– Vários séculos passaram sobre estas palavras de nosso irmão o Profeta Malaquias, e eis que estamos presenciando seu cumprimento. O Altíssimo deixa cair os raios de Sua Luz na mente dos que buscam a Divina Sabedoria; e, como para Ele tudo é *Hoje*, nosso irmão Malaquias percebeu, em suas internas contemplações, o hoje que estamos vivendo pela graça da Misericórdia Divina.

"O Mensageiro de Deus chegou, e já está dentro de seu templo, ou seja, em seu corpo físico, que o ajudará a cumprir sua missão entre os homens.

"Quem poderá suportar o tempo de Sua vinda?", interroga o Profeta, que O vê como fogo purificador que arrasa toda imundície.

"E há de sentar-Se para fundir e limpar a prata", prossegue o vidente, dando-nos a entender que exigirá mais dos que revestem condição mais elevada, já que a prata é um metal precioso.

(*) "Raios" seria o certo, porém, na época em que o Profeta Malaquias escreveu esses versículos, o conceito que tinham do nosso Sol era outro: "Um carro de fogo, provavelmente com asas." O Profeta também pode estar se referindo ao Messias (N.T.).

(**) Há uma pequena divergência entre o texto como consta na Bíblia em português e este original, mas isto se deve, em parte, às traduções sucessivas para diversas línguas (N.T.).

"As multidões são como os grãos de areia e as partículas de pó das estradas. O Mensageiro Divino não será exigente para com elas, mas com os metais preciosos, que simbolizam as almas adiantadas no conhecimento divino, pedirá não somente grande purificação, como também a perfeição e a iluminação, por estarem destinadas ao nobre sacerdócio da instrução junto a seus irmãos, semelhantes aos milhões de grãos de areia e de partículas de pó nos caminhos da Terra.

" 'Eis que vos envio o Profeta Elias, para que converta os corações dos pais aos filhos e os dos filhos aos pais', continua o vidente, para assinalar a necessidade de um amor como o de pais e filhos entre aqueles que hão de formar a grei que glorificará ao Senhor."

Um dos assistentes se pôs de pé e pediu licença para perguntar algo. Assim que a licença lhe foi concedida, disse:

— Uma vez que o Mensageiro Divino está entre nós, não podemos saber onde está, para aproximar-nos dele e sermos purificados?

— Ele se encontra em um dos nossos Santuários, preparando-se para aparecer em público, em cumprimento de sua missão, não obstante ser um garotinho, apenas saído da primeira infância — respondeu o Ancião com o olhar perdido ao longe, pois nele se refletia a pequena imagem de Jhasua, pura como um lírio do vale.

O menino havia sido levado por sua mãe, por julgar-se inconveniente sua presença ali, naquele momento.

— E agora que sabeis que o Grande Ser, esperado durante tantos séculos, já se encontra entre nós, ouçamos o que, a este respeito, cantou nosso grande irmão o Profeta Isaías, há seis séculos.

O Ancião tomou o livro de Isaías e, abrindo-o no capítulo 60, leu, em voz alta, enquanto um alaúde escondido na penumbra fazia ouvir um fundo musical que parecia emanar da palavra vibrante do grande vidente:

"Levanta-te, ó Sião e resplandece, que já veio tua Luz, e a glória de Jehová nasceu sobre ti.

"Eis que as trevas cobrirão a Terra, e a escuridão cobrirá os povos; mas sobre ti nascerá Jehová e sobre ti será vista Sua glória.

"As nações caminharão à Sua Luz, e os reis ao resplendor de Seu nascimento.

"Não necessitarás que o Sol sirva de luz para o dia, nem o resplendor da Lua para a noite; mas Jehová será a tua Luz perpétua, e o teu Deus será a tua glória.

" ... Jehová fez ouvir em todas as paragens da Terra estas palavras: 'Filha de Sião, eis aqui vem o teu Salvador, e a tua recompensa com Ele, e Sua obra diante d'Ele.'

"E vos chamarão Povo Santo, Redimidos de Jehová;... e a ti, Sião, chamarão Cidade glorificada, não desamparada."

Apenas o Ancião terminou esta leitura, um coro clamoroso, a meia-voz, suplicou ardentemente:

"Que o Altíssimo não olhe para a nossa miséria e nos permita conhecer o lugar onde nasceu o Salvador do mundo, para que possamos oferecer-nos a Ele, em holocausto de amor e de fé ..."

As mulheres começaram a chorar em grandes soluços, e os homens inclinaram-se pedindo ao Senhor perdão para os seus pecados.

Comovido, o Ancião-orador interrogou com o olhar seus irmãos vindos do Hermon, e eles, com uma leve inclinação de cabeça, deram em conjunto o seu consentimento.

O Ancião continuou:

— Há uma ordem severa dos mensageiros de Jehová, no sentido de que seja guardado um profundo segredo a respeito do Avatara Divino que está entre nós; e essa ordem é tão rigorosa que, se algum dos irmãos tivesse a desgraça de violá-la, ficaria, por isto, fora da Ordem, e obrigar-nos-ia a mantê-lo preso em nossas penitenciárias, para que não viesse a ser o causador de que o Divino Mestre enviado a nós se veja diminuído na sua excelsa missão, em virtude da inconsciência e da maldade dos homens.

"Sabeis, pelos ensinamentos que tendes recebido, que o Messias traz em si, em conjunto, todas as missões que cumpriram, em séculos passados, nossos grandes Profetas. Muitos deles foram assassinados de diversas maneiras, porque suas pregações punham a descoberto as iniqüidades e corrupções dos dirigentes dos povos.

"Agora é Ele um menino que inicia o desenvolvimento de seus grandes poderes internos, motivo por que não está ainda capacitado para defender-se, por si mesmo, da astúcia e da maldade daqueles que serão inimigos seus.

"Bem vedes, pois, a importância que tem a guarda absoluta do segredo da sua vinda.

"Sereis capazes, ainda que vossas vidas estejam em perigo, de silenciar como se fôsseis sepulcros, sobre tudo quanto diz respeito ao Homem-Luz que está entre nós?"

Todos se puseram de pé e levantaram para o alto a mão direita aberta e rígida, o que fazia parte do cerimonial dos juramentos solenes.

— Bem; Jehová vos levará isto em conta, e vossa consciência será vosso Juiz. Esperai um momento.

O Ancião conferenciou brevemente com seus companheiros, e um dos Essênios do Carmelo saiu em direção à cabana das avós, em busca de Jhasua.

Vestiram-no com uma túnica branca de linho que o cobria até os pés, cingindo sua cintura com o cordão púrpura dos grandes imolados, e na fronte com uma cinta azul com as dez estrelas de prata, símbolo de todos os graus de sabedoria e de todos os poderes que nele residiam em virtude de sua elevada hierarquia espiritual.

Levantando-o nos braços, colocaram-no sobre um degrau do pedestal onde se encontravam as Tábuas da Lei de Moisés.

Em silêncio, o menino deixou fazer tudo quanto quiseram com ele; mas, quando o colocaram naquele lugar, ele perguntou:

— Que tenho eu que fazer aqui?

— Nada, filhinho — responderam os Anciãos. — Todos os nossos irmãos que te amam desejam conhecer-te, e colocado aqui, ver-te-ão sem aproximar-se demasiado.

Antes de abrir o véu que cobria aquele pedestal aos olhos de todos, um dos Anciãos disse à Assembléia:

— Ireis vê-lo, por alguns momentos, junto às Tábuas de Moisés.

— Então ele está aqui? — ouviram-se uma, duas, três vozes, seguidas por um suave murmúrio.

— Prostrar-nos-emos por terra! — disseram alguns.

— Não — protestou o Ancião —, porque o Messias não quer ser adorado, mas seguido em seus caminhos e em suas obras.

"Todos de pé, e, com o pensamento, prometei que haveis de cooperar junto com ele pela redenção humana."

Dois Anciãos abriram o véu que cobria o pedestal das Tábuas de Moisés, e apareceu a branca figurinha de Jhasua como um marfim esculpido projetando-se sobre o negro pedestal de mármore que ficava às suas costas.

Cercavam-no os seis Anciãos vindos do Monte Hermon e, ao redor deles, todos os Anciãos do Santuário do Carmelo.

O menino sorria docemente, mas, como se sentisse cansado, sentou-se suavemente no mesmo degrau em que o haviam colocado e, repousando a bronzeada cabecinha sobre o espaldar, cerrou os olhos.

Ouviram-se murmúrios de alarma, alguns soluços, mas um sinal dos Anciãos determinando silêncio pôs todos em calma.

Os Anciãos, conhecedores de todos os fenômenos psíquicos que costumam produzir-se em momentos culminantes de intenso amor e fé, formaram, com forte irradiação, a corrente espiritual necessária, e a exteriorização do grande Espírito-Luz encarnado em Jhasua produziu-se sem dificuldade.

O corpinho do menino mantinha-se em profunda quietude, e seu *duplo*, radiante de claridades rosa e ouro, desceu lentamente do pedestal, deslizando em direção ao comovido grupo que, em número de cento e quarenta e cinco, entre homens e mulheres, se mantinha como petrificado de assombro, não crendo que seus olhos estivessem vendo tão maravilhoso acontecimento.

O resplandecente *duplo astral* de Jhasua adormecido deteve-se a poucos passos do assombrado grupo e pronunciou claramente estas palavras:

— Sede benditos na simplicidade de vossos corações e nas santas aspirações de verdade e justiça que vos trazem a mim.

"E, porque sois meus desde longas épocas, merecestes que a Eterna Lei me permita esta aproximação, que atará ainda mais fortemente o laço que vos une comigo.

"Alguns dentre vós acompanhar-me-ão até que eu tenha alcançado o apogeu de minha missão, e outros irão ao *mais além* antes desse dia.

"Uns e outros necessitarão da força divina que faz os heróis, os mártires e os santos, porque é a jornada final; e o Eterno Amor transbordar-se-á aos borbotões sobre todos aqueles que sejam capazes de percebê-lo. Fé, esperança e valor, que a hora se aproxima! ..."

E, levantando sua mão etérea, que, na penumbra, parecia um resplendor de estrela, abençoou-os com o sinal dos Grandes Mestres.

A claridade rosa e ouro foi desvanecendo-se lentamente, ficando só aquele divino e belíssimo rosto que irradiava amor, ternura, comiseração, piedade infinita desses olhos, cuja indizível cor tinha os reflexos diáfanos do arco-íris.

Tudo, por fim, se desvaneceu na penumbra silenciosa do Santuário.

E novamente a figurinha de Jhasua, sentado no pedestal de mármore, como um relevo de marfim com que um hábil artista houvesse representado a Inocência adormecida, foi alvo de todos os olhares.

Poucos momentos depois, o pequeno era devolvido a sua mãe, e a Assembléia espiritual continuava com o crescente entusiasmo que havia despertado nas almas o extraordinário acontecimento que acabavam de presenciar.

Sob a tutela imediata de mestres tão prudentes, os essênios do exterior, ou seja, aqueles que viviam em família, realizavam magníficos progressos em suas faculdades espirituais, e uma dessas assembléias era dedicada somente a inspecionar os trabalhos feitos durante o ano transcorrido.

As clarividências, tanto como as manifestações verbais, haviam sido anotadas prolixamente nas cadernetas que eram submetidas ao juízo dos Anciãos, da mesma forma que os ditados e ainda os sonhos, quando neles se revelava uma coordenação lógica ou manifestamente inteligente.

Sucedia, por vezes, que os relatos ou clarividências de uns tinham sua realização em outros dos irmãos, ou, às vezes, estavam relacionados com fatos acontecidos em alguns dos Santuários ou entre os Terapeutas do exterior.

Por causa disso os Anciãos haviam aconselhado a não destruir nenhuma gravação nem deixar de anotar nenhu'a manifestação espiritual, pois, dada a época tão transcendental que a Humanidade estava vivendo sem o saber, poderia ser desperdiçado algum presságio, um aviso ou um conselho oportuno e até necessário, nesses momentos de profunda expectativa nos Céus e na Terra.

E assim se cumpria o que estava profetizado:

"Até os Anciãos e os meninos profetizarão e terão visões, porque os Céus de Jehová estarão entornados sobre a Terra."

No mesmo Santuário, antes de chegar aos livros dos Profetas e às Tábuas de Moisés, havia um compartimento que era chamado dos Inocentes, ou seja, *dos meninos*, frase essa que tinha o significado oculto dos que *iniciam a vida espiritual*.

Os Essênios, perseguidos até o extermínio, logo após a morte de Moisés, haviam adquirido o hábito de ocultar, sob palavras ou símbolos determinados, tudo o que dissesse respeito aos conhecimentos superiores a que dedicavam suas vidas.

"A Humanidade – diziam eles – é uma *Rainha Cega* que não quer ser curada da cegueira, perseguindo cruelmente e matando todos que podem devolver-lhe a vista. Temos, pois, que procurar curá-la sem que o perceba, ocultando-nos da sua presença."

Assim era comum encontrar, em velhos manuscritos ou gravações daqueles tempos distantes, alusões à *Rainha Cega* e, às vezes, representada em lajotas de argila, como u'a mulher sentada em um trono com todas as insígnias reais, mas com os olhos vendados.

Apenas os essênios sabiam o que a alusão ou a gravação significavam.

Voltemos, leitor amigo, à abóbada dos Inocentes, toda circundada por um estrado de pedra, diante do qual são vistas muitas pequenas estantes inclinadas, rústicas, de madeira semilavrada, e ali os essênios dos diversos graus se mantinham entregues à tarefa de receber mensagens do plano espiritual.

Uns escrevem, outros, caídos em transe, falam a meia-voz, tendo a seu lado um dos solitários que escuta e anota. Outros, sentados ante uma fonte onde a água cai de uma greta da montanha, vão dizendo de que modo vêem misturar-se com ela a energia divina – a força vital emitida pelas Inteligências que a vitalizam – sejam estas encarnadas ou desencarnadas. Energia e forças que tomam as mais belas e variadas formas, que os clarividentes, se estão bem orientados, sabem interpretar em toda a sua significação e valor: diminutas pombinhas brancas, com ramos de oliveira, que se submergem na água e desaparecem nela; miríades de pequenas mariposas de luz que pousam em águas tranqüilas e depois se diluem nela; crianças aladas que, com cestinhos de frutas preciosas, de pãezinhos dourados e pequenos cântaros de mel, submergem-se felizes e sorridentes na linfa cristalina.

Os Anciãos que escutam o clarividente interpretam:

"Eflúvios de paz são as pombas com os ramos de oliveira. Força de divina claridade são as mariposinhas de luz; abundância de sustento para a vida física, são as crianças aladas que se submergem na água com as frutas, o pão e o mel."

Havia clarividentes que despertavam sua faculdade vidente nas espirais de fumo do incenso ou de ervas aromáticas, que também são elementos nos quais as forças benéficas e vitais do Cosmos se interpenetram para fazer bem a todos os seres da criação; outros, na aura de luz que esparge a chama do fogo ou de um círio ou de uma lamparina de azeite.

Quando a Luz Divina deseja revelar-se às almas, nenhum humano pode colocar-lhe leis nem obstáculos que impeçam a sua irresistível ação para um determinado modo de manifestação.

"O Espírito de Deus sopra onde lhe agrada", diziam os antigos iniciados das grandes Escolas de Sabedoria Divina, os quais lançaram os fundamentos dessa ciência sublime que faz a alma conhecer a Deus e amá-LO, formando, assim, parte de Sua força criadora.

Era assim que, na chamada *Abóbada dos Inocentes*, na hora das experiências espirituais, em afastados lugares da imensa gruta, acendia-se uma pequena fogueira, arrojava-se incenso num incensário e acendiam-se alguns círios ou lamparinas de azeite.

Todas essas manifestações das forças benéficas do Cosmos ou da Alma Universal eram fontes de iluminação para as almas de boa vontade, que se colocavam em sintonia com essa Eterna Alma-Criadora de tudo quanto manifesta vida em todos os mundos.

A base que usavam os Anciãos antes de iniciar o desenvolvimento das faculdades internas estava solidamente construída nestas palavras:

"Abandone-se o aspirante à ação criadora da Alma Universal, com a qual se colocará em sintonia amando todas as criaturas existentes como ama a si mesmo. Tenha sempre presente que, sem esta base de granito, muito pouco ou nada conseguirá para a iluminação, lucidez e o despertar das faculdades de sua personalidade interna."

Eis aqui a chave de que a alma deve dispor para chegar a perceber os divinos mistérios e as sublimes verdades que só é dado conhecer às minorias idealistas que tenham chegado à sublime grandeza de *amar a toda criatura existente como ama a si mesmo.*

Enquanto o homem não chegar a isto, suas faculdades internas permanecerão ensombradas, opacas, débeis como crianças doentias e esquálidas, que caem, apenas começam a andar.

Cremos que o leitor destas páginas já recorreu às obras que o iniciam nestes conhecimentos metafísicos e, portanto, poderá compreender com clareza a causa dos fracassos no caminho espiritual da maioria que procura a Sabedoria Divina mediante o desenvolvimento das faculdades internas do ser.

Daquela base de granito imposta pelos Essênios deduz-se que, segundo o grau de amor a toda criatura existente, é o grau de desenvolvimento a que podem chegar as faculdades superiores da alma humana.

Sobre as formas desse amor e de suas manifestações práticas, os Essênios construíram seu sistema de vida, suas leis, enfim, todos os seus hábitos.

A hospitalidade, a ajuda mútua em todos os seus aspectos, a piedade, a misericórdia, a proteção aos inválidos, leprosos, órfãos e anciãos abandonados não eram senão formas de manifestação desse sublime amor, base fundamental para chegar ao clímax do desenvolvimento das faculdades internas.

Pelo fato de conduzirem as almas pelo caminho da luz, os distintos graus não eram mais do que ensaios metódicos para que a alma se submetesse, a si mesma, à prova em exercícios e obras de *amor a todas criaturas existentes.*

Sobre tal tema, os mestres Essênios tinham longas e freqüentes dissertações para evitar o fanatismo e as interpretações equivocadas por parte dos menos capacitados para compreender a fundo o assunto. Dessa maneira – diziam eles –, o amor bem entendido deve propender para o bem e para a aprimoração das criaturas amadas.

Manifestação desse sublime amor era o silêncio dos essênios, com o que evitavam as disputas e altercações, das quais nasciam quase sempre a injúria e a ofensa pessoal, que, às vezes, chegam a pôr a própria vida em perigo.

Dessarte, ao terminar as assembléias espirituais de cada ano, os essênios do exterior voltavam para seus lares com um novo caudal de conhecimentos e com o programa traçado para o ano seguinte, que, necessariamente, devia fazê-los subir mais um degrau na ascensão para o auge da perfeição, como humanos encarnados neste planeta.

Se os Profetas Brancos de Anfião, os Dáckthylos de Antúlio e os Kobdas de Abel marcaram rumos para a Humanidade na Pré-História, os Essênios de Moisés têm sobre si a glória imarcescível de haverem sido os Precursores e os Mestres do Cristo em sua jornada final, na coroação gloriosa de sua obra redentora da Humanidade.

Mais ainda: os Essênios deram orientação para a vida espiritual da atualidade.

Eles embalaram o berço do Cristianismo nascente e encaminharam seus primeiros passos.

Somente quando o Cristianismo foi oficializado, a partir de Constantino, foi deixada de lado a velha senda dos Essênios. Eles retornaram às suas grutas ou morreram em forcas e fogueiras, como Savonarola, o frade dominicano com alma e vida de essênio.

É dessa maneira que a Humanidade, *Rainha Cega*, paga aos que lhe querem dar a Luz Divina, a saúde e a redenção!! ...

Simão de Tiberíades

Poucos dias depois, e quando os Anciãos julgaram que o pequeno Jhasua podia regressar ao lar paterno, organizou-se uma pequena caravana, semelhante à dos condutores de cera, mel e peles de cabra que se dirigiam para as povoações samaritanas e para a Galiléia, junto à qual iam Jhasua, sua mãe e Jhosuelin.

O objetivo real dessa viagem era levar o menino a visitar o Santuário do Monte Tabor, irmão gêmeo do Santuário do Monte Carmelo, com o qual tinham estabelecido uma comunicação bastante freqüente e íntima, em virtude da proximidade em que ambos se achavam e também por terem sido, esses dois santuários, o refúgio de quase todos os Profetas e de muitos Essênios que deram sua vida pela Justiça e pela Verdade.

No Tabor, encontravam-se os sarcófagos do Profeta Eliseu, discípulo de Elias, de Jeremias e de Ezequiel. Ali estava o mausoléu de Hillel e de Simeão o Justo, ambos essênios mártires de sua firmeza em ensinar e defender a doutrina da Justiça e da Verdade.

Desde os tempos do Profeta Elias, o Monte Carmelo era conhecido como refúgio e morada dos antigos profetizadores, motivo pelo qual havia sido arrasado várias vezes em busca de profetas para descarregar neles a ira dos reis e dos poderosos da Terra, quando se haviam cumprido neles os vaticínios dos inspirados e dos videntes.

Por esta razão e também por serem menos conhecidas, as grutas do Monte Tabor eram consideradas refúgio mais seguro. Era esse, com efeito, o Santuário mais novo e a conformação de suas grutas oferecia mais segurança aos que fugiam da perseguição.

Ordinariamente era também esse Santuário a habitação mais usada pelos Terapeutas do Exterior, porque sua localização, quase no centro do país, facilitava muito o apostolado.

Havia ali, outrossim, um pequeno refúgio para meninas, donzelas, viúvas e mulheres repudiadas pelos seus maridos e que, por diferentes razões, se viam em perigo de morte.

Nesse pequeno refúgio foi hospedada Myriam com seu filhinho, durante os três meses que permaneceram ali.

Novas amizades, novos laços deviam estreitar o Tabor ao Messias-Menino, afeições e ligações estas que, mais tarde, tornar-se-iam tão sólidas como se fossem de ouro e diamantes, que não deveriam romper-se jamais.

Foi ali que Jhasua conheceu e amou os pais de Pedro – aquele que, mais tarde, veio a ser seu grande Apóstolo.

Essa família guardava a entrada das grutas do Monte Tabor e constava de cinco pessoas: os pais (Simão e Joana) e os três filhos (Pedro, Andrés e Noemi); esta (a menor) era, nessa época, uma adolescente.

Pedro, a quem chamavam de Simão, como a seu pai, era o mais idoso e tinha então 24 anos. Estava recém-casado com uma donzela de Sidon, filha de pais hebreus, cujo nome era Lidda.

Os jovens esposos viviam junto ao Lago de Genezareth com os pais da esposa, que possuíam barcos pesqueiros e um mercado para a venda do pescado.

Foi numa dessas freqüentes visitas a seus pais no Monte Tabor que Simão (Pedro), o futuro apóstolo, se encontrou com o Messias-Menino.

Andrés era um jovem de vinte anos, embora aparentasse muito menos idade, em virtude de sua simplicidade e natural timidez.

Com este último chegou Jhasua a uma grande amizade, que o fazia dizer a seu pai:

"O menino de 10 anos e o menino de 20 vivem sua alegre infância; e, oxalá, que ela seja duradoura."

Uma viúva, irmã da esposa de Simão, o porteiro do Tabor, era quem ocupava o cargo de superiora entre as mulheres hospedadas no refúgio.

Com essa viúva estavam albergadas duas meninas, a maior das quais, de nome Verônica, foi, mais tarde, uma das mais constantes e decididas seguidoras do Divino Mestre, em suas correrias apostólicas. Verônica tinha, então, 14 anos, e seu amor ao retiro e ao silêncio rodeava-a como que de uma auréola de respeito e discrição.

Parecia estar sempre mergulhada em doces sonhos, e, estando dotada de uma viva imaginação, achava-se predisposta a contar formosas histórias às suas companheiras.

Jhasua afeiçoou-se imediatamente a ela e, ao cair da noite, reunidos todos junto à fogueira, costumava propor-lhe:

– Verônica, se me contares uma de tuas lindas histórias, hei de presentear-te ninhos de melros com filhotes, já quase prontos para voar.

– Não são histórias, Jhasua – respondia ela – e, sim, coisas que eu vejo em sonhos ou eu mesma as imagino, para alimentar com elas meus anelos de outra forma de vida.

– Será o que tu queiras, mas agradam-me muito esses teus contos.

Então Verônica trazia uma caixinha com rolinhos de tela encerada, nos quais procurava breves anotações.

Eram ditados espirituais que ela ia colecionando para submetê-los ao juízo dos Anciãos do Santuário.

Por outra, eram passagens breves de vidas distantes... que ela dizia serem contos ou sonhos, por meio dos quais ia sabendo algo de um longínquo passado, sentido e vivido por ela mesma.

Dentre todos os contos de Verônica, o que mais agradava a Jhasua era o de duas crianças que nasceram e cresceram na solidão. Chamavam-se Évana e Adamu.

Suas mães, como dois anjos dos Céus, haviam-lhes aparecido em visão e tinham-nos unido num amor que devia durar séculos e séculos.

Jehová mandou-lhes um anjinho vermelho, ao qual chamaram de Abel... E o conto de Verônica continuava desfolhando-se como pétalas brancas de uma roseira misteriosa.

Ao terminar, Verônica dizia:

— Eu sinto e vivo como se a Évana fosse eu mesma... e afigura-se-me, em todas as suas tristezas e alegrias, como se ela estivesse dentro de mim.

"Seu encontro com Adamu... a felicidade de ver-se amada por ele! Sabes, Jhasua? — interrogava logo —, quando desfaço as tranças de meus cabelos ruivos e vou à fonte buscar água, vem-me, de imediato, a imagem daquela menina que se chamava Évana, e que parecia ter o prazer de visitar-me em sonhos...

Quando Pedro visitou seus pais, logo após a chegada do garoto ao Tabor, sentiu-se tão fortemente atraído para Jhasua que, ao vê-lo passar e ainda sem saber quem era, chamou-o no instante em que sua irmã Noemi o levava aos estábulos para ordenhar as cabras e dar ao menino a ração de leite recém-tirado.

— Ouve, precioso! — disse-lhe Pedro — É verdade que és rolinha nova neste refúgio?

— Cheguei há quatro dias — respondeu afavelmente o pequeno.

— Ficarás muito tempo aqui?

— Ouvi, através de minha mãe, que ficaremos aqui três meses, tempo necessário para que meu pai possa vir buscar-nos.

Daí concluiu Pedro que a mãe do menino não era refugiada, mas visita relacionada com os Anciãos do Santuário.

— É pena que tenhas que ir embora! Parecia que o sol tinha entrado na pobre cabana do velho Simão! — exclamou Pedro com grande espontaneidade.

— Que há?... — perguntou Jhasua, rindo. — Ainda não sabeis quem somos, e já lamentas que eu me vá?

— É que, tão logo te vi, roubaste o meu coração, maroto. Vem cá! Deixa-o comigo, Noemi, que terás bastante tempo para falar com ele. Traze aqui seu leite, e vamos bebê-lo juntos.

— É mesmo?... E, se eu não quiser repartir minha porção contigo? — interrogou graciosamente o menino. — Tu, sim, que és um maroto. Apenas me viste, e já resolves compartilhar do meu leite!...

Pedro já o havia sentado sobre os seus joelhos e, olhando-o nos olhos como se estivesse extasiado, acariciava-lhe distraidamente os cachos dourados do cabelo, que o vento do entardecer agitava suavemente.

— Se eu não soubesse que Jehová é Uno e Absoluto e vive nos Céus, diria que és um Jehová-Menino, pois trazes nos olhos toda a claridade dos Céus! Como te chamas?

— Jhasua, filho de Joseph e de Myriam. Sou de Nazareth e venho do Monte Carmelo, onde estive oito meses com os Anciãos. Eles me queriam tanto como tu me queres; e eu tive que deixá-los!... mas voltarei um dia... Oh, sim! eu voltarei.

Pedro notou que os olhos do menino se haviam abrilhantado por causa das lágrimas, motivo por que o abraçou ternamente.

— Eu te disse meu nome e de onde sou; mas tu não me disseste ainda quem és e de onde vens — observou Jhasua, passando suavemente a mãozinha pela barbicha ruiva de Pedro.

— Chamo-me Simão, tal qual meu pai e, não obstante tenha nascido aqui, vivo junto ao Lago de Genezareth, com meus sogros, porque tenho ali meu meio de vida.

— Pois bem, Simão, agora repito aquilo que me disseste antes: é pena que tenhas que ir embora, porque me sinto muito bem a teu lado!

— Em verdade, eu o lamento também; por isso, para não nos separarmos tão rapidamente, adiarei o meu regresso por alguns dias mais.

— E que dirás em tua casa?

— Direi que estava tratando de um negócio importante.

— Dirás u'a mentira, e o oitavo mandamento da Lei diz: *Não mentir.*

Pedro olhou para o menino quase com espanto e, logo a seguir, inclinou a cabeça.

— Está certo! – disse. – Eis aqui um maroto que, atingindo apenas a altura de minha cintura, me dá uma tremenda lição.

— Ah!... Julgas que eu não conheço a Lei? Eu sei quase o mais importante a respeito dos Profetas e também sei muitos salmos de memória.

"Não sabes que minha mãe saiu do Templo quando meu pai a pediu em matrimônio! Acresce que eu estive mais de cinco anos no Santuário do Monte Hermon e oito meses no do Monte Carmelo, e bem poderás supor que nem sempre eu estive brincando de esconder. Além disso, o Hazzan da Sinagoga de minha cidade dava-me lições na casa do meu pai.

Enquanto Pedro escutava, em sua mente iam sendo despertadas idéias como vindas de muito longe...

"Quem seria esse menino que, com apenas dez anos, tinha percorrido três Santuários, onde os Anciãos se haviam ocupado tanto com ele? Não tinha notícia alguma de que houvessem procedido de maneira idêntica com algum outro menino."

Pensou no Profeta Samuel, que, segundo se dizia, viveu no antigo templo de Garizin, ao lado do Grão Sacerdote Heli; mas que um menino tão pequeno houvesse estado nos Santuários Essênios era coisa que jamais tinha ouvido dizer.

— Ficaste pensativo e triste – disse, dando-lhe batidinhas com o indicador na face. – Será que te zangaste por eu te haver alertado que ias dizer uma mentira aos teus familiares?

— Não, Jhasua, não! É que eu penso outras coisas a respeito de ti – respondeu Pedro, olhando-o fixamente, como se quisesse ler no formoso rosto do menino a resposta aos interrogativos pensamentos que tinham passado por sua mente há alguns instantes.

Nisto voltou Noemi com um jarro de espumoso leite que apresentou a Jhasua.

— Metade para cada um, como bons amigos – disse o menino – pondo o jarro junto aos lábios de Pedro. – Bebe tu primeiro, e façamos as pazes. Não dirás nenhuma inverdade, e eu não te darei nenhuma lição. Vamos, bebe!...

Entretanto, Pedro, que estava sendo sacudido profundamente em seu mundo interior, em vez de beber, começou a beijar a fronte, os olhos e as mãos do menino de tal forma que quase o fez derramar o leite. Noemi interveio:

— Irmão – disse ela –, que é que se passa contigo? Jamais te vi tão afetuoso como neste instante. – E, como o seu olhar interrogasse a Jhasua, este disse:

— Eu não lhe fiz nada, mas ele procedeu dessa maneira porque gosta muito de mim e tem pena de que eu me vá.

— Oh, Simão, Simão! – disse Noemi, afastando-se –, de que modo procederás se um dia tiveres um filho!?

Voltado Pedro, finalmente, à realidade do momento, bebeu dois goles de leite e disse ao pequeno:

— Bebe tu, meu querido, que eu estou bebendo de ti algo melhor do que leite e também do que mel...

— Agrada-me ser teu amigo, Simão — disse o menino, enquanto bebia o leite — mas, em verdade, não te compreendo muito bem.

— Não me compreendes?... Dize, menino formoso como a alvorada, sonhaste alguma vez e, ao despertar, viste que o teu sonho tinha vida e que era uma realidade?

— Deixa-me ver... Deixa-me ver se recordo...

E o menino, com o indicador na fronte, pensava.

— Ah, sim!... sim, já o recordo. Quando eu estava no Santuário do Monte Hermon, sonhei que na minha alcova entravam uns cordeirinhos brancos tão preciosos que eu estava louco de alegria. Quando despertei, encontrei-os junto ao leito. Era o Ancião Azael que os havia trazido para mim porque sabia quanto eu os desejava.

"Outra vez, sonhei que eu andava sobre o mar, como sobre as asas de um grande pássaro que deslizava rápido sobre as águas. No dia seguinte minha mãe despertou-me para que embarcássemos no veleiro que pertence aos solitários do Monte Carmelo; e viajamos até Tiro para buscar os Anciãos do Monte Hermon que iam chegar. Como vês, também sei o que é sonhar quando o sonho se realiza."

— Pois bem, Jhasua, vejo que és um menino muito superior aos de tua idade. Então, presta atenção:

"Empreendi a viagem para cá no dia seguinte a este meu sonho:

"Via-me na entrada de um grande campo já arado, mas onde ainda não havia nada semeado. Imediatamente, como se houvesse brotado dos musgos, pôs-se diante de mim um menino, cuja idade não pude precisar, porque tinha o rosto coberto com um véu cor de ouro resplandecente.

"Ele me disse: 'Na cabana de teu pai espera-te a recompensa de tuas boas obras como filho, como esposo e como essênio. Vês este campo? Destina-se a ti! Tu o semearás e na cabana saberás quando te será legado e que semeadura deverás fazer nele.'

"Acordei. Não pensava dar importância ao sonho, mas esbarrei com minha caderneta de anotações, e, procurando nela um bilhete que necessitava a respeito de uma venda realizada dias antes, li este conselho escrito pelos Terapeutas-Peregrinos:

" 'Jamais desprezes os sonhos, pois podem ser avisos dos anjos de Deus para ajudar-te no teu caminho.'

"Então recordei o meu sonho daquela noite, e assaltou-me um forte impulso de vir até a cabana do meu pai; por isso, aqui estou."

— E encontraste aqui a realização desse sonho? — perguntou o pequeno que ainda não via claramente o assunto.

— Quase, quase — respondeu Simão.

— Isto não significa nem sim nem não — disse Jhasua.

— Não posso mais!... Isto eu tenho que saber... e agora mesmo. Leva-me aonde está tua mãe. Far-me-ás este favor?

— Minha mãe está no Refúgio, onde ela e eu nos hospedamos, mas não sei se tu podes entrar lá. Parece-me que naquele recinto não permitem a entrada de homens — esclareceu o menino. — Isto pode ser resolvido de outro jeito, Simão. Espera-me aqui.

O menino correu pela vereda tortuosa e escondida que levava ao Refúgio.

Pedro seguiu-o com o olhar, e do âmago do seu Eu subia como que um raio de luz que escrevesse em seu próprio horizonte mental estas palavras:

"Já soou a hora para a chegada d'Aquele a quem todos esperamos, dizem os Mestres Anciãos. Por que não seria Jhasua o esperado?"

— Certamente que é! — respondeu Pedro a si mesmo — porque jamais criança alguma me causou impressão como esta.

Para reduzir a distância que o separava dele, começou a andar pela mesma trilha por onde Jhasua desaparecera. Pouco depois, viu surgir o pequeno trazendo a mãe pela mão. E se encontraram.

— Vês, mãe? Este é o novo amigo que eu fiz no Tabor. É Simão e me quer muito! — Foi essa a apresentação!

— Perdoai, bom homem — disse Myriam —, os caprichos do meu filho. Ele quis que eu viesse para responder a certas perguntas que, segundo diz, necessitais saber. Falai, pois, se é verdade o que ele diz.

Olhando alternativamente ora para a mãe, ora para o menino, Pedro disse a meia-voz:

— De tal mãe, tal filho!... Ainda descem anjos à Terra!...

— Que estás dizendo, Simão? Se não falares mais alto, minha mãe não poderá entender-te.

— Dizia que tens uma grande semelhança com tua mãe.

"Sois vós que haveis de perdoar, mas o caso é que perdi a tranqüilidade desde que vi vosso filho e com ele falei. É tão diferente das outras crianças! Não vos parece isso também?

Myriam olhou para Simão sem saber que meios havia de usar para falar com ele sobre assunto tão delicado, levando em conta a cautela que os Anciãos recomendavam.

— Sim — disse ela, por fim —, Jhasua é muito reflexivo e, às vezes, tem atitudes que assustam os mais velhos, por sair fora do comum em sua idade.

— Eu tenho lido muito os livros dos nossos Profetas e mais ainda as velhas tradições referentes a eles. Nos breves momentos em que falei com Jhasua, pareceu-me encontrar semelhanças muito acentuadas com Jeremias e com Ezequiel, na rápida compreensão das coisas. Não sei como dizer, mas vosso filho me fez pensar coisas muito grandes.

"O Profeta Malaquias anunciou-nos que Elias voltaria quando estivesse para vir o Messias-Salvador. Não vos ocorreu pensar que o vosso filho pudesse, talvez, ser Elias renascido?

— Sois, porventura, essênio? — perguntou Myriam antes de responder.

— Terminei o primeiro grau e estou no segundo. Quando houve minha ascensão, disseram-me os mestres deste mesmo Santuário: "Se puseres toda a tua boa vontade, Simão, a doutrina do Messias-Salvador te encontrará já no quarto grau."

"Estas palavras me fizeram supor que Ele já havia vindo ou estava por chegar. Sabeis que não é de boa discrição perguntar o que não nos é dito no Santuário!"

— É realmente assim e, por isso mesmo, devo ser muito parcimoniosa nas minhas palavras. Unicamente posso dizer que meu Jhasua parece, no ponto de vista dos Anciãos, trazer u'a missão muito grande a cumprir. Se quiserdes visitar os solitários aqui, talvez eles possam dizer algo mais.

O menino ficara apoiado no tronco de uma árvore e, com os olhos semicerrados, parecia não ver nem ouvir o que se passava.

Subitamente disse:

— O Espírito de Deus sopra onde lhe agrada, e Ele manifesta aos simples o que esconde aos soberbos. Simão — exclamou com voz sonora e vibrante —, Jehová te diz que o que estás pensando *é isso mesmo*.

E como se não houvesse ocorrido nada de extraordinário, o menino voltou ao seu estado normal e, graciosamente, disse a Simão:

— Tu, que és alto e forte, bem que poderias subir nesse pequeno monte que vês aí onde está esse velho carvalho.

— E para que há de subir? — inquiriu Myriam.

— Desde que aqui cheguei, ando espiando um casal de tordos azuis, como os de Nazareth, que penetram entre os ramos com vermes no bico.

— Suspeitas que há ali um ninho com filhotes? — perguntou Pedro.

— Para quem iriam levar vermes, senão para os filhotes? — voltou Myriam a perguntar.

— Mãe, quando vêm as tormentas, todos os filhotes são atirados por terra, onde os furões e as víboras os devoram.

"Não é melhor tê-los guardadinhos em casa até que saibam voar e defender-se de todos os perigos?

— Pelo jeito, queres ser *salvador* de filhotes de passarinhos? — perguntou Pedro, e dir-se-ia que, nas suas palavras, se encerrava uma segunda intenção.

— Salvador de filhotes de passarinhos!... — repetiu Jhasua pensativo. — Acertaste, Simão, e asseguro-te que ninguém acertou tanto como tu. É como se eu sentisse uma íntima satisfação em salvar da morte os passarinhos de todos os ninhos.

Simão, como que cedendo a uma secreta inspiração ou a uma voz oculta que falasse do âmago do seu ser, perguntou:

— Não será isto um ensaio para, mais tarde, te converteres em Salvador de homens, Jhasua?

— "Não descubramos os segredos do Altíssimo antes de ter soado a Sua hora" — disse Myriam, temendo que a conversação tomasse outro rumo.

— Que boa essênia é tua mãe, Jhasua, e que exemplo me dá ela de discrição e silêncio! Para o pobre Simão brilhou hoje uma estranha luz, e creio não estar enganado, ainda que nada digas.

Apenas chegou junto ao seu pai, Simão pediu que, se fosse possível, lhe revelasse o segredo do menino de Myriam:

— É Elias que voltou para abrir os caminhos para o Salvador esperado, conforme estava predito?

"Por que razão me sinto transtornado só em pensar que Jehová me permite ver, com os meus olhos pecadores, o próprio Salvador?...

Tudo isso disse Pedro com uma emoção e um calor interno que transmitia ao seu pai, o qual aconselhou:

— Meu filho, bem sabes quão severa é a nossa ordem de silêncio. Apenas posso dizer que nesse menino está encarnado um grande Espírito para u'a missão mui importante. É o que sabe a maioria dos essênios. Se queres saber mais a respeito dele, vai falar com os Anciãos do Santuário, que eles te dirão o que julgarem conveniente.

— Está bem, pai. Por favor, abre a porta, porque tenho tal ansiedade que parece estar queimando-me as entranhas.

Seguido pelo filho, o ancião subiu uma pequena escada de pedra que iniciava a poucos passos da pedra da lareira, onde ferviam as panelas e se cozinhava o pão entre as brasas. Era como uma saliência onde eram secadas as frutas e os queijos em cestas de bambu e de junco.

Algumas achas de lenha deixavam a descoberto as madeiras mal trabalhadas que, para evitar a umidade daquele recanto, cobriam totalmente a parede. Uma daquelas tábuas de dois pés de largura era uma portinha por onde pai e filho desapareceram.

Passados alguns instantes, o ancião voltou só, e seu filho ficou lá dentro.

Os Anciãos o haviam conhecido desde menino, a correr pela montanha, cuidando das cabras e brincando com os cabritinhos.

Viam-no agora como um rapagão honrado e bom. Haviam presenciado suas bodas e tinham-no ajudado a formar-se na austera Lei de Moisés e nos costumes essênios.

– Ah, Simãozinho! – chamavam-no em diminutivo para distingui-lo do pai. – Que ventos te trazem até aqui? Será que nasceu teu primeiro filho?

– Oh, não, irmão Azarias!... É outro o assunto que me traz aqui esta tarde.

– Bem, homem, poderás dizê-lo! Acaso te encontras emaranhado numa encruzilhada de difícil saída?

– Nada disto. Não sei se vos recordais, irmão Azarias, que eu estou no quarto ano do segundo grau e que, conforme conselho vosso, comecei, há anos, a prestar atenção nos meus sonhos e às intuições que tinha de vez em quando.

E o jovem Simão mencionou para o Ancião o último sonho que tivera e que havia motivado sua viagem. Declarou simplesmente a impressão interna que sentiu ao ver o menino Jhasua, impressão essa que se tornara mais profunda enquanto falava com ele, até o ponto de achar-se plenamente convencido de que esse menino era um grande Profeta de Deus, talvez Elias, cuja vinda estava sendo anunciada para essa época, como todo bom essênio sabia.

Um único Ancião jamais resolvia assunto algum, por mais simples que fosse; por isso, Simão foi passado para a *Abóbada dos Humildes*, onde, ordinariamente, eram esclarecidas as consultas dos irmãos.

Outros dois Anciãos atenderam para investigar, na alma cândida e simples do jovem galileu, tudo quanto se passava nela. Compreenderam claramente que tanto o seu sonho como as suas intuições eram formas com que a Luz Divina se manifestava, e os três Anciãos concluíram entre si:

– Quem somos nós para impedir que o Altíssimo manifeste Seus divinos segredos às almas?

"Não está escrito que o Senhor abrirá Suas portas aos humildes, e as fechará aos poderosos?"

Pedro parecia adivinhar o grande segredo de Deus, e seus olhos azuis, arregalados pelo assombro e pela ansiedade, pareciam próximos a encher-se de pranto.

– Senta-te aqui entre nós, Simãozinho, e, com serenidade, escuta o que vamos esclarecer-te, porque vemos que é da Vontade de Deus que o saibas.

O mais idoso dos Anciãos passou a relatar tudo quanto havia ocorrido desde antes do nascimento de Jhasua: como os sábios vindos do Oriente e os Anciãos de todos os Santuários Essênios haviam tido manifestações suprafísicas, confirmando por diversos meios e ainda de muitas maneiras, que, nesse menino, estava encarnado o Verbo de Deus, o Cristo, o Messias-Salvador do Mundo, anunciado pelos áugures e profetas de diversos países, onde as grandes Escolas de Sabedoria Divina haviam auscultado os astros e as predições mais antigas, consideradas revelações divinas.

Por alguns momentos, Simãozinho permaneceu mudo, até que um soluço mais profundo lhe subiu à garganta, e, abraçando-se ao Ancião mais próximo dele, rompeu a chorar como um menino.

Por longo tempo, não pôde articular palavra alguma e, quando foi recobrando a serenidade, suas primeiras palavras foram:

– Eu o tive sobre os meus joelhos, faz alguns momentos; beijei-lhe as mãozinhas e acariciei seus cabelos de ouro...

"Que fiz eu, Senhor, para merecer honra tão grande e favor tão assinalado? Em 24 anos não fiz mais do que cuidar de cabritinhos e agora ganhar o meu sustento e o dos meus. Tão poucas oportunidades tive de fazer grandes obras de bem que não encontro mérito algum em minha vida para que o Senhor me dê tal recompensa."

— Simão, meu filho — disse um dos Anciãos —, como essênio que és, sabes que não somos apenas desta existência, mas muitos séculos e longas idades têm passado por nós.

"Conheces, porventura, em pormenores, as mil circunstâncias e as obras de misericórdia que terás feito em tuas inumeráveis vidas anteriores?

"Sabes, acaso, se tens alguma aliança estreita com o Grande Ser que temos entre nós?

"Simão!... Simão!... A pesada matéria que revestimos afunda-nos nas sombras do esquecimento, e é somente com grandes esforços que a alma consegue iluminar os longos séculos de seu passado distante.

"Dia virá em que a Luz Divina abrirá seus eternos arquivos diante de ti, e então saberás por que hoje pudeste encontrar em teu presente caminho o Avatara Divino, que, pela última vez, desceu à Terra.

"Já vês, pois, que o teu sonho e as tuas intuições se realizaram.

"Agora, Simão, a única coisa que falta é que nos façamos dignos da grandeza divina que temos em nosso meio e que correspondamos com generoso coração ao Mensageiro de Deus que veio para buscar-nos."

— Que devo fazer, pois? Determinai, que não sou mais do que vosso servo.

— Servo nosso não, Simão, mas, sim, do Rei imortal e glorioso que vem estabelecer Seu Reinado de Amor e de Luz no meio da Humanidade.

— Examinemos juntos os teus progressos espirituais e o estado de evolução em que te encontras.

— Estou no quarto ano do segundo grau.

— Bem, já sabes que, nos três primeiros graus, podemos suprimir alguns anos quando os progressos são notáveis e o discípulo venceu todas as dificuldades para o cumprimento do que está prescrito.

Simão tirou do bolsinho uma pequena caderneta de anotações e a entregou ao Ancião que dirigia aquela consulta.

— Observai por vós mesmos — disse — e logo me direis o que devo fazer. Sois os mestres, e eu o discípulo.

— Seremos mestres tão-só até que o Grande Mestre haja saído de seu silêncio. A partir dessa época, todos nós seremos seus discípulos — disse outro dos Anciãos.

Naquelas folhinhas maltratadas e amarelentas, durante quatro anos havia Simão anotado sonhos, intuições, pensamentos e idéias aparentemente disparatadas, mas amplamente relacionadas com um fim altamente nobre e benéfico, de conformidade com as prescrições essênias.

De acordo com o seu sogro, com o qual dividia seus trabalhos de pesca, tomava para si uma parte menor nas vendas para deixar maior vantagem ao pai de sua esposa, visto que as grandes barcas lhe pertenciam. Bastava-lhe a referida parcela para prover satisfatoriamente o lar e também socorrer os inválidos que não possuíam ninguém que por eles velasse.

Em vários sonhos, seres que não lhe eram conhecidos haviam insistido com ele que não esperasse preguiçosamente o lento passo dos sete anos do segundo grau. Algumas anotações diziam assim:

"Sonhei, a noite passada, que eu seguia por um caminho e cheguei a um pequeno arroio que o cortava. Eu procurava o meio de não vadear o arroio, quando vi um menino, cuja idade não pude precisar, que fazia grandes esforços para lançar ao leito do arroio alguns troncos com a intenção de passar sobre eles.

"– Que fazes, menino? – perguntei.

"– O que estás vendo! – disse ele. – Estou preparando uma passagem.

"– És demasiado pequeno para empreender esse trabalho – voltei a dizer-lhe.

"– Minha vontade, que é grande, suprirá meus poucos anos. Quero passar agora mesmo!

"– Por que essa pressa? Vamos voltar atrás e ver se há algum meio de evitar tanto esforço.

"– Se temes tanto o esforço, fica aí. Eu passarei sozinho.

"O menino continuou atirando ao leito do arroio os pedaços de troncos, uns após outros, até que, por fim, saltando alegre como um cabritinho, passou para o outro lado.

"– Vês? – disse ele. – O Rei já chegou, e eu vou ao seu encontro; ao passo que tu ficas aí quieto como um lagarto estonteado." Nisto acordei.

Analisando este sonho, os Anciãos acharam-no cheio de lucidez espiritual.

– Simão – disse um deles –, neste sonho um Guia espiritual representado por esse menino te impele a avançar valentemente, exercitando a mais ativa potência de teu espírito: a Vontade.

"Desde esse sonho, segundo a data por ti colocada, já se passaram três anos.

"O pequeno arroio pode ser o símbolo do grau em que te encontras estacionado, por haveres deixado transcorrer tanto tempo sem vir ao Santuário para que estudássemos a tua promoção.

"As demais anotações registram uma infinidade de intuições, nas quais a voz interna de teu Eu Superior te estimula para que avances.

"Para o iniciado em nossas Escolas de Divino Conhecimento não basta ser bom, mas é necessário avançar nas capacidades a que pode chegar a alma encarnada.

"Ficar estacionado é o mesmo que não ter começado, e, pior ainda, é como ter aberto o Livro Sagrado da Eterna Verdade e não querer lê-lo; ou como manter apagada a lâmpada que foi dada para iluminar o teu próprio caminho e o dos que andam ao redor ou atrás de ti."

– Que hei de fazer, pois? – perguntou docilmente Simão.

– Podes pedir promoção ao terceiro grau, já que cumpriste tudo quanto foi exigido no segundo.

– Então fazei comigo segundo seja a vossa vontade.

– É tua vontade, Simão, que deve dizer: *quero isto*. Os graus de evolução espiritual são escalões nos quais a alma prova o seu anelo, sua força para vencer e sua capacidade de amor aos seus semelhantes, à Verdade e à Justiça.

"O essênio do terceiro grau já não pode comparecer a um banquete ou festim com atavios suntuosos, se estiver sabendo que, perto dele, há seres humanos que padecem fome, frio e nudez; deve, antes, remediar essas necessidades de seus irmãos, e, depois, comparecer à festividade.

"Não pode dizer jamais u'a mentira para escusar-se de uma falta, ou para conseguir a satisfação de um desejo, ainda que lícito.

"Não pode revelar delitos ocultos do próximo, a não ser no caso em que um inocente seja condenado.

"Não pode tomar parte em assunto ou negócio onde se prejudique um terceiro, conquanto este lhe seja desconhecido.

"A voz da amizade ou do sangue não o levará jamais a cometer uma injustiça, no caso de que deva ser juiz entre um familiar e um estranho.

"Deverás dar duas horas de teu trabalho ou seu equivalente, se o tens em abundância, para o fundo de socorro dos indigentes que a Ordem mantém instalado em cada aldeia de nosso País.

"Tens coragem para realizar tudo isto?"

– "O Rei já chegou" – disse o menino de meu sonho. "Vou a seu encontro e ficas aí quieto como um lagarto estonteado" – repetiu Simão como se falasse consigo mesmo.

"Mestres Essênios – disse, por fim, pondo-se de pé –, dai-me o terceiro grau, pois, como o Rei está entre nós, eu quero segui-LO de perto.

Nessa mesma noite, Simão saiu do Santuário com o terceiro véu branco, que ele guardaria como um tesouro e uma promessa, visto que, ao reunir os sete véus correspondentes aos sete graus, formava-se, com eles, o Grande Manto, chamado da purificação. Só então, começava, para o essênio, a carreira de Mestre da Divina Sabedoria.

Quando, vários dias depois, Simão se dispôs a empreender a viagem de regresso, ao despedir-se do menino Jhasua, este voltou a perguntar-lhe:

– Que dirás tu em casa para justificar essa longa demora?

Simão recordou que lhe estavam vedadas as mentiras para escusar-se de uma falta ou para satisfazer um desejo e respondeu com grande serenidade:

– Direi que encontrei na porta do Santuário o menino Jhasua, que me amarrou ao seu próprio coração e que não fui desamarrado até que um terceiro véu branco, como um manto de luz, me caiu em cima da cabeça. Está bem assim, meu menino?

– Está bem, Simão. Muito bem!

E os bracinhos de Jhasua rodearam uma vez mais o pescoço de Pedro.

– Não esqueças – acrescentou o menino – que, daqui a três meses, conforme diz minha mãe, estaremos na nossa casinha de Nazareth, e que prometeste visitar-me. Não tens mais do que perguntar pela oficina de Joseph, o artesão, ou pedir as indicações ao Hazzan da Sinagoga.

Simão não pôde responder porque a emoção do adeus lhe apertava a garganta. Beijou o menino nas mãos, na testa, nos olhos e partiu sem voltar a cabeça para trás.

No Santuário do Monte Tabor

Em virtude dessas combinações especiais que a Lei Divina tem, por vezes, para com os seres que se colocam em sintonia com Ela, descobriram-se no Santuário do Monte Tabor muitos papiros cuja origem remontava aos antigos Kobdas do Nilo, que foram os precursores do Homem-Luz na sua personalidade de Abel.

Assim como, no Monte Carmelo, Jhasua se havia encontrado com Antúlio, o grande filósofo, no Tabor devia ele avistar-se com Abel, o apóstolo do Amor entre os homens.

Por este motivo, os Anciãos haviam querido que ele permanecesse ali três meses para que, passo a passo, fosse reconhecendo a si mesmo.

Mais adiante, no Grande Santuário dos Montes do Moab, encontrar-se-ia com Moisés, o grande Legislador, que demarcara rotas imutáveis para a Humanidade, com os Dez Mandamentos gravados em tábuas de pedra.

– De que modo – perguntará o leitor – os papiros dos arquivos kobdas do Nilo teriam vindo para o Monte Tabor, afastado e esquecido entre a sombria e escarpada Galiléia?

Aconteceu isso da mesma sorte como, da Atlântida (mais distante ainda), haviam chegado, em rolos de telas enceradas, os ensinamentos de Antúlio.

A Pré-História, ou seja, o período neolítico, guarda segredos cuja existência as gerações modernas apenas agora começam a suspeitar.

Assim como as diversas inundações da Atlântida levaram povoações inteiras para as costas mais vizinhas, de igual modo a invasão das raças conquistadoras, nas pradarias do Eufrates e nos vales do Nilo, obrigaram a expatriarem-se os últimos Kobdas dos Santuários de Neghadá e de "A Paz" – esses dois grandes focos da Sabedoria Antiga nos começos da Civilização Adâmica.

Pouco depois da morte de Antúlio, alguns de seus mais íntimos discípulos, e até sua própria mãe, fugiram para as costas do novo mar formado pela abertura da grande cordilheira que unia a Mauritânia (África do Norte) com o país dos Piranes (Europa do Sul). Esse novo mar veio a ser o atual Mediterrâneo.

Aquele formosíssimo e profundo vale era atravessado, do Ocidente ao Oriente, por um rio nascido nos cimos da grande cordilheira, o qual, unindo-se, como um grande afluente, ao Eufrates, ia desembocar no Mar da Índia ou Golfo Pérsico.

Os aludidos emigrantes haviam chegado às costas da Ática, o país mais civilizado da Pré-História, cuja grande capital, Hisarlik, atraía, com sua hospitalidade e seu grande comércio, a todos os estrangeiros.

Tal foi a trajetória de alguns dos discípulos de Antúlio, entre eles o príncipe atlante Hilcar II, de Talpaken, alicerce e origem dos Dackthylos da Ática, que passaram imediatamente para a Cretásia e o Chipre.

Um deles, como um pássaro perdido num veleiro naufragado, atingiu o Monte Carmelo, na costa da Palestina. Esse foi Elias, o grande Profeta que a simples tradição dizia não ter nascido de mãe alguma, porque ninguém conheceu sua família ou parente algum, senão que, da noite para a manhã, fora visto a perambular qual fantasma pelas faldas do Carmelo.

Vamos responder agora à pergunta *"Como chegaram os papiros kobdas às grutas do Monte Tabor?"*:

Do antiqüíssimo e milenário Santuário de Neghadá, sobre o Nilo, havia sido formado o Santuário de "A Paz", às margens do grande Rio Eufrates – caminho fácil que punha a Ásia do Oriente distante em comunicação com a África, a Ásia Central e os países do Ponto Euxino ou Mar Negro.

A dispersão dos antigos Kobdas, em virtude da invasão de raças conquistadoras e sanguinárias, levou muitos deles a se refugiarem nas cidades da costa desse grande rio; entre elas, a primeira Babilônia e a antiga Nínive, ambas destruídas várias vezes, o que provocou a fuga dos últimos discípulos dos Kobdas para a Fenícia, o grande povo de navegantes da mais remota antiguidade.

Neste país ficava Tiro, a rival de Cartago, e, quer como marinheiros dos barcos mercantes fenícios ou como simples viajantes, eles chegaram, fugitivos, a essa cidade.

Partindo dali, em busca de lugares férteis e simultaneamente seguros contra perseguições, encontraram as grutas do Monte Hermon, donde passaram ao Monte Tabor, à proporção que iam conhecendo o novo país que tão carinhosamente os hospedava.

Os diversos cativeiros que o antigo povo hebreu veio a sofrer facilitaram aos discípulos dos Kobdas do Eufrates e do Nilo o trabalho de trasladar da Babilônia os tesouros ocultos da Sabedoria Kobda ali existentes, e que procediam dos Arquivos do Santuário de "A Paz".

Mas, quantos séculos haviam sido necessários para que as grutas do Monte Hermon e do Tabor completassem a grande coleção de velhos papiros, placas de cortiça, maços de telas enceradas e pranchas de argila, pela qual podia ser devidamente reconstruída a verdadeira História da Civilização chamada *Adâmica!*

Se, para tanto, foram necessários muitos séculos, muito maior foi o número dos mártires Kobdas, até que, encontrando-se com os seguidores de Essen, do Monte Moab, neles se refundiram, e todos juntos foram eles os precursores e mestres do Messias-Salvador, em sua personalidade de Jhasua, de Nazareth.

Eram 37 os Anciãos que viviam permanentemente nas grutas do Monte Tabor, sem contar os Terapeutas, ou médicos, que iam e vinham percorrendo o país para velar assiduamente por todas as famílias essênias, assim formando o fio condutor das notícias de um santuário para o outro.

O Servidor, de nome Haggeu, era considerado grande clarividente, poeta e músico dos mais eminentes e destacados que a Ordem já tivera nos três últimos séculos.

De tal maneira havia ele conquistado o amor reverente de todos quantos o conheciam que chegou a exercer grande influência dentro e fora da Congregação.

Nos casos difíceis em que foi necessária sua presença, mais de uma vez vestiu a escura túnica dos Terapeutas e foi até onde julgava que o chamava o dever de evitar o Mal naqueles que se viam ameaçados de uma forma ou de outra.

Desde a Antioquia, Tiro e Damasco, até as areias ressecadas do Mar Morto, no Sul da Judéia, sentia-se a discreta e sábia influência de Haggeu, o Bom, como chegaram a chamá-lo.

Como ninguém lhe conhecesse a origem, a simples credulidade de certas gentes começou a criar, ao redor dele, uma espécie de mitologia cheia de doce e poético mistério.

Tão-somente os Anciãos de todos os Santuários sabiam que, na vida de Haggeu, não existia mistério algum, e, sim, uma avançada evolução espiritual, que lhe proporcionava a magnífica lucidez a que haviam chegado suas faculdades superiores.

Havia nascido na costa norte do Ponto Euxino, ou Mar Negro, entre as primeiras colinas derivadas da grande Cordilheira do Cáucaso. Filho de um príncipe assassinado num motim popular, u'a irmã deste salvou a vida do pequenino herdeiro de só três anos de idade, entregando-o ao capitão de um barco mercante que fazia viagens periódicas desde o Mar Negro até a Antioquia, a antiga Dhapes da Pré-História, na costa noroeste do Mediterrâneo.

O marítimo, fiel servidor de seu senhor assassinado, procurou o modo de assegurar a vida do pequeno herdeiro e comprou uma parcela de terra nas proximidades de Antioquia nas margens do Rio Orontes, formosa paragem, sombreada de plátanos e provida de exuberante vegetação.

Na parcela de terra adquirida, via-se, coberta de trepadeiras e de arbustos, uma informe ruína de grandes blocos de pedra enegrecida e enormes vigas de carvalho que o tempo havia infestado de musgos e de alimárias, mas que, apesar de tudo, não conseguira reduzir a cinzas.

O capitão circassiano, nascido e criado entre as duras rochas vivas, cobertas de neve, encontrou, naquelas ruínas, certa semelhança com as habitações de seu país natal, e, assim, em vez de construir uma nova moradia, contratou uma dezena de operários e reconstruiu no ruinoso edifício a parte que lhe oferecia mais facilidades.

O menino, com sua ama circassiana, foi instalado no pequeno pavilhão reconstruído, onde o solícito capitão armazenou provisões em tal quantidade que aquela mulher pudesse ali sobreviver durante suas freqüentes ausências.

Um velho marinheiro, inútil já para as viagens e valente como um urso das montanhas nevadas, foi o guardião que o capitão deixou para a defesa e custódia do pequeno filho de seu senhor.

Sua mãe, que morreu pouco tempo depois do nascimento do menino, havia feito o voto de consagrá-lo ao Altíssimo, com o fito de conseguir que nascesse vivo, pois os médicos anunciavam que nasceria morto, por causa dos grandes terrores sofridos pela mãe, nessa época de tumultos, incêndios e devastações a que o país fora submetido.

Para falar a verdade, ninguém pensou em tal voto quando a mãe morreu, mas ela lhe havia deixado isso por escrito numa pequena folha de papiro, guardada dentro de um cofrezinho de prata, não maior do que a palma de u'a mão. A chave – uma jóia de ouro em forma de estrelinha, com o nome "Ivan" nela gravado – fora por ela pendurada ao pescoço do menino.

Ivan fora o nome de seu pai. O capitão-protetor, temendo que tal nome delatasse sua origem, tão logo chegou à Antioquia, começou a chamá-lo Haggeu, nome bastante comum naquela região.

Um dia, o capitão não regressou de uma de suas viagens, e o velho guarda morreu. Assim, o menino, já com 14 anos de idade, viu-se sozinho com a sua ama.

Sendo tão grande o aprovisionamento em seu depósito, e tendo também frutas e hortaliças, o começo foi fácil, mas, ao cabo de pouco tempo, sentiram falta de muitas coisas que eles não podiam extrair da terra. Então a ama entregou ao adolescente o cofre que guardara tão zelosamente, e Haggeu viu-se em grandes dificuldades para encontrar o modo de descerrá-lo.

Ao abri-lo, por fim, soube que sua mãe o havia oferecido ao Altíssimo, em troca da concessão da sua vida. A ama esclareceu-lhe a origem e que era herdeiro de um rico domínio entre o Mar Negro e a Cordilheira do Cáucaso.

Como no cofrezinho havia uma vintena de enormes diamantes, aconselhou ao filho de criação que empreendesse uma viagem ao seu país natal para tratar de conquistar o que lhe pertencia.

Estavam nessas cavilações, quando a ama caiu enferma. Haggeu chamou os médicos da cidade, que eram os Terapeutas-essênios, e um deles acudiu ao leito da enferma.

Quando esta se convenceu de que seu mal era grave, confiou a esse médico sua aflição e pediu que os Terapeutas protegessem o pobre órfão, que não queria saber de regressar à sua pátria, onde seu pai havia sido assassinado e onde também o capitão, seu protetor, devia ter perdido a vida, de vez que não só não regressou como nada conseguiram saber a respeito dele.

Afeiçoado, depois, aos Terapeutas e, tendo em conta o voto feito por sua mãe, resolveu o jovem retirar-se para a vida solitária que eles levavam; pelo que foi conduzido ao Santuário do Monte Tabor, de onde nunca mais quis sair.

Viveu sua longa vida entregue à tarefa de coordenar e passar a limpo os velhos papiros que haviam pertencido aos antigos Kobdas dos vales do Nilo e das pradarias do Eufrates.

A personalidade radiante de Abel apresentava-se à sua vista com tão vivos fulgores que lhe absorvia totalmente o Espírito. Aquela sabedoria dos Kobdas sugestionava-o de tal maneira que seu ardor pelo trabalho era já excessivo, motivo por que os Anciãos tiveram que se preocupar em frear um pouco seu afã, em atenção à sua saúde.

Desde sua entrada no Santuário, aos 16 anos de idade, até completados os 40, reconstruiu, passo a passo, toda a Civilização Kobda, cujo sol central, Abel, lhe produzia um verdadeiro delírio de amoroso entusiasmo.

Quando Haggeu havia terminado sua grande obra, manifestou-se nele espontaneamente a clarividência, de tal sorte que pôde ver seu passado na época em que Abel esteve na Terra.

Assombrado, Haggeu viu-se na personalidade de u'a mulher que vivera mais ou menos no mesmo país em que então ele havia nascido. Naquela época, ele descobriu em Abel o Homem-Luz, o Homem-Deus, e consagrou-se ao Seu amor e à Sua obra, durante toda aquela existência.

Chegou a saber de todas as vicissitudes da valente mulher, que fora uma personalidade de sua vida eterna.

Estando Haggeu, um dia, a perceber essas visões do seu distante passado, um dos Anciãos, seu mestre, viu ao mesmo tempo uma formosa paisagem de montanhas nevadas e a vogar, por uma mar de águas azuladas, como um cisne branco com as asas abertas, um garboso veleiro, em cuja ponte de comando ia, de pé, uma formosa mulher ruiva, vestida com flutuantes véus vermelhos.

O ancião-clarividente viu mais ainda: em um dos cumes nevados, estava escrito com letras de ouro este nome: "Walkíria de Kiffauser".

Teve, então, a idéia de que tal nome pertencera a seu discípulo Haggeu e esperou que ele voltasse a si do estado semi-extático, em que, segundo compreendeu, o mesmo se encontrava. Observou-lhe o despertar e ouviu suas primeiras palavras entre emocionados soluços, que as tornavam quase ininteligíveis:

"Graças, Deus Misericordioso, que, nesta minha obscura e dolente vida, dar-me-ás de novo a Abel, em recompensa pelo meu amor de tantos séculos!"

Quisemos fazer esta ligeira resenha histórica de Haggeu, para que o leitor conheça a fundo o Ancião-Servidor do Santuário do Monte Tabor, pois, quando Jhasua, já com 11 anos, se hospedou no dito Santuário, entrava Haggeu na casa dos 70 anos de idade.

Uma aliança milenária daquelas que o tempo não destrói, e que são invulneráveis a todas as hecatombes humanas, havia unido Abel e Walkíria.

Assim sendo, nas ocultas grutas do Monte Tabor, encontravam-se novamente, com outra indumentária física e com outros nomes, Jhasua e Haggeu. Um, o menino de 11 anos; e o outro, o ancião de 70.

Bem pode o leitor adivinhar o êxtase dessas duas almas, naqueles momentos supremos, em que Jhasua, o Cristo, realizava sua última passagem pela Terra.

Na gruta onde eram guardados os arquivos em grandes armários de carvalho encravados em cavidades abertas na rocha, via-se freqüentemente o Ancião Haggeu com Jhasua sentado a seu lado, lendo os antigos papiros já traduzidos para o siro-caldaico, que relatavam a vida de Abel nos começos da Civilização Adâmica.

Dir-se-ia que os relatos traduzidos para esse idioma haviam ganho intensidade em determinadas passagens, pois, quando alguns Essênios se achavam presentes, notaram a voz trêmula de emoção do ancião-leitor e os meigos olhos escuros de Jhasua inundados de pranto.

Resta observar que o Monte Tabor estava circundado de tantas belezas naturais e de uma placidez tão notável que dava a impressão de haver aquela paragem sido feita para as mais ternas manifestações de amor.

Acrescentamos a tal circunstância o fato de que, nesse Santuário, se haviam reunido seres de grande intensidade quanto a seus afetos emotivos e de excelente sensibilidade, motivo pelo qual, através de três séculos, vinha sendo formada uma abóbada psíquica ou templo astral e etéreo de extrema sutilidade.

Ali, a música e a poesia haviam vibrado em tons tão sublimes que já era proverbial na Ordem que os Essênios do Monte Tabor eram harpas eólicas que vibravam ao mais tênue sopro das auras galiléias.

O livro chamado "Cantar dos Cantares", bem como a maioria dos salmos e livros proféticos, haviam sido postos em música ali, em momentos em que sublimes ondas de inspiração divina passavam pelas almas iluminadas em êxtase, naquelas silenciosas grutas encortinadas de musgos e de flores silvestres.

As tradições orais atribuem-nas a este ou a outro personagem bíblico de notoriedade, porque alguns reis hebreus, como David e Salomão, os adotaram para as liturgias de seus templos de ouro e marfim.

Em muitas passagens das Escrituras Sagradas, há relatos de reis hebreus que enviavam seus mensageiros aos Profetas, ocultos em suas grutas, para lhes pedirem a *Palavra de Jehová*, como diziam eles, quando suas almas anelavam sentir de perto as vibrações do Infinito.

Quase todos os antigos cantos sibilinos e ardentes poemas de Amor, entre a alma humana e a Divindade, haviam nascido à sombra das grutas do Monte Tabor.

Assim como no Monte Hermon tais seres se haviam especializado na matéria para dar maiores vôos de Espírito, assim, no Monte Carmelo, tinham dado preferência ao ardente apostolado da redenção humana, iniciado por Elias e Eliseu.

De igual modo, no grande Santuário dos Montes do Moab, haviam eles cedido a primazia à Lei... à Eterna Lei de Moisés, cujas cópias tinham sido multiplicadas até o infinito; e fizeram-nas correr por todos os países habitados por seres humanos, traduzidas em todas línguas ou dialetos que se falavam na Antiguidade.

Ali, entre as *harpas vivas* do Monte Tabor, esteve Jhasua, aos 11 anos de idade, para saturar-se de harmonia e sublime inspiração, que influiu logo, em grande parte, na modalidade meiga e mística do Divino Nazareno.

Quando liam os relatos sobre a vida de Abel, traduzidos pelo ancião clarividente Haggeu, com freqüência encontravam-se, entre parênteses, anotações como esta: "Este Bohindra, alma da Grande Aliança do Eufrates e do Nilo, viveu três vidas no Monte Tabor, nos últimos séculos."

Em idênticas indicações, entre parênteses, como esta, vinham mencionados os nomes de uma Rainha Ada, dos antigos Kobdas do Nilo, Adonai, Sisedon, Tubal, Elhisa, Solânia e muitos outros, que, nos começos da Civilização Adâmica, haviam sido colaboradores íntimos de Abel, em seu grandioso papel messiânico nessa ocasião.

Todos eles haviam passado pelo Santuário do Monte Tabor, como lâmpadas vivas e ardentes, irradiando, em magníficas ondas, o Amor conquistado e desenvolvido em longas vidas de imolação sublime pelo Eterno Ideal.

Basta e até sobeja o que foi dito para que o leitor, acostumado a estudar estas matérias, fique perfeitamente ciente da aglomeração de correntes sutis de intenso Amor existentes no Santuário do Monte Tabor.

Ouçamos este diálogo entre Jhasua e o Ancião confidente, Haggeu, quando estava por terminar o segundo mês de estada do menino naquele Santuário:

— Sabeis de uma coisa, Servidor?
— Se tu o não dizes...!

— É que falta somente um mês para terminar minha visita aqui, e eu não desejo ir embora.
— É verdade?
— É verdade mesmo! Por que deveria ir, quando estou tão contente aqui? Não vos parece que devo ficar?
— Não, meu filho, muito embora eu também o deseje, e quiçá mais do que tu. Ainda não está no tempo de entrares completamente no Mundo Real ou Espiritual, cuja intensidade prejudicaria teu desenvolvimento físico. Quando atingires teus 15 anos, então será a hora de falarmos disso. Compreendes, Jhasua?
— É uma verdadeira lástima eu já não ter essa idade, pois então ficaria aqui com todo o prazer!... — exclamou o menino, inclinando pensativamente a cabecinha.
— Muito aprendeste e sentiste no Monte Carmelo, e muito aprendeste e sentiste igualmente aqui. Acredita-me que, tanto lá como aqui, temos levado ao extremo a dose de ensinamentos demasiado grandes para tua idade. Faltam apenas quatro anos, e estes hão de passar bem depressa. Queres que eu prometa fazer-te uma visita em cada um dos anos que estão faltando?

Ao ouvir isto, Jhasua lançou-se sobre o Ancião e, rodeando-lhe o pescoço com os braços, deu-lhe um longo beijo na testa.
— Quão bem compreendeis, Servidor, meus desejos e sentimentos! — exclamou entusiasmado o pequeno. — Era isto mesmo que eu ia pedir-vos, porque achava muito longos os quatro anos que demorarei em voltar!
— Está bem, Jhasua! Está bem! Isto quer dizer que nossas almas chegaram a entender-se sem proferir palavra.
"Deixa tudo aos meus cuidados, pois, quando teu pai vier para buscar-te, conseguirei dele que te deixe vir por mais tempo, quando for a ocasião."
— E minha mãe? — interrogou o menino. — Crede, Servidor, que é mais difícil a permissão dela do que a dele. Para meu pai, eu não sou quase nada no momento, pois seus filhos mais velhos lhe correspondem com vantagem aos desejos, necessidades e iniciativas. Mas minha mãe... oh, ela!... Seu pequeno Jhasua, como pequena sombra a seu lado, é quem suaviza todas as asperezas. Pois, ainda que não lhes diga, minha mãe sofre calada por causa da rigidez e severidade do caráter de meu pai que jamais faz demonstrações de afeto no lar. E meus outros irmãos foram como que vasados no mesmo molde. Só Jhosuelin é um pouco diferente em relação à minha mãe e a mim quando estamos ausentes de Nazaré; porém, basta que entremos naquela pequena casa e tudo é austera severidade. Minhas meias-irmãs Elhisabet e Andrea são iguais a meu pai e já estão casadas desde o ano passado; resta a menor delas, Ana, que longe de meu pai é risonha e afetuosa e faz carinhos em minha mãe e em mim.
"Agradam-vos, Servidor, estas confidências familiares que estou fazendo?"
— Oh, muito, meu pequeno Jhasua, muito! Porque, destarte facilitas o caminho para que eu possa entrar no teu lar agindo de forma bem acertada.
"Por que receias que tua mãe será mais difícil de convencer para que te permita vir?"
— Porque ela teme, a meu respeito, muitas coisas que ainda não consigo compreender; ela fica inquieta assim que me perde de vista. Ana, minha irmã, a caçula, parece acompanhar nossa mãe nesses temores, pois me vigia sempre.
"Em quase todas as cartas que recebemos de meu pai, vêm, no final, as recomendações escritas por Ana: 'Muito cuidado com Jhasua, pois eu sonho com ele quase todas as noites e temo muito por ele. Mãe, traze-o logo; e que não se afaste mais de nosso lado'.

— Que idade tem sua irmã Ana?
— Tem três anos mais do que eu.
— Então catorze anos. Dentro de dois ou três anos, há de casar-se, e, assim, quando eu for buscar-te, ela já não estará mais em teu lar, e será uma oposição a menos que eu terei.
— Creio que não estás muito certo, Servidor!... — observou pensativo o menino.
— Por que, Jhasua? Posso sabê-lo?
— Ana diz que não se casará jamais, porque nenhum homem lhe agrada. Um é feio; outro tem voz de trovão; aqueloutro caminha em passadas largas, como um avestruz; ou corre demasiado, qual um gamo perseguido...
— Oh, oh... meu astuto menino! — disse o ancião rindo. — É que Ana ainda não encontrou o companheiro que lhe está destinado. Isto é tudo.
— Ana tem sonhos e crê que eles são reais.
"Ela vê em sonhos um jovem mui formoso que sempre lhe diz: 'Eu sou aquele que vens seguindo desde muitíssimo tempo.' Às vezes, ela diz que o vê esconder-se atrás de mim.
"Sabeis vós, Servidor, o que significa isso?"
— Cada alma, meu menino, é como um grande livro onde o dedo do Tempo escreveu muitas histórias, ou é semelhante a um grande espelho que reflete muitas imagens. Sabes? Provavelmente, os sonhos de tua irmã Ana vêm a ser passagens de uma dessas histórias que, talvez, correspondam a uma das imagens do espelho da Luz Eterna.
"Quando houver chegada a hora, saberemos tudo. Enquanto isso, te digo que Ana e tua mãe são as duas almas que mais te compreendem em teu lar."
Um dia, nos velhos papiros dos antigos Kobdas da época de Abel, o Servidor lia certa passagem referente a uma formosa mulher do país de Arab (Arábia atual) que estava ardentemente enamorada por Abel, o jovem apóstolo da Pré-História, nos países da Ásia Central — região chamada dos *Cinco Mares* (*) — e que esteve a ponto de retardar o caminho do Missionário.
Aquela mulher, segundo os relatos, havia tido muitos sonhos, durante os quais vira a imagem que, depois, encontrou realmente na pessoa de Abel, filho de Adamu e de Évana. Dizia ela que sonhava com um príncipe que "parecia formado da luz das estrelas".
— Servidor — interrogou prontamente Jhasua —, sucedia a essa mulher tal qual ocorre à minha irmã Ana! Como dizeis que se chamava?
— Zurima de Arab, é o que diz aqui.
Notando o servidor que o menino ficara pensativo, a olhar para o lugar do papiro onde se estava lendo, perguntou:
— Em que pensas, Jhasua?
— Vós me ensinastes que toda criatura nasce, renasce e volta a nascer muitas vezes. Não é assim?
— Justamente.
— Vós, eu, todos, tivemos muitos corpos, muitas vidas e, portanto, muitos nomes, pois cada corpo e cada vida teve o seu. Não é assim?
— Exatamente, Jhasua, é mesmo assim! Que queres dizer com isto?

(*) Região compreendida entre o Golfo Pérsico e os mares Cáspio, Negro, Mediterrâneo e Vermelho (N.T.).

— Ocorre-me pensar que minha irmã Ana seria essa Zurima de Arab!

— Pode ser — disse o Servidor, assombrado do sutil raciocínio do menino. — Vamos ver, então, se te ocorre pensar quem seria esse príncipe luminoso, com quem ela sonhava e com o qual parecia estar ligada.

Voltou Jhasua a sumir-se em meditativo silêncio.

— Muito embora, nesta existência, eu não seja príncipe nem esteja perto de sê-lo, segundo creio, é possível que esse Abel fosse eu mesmo no passado. Não poderia ser assim?

— Que formoso despertar o teu, meu filho! — exclamou o Servidor, abraçando ao pequeno.

"Dois meses passei aguardando este momento, em que te encontrasses a ti mesmo na personalidade de Abel, filho de Adamu e Évana."

— Que maravilhas guardais vós Essênios em vossas grutas cheias de mistério! — exclamou Jhasua sempre pensativo.

"No Monte Carmelo fizeram com que eu me encontrasse nesse Antúlio maravilhoso, que viajava pelas estrelas e relatava incomparáveis belezas daqueles astros distantes. E vós, no Tabor, fazeis com que eu me veja nesse príncipe Abel, cuja vida vem relatada em vossos papiros com muito mais minudências do que o fez Moisés em seu primeiro livro.

"Crede-me, porém, Servidor, que isto só se passa comigo dentro de vossas grutas, e até parece que já não sou um menino, mas um homem. Quando me encontro fora, na cabana das mulheres ou na pradaria, esqueço tudo isso e me vejo outra vez como um garoto guloso e travesso, que pensa tão-só em comer castanhas e mel, correr atrás dos cordeirinhos e espiar onde se aninham as pombas e os melros.

— Isto significa que o teu Espírito necessita fortificar-se cada vez mais até chegar a dominar completamente os diversos ambientes espirituais em que deverá encontrar-se. Exemplificando: significa que ele deve fortificar sua unificação com teu Ego e o Eu Superior de tal sorte que sejas capaz de mudar ou modificar os estados ambientes, não permitindo que eles modifiquem a ti (*).

— Parece-me que demorarei bastante em poder fazê-lo, Servidor; não vos parece também?

— Não, meu filho. Estou certo de que, antes de chegares aos teus 20 anos, já o terás conseguido plenamente.

"Agora vai ter com tua mãe, que, com toda a certeza, já deve estar inquieta, por causa de tua demora."

O menino beijou ao Ancião na face e saiu em direção da Cabana-Refúgio das mulheres, quando encontrou a mãe, que já vinha à procura dele.

— Jhasua!... cada dia demoras mais no Santuário e esqueces que tua mãe ficou sozinha — advertiu Myriam.

— Sozinha não, mãe, porque lá estão as outras mulheres, além de Verônica, que tem grande amor a ti — respondeu docemente o menino.

— Nenhuma delas é o filho, cuja presença o meu coração reclama.

— Está bem, mãe, não te deixarei mais sozinha, visto que, breve, iremos embora daqui.

— Isto será quando teu pai vier buscar-nos. Queres voltar para Nazareth, Jhasua?

(*) Sobre o EGO, EU e EU SUPERIOR, há uma explicação minuciosa no capítulo "Nas Grutas do Carmelo", a que recomendamos reportar-se (N.T.).

O menino olhou-a sem responder.

"Dize a verdade, que não ficarei magoada contigo, qualquer que seja a resposta."

– Mãe, quero dizer-te a verdade. Os Anciãos dos Santuários, pelo que parece, ataram-me com correntes. Chorei ao sair do Monte Hermon, e isso quando tinha apenas oito anos. Doeu-me ter que abandonar o Monte Carmelo, e hoje me dói muito mais ainda deixar o Monte Tabor. Mas o Ancião-Servidor prometeu visitar-me todos os anos em Nazareth. Com esta esperança, ele suavizou a nossa separação.

– Queres que eu me vá e que te deixe aqui? – perguntou Myriam, querendo medir os sentimentos do filho.

– Não!... Isso não, mãe, porque sei avaliar a tristeza com que tu partirias, e essa aflição magoaria também muito o meu coração.

Ao dizer isto o garoto levantou-se na ponta dos pés e beijou ternamente a mãe.

Poucos dias depois, numa serena noite de plenilúnio, na derradeira meditação dos Essênios, que era sempre na segunda hora da noite, os clarividentes tiveram esta magnífica visão:

Do corpinho de Jhasua, adormecido na cabana em que sua mãe se hospedava, difundia-se uma claridade rosada, na qual se confundiam a cabana e o Santuário, como se ambos estivessem num mesmo plano resplandecente de cristal ametista.

O observador clarividente não podia precisar se a visão se aproximava deles ou se ela os atraía para si. É claro, contudo, que o magnífico espetáculo se achava ao alcance, diríamos, de suas mãos; bem entendido que era impalpável, podendo ser percebido somente por mentes cheias de lucidez e de serenidade. Essa visão fez-se compreender assim:

"Amigos do passado, do presente e do porvir: a corrente não-interrompida de imolações cruentas de vosso Messias-Instrutor chega a seu fim. Vós o sabeis como eu. Meus sacrifícios terminarão muito breve, mas os vossos continuarão durante mais vinte séculos, que faltam para o final deste ciclo de evolução.

"Assim como este meu holocausto será o mais espantoso e terrível, porque é a apoteose do Amor-Redentor, da mesma forma decorrerão, para vós, vinte séculos de imensos martírios sem honra e sem glória, e, acima de tudo, sobrecarregados de opróbrios e infâmias, até o ponto em que a Humanidade duvidará se sois justos ou réprobos.

"Também vós desfrutareis a apoteose ou as trevas após esses vinte séculos, que a Eterna Lei vos dará para forjar a vossa grandeza ou a vossa ruína, seguindo, respectivamente, minhas pegadas ou modificando vossos rumos na busca de ideais que não são os meus.

"Nesta etapa final de Jhasua-Cristo, ficarão refundidas, como numa só claridade, todas as atuações anteriores que, perante a Humanidade, se assemelham apenas a passagens brevíssimas de meteoros, a iluminarem as trevas de eras findas.

"O heróico apostolado de Juno e de Numu, na Lemúria; a mansidão invencível de Anfião e a Sabedoria de Antúlio, na Atlântida; o amor terníssimo de Abel; a semeadura de paz e de justiça de Chrisna; a renúncia suprema do Bhuda; a força formidável de Moisés, taumaturgo e legislador – tudo isso há de submergir-se na Luz Divina para formar a apoteose de Jhasua-Cristo, que dirá diante de Deus e dos homens: *Fiz tudo quanto foi possível fazer; tudo está consumado.*

"Enquanto eu for menino ainda, só podereis cooperar para o despertar de meu Eu Superior, fortalecendo o meu Espírito e cultivando minha mente, a fim de reacender neles as chamas vivas do conhecimento, que brilharam de maneira tão bela em horas distantes.

"Mas, uma vez que eu tiver despertado e tenha reconhecido a mim mesmo, permanecei tranqüilos e serenos em vossas cavernas, sem alarmar-vos, quando virdes aparecer os primeiros relâmpagos da tempestade que agora vos anuncio. Ela chegará tão impetuosa e terrível que dela guardarão memória os vinte séculos de vidas terrestres que vos faltam neste ciclo de evolução planetária.

"Sereis dignos de lástima, se, em plena borrasca, chegardes a duvidar da missão divina de Jhasua-Cristo; mas é inevitável que, em seu coração de homem, seja cravado também o dardo dessa dúvida, como o sentireis cravar-se em vossa carne nestas etapas finais. A Lei exige dos redentores que nenhuma dor, daquelas a que está sujeita a Humanidade, que redimem e salvam, lhes seja estranha.

"Meus Essênios das cavernas, meus discípulos, meus aliados, meus apóstolos, meus mártires do futuro: eu vos dou, nesta hora, a suprema Bênção de meu Amor, para que ela vos sirva de estrela polar nos obscuros séculos que ainda haveis de viver nesta Terra, entre lamaçais de vícios, de sangue e de pranto.

"Ainda que muitas imperfeições hajam de fixar nódoas sombrias em vossas existências futuras, cuidai que o final seja sem manchas, porque ele marcará a vossa glória e felicidade ou vossa desdita por longo tempo. Paz e Amor sobre todos vós, que sois meus até a eternidade!"

A visão foi diluindo-se suavemente no éter como havia começado, deixando os Essênios clarividentes submergidos na placidez extática desses grandes momentos, consoante acontece a toda alma que chegou a compreender e a sentir a grandeza da Divindade dentro de si mesma.

A lua cheia resplandecia como uma lâmpada de prata no espaço azul, quando os Essênios saíram para o jardim do Santuário, onde, ao compasso dos seus saltérios e das cítaras, cantaram em coro as vibrantes salmodias de gratidão ao Senhor, que os havia designado para as grandes epopéias do seu Amor Redentor.

Primeira Viagem a Jerusalém

Quatorze dias depois deste acontecimento, chegou o aviso de que Joseph os esperava em Caná, a fim de conduzi-los novamente para o humilde ninho em Nazareth, que Jhasua deixara havia nove meses.

O Servidor e vários Essênios acompanharam-nos até a dita localidade, com a promessa solene de visitá-los em Nazareth.

Uma vez ali, todos tiveram a satisfação de observar que o menino havia mudado muito em seu modo de ser.

Compartia com seus pais e irmãos os trabalhos do lar, conforme suas forças físicas o permitissem, e apenas dedicava a suas meditações solitárias as horas que os demais destinavam às distrações ou descansos costumeiros.

Aproximavam-se as grandes festas da Páscoa, e começavam os preparativos para a grande viagem à Cidade dos Reis e dos Profetas: Jerusalém.

O dito costume, quase erigido em lei, obrigava aos meninos que houvessem atingido os 12 anos; e Jhasua estava no umbral dessa idade. Seria, pois, a primeira vez que iria à grande Capital da nação hebréia, desde os primeiros dias de sua infância, ou seja, desde que fora consagrado no Templo.

Estava ele, assim, designado a formar parte da numerosa caravana nazarena, com destino a Jerusalém.

Puseram-se de acordo seis ou sete famílias aparentadas ou amigas da de Joseph, entre elas Salomé e seu esposo Zebedeu, com o seu único filho, Santiago, de 14 anos, embora fosse notório que Salomé ia ser mãe, pela segunda vez, dentro de breve tempo.

Tinha Myriam uma prima-irmã, chamada Martha, casada com Alfeu, rico tecedor de Caná, os quais, com vários de seus filhos e empregados, integravam também a caravana, que chegou a somar 46 pessoas, entre homens, mulheres e crianças.

Para ajudar a cuidar do menino Jhasua, iam igualmente o Hazzan da Sinagoga e dois Terapeutas, que freqüentavam semanalmente a casa de Joseph.

A caravana seguiu o caminho usual, ou seja, o de Ginaé e Sichen, passando pelos antigos Santuários de Silos e de Bethel, já em ruínas naquele tempo.

Os arredores são verdadeiros oásis, graças à exuberância da vegetação e pela própria disposição da paisagem, cheia de encantos naturais, que se reúnem, entre pitorescas colinas, com arroios murmurantes, aves a cantar em múltiplos gorjeios, além de uma enormidade de flores variadíssimas, que os viajantes vão recolhendo enquanto cantam os salmos costumeiros naquelas religiosas peregrinações anuais.

Realizou-se a viagem sem acontecimentos dignos de nota até chegarem ao Santuário de Silos, que, na época, servia apenas de albergue a uma dúzia de paralíticos e de mendigos, para quem os Terapeutas haviam conseguido permissão de habitá-lo enquanto os novos donos do país não se dispusessem a reconstruí-lo ou transformá-lo em uma dessas magníficas construções de estilo romano, com as quais os Herodes faziam tanto alarde de grandeza para captar a simpatia do César.

Era no princípio da primavera, e o sol, bastante ardente, havia fatigado muito as mulheres e os anciãos. Salomé, esposa de Zebedeu, resolveu passar ali a noite, por não sentir-se com forças para continuar viajando.

Myriam e Martha, sua prima, quiseram também pernoitar nesse albergue para fazer-lhe companhia, motivo por que a caravana se dividiu em duas.

Os esposos e filhos das três mulheres ficaram igualmente em Silos, pensando em prosseguir viagem na madrugada seguinte.

Permaneceram, outrossim, naquele Santuário, o Hazzan e os dois Terapeutas viajantes, para grande alegria de Jhasua, que estava encantado com aquela paragem.

O aspecto ruinoso e sombrio do velho Santuário atraía-o irresistivelmente e, enquanto os homens e as mulheres preparavam uma boa acomodação para essa noite, conseguiu ele que Jhosuelin o acompanhasse para examinar cuidadosamente aquela negra construção, cujas arcadas, quase cobertas de hera, apenas permitiam a passagem de uns débeis raios de luz.

Sua natureza de sírio parecia derramar-se em místicos sonhos por entre os pórticos e naves do antigo templo, e até julgava perceber a voz de Jehová, que o menino Samuel ouvira quando se iniciava no profetismo.

Ninguém podia alcançá-lo em suas idas e vindas, a esquadrinhar tudo como se, por momentos, julgasse ver aparecer alguma visão ou tivesse no subconsciente a certeza de que alguma coisa devia ele encontrar entre aquelas sombrias e ressonantes muralhas.

Como a noite caía lentamente, Jhosuelin lutava para levar Jhasua para junto da família e dos demais peregrinos, e já não acreditava que pudesse consegui-lo.

Nisto, a voz de Joseph, seu pai, chamou a ambos, porque a acomodação, por essa noite, já estava pronta, e a ceia, que fumegava alegremente sobre a fogueira, logo seria servida.

Além do mais, havia outra novidade.

— Sabes, Jhasua, que o Senhor nos mandou um anjinho de ouro para acompanhar-nos até o final da viagem? — disse Joseph a seu filho, talvez no intuito de persuadi-lo a reunir-se com todos, deixando, por fim, suas curiosas pesquisas em passagens e corredores.

— É verdade, pai? Vês, Jhosuelin, como o meu coração parecia anunciar-me que eu devia encontrar algo neste velho templo?

"Vamos, vamos vê-lo! Quem o tem? Como chegou? Por onde entrou? Que foi que ele disse ao chegar? Não perguntou por mim?..."

Todo este turbilhão de perguntas fazia sorrir a Joseph, enquanto, com o menino pela mão e guiados pela vela de cera que ardia nas mãos de Jhosuelin, procuravam eles a saída daquele labirinto de colunas e corredores.

O resplendor do fogo atraiu-os, finalmente, para um afastado local, onde, com esteiras e cortinas de tecido, fora improvisada uma alcova para as mulheres.

Joseph chamou ali discretamente, até que apareceu Myriam que os fez entrar.

Sobre um montão de palha, que haviam coberto com peles e mantas, achava-se Salomé com o seu recém-nascido.

— Já vês, Jhasua, que não te enganei — disse Joseph aproximando-se com o menino, para que ele visse de perto o anjinho ruivo que o Senhor lhes havia mandado.

O menino ficou mudo, como petrificado, talvez por uma estranha emoção que ninguém sabia compreender bem. Houve um momento em que seus olhos se encheram de pranto, motivo por que Myriam interveio.

— Ficas entristecido, Jhasua, ao ver o pequenino de nossa prima Salomé?

Jhasua foi aproximando-se lentamente, sem dizer palavra alguma, até bem junto do leito, onde se pôs de joelhos para que seu rosto ficasse no mesmo plano em que o pequeno dormia.

— Anjinho de Jehová!... — disse ele a meia-voz — meu coração sabia que tu descerias hoje ao meu encontro, neste velho Santuário, onde Deus falou aos seus Profetas... onde Samuel escutou, em menino, Sua Voz; onde eu ouvia, há alguns momentos, tantas e tantas vozes sem ruído, que falavam sem palavras, como falam o vento e as águas a correrem nos arroios...

E, com as pontas de seus dedos suavíssimos, apalpava as mãozinhas, a testa e as maçãs do rosto do recém-nascido, enquanto aguardava, afanoso, o instante em que ele abriria os olhinhos.

— Desperta, anjinho de Jehová — prosseguiu Jhasua —, que eu te levarei nos braços até Jerusalém, e, juntos, entraremos naquele Templo dourado, a fim de cantar o Amor de Jehová, que os homens ainda não conhecem.

Dir-se-ia que a alma de Jhasua, iluminada pela claridade divina, vislumbrava a terna e doce amizade de João, seu futuro apóstolo e evangelista, nos anos que logo chegariam para ambos, encarregados de suas respectivas missões em relação à Humanidade, a caminhar nas trevas.

Os dois Essênios, temendo que Jhasua caísse em um daqueles estados psíquicos que lhes seria difícil explicar ante os profanos, intervieram naquela cena muda.

— Jhasua — disse um deles —, não é conveniente, nestes momentos, molestar o recém-nascido. Já o vimos, e agora demos graças ao Senhor por sua chegada. Queres acompanhar-nos a fim de visitarmos a parte do Santuário que ainda não examinaste?

"Jhosuelin e o Hazzan podem vir também."

Antes que o menino aceitasse o convite, interveio sua mãe:

— A ceia estará pronta dentro de pouco tempo; por isso vos peço que não demoreis muito.

— Uma hora, no máximo, e estaremos aqui de volta.

Providos de candeias e velas de cera, encaminharam-se para o largo do pórtico chamado das Mulheres, onde haviam improvisado alcovas para essa noite.

Através de um grande arco, que se abria em seu final, penetraram no templo propriamente dito. Seus passos ressoavam produzindo longos ecos naquela solidão povoada de sombras, e onde cada coluna se assemelhava a um gigantesco guardião daquele recinto abandonado.

Jhasua caminhava entre os dois Terapeutas, que o conduziam pela mão.

— Dir-se-ia que anda por aqui a alma pura de Samuel, o Profeta de Deus — disse subitamente o menino, ficando parado sobre as lousas do pavimento, quando chegaram ao que havia sido o "Sanctum Sanctorum"(*).

— Olha para baixo, Jhasua — disse um dos Terapeutas, iluminando o pavimento com sua tocha. Escrita de forma rústica e já muito coberta de barro, ainda se podia ler esta frase:

"Sobre estas lousas dormia o jovem Samuel, envolto em pobre manta, quando, por três vezes, ouviu a voz misteriosa que, em nome de Jehová, lhe mandava transmitir Sua mensagem a Israel."

O menino olhou para os dois essênios com olhos assombrados, mas guardou silêncio.

— Se recordares algo do Primeiro Livro de Samuel, compreenderás que era este o sítio onde ele costumava fazer a guarda da sagrada lâmpada, que jamais devia apagar-se no Templo de Jehová.

"Foi este o lugar da glória e da dor do jovem Profeta quando recebeu o aviso das desgraças terríveis que Jehová deixaria cair sobre o Grão-Sacerdote Eli e sua casa, em virtude de sua indulgência para com os filhos Ophni e Phinees, cuja vida escandalosa arrastava toda a juventude de Israel pelos caminhos do crime e do vício.

"A extrema bondade do caráter de Eli havia penetrado muito fundo no coração do pequeno jovem Samuel, que regou com amargo pranto estas lousas, sobre as quais dormia, antes de atrever-se a transmitir ao seu amado protetor a terrível mensagem que para ele havia recebido.

— Da mesma forma como se eu recebesse de Jehová uma pavorosa mensagem para meus pais, por exemplo — murmurou timidamente o menino.

Passando dali para o altar chamado dos Sacrifícios, detiveram-se a vinte passos dele, para que Jhasua lesse, em outra lousa do piso, esta longa inscrição:

"Sobre esta laje orou com lágrimas, durante sete anos, a virtuosa Ana, esposa de Elcana e mãe do Profeta Samuel, pedindo um filho a Jehová, em virtude de não ter nenhum; até que, no sétimo ano, lhe nasceu Samuel, a quem, com voto solene, consagrou ao Senhor, deixando-o em Seu Templo, sob a tutela do Grão-Sacerdote Eli, quando o menino tinha apenas sete anos de idade."

Aproximando-se da parede, viram gravado em uma prancha de argila o Cântico de Ana, em ação de graças ao Altíssimo, no momento de consagrar o filho que lhe havia concedido:

(*) "Santo dos Santos" ou "Santíssimo" (N.T.).

"Por este menino eu orava, e Jehová deu-me o que Lhe pedi.

"Eu o retorno, pois, a Jehová. Por todos os dias de sua vida, ele será de Jehová.

"Meu coração regozija-se no Senhor, e minha boca amplia-se para louvá-LO e glorificá-LO.

"Não existe santo como Ele. Não há ninguém fora de ti, nosso Deus.

"Jehová dá a vida, e tira-a; faz descer ao sepulcro e dele subir novamente.

"Levanta do pó o pobre abatido, para sentá-lo entre os príncipes.

"Porque de Jehová são os fundamentos da Terra, e sobre eles foi erigido este mundo.

"Jehová julgará em todos os confins da Terra; dará fortaleza ao Seu Rei e exaltará o lábio do Seu Messias."

— Agora lembro — disse o Hazzan — que, estando eu, um sábado, na Sinagoga de Nazareth a ler o livro de Samuel, Jhasua disse que este profeta estava para vir novamente e que chegaria ao Santuário de Silos, onde tanto havia glorificado ao Senhor (*).

"Lembras, Jhasua, este fato que motivou as primeiras preocupações de teus pais, por teres pronunciado palavras que tu mesmo não podias justificar?"

— Em verdade, não me recordo disso — respondeu o menino.

— No entanto, foi verdade, meu filho, e aqui dar-te-ei a prova.

Tirando uma cadernetinha do bolso, buscou e rebuscou até dar com o pequeno relato que aludia à vinda do Profeta Samuel.

A luz fez-se para todos, que exclamaram ao mesmo tempo:

— O menino que acaba de nascer de Salomé é o Profeta Samuel que volta à Terra.

Jhasua semicerrou os olhos, dos quais deslizaram duas lágrimas, que, à luz das velas, brilhavam como diamantes, enquanto dizia a meia-voz:

— Sim, é ele que vem para glorificar o Senhor junto comigo e muitos anos depois de mim, para que, com novas visões, anuncie aos homens o que Jehová tem reservado para os que O amam e também para os que não O amam.

Nisto, sem esperar que alguém o guiasse, saiu correndo em direção ao Pórtico das Mulheres e, como um raio, penetrou na alcova de Salomé. Com ardentes manifestações de carinho abraçou-se ao pequenino recém-nascido e, cobrindo-o de beijos no rosto e nas mãozinhas, disse como se estivesse em veemente delírio:

— Quão triste e só me havias deixado e quanto tardastes para voltar!... Mas, agora que vieste, não mais me separarei de ti, nem na vida nem na morte!!

Somente Zebedeu ouviu tais palavras, porque Salomé estava dormindo, enquanto Myriam e Martha, junto à lareira, preparavam a frugal refeição para todos.

Os peregrinos precisaram ficar ali três dias por causa de Salomé. Pouco depois, porém, os Terapeutas, grandes conhecedores do lugar, conseguiram um dos pequenos carros, então em uso, para viajarem aqueles que não podiam fazê-lo a pé.

Assim, sem afastar-se muito dos companheiros, que a alcançavam nas paradas, a mãe continuou a viagem com seu pequenino até Jerusalém.

Quando tal viagem era feita sem interrupção, levava de três a quatro dias, mas, na presente oportunidade, durou sete dias, desde Nazareth até Jerusalém.

Finalmente, nossos viajantes chegaram à última etapa, uma pobre aldeia, conhecida pelo nome de Ain-el-Haramie, onde se deteve também o carro de Salomé.

(*) Reportar-se ao capítulo "O Menino-Profeta" (N.T.).

Todos juntos passaram ali a última noite que os separava da dourada Cidade, a qual era para todos como uma visão muitas vezes vista, mas que sempre desejavam ver novamente.

Jerusalém!... Era o sonho de luz e de glória de todo bom israelita, que, só por absoluta impossibilidade, deixaria de participar das solenidades da Páscoa, no Templo de Jehová.

O próprio Jhasua sentia-se, naqueles momentos, como sob o peso de alarmante inquietação, e, assim, nessa última noite, perguntava a uns e a outros:

— Como é Jerusalém? Como é o Templo?

— Estiveste nele aos 40 dias de vida — responderam-lhe seus pais — todavia já o verás amanhã, um pouco antes do meio-dia, porque, para quem não o viu ainda, se torna muito difícil explicá-lo.

— Mas, ali não encontrarei os Anciãos de túnicas brancas e olhos meigos e bons como os das pombas de nossos pomares... — disse Jhasua olhando para todos com olhos perplexos.

— Ali estão os Doutores da Lei, que sabem tudo quanto se pode saber neste mundo — disse Joseph, enquanto partia o pão e o distribuía sobre a branca toalha, estendida no pavimento de palha recém-cortada, na falta de mesa.

— Ah, é? Pois já tratarei de fazer-lhes tantas perguntas que encherei minha cabeça de sabedoria — disse Jhasua pensativo. — Será possível que em Jerusalém saibam mais do que os Anciãos dos Santuários, que desvendaram para mim tantas maravilhas? — perguntou de novo.

— Acreditas, meu filho — disse-lhe a mãe — que os Doutores do Templo vão ocupar-se em responder às tuas perguntas?

— Porventura, não estão lá para isso? — tornou a inquirir o menino.

— Come, Jhasua; come, meu filho, que devemos descansar esta última noite, se quisermos despertar com a aurora e chegar a Jerusalém antes do meio-dia — insistiu Myriam.

— Nossos outros companheiros estão já há três dias na Cidade Santa e devem ter dado aviso à boa Lia, que estará ansiosa por abraçar-nos — continuou Myriam, para fazer com que o filho esquecesse as preocupações religiosas.

Quando terminou a singela refeição, as três mulheres se retiraram para a alcova, preparada para elas dentro da grande tenda comum.

Jhasua e Jhosuelin ficaram junto à fogueira com Zebedeu, esposo de Salomé, Alfeu, esposo de Martha, Joseph, os Terapeutas e o Hazzan. Havia este preparado um grande leito de palha e de peles de ovelha para que todos pudessem descansar juntos.

Era costume que, na última noite de viagem, os peregrinos cantassem em conjunto e em coro o Salmo 84, que começa assim:

"Quão amáveis são tuas moradas, ó Jehová dos exércitos!

"Minha alma deseja ardentemente os átrios do Senhor: meu coração e minha língua cantam ao Deus vivo.

"Como o pardal acha casa, e a andorinha ninho para si, onde abriguem seus filhinhos, eu me refugiarei em Teus altares, ó Jehová, meu Rei e meu Deus! , etc., etc."

O monótono e suave canto seguiu até que o sono cerrou os olhos dos cansados viajantes.

Jhasua não cantou, mas era todo ouvidos para escutar. Quando seu pai e os parentes adormeceram, ele aproximou-se dos Terapeutas que ainda permaneciam sentados junto à fogueira quase apagada e, em voz muito baixa, lhes disse:
— Estou inquieto e não tenho sono. A Lua brilha que é um encanto, como podeis ver por seus raios que penetram nas aberturas da tenda.
"Gostaríeis de acompanhar-me lá fora para contemplar a paisagem? Desde que acabamos de chegar, prenderam-me dentro da tenda. Por que devo dormir, se o sono não me vem?

O Essênio que o escutava mais de perto pôs o índice sobre os lábios para indicar-lhe silêncio, e, depois de trocar breves palavras com seu companheiro, ambos saíram da tenda, levando Jhasua pela mão.

Era aquela região um profundo vale, circundado de todos os lados por montanhas, cobertas, em parte, por vegetação, dando lugar a que as rochas cinzentas e nuas deixassem assomar também suas agudas arestas onde os arbustos ou o musgo haviam podido fincar raízes.

Aparecia ali uma infinidade de sepulcros entalhados nas rochas, pois, de acordo com o costume hebreu, deviam os vivos ter sempre a lembrança de seus mortos à vista, para estarem certos de que – segundo a crença de algumas das seitas, nas quais estava dividida a opinião pública – em determinado dia, os mortos sairiam dos sepulcros com os mesmos corpos que tiveram.

Não obstante a lei da reencarnação ter sido conhecida pelos estudiosos e pensadores dos tempos mais remotos, ninguém procurava dar ao vulgo a explicação razoável e científica sobre tão profundos conhecimentos.

Vê-se, desde logo, que os dirigentes espirituais das multidões agiram sempre da mesma forma: a verdadeira doutrina permanecia em segredo, reservada apenas para os iniciados da Sabedoria Divina, ao passo que a fé das massas era alimentada com cerimônias exteriores de maior ou menor suntuosidade e aparato, sempre o bastante para saciar a imaginação com o que seus olhos podiam perceber.

A luz da lua dava em cheio sobre as lousas sepulcrais semipolidas, pois eram enormes blocos de granito que cerravam as tumbas na parte exterior. Surdo rumor era percebido bem próximo, e, averiguando o motivo, notou-se que havia muitas infiltrações de água naquelas montanhas, as quais, como pequenas cascatas, se precipitavam ao vale, onde iam formando numerosos remansos, que o ardente sol da Judéia evaporava depois, ou se introduziam lentamente no solo, dando fertilidade exuberante àquele maravilhoso lugar.

Os dois Terapeutas cobriram-se com gorros brancos de pele de cordeiro.
Como Jhasua jamais os havia visto daquela forma, começou a rir sem poder conter-se.
— Dai-me um assim, para que eu também tenha cabeça de cordeiro – disse ele.
Mas, vendo que os Essênios não lhe faziam caso, calou-se e pôs-se em observação.
Dentro em pouco, viram sair alguns vultos ou sombras das negras aberturas das montanhas.
— Oh, oh! – exclamou o menino, apertando-se de encontro aos Essênios. – Parece que aqui os mortos saem dos sepulcros.
— Não são mortos, Jhasua, não temas. São infelizes leprosos que a crueldade e a ignorância humana relegou a tão mísera condição.
"Alguns estão loucos por causa de seus grandes padecimentos, pois se viram abandonados por suas mulheres, seus filhos e todos aqueles a quem amaram sobre a Terra.

"As pessoas, em geral, crêem que estão possuídos de demônios, e matam-nos a pedradas, quando eles aparecem em lugares habitados.

"Eles sabem que só nós os amamos, e o gorro branco de pele de cordeiro é o sinal de que estamos a sós e que podem aproximar-se."

Encheu-se a alma do menino de imensa piedade, e a branca claridade da lua fez brilhar em suas faces duas grossas lágrimas, que não tratou de evitar.

As sombras foram aproximando-se como receosas. Eram quatro, e, pelo andar, podia-se calcular que um era ancião e os outros três, jovens ainda.

Adiantaram-se os Essênios para eles e falaram a meia-voz.

Os quatro olharam para o menino e sentaram-se sobre os penhascos cobertos de musgo.

Por sua vez, fizeram os Essênios sentar Jhasua sobre um velho tronco de carvalho, que estava caído, e eles se colocaram também ali, um de cada lado do menino.

– Parece que temos uma deliberação à luz da lua – insinuou Jhasua com uma voz doce, que parecia um gorjeio.

– Não sentes nada de extraordinário, Jhasua? – perguntou um dos Essênios.

– Sim. Estou sentindo um desejo enorme de saber o que se poderia fazer para remediar a situação destes homens, que vivem tão miseravelmente sem culpa sua, mas apenas em vista de sua enfermidade – respondeu Jhasua como só uma pessoa idosa poderia fazê-lo.

– E, se o soubesses e pudesses, tu o farias, Jhasua?

– Isso nem é necessário perguntar, irmão Terapeuta! Vós não o faríeis, por acaso?

– Sim, eu o faria, e todo bom essênio haveria de fazer o mesmo, se pudesse dispor dos meios necessários.

– E que meios são esses? – voltou a perguntar o menino. – Quando quero um ninho, subo na árvore e o apanho; quando quero uma flor ou uma fruta, colho-as, e quando quero fazer bem a alguém, penso com grande força de vontade: "*Que Jehová te salve.*"

– Respondeste muito bem, Jhasua – disse um dos Terapeutas. – Supõe, então, que estes quatro irmãos nossos – sofrendo de uma enfermidade que os meios físicos ou humanos não conseguem curar – são flores que o Altíssimo põe em teu caminho durante esta existência. Como farias para recolhê-las?

Jhasua ficou silencioso, e, momentos depois, sua cabecinha inclinou-se sobre o essênio que lhe ficava mais próximo.

O outro, que era clarividente, observou a aproximação de Inteligências desencarnadas de grande evolução.

Eram três *Potestades* da Muralha de Diamantes que se colocaram atrás do menino, caído em transe. Suas mãos, que arrojavam raios de todos os dedos, estenderam-se sobre ele, e, instantaneamente, apareceu o duplo astral na radiante personalidade de Moisés.

O outro Essênio, menos desenvolvido em sua faculdade clarividente, começou também a perceber o que se estava operando no plano espiritual e dentro da própria atmosfera que os envolvia.

Compreenderá o leitor que tudo isso estava ocorrendo no mais completo silêncio, pois os quatro enfermos haviam adormecido nesse profundo sono provocado pelas poderosas correntes magnéticas, e, apoiados nos penhascos ou uns nos outros, assemelhavam-se a um negrusco montão de farrapos, sendo impossível definir onde começava um e onde terminava o outro.

A materialização daquela radiante aparição fez-se pouco a pouco, até que os Essênios ouviram uma voz com sonoridade de clarim que disse:
— Perguntais como farei para recolher estas flores humanas abrasadas pelo Mal?
"Eu faço assim." E, estendendo suas mãos de Luz, que arrojavam como que torrentes de luminosas centelhas para o informe montão de farrapos, disse com tal intensidade que parecia revolver as entranhas até o fundo:
"Que este fogo de Deus consuma todo o mal que haja em vós!"
Foi um processo rápido e, ao mesmo tempo, estremecedor.
A tremenda força magnética posta em ação desintegrou aqueles farrapos, dos quais se levantou como que uma leve fumaça cinzenta, e apareceram os quatro corpos completamente desnudos, estendidos sobre a relva, como brancas estátuas à claridade da lua.
"Deus o quis! Bendito seja!" ouviram a voz dizer novamente.
"Banhai-os nesse remanso e calai, pois ainda não é hora para que Jhasua desperte aqueles que ainda vivem mortos na ignorância."
E toda a visão se desvaneceu.
Dir-se-ia que fora um sonho dos Terapeutas, proveniente de seu contínuo estado de mística exaltação. Mas ali estavam os quatro corpos desnudos, brancos, sem uma só mancha violácea nem chagas ou ferida de espécie alguma, que testemunhasse a tremenda realidade.
Correu o mais jovem dos Terapeutas até a tenda para trazer roupas com que vestir aqueles quatro homens, já curados de seu terrível mal.
Despertaram ao ser banhados, não obstante estarem ainda sob a ação da poderosa corrente que os havia adormecido.
A frescura das águas do reservatório devolveu-lhes a plena lucidez, e, chorando de felicidade por se verem curados, abraçaram aos Terapeutas, agradecendo-lhes o benefício que acabavam de receber.
Enquanto isso acontecia, Jhasua, como um cordeirinho branco, dormia sobre u'a manta estendida na relva, onde os Terapeutas o haviam deixado até que despertasse por si mesmo.
Compreendiam que sua matéria devia ser novamente vitalizada e estavam perfeitamente convencidos de que as correntes benéficas do Cosmos, sabiamente postas em ação sobre ele, iriam repor imediatamente todo o desgaste físico que houvera sofrido.
Já vestidos com roupas limpas os quatro enfermos, deram-lhes a beber vinho com mel, e determinaram-lhes silenciassem sobre o que julgavam ser um estupendo milagre, não sabendo, contudo, se este fora operado pelos Terapeutas ou pelo formoso anjo ruivo que dormia profundamente, estendido sobre a relva e iluminado pela branca claridade lunar.
— Agora não mais voltareis para a caverna, mas, apenas aclare o dia, empreendereis viagem para Bethel, com u'a mensagem escrita que mandaremos para uns artesãos, amigos nossos, e eles vos arranjarão trabalho.
Os Terapeutas disseram isso aos recém-curados com o fito de não permitir que se divulgasse a ocorrência.
— Guardai-vos bem de falar sobre esta cura, porque Jehová deseja que Sua Glória, manifestada através deste menino, que é Seu enviado, permaneça oculta ainda por algum tempo.
"Silêncio, pois, silêncio! Não queirais contrariar as determinações divinas."

Os quatro prometeram solenemente não pronunciar jamais uma palavra sobre o sucedido.

— Agora esperai que o menino desperte para que vos veja curados de vosso mal, pois ele estava penalizado de vos ver cobertos de tanta miséria.

Nesse meio-tempo, deram-lhes algumas instruções sobre como proceder daqui por diante, pois eles desejavam ingressar na Fraternidade Essênia a fim de pagar, com boas obras, o bem que haviam recebido.

Finalmente, já quase à meia-noite, Jhasua despertou.

— Que fizestes com os enfermos? — perguntou.

— Olha para eles! — responderam os Essênios.

— Como?! Esses não são os mesmos!

— Enquanto dormias, o Senhor curou-os, porque tu mesmo o quiseste. Não disseste que, quando queres uma fruta ou uma flor, vais apanhá-las? Quiseste devolver para a vida essas flores humanas, e aí as tens.

Num delirante acesso de alegria, o menino abraçou os Terapeutas e os enfermos um por um.

Foi uma cena de profunda emotividade, durante a qual as lágrimas corriam e o coração saltava de felicidade.

O mais jovem dos curados tinha apenas 23 anos, e, abraçando a Jhasua, chorava com grandes soluços.

— Por que choras tanto? Não estás contente por teres sido curado pela Vontade de Jehová?

— Sim, menino formoso, mas padeço porque em Rama tenho a mãe, que chora por mim, e a noiva, que entrou no Templo para não mais sair por causa de meu terrível mal. Como prometi silenciar sobre minha cura, não poderei jamais fazer-lhes saber esta minha felicidade presente.

Jhasua voltou seus olhos cheios de assombro para os Terapeutas, como a dizer-lhes:

"Curais o corpo e abris feridas na alma!"

Eles o compreenderam.

— Tudo pode ser ajeitado com boa vontade — disse o mais idoso deles. — Vem agora conosco a Jerusalém para celebrar a Páscoa.

"Ali ninguém te reconhecerá e, quando de nosso regresso, nós te acompanharemos até a cidade onde moravas e, mesmo, a tua casa. Então, sem necessidade de mencionar o que aconteceu nesta noite, dirás unicamente que uns banhos medicinais lavaram todo o teu mal.

"Somos conhecidos como médicos do povo, e ninguém estranhará isso, mormente de uma cura que já não é a primeira.

"Ali falaremos com tua mãe, e, no Templo, trataremos de ver tua noiva. Assim, como estás vendo, quando Jehová dispõe as coisas, tudo dá certo."

O jovem esteve de perfeito acordo, e a alegria voltou ao seu coração.

Os outros três não tinham nenhum interesse em encontrar-se com seus familiares, cujo pouco-caso por eles havia sido tão manifesto que procurariam novas amizades entre a numerosa família essênia, que lhes abriria amplamente os caminhos da vida.

O menino Jhasua colocou-se logo em atitude reflexiva. Era evidente que em sua mente se agitavam muitos pensamentos.

Um dos essênios notou isto e perguntou:

— Meditas, Jhasua? Em que pensas, se é que se pode saber?

— Durante o meu sono, tirastes o mal dos enfermos e os despojastes de suas roupas velhas. Não vi nada disso, mas sucedeu. No entanto, eu teria gostado muito mais de ver de que modo os enfermos se transformaram em sãos.

— Meu filho — disse o Essênio —, quando as energias dinâmicas do Espírito estão em sintonia com as da Natureza, realizam mudanças tão estupendas que somente os Iniciados nos Conhecimentos Divinos sabem compreender e explicar esses fatos.

"Por hoje, só posso dizer-te que era necessário o teu sono para que esses homens fossem curados.

"Quando ingressares definitivamente em algum dos nossos Santuários, saberás o porquê de todos esses fenômenos.

"Nos livros dos Profetas estão registradas ocorrências parecidas com esta, e nada é maravilhoso, tendo-se em conta o poder de uma Inteligência evoluída, quando usa as forças da Natureza."

Enquanto isso ocorria, os ex-enfermos, prostrados com o rosto em terra, louvavam a Deus em todos os tons, parecendo-lhes incrível poderem novamente incorporar-se na sociedade humana, da qual haviam sido afastados.

Apalpavam repetidas vezes os lugares dos seus corpos onde inúmeras chagas sanguinolentas os haviam feito sofrer horrivelmente, e apenas encontravam uma pele mais rosada do que a do resto do corpo, como ocorre naturalmente em feridas recém-curadas.

— Não esqueçais que, para quem quer que seja, sois viajantes chegados esta noite, procedentes da aldeia vizinha. Agora vamos todos juntos até a tenda, pois pode ser que a mãe do menino venha procurá-lo — disse um dos essênios, guiando todos até a grande clareira da qual se haviam afastado uns cinqüenta passos.

Com efeito, Myriam havia-se levantado para ver se o filho estava bem coberto com as mantas; e foi grande sua preocupação por não encontrá-lo ao lado do pai, onde estivera deitado.

Chamou em voz baixa a Jhosuelin, a quem o cansaço fazia dormir profundamente. Antes que este despertasse, viu que a cortina da entrada da tenda se levantou e a luz da lua deu em cheio sobre Jhasua, que entrou com os essênios.

Aproximou-se ela silenciosamente como desejando uma explicação.

— Não digas nada — disse o essênio mais idoso —, aqui o tens. Nós saímos para levar provisões a alguns enfermos; e, como ele estava sem sono, quis acompanhar-nos.

— Não o repreendo, porque esteve convosco. Grata por vossos cuidados — disse; e, tomando o menino pela mão, levou-o para junto de seu pai, deitando-o novamente.

Logo, às primeiras luzes do amanhecer, os viajantes puseram-se em movimento com essa ruidosa alegria dos que vêem, já muito próxima, a hora de chegar aos muros da Cidade Santa, que os esperava resplandecente de glória e magnificência.

Jhasua no Templo de Jerusalém

Lia, a hierosolimitana que já chegamos a conhecer no início deste relato, esperava ansiosamente os peregrinos. Seu velho casarão solarengo havia ficado muito só.

Fazia alguns anos que seu tio Simão tinha morrido, e suas três filhas, em razão das ocupações dos esposos — os três Levitas que encontraram o amor no jardim de

Lia – viviam no centro da Grande Cidade. Não obstante, eles amenizavam os dias da nobre viúva, visitando-a com grande freqüência e deixando-lhe alguns dos netos, que, dos três casais, chegavam a seis.

Algumas criadas antigas e uns quatro empregados que cultivavam o imenso horto eram, então, os únicos moradores daquele tranqüilo e honrado lar.

Entraram sob o teto de Lia, antes do meio-dia, Joseph com Myriam e Jhasua, Salomé com Zebedeu, Tiago, seu filho maior, e o pequeno recém-nascido, a quem chamaram João, além de Martha, prima de Myriam, e seu marido Alfeu. Todos eles, parentes da virtuosa Lia, faziam-lhe essa visita anual na solenidade da Páscoa.

Vendo chegar Jhasua a sua porta, a nobre viúva disse:

– Todas as Páscoas são santas e boas, mas esta, meu Amor, é Páscoa de Glória para esta casa. – E abraçando ternamente a Jhasua, Lia chorou de felicidade.

Ela o havia visto com apenas 40 dias, e, agora, o revia com 12 anos, convertido já em belíssimo adolescente, gracioso como um ramo de nardo, com olhos de topázio e longos cabelos encaracolados, castanho-claros, que o vento agitava graciosamente.

Os dois Terapeutas, com o Hazzan e Jhosuelin, foram hospedar-se dentro da cidade, na casa do sacerdote essênio Esdras, o qual o leitor já conhece também desde os primeiros dias do nascimento do Verbo de Deus.

Essa última circunstância contribuiu para que os sacerdotes essênios que prestavam serviço no templo estivessem a par da presença de Jhasua em Jerusalém.

Haviam chegado de maneira vaga até a cúpula do Sinédrio (*) certos rumores relativos a um menino, o qual, como outro Samuel, se sentia chamado desde o mundo invisível por vozes que falavam em nome de Jehová.

Nas caravanas de crentes que, de ano a ano, vinham das províncias do norte para a Páscoa, alguns dos Doutores haviam insinuado a possibilidade de que o Menino-Profeta lhes fosse trazido. Entretanto, já haviam passado vários anos, e este assunto estava quase esquecido.

O velho sacerdote Simeão, que o havia consagrado ao Senhor, já não vivia neste mundo, nem tampouco aquela anciã paralítica que fora curada quando o Cristo-Menino estava sendo oferecido a Jehová.

Os demais sacerdotes essênios haviam procurado, com seu silêncio, que o extraordinário menino da província galiléia ficasse no esquecimento, por julgarem que isto seria mais seguro para ele e para a missão que vinha desempenhar.

Entre si, haviam eles combinado sobre a conveniência de ocultar a presença de Jhasua na Cidade Santa. Mas, por meio de avisos espirituais, receberam o encargo de não se preocuparem quanto a esse particular.

Dizia uma das mensagens: "O menino foi esquecido pelo Sinédrio. Deixai, pois, que a Divina Majestade proceda conforme seja de Seu agrado."

Entrementes, por intermédio dos dois Terapeutas viajantes, os sacerdotes essênios que serviam no Templo souberam que, na manhã seguinte, na hora dos ofícios, o menino Jhasua seria levado ao Templo por alguns dos seus familiares.

Assim sendo, por tratar-se da grande solenidade, todos os sacerdotes e levitas, com seus mais suntuosos e ricos ornamentos, formariam guarda no sagrado recinto e também nos átrios e pórticos.

(*) Era uma espécie de senado aristocrático, composto de 71 membros. De direito, só possuía competência na Judéia, mas exercia sua influência até Damasco. Dispunha de polícia própria (N.T.).

O setor destinado às grandes assembléias sacerdotais, quase contíguo ao *Sanctum Sanctorum* (*), achava-se, naquela manhã, resplandecente de lâmpadas e círios, e as estantes que sustinham, cada qual, um volume dos Livros Sagrados estavam cobertas de tapetes de púrpura e ouro.

Segundo velhas tradições, os Doutores e Sacerdotes, durante a solenidade da Páscoa, pronunciavam pomposos discursos sobre a grandeza de Jehová, Sua força e Seu poder, manifestados em tudo quanto fizera por Seu *Povo Escolhido*, conforme a pretensão de Israel de ser somente ele quem houvesse merecido os favores do Altíssimo Senhor, criador e senhor dos mundos e dos seres.

Era também costume, já aceito e seguido durante muitos anos, que os mais brilhantes e formosos discursos pronunciados em tal circunstância ficassem formando como que um corpo de doutrina. Muitos de seus pontos passavam a ser novas leis, mandatos ou dogmas, que iam aumentando, ano após ano, o já volumoso código do povo hebreu.

Cada Páscoa era, pois, uma espécie de ateneu, onde se fazia alarde de eloqüência e de sabedoria.

Ficava aquele recinto separado do restante do Templo só por uma balaustrada de mármore, ornamentada, na parte interior, com ricos anteparos de púrpura de Damasco, motivo por que, desde o Templo, só se podiam perceber os ricos turbantes, as tiaras e os tricórnios, com os quais os Doutores e os Sacerdotes cobriam suas cabeças.

Os viajantes compareceriam à solenidade na segunda hora da manhã, conforme haviam combinado de véspera na reunião junto à lareira. Somente Lia, a nobre viúva, havia dito que iria na primeira hora, em face de circunstâncias especiais. Foi quando Jhasua, aproximando-se dela, lhe disse:

— Se quiserdes, eu vos acompanharei, contanto que me deis permissão — acrescentou olhando imediatamente para seus pais.

— Eu ficarei encantadíssima, meu filho, por levar-te em minha companhia, se teus pais o consentirem.

— Naturalmente — disse Joseph.

— Jhasua não está mais em si desde que empreendemos viagem — observou Myriam. — Nosso filho só vive a sonhar com o Templo e com todas suas magnificências.

Foi assim que, na manhã seguinte, quando haviam passado apenas duas horas de sol, Jhasua saiu com Lia para subir até a Cidade.

Os raios solares — dando em cheio sobre os brilhantes revestimentos de lousa, sobre os mármores, bronzes e pratas do frontispício e das cúpulas do Templo — faziam-no resplandecer de tal forma que o menino se achava como deslumbrado ante a grandiosa visão.

— Oh! — exclamou — os santuários essênios são de rocha escura e não só não brilham como também ficam tão ocultos que ninguém sabe que existem. Mas os Anciãos que os habitam, sim, resplandecem como estrelas na obscuridade.

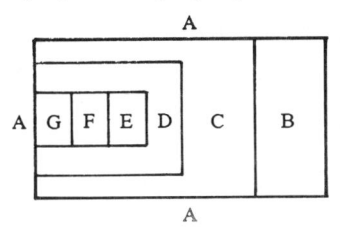

(*) Disposição do Templo (N.T.):

A — Átrio dos Pagãos
B — Átrio das Mulheres
C — Átrio de Israel
D — Átrio dos Sacerdotes
E — Pórtico
F — *Sanctum*
G — *Sanctum Sanctorum* (Santo dos Santos ou Santíssimo.)

"Que te pareces melhor: – perguntou Jhasua em seguida – que o Santuário deslumbre de claridade os homens ou que os homens derramem sua luz no Santuário?"
– Menino!... não deves perguntar esses assuntos a uma pobre mulher como eu, que apenas sabe fiar e preparar o pão. Ademais, és muito novo para discutir essas coisas...
– Oh! dizes isso porque não sabes que eu estive muito tempo com os Anciãos dos Santuários; eles me ensinaram muitas e muitas coisas!...
– Oh, Jhasua!... serás então um pequeno doutor da Lei – respondeu Lia, gracejando para distrair o menino das preocupações que quase a assustavam.
– Não, não! doutor não, mas um peregrino missionário como os Terapeutas, que consolam todas as dores e remedeiam todas as necessidades. É isto que eu quero ser.
– Pois bem, Jhasua. Muito bem. Como tua intenção é pura, Jehová há de abençoar-te coroando tuas esperanças.
– Acreditas, Lia, que já sei como é o Pai Celestial?
– Pois, meu filho, o Pai Celestial é como tudo o que existe de grandioso, bom e belo. Não é assim?
– Isso é como se alguém dissesse: *Teu pai é muito bom e belo*, mas só com isto não saberei como ele realmente é, se nunca o tiver visto.
– Jhasua! a Lei manda-nos amar o nosso Deus com todas nossas forças e acima de todas as coisas. Se cumprirmos isto, porventura já não é o bastante?
– Não, Lia, não é o bastante! Eu posso e devo obedecer a uma ordem de meu pai; mas isto não me faz saber como ele é, se jamais o vi...
– Os Anciãos nunca deram uma resposta para tua curiosidade?
– Não é curiosidade, mulher; é necessidade que tem o filho de saber como é seu pai. Os Anciãos, sim, sabem tudo quanto é necessário saber, mas, como ninguém se interessa pelo que existe muito mais além das estrelas, eles guardam a sabedoria entre as rochas de seus Santuários...
– Menino!... tua linguagem me assusta, e digo-te que, assim que chegarmos ao Templo de Jehová, levar-te-ei aos nossos sacerdotes essênios, para que fales com eles sobre tudo quanto sabes e desejas saber.
– Todos procedem da mesma forma!... Não querem pensar nem conhecer ou compreender!... Assemelham-se a passarinhos e cordeiros. Tu também tens medo de abrir a porta e ver o que há lá dentro, não é?
– Bem; subamos agora esta escadaria, e saberás o que há dentro do Templo de Jehová...
Em silêncio, o menino foi seguindo Lia até chegarem ao Pórtico chamado *das Mulheres*, por onde ela podia entrar com um menino da idade de Jhasua.
Chamou um jovem levita, que recebeu as oferendas de pão, vinho e azeite. Falando em voz baixa, entregou-lhe também duas bolsinhas de linho branco: uma delas continha uma libra de flor-de-farinha, e a outra, uma libra de incenso puro da Arábia. Eram essas as oferendas da piedosa mulher para o altar de Jehová.
O levita acariciou o menino e disse para Lia que entrassem no Templo e se colocassem, o mais possível, próximo da balaustrada, para que pudessem ouvir os discursos que estavam por começar.
Poucos momentos depois, puderam ver, por cima da balaustrada de mármore, encortinada de púrpura de Damasco, os turbantes de brocado, os tricórnios e as tiaras resplandecentes de ouro e pedras preciosas, e, por fim, o arco de rubis do báculo do Sumo Sacerdote, que entrou por último para ocupar seu lugar de honra.
Os olhos de Jhasua, como extasiado ante tal resplendor, estavam fixos naquele luminoso recinto.

Ouviu-se, ao longe, atrás dos véus e das grades, o coro das virgens de Sião, cantando versículos de um salmo, no qual se pedem a Jehová a Luz e a Sabedoria Divinas.

Terminado o canto, iniciaram-se as deliberações sobre assuntos civis, relacionadas com hebreus que haviam incorrido em desordens.

A seguir, um dos Doutores desenvolveu brilhantemente este tema: "Terríveis castigos de Jehová para os infratores de Sua Lei!"

Com um esbanjamento de erudição e citações de fatos concretos, o orador deixou simplesmente aterrado o seu auditório. Terminado o discurso, vieram as refutações dos que pensavam de maneira diferente.

Jhasua havia-se aproximado da balaustrada, sobre cujas molduras e enfeites foi subindo pouco a pouco, com a intenção manifesta de olhar para dentro do recinto.

Achando-se o Templo em penumbra, do lado exterior, o gracioso e pequeno corpo do menino dificilmente era percebido por entre as colunas e tapeçarias. A própria Lia, com os olhos cerrados e o manto envolvendo-lhe o rosto – conforme costumava fazer quando em fervorosa oração – não observara o fato.

Um dos Doutores que mais refutava o discurso do orador era Nicodemos, apoiado, depois, por Judas de Gamala, Manhaen, Eleázar e José de Arimathéia, todos eles essênios do quarto e do quinto graus, mas ocultamente, entende-se.

Quando Jhasua ouviu as vozes de Nicodemos e de José de Arimathéia, conhecidas por ele, não resistiu mais ao impulso de erguer a cabecinha por cima da balaustrada. Destarte, a luz dos grandes candelabros deu em cheio sobre seu formoso rosto, pleno de inteligência e animação.

O primeiro dos Doutores que o avistou disse: "Vejamos se esse menino é inspirado por Jehová e se ele consegue pôr-nos de acordo."

Jhasua reagiu ao ver-se descoberto, e seu primeiro impulso foi ocultar-se, descendo da balaustrada; mas José de Arimathéia, abrindo uma portinhola, saiu em sua busca e levou-o para o meio dos Doutores.

Pôde notar-se, então, que, nesse instante, fugiu dele toda timidez, tanto que perguntou com admirável serenidade: "Que quereis de mim?"

– Considerando que escutastes o debate e que o compreendestes, dize quem de nós está com a Verdade. O Altíssimo se compraz, às vezes, em falar pela boca de um inocente. – Estas palavras foram pronunciadas pelo Sumo Sacerdote com muita doçura e um leve sorriso à vista do menino.

– Vós que sois aqui o Chefe Supremo não podeis pô-los de acordo? – perguntou Jhasua candidamente.

Ante essa resposta o assombro atingiu os ouvintes.

"Sendo assim – continuou Jhasua –, Jehová responder-Vos-á por minha boca:

" 'Não Me conhece nem Me compreende quem fala de Minha cólera e de Meus castigos. Eu sou uma Essência, uma Luz, uma Vibração permanente e eterna. Poderá encolerizar-se a Essência, a Luz, a Vibração?

"Vós vos encolerizais e castigais sob o impulso da cólera; mas Eu não sou um homem revestido da vossa grosseira materialidade.'

"Assim disse Jehová, o Imortal, que não teve princípio nem terá fim."

Jhasua guardou silêncio. Os Doutores se entreolhavam, e aqueles que, às ocultas, eram essênios compreenderam claramente que aquele menino era um vaso que trazia um caudal de Luz Divina, a derramar-se sobre a Terra.

— A Sabedoria fala por tua boca, menino — disse o Sumo Sacerdote. — Fazei-lhe, pois, as perguntas conducentes ao esclarecimento das questões que estão sendo tratadas.

— Eu falarei sem que façais nenhuma pergunta, porque Jehová dirá o que Ele quer que saibais — disse o pequeno resolutamente.

"Não conheceis o Pai Celestial, porque sois covardes e estais cheios de medo."

— Menino!... — ouviram-se dizer várias vozes.

— Não o tomeis como ofensa, porque Jehová jamais ofende; Ele diz somente a Verdade — continuou Jhasua impassível...

"Sim, estais cheios de covardia e de medo! Sabei que a Sabedoria Divina não é conquistada pelos medrosos, mas pelos valentes que se colocam frente a frente ao Desconhecido — o Eterno Enigma; não de potência contra potência e com insólito orgulho, mas como o amor de filhos que anseiam conhecer a seu pai. Então o Pai se mostrará a eles e lhes dirá: 'Aqui estou. Conhecei-me para que, de acordo com a Lei, possais amar-me sobre todas as coisas da Terra.'

"Não vedes que seria um contra-senso se Ele mandasse Suas criaturas amá-LO sobre todas as coisas da Terra e, logo, a seguir, Se encolerizasse e, animado de ira e de furor, os castigasse desapiedadamente, como procede um mau senhor com seus infelizes escravos?

"A Lei deveria então dizer: 'Temerás a Deus mais do que a todas as forças e formas de mal que existem na Terra.'

"Digo-vos que tendes medo de esquadrinhar a Verdade Divina; por isto, ela continua sendo uma deusa escondida e esquiva, que não quer mostrar-se aos homens.

"Sabeis que Deus é imutável, e, contudo, vos permitis falar de Sua ira e Sua cólera. Encolerizar-se é mudar, é trocar de estado, e isto é outro contra-senso, porque, se, em dados momentos, Ele se enche de ira e furor, *não é imutável*. Portanto, é blasfêmia atribuir ao Altíssimo tão grave imperfeição, própria das atrasadas criaturas da Terra.

"Sim, Deus é imutável e, sendo assim, permanece impassível em face de todos os erros humanos e de todas as hecatombes de mundos e humanidades.

"Deus sabe que os seres encarnados, recém-chegados aos domínios da inteligência e da razão, estão ainda sob o governo da força bruta, que é a matéria em humanidades primitivas! Como, pois, há de encolerizar-se contra a ordem estabelecida por Ele mesmo, ou seja, que todas as Humanidades adquiram, lenta e paulatinamente, o conhecimento, a sabedoria e a bondade?

"Se a Lei Divina diz: 'Amarás ao Senhor, teu Deus, com toda tua alma, com todas tuas forças e acima de todas as coisas', é evidente que Ele quer, como única recompensa, o amor de todas as Suas criaturas de todos os mundos, e, portanto, o que mais Lhe agrada é que Suas criaturas se esforcem por conhecê-LO, porque ninguém ama o que não conhece.

"Em resumo, tudo o que é belo e bom nos vem de Deus, que é nosso Pai Universal; e todo mal tem sua origem nos nossos erros, na nossa ignorância e nas nossas iniqüidades."

O menino, que havia adquirido animação crescente, silenciou de repente e, juntando as mãos sobre o peito e levantando o semblante para o alto, como iluminado de suave claridade, exclamou: "Meu Pai! Senhor dos Céus, faze com que os homens Te conheçam, pois somente assim Te amarão!..." — e, caindo de joelhos, inclinou o rosto ao solo, em forma de oração profunda, como os hebreus costumavam proceder quando oravam com o coração.

Havia aquela assembléia ficado como petrificada pelo assombro e por uma vibração de aniquilamento, que, desde o princípio da explanação de Jhasua, se havia estendido por todo aquele suntuoso recinto. Nenhum dos presentes conseguia mover-se nem falar.

Silencioso, o pequeno levantou-se e saiu sem que ninguém o detivesse. Lia, repleta de estupor, causado pelo fato de ouvi-lo falar ante a assembléia de Doutores, saiu correndo para casa, com o fito de avisar aos pais dele o que estava acontecendo. E foi assim que, quando o menino já estava descendo tranqüilamente as largas escadarias do Templo, ele se encontrou com Lia e com sua mãe, que, a toda pressa, corriam em sua busca.

— Mas, meu filho, que fizeste? — foram as primeiras palavras ouvidas por Jhasua, que apresentava uma palidez mate, como um lírio do vale, iluminado pela claridade dourada daquela manhã primaveril.

— Nada, mãe!... eu não fiz nada. Os Doutores congregados no Templo não se entendiam e me chamaram para que Jehová, por meu intermédio, os pusesse de acordo. Eu disse apenas o que Jehová me mandou dizer.

— Ai, meu Deus! — suspirou a inocente mãe. Agora desencadearão uma perseguição contra nós, e os santuários essênios estão muito distantes para que possamos ocultar-nos neles.

— Não temas, mãe, que o Pai Celestial tem meios de sobra para proteger-nos. Vamos para casa, que estou cansado e tenho fome. — E deitou a correr pela ruazinha tortuosa que levava para a casa de Lia.

Quando a assembléia voltou a si, do estupor e do assombro, tratou de saber quem poderia ser aquele menino; mas ele já havia desaparecido, e era difícil encontrá-lo entre aquela confusão de pessoas que enchiam os átrios e naves do Templo. Apenas Nicodemos, José de Arimathéia e Eleázar conheciam pessoalmente a família de Jhasua; contudo, trataram de não pronunciar palavra alguma.

— Um novo Profeta surgiu em Israel — disseram alguns — e, talvez seja aquele que há de vir antes do Messias-Libertador que esperamos.

— Está escrito — acrescentou outro — que Elias voltará para preparar os caminhos Àquele que virá libertar o povo de Deus. Não será Elias que voltou?

— Não pode ser — disse outro —, porque Elias se nos apresentará em toda a força da idade viril e não como um inocentinho sem os poderes de extermínio e de morte que o Profeta do Monte Carmelo possuía.

Os Doutores da Lei, em Israel, perdiam-se num labirinto de deduções e de conjeturas, que os afastavam cada vez mais da Verdade de Deus, que estava ao seu alcance, mas não conseguiam compreender. Cumpria-se neles, assim, antecipadamente, o que, anos depois, o Cristo assentaria como um axioma inalterável: *"Deus dá Sua Luz aos humildes, e a nega aos soberbos."*

No caminho de casa, Myriam e Lia puseram-se de acordo em manter silêncio no lar sobre o acidente ocorrido no Templo, relativamente ao qual a piedosa viúva não media palavras para considerar a grandeza que vislumbrava em Jhasua.

— Por vezes o meu procedimento aparenta ser de repreensão — disse ela — quando o vejo com esses impulsos que poderiam arrastá-lo, por momentos, como um vendaval; não obstante, em meu interior, estou convencida de que o pequeno age por impulso divino.

— A mim ocorre o mesmo — afirmou a terna mãe do Verbo de Deus. — Trato de contê-lo, mas, no fundo de minha consciência, levanta-se uma voz que parece dizer-me: "É inútil tudo quanto fizeres em tal sentido! Que poderias tu fazer contra o que está resolvido *lá em cima?*" Então inclino a testa e digo ao Senhor: "Eis aqui Tua escrava. Seja cumprida Tua Vontade Soberana!"

Quando chegaram em casa, encontraram Jhasua junto à lareira contando a seu pai tudo quanto havia visto de grandioso e magnífico no Templo de Jehová, sem já recordar-se, ao que parece, do incidente com os Doutores e Sacerdotes.

Apenas Myriam pôde falar a sós com ele, recomendou-lhe guardar silêncio absoluto sobre o que ela chamava de "atrevida audácia" de seu filho, a quem, para obrigá-lo a silenciar, disse severamente: "Olha, que se teu pai vier a sabê-lo, não te deixará voltar ao Templo; e amanhã será a grande solenidade."

O menino, com os olhos cheios de temor, respondeu humildemente: "Não, mãe; não direi uma só palavra. Eu to prometo e hei de cumpri-lo."

Nessa mesma noite, José de Arimathéia e Nicodemos visitaram a Joseph e Myriam. Foi quando esta última encontrou a oportunidade de pedir aos dois jovens Doutores que não inteirassem seu esposo do que o pequeno fizera, aquela manhã, no Templo.

– Deixai tudo por minha conta – respondeu José de Arimathéia, pensando em tirar partido de sua velha amizade com o austero artesão, e, também, com o fito de favorecer as elevadas aptidões que, tão cedo, estavam sendo despertadas em Jhasua.

Escutemos, leitor amigo, a conversação do jovem Doutor com Joseph; como escutaremos, depois, a de Jhasua com Nicodemos:

– Vossa oficina progride, Joseph, ou estais vegetando entre dificuldades e contratempos? – interrogou o Doutor para iniciar a conversação.

– Estamos progredindo graças ao grande auxílio de Deus, pois, em Nazareth e nas cidades vizinhas, minha oficina é sempre a preferida. Tudo isto se deve, em grande parte, ao fato de que os Anciãos do Santuário do Hermon me proporcionam as melhores madeiras do Líbano, e, como não me é cobrado o transporte, posso fazer os meus trabalhos por um preço menor do que os dos demais – respondeu o artesão.

– E quem vos paga o transporte das madeiras? – perguntou o interlocutor.

– Estais lembrado daqueles ilustres sábios que visitaram Jhasua no berço?

– Sim, claro que sim. Quem poderia esquecê-los?

– Pois eles assentaram com os Anciãos do Santuário do Monte Hermon que mantenham permanentemente contratados cortadores e preparadores de madeiras, bem como caravaneiros que mas tragam a Nazareth. Pelo que podeis ver, eles tomaram muito a sério a proteção prometida a meu filho Jhasua.

– Não pela proteção que recebeis por causa de Jhasua, mas pelo que ele significa para este País e para toda a Humanidade, deveis bendizer a Jehová por vos haver dado tal filho.

Joseph olhou-o profundamente e logo respondeu: "Há grandezas que assustam, meu amigo, porque um pobre homem como eu não pode vislumbrar, nem remotamente, para onde o conduzirão. Se é um Profeta que traz uma grande missão sobre Israel, certamente terá que enfrentar todas as iniquidades dos poderosos, os quais, bem sabeis, jamais estão dispostos a que se lhes diga a Verdade.

"Virão as represálias, as vinganças, os apedrejamentos, os calabouços e, depois, a morte ignominiosa. Pensais, acaso, que isto seja lisonjeiro ou, pelo menos, suportável para um pai?

"Sou um homem honrado e trabalhador, cumpro a Lei e faço todo bem que posso. Ninguém poderá acusar-me de delito nem infração alguma, nem, sequer, por uma ponta de agulha. Creio, pois, que Jehová não tem motivo para desagradar-Se de mim. Porventura, não basta isso para ser um bom filho de Abraham?"

— É exatamente como dizeis, amigo Joseph, mas nem todos os seres vêm para andar pelo mesmo caminho. A não ser assim, por que a vida dos Profetas veio traçada por caminhos tão diferentes do vosso?

"Poderemos, acaso, censurar a Jehová que lhes marcou tais rotas? Não será justo pensar que o Senhor Se vale desses Seres extraordinários para proporcionar Luz à Humanidade que caminha às cegas?

"Se não tivesse sido o Profeta Elias, que aterrorizou com seus grandes poderes a reis déspotas e ímpios, todo Israel teria prevaricado, renegando o Deus Único para entrar num labirinto de deuses, cada um dos quais é um gênio inspirador de uma maldade ou de um vício.

"Se não fora Moisés, Israel teria continuado escravizado pelos Faraós, e não teríamos a Lei que nos determina, bem definidos, o Bem e o Mal.

"O mesmo vale para todos os demais mensageiros da Eterna Verdade entre os homens."

— Tendes razão, mas eu vos disse haver grandezas que me aterram, razão pela qual, dentro de minha compreensão, prefiro que Jehová me deixe entre os pequenos, e não nessas altitudes, que produzem vertigem.

— Eu vos compreendo, meu amigo, mas, apesar disso, peço que não colocais obstáculos no caminho de Jhasua, cuja missão ultrapassa a de todos os Profetas. Eles nada mais fizeram do que preparar-lhe os caminhos e anunciar sua vinda.

— De acordo com o que dissestes, parece que estais certo de que em meu pequeno filho está encerrado o Messias-Libertador que Israel aguarda.

— Exatamente... É isto mesmo! Mas não um libertador do domínio romano, conforme pensa a maioria, e, sim, um libertador do egoísmo humano que colocou o chicote nas mãos de uns poucos para submeter toda a Humanidade à escravidão. Um libertador que vem dizer a todos os homens: "Deixai, finalmente, de ser miseráveis, porque sois filhos de Deus!..."

Joseph deu um grande suspiro e, inclinando o rosto sobre o peito, murmurou tristemente: "Que seja feita a Vontade de Jehová!"

— Joseph, meu amigo — insistiu José de Arimathéia —, podeis permitir que eu leve vosso filho, amanhã, a uma reunião de Doutores, homens de boa vontade, que desejam chegar ao conhecimento de Deus? Eu me responsabilizo por ele, se é que confiais em mim.

— Homem!... Não faltava mais nada do que desconfiar de vós, a quem conheço desde que freqüentáveis a escola. Bem sabeis que vosso pai foi um irmão mais velho para mim.

"Podeis levar Jhasua aonde quiserdes, pois sei que não o levareis senão aonde levaríeis vosso próprio filho."

— Muito agradecido, Joseph; eu esperava exatamente isto de vós. Amanhã virei buscá-lo.

Entrementes, Nicodemos, conversando a sós com Myriam e Jhasua, realizava trabalho idêntico ao de seu companheiro, com o objetivo de conseguir que os homens mais doutos e melhor preparados entre os dirigentes do povo hebreu pudessem ser, num futuro próximo, eficazes cooperadores do Verbo Divino, já presente na Terra.

Após um raciocínio semelhante ao que acabamos de ouvir, a incomparável Myriam exclamou como Joseph, seu esposo: "Que se cumpra em meu filho a Vontade do Senhor!"

— Mas esses doutores — disse Jhasua serenamente — não serão mais sábios do que os Anciãos dos Santuários Essênios, pelo que nada de novo poderão ensinar-me.

— Entretanto, quando te ouvirem, Jhasua, compreenderão o que queremos que compreendam, isto é, que a Luz chegou e que é necessário acendermos nela as nossas lâmpadas apagadas.

— Vós me levareis amanhã? — voltou a perguntar o menino.

— Sim, se teu pai der o seu consentimento — respondeu Nicodemos.

Nisto, chegaram os dois Joseph — o de Nazareth e o de Arimathéia.

— Myriam — disse o primeiro —, estes amigos querem levar nosso Jhasua para que escute os Doutores de Israel, e eu já dei o meu consentimento, se tu não te opuseres.

— É tão pequeno o pobrezinho que pouco poderá compreender dessas grandes inteligências! Mas, se há de ser para o bem de todos, levai-o.

— Colocarão também em mim essas túnicas de brocado e os turbantes de ouro e de pedrarias? — perguntou o menino timidamente, manifestando desagrado.

— Não, filhinho — responderam ao mesmo tempo os dois jovens Doutores, rindo da manifestação de descontentamento de Jhasua; ao que este retrucou:

— Os Anciãos dos Santuários Essênios dizem que nenhum essênio deve vestir brocados, ouro e pedrarias, enquanto existirem irmãos que padecem fome e se vestem de farrapos. Por isso, eu quero ir com minha túnica branca... Mãe, com essa nova que fizeste para minha vinda a Jerusalém.

Joseph ficou olhando para o pequeno com assombro e amor.

— Sim, Jhasua — disse Myriam com ternura —; és filho de um artesão, que, acima de tudo, é essênio como tua mãe, e as púrpuras, os brocados, o ouro e as pedrarias não devem jamais entrar em nosso vestuário.

Passado este incidente, os dois visitantes foram reunir-se, com os demais membros da família, no hospitaleiro lar de Lia, que, nesse momento, estava distribuindo sobre a mesa uma grande torta de amêndoas, com vinho de seus velhos vinhedos do Horto de Getsêmani.

A reunião dos Doutores e Sacerdotes de Israel não seria no Templo, mas no cenáculo ou salão de jantar de um ilustre homem de letras, chamado Nicolás de Damasco, discípulo do sábio Antígono de Soco, como o era também seu companheiro, Judas de Gamala. Ambos haviam sido os promotores do encontro, cujo fim era conseguir maioria no Sinédrio, mediante um acordo harmônico a que desejavam chegar sobre diversos princípios, que ainda não estavam bem definidos.

Achavam-se ali Gamaliel, jovem neto do grande apóstolo essênio Hillel, e os sacerdotes essênios que o leitor conhece desde os primeiros capítulos desta obra, afora alguns companheiros dos infortunados Doutores Judas Sarifeu e Matias Margaloth, os quais, não obstante sua celebridade em Jerusalém, como homens de grandes conhecimentos, não fazia muito, tinham sido condenados à morte por se haverem oposto abertamente ao poder romano, que não tolerava insubordinações por parte dos povos invadidos e dominados.

Assistiram também a essa reunião os dois Terapeutas, companheiros de viagens de Jhasua, e o Hazzan da Sinagoga de Nazareth.

A apresentação que José de Arimathéia fez de Jhasua somente deixava entrever o desejo de que os presentes comprovassem que, no filho de Myriam e Joseph, aparecia uma inteligência superior a sua idade. Isto permitiria aos presentes pensarem que se encontravam ante um Profeta-Menino como Samuel; um inspirado de Deus que bem poderia servir de intermediário entre a Divina Sabedoria e os pobres mortais que a buscavam ansiosamente.

Muito embora fosse outra a convicção daqueles que conheciam Jhasua a fundo, trataram de não deixar transparecê-la.

Todos olharam o menino com olhos acariciadores, e ele foi colocado entre José de Arimathéia e Nicodemos.

Tomou a palavra em primeiro lugar Nicolás de Damasco:

— Sabemos — disse — através de nossos Livros Sagrados e profanos, e também de acordo com os astros — que são os agentes de Jehová para marcar as datas dos grandes acontecimentos — que o Messias prometido para Israel desde a época de nosso Pai Abraham já chegou à Terra, ainda que, por desígnio divino, deva, por enquanto, permanecer oculto aos olhares humanos.

"Desde a conjunção de Júpiter, Saturno e Marte, transcorreram já doze anos. Se os nossos livros e os astros não mentiram, tal deve ser a idade que possui o Avatara Divino feito homem. Julgais que eu estou certo nestas afirmações?" — perguntou o orador.

— Sim, sim! É exatamente assim como dizeis — responderam todas as vozes, em número de vinte. Apenas Jhasua, que era o vigésimo primeiro, guardava profundo silêncio.

— Sabeis — continuou o orador — que não tivemos êxito com outros meninos dessa idade que apresentavam dotes extraordinários, os quais exageramos em virtude de nosso grande anelo.

"Vários dentre nós sentem a necessidade de um completo acordo em nossa maneira de compreender as grandes questões destinadas a servir de base para o modo de pensar e de compreender do povo, que espera ansiosamente seu Messias-Rei-Libertador e Guia na tenebrosa hora que estamos atravessando.

"Em primeiro lugar, não sabemos *quem é o Messias esperado*, nem qual sua dependência em relação ao Supremo Criador de tudo quanto existe.

"Será um dos antigos Profetas? Será um Anjo, como os que apareceram a nosso Pai Abraham, ou um Arcanjo, como Gabriel, que apareceu a Jeremias, ou Rafael, que guiou os passos do jovem Tobias?

"Se não sabemos nada disso, de forma alguma conhecemos sua dependência da Divindade e, menos ainda, como atuará a Divindade em relação ao seu Grande Enviado neste Planeta.

"São estas as questões que, por sua grandiosidade, nos deixam perplexos; no entanto, é necessário que a elas nos dediquemos, se quisermos evitar o caos que atingirá as inteligências como noite escura, se não tratarmos de iluminar-nos a nós mesmos para podermos dar luz aos demais."

— Está escrito — disse outro dos presentes — que Elias virá antes para preparar-lhe os caminhos, mas ele ainda não se fez visível em parte alguma. Com um pouco de bom-senso, podemos conjeturar que, se vem um Elias como precursor, o Messias deverá ser alguém muito superior a ele! Quem é, pois?

— Se me permitirdes — disse um dos discípulos do sábio Antígono de Soco — eu vos direis que julgo ser ele Moisés, o qual já foi uma vez transmissor da Lei Eterna, dada por Deus para a Humanidade. E, se Elias há de voltar à Terra, por que não poderia voltar também Moisés, para trazer uma lei muito superior àquela do Sinai?

— Tendes razão, é uma idéia esplêndida e feliz! — apartearam vários.

— Quem mais do que Moisés para libertar este mesmo povo da tirania de Roma, como já o libertou da opressão dos Faraós?

"Só Moisés faria retroceder os Césares que vão estendendo suas águias sobre todos os povos civilizados da Terra."

— Creio que deveríamos começar — acrescentou outro dos presentes — por estudar de que natureza é a Divindade, ou Força Suprema, que nos há de enviar um Messias, provavelmente mais poderoso do que Moisés.

— Isto equivaleria a pretender penetrar na própria Divindade, e, como conseqüência, a grandeza do assunto afastar-nos-ia daquilo que podemos tratar — insinuou José de Arimathéia, emitindo sua opinião pela primeira vez.

— Participo da opinião de meu amigo, pois, se subirmos demasiadamente alto, poderá enlouquecer-nos a vertigem — objetou Nicodemos, que era o mais jovem da assembléia.

Neste momento, Jhasua tomou as mãos dos dois, como se necessitasse do apoio para colocar-se de pé, e, com um harmonioso timbre de voz, falou assim:

— Eu estou aqui por desejardes que a Sabedoria Divina desça sobre vós pela boca de um inocente que mal sabe quando nasce o sol.

"Jehová diz assim:

"Se tiverdes coração puro e singelo, Eu descerei até vós com toda minha claridade.

"Aqueles que Me buscarem em Espírito e em Verdade encontrar-Me-ão em todas as coisas que vivem e que morrem; desde os sóis que brilham no espaço azul até na larva que se arrasta pela terra.

"Eu arranquei um pedaço de Mim mesmo — diz Jehová — e este é o Messias que vos mando. Ele é o Meu Verbo, Minha Palavra Eterna, gravada nas ondas dos mares que vos dão a carne de seus peixes e o esplendor de suas pérolas; gravada, outrossim, nas montanhas que vos dão pedra para as vossas vivendas e ouro para os vossos presentes e bem-estar; gravada nas árvores que vos dão suas madeiras e seus frutos; gravada em todos os animais que amenizam vossa vida.

"Eu sou a Luz Eterna — diz Jehová — e o Meu Messias é um raio dessa luz.

"Eu sou o Poder, a Energia, a Força que vedes em tudo quanto vive; e Meu Messias é uma vibração desse Poder, dessa Energia e dessa Força que está acima de todos.

"Ele surgiu de Mim e vive em Mim; pensa e sente em Mim, agora, amanhã e por toda a eternidade.

"Ele vos traz a Minha mensagem de Amor e de Luz, mas vós fareis com ele como fizestes com todos aqueles que, em Meu Nome, vos trouxeram a Verdade.

"Que vos diria Moisés, se ele fosse até vós?

"Minha Lei, que foi Minha Mensagem trazida por ele, está sepultada sob u'a montanha de prescrições e de mandatos que fostes acumulando aos poucos. Com isto nada mais fizestes do que encadear as consciências e carregar de temor e de espanto as almas, que não sabem como harmonizar a debilidade e a miséria — próprias de sua escassa evolução — com os furores de Jehová, o terrível deus-tirano e déspota, que criastes em vossas monstruosas alucinações, em vez do Deus Verdadeiro, Criador por Seu Amor Onipotente, pois Se entrega, continuada e eternamente, a tudo quanto vive e respira no Universo.

"Sou Uno, mas tão grande que dentro de Mim se movem todos os mundos e todas as humanidades que neles vivem.

"A luz que vos alumia e o ar que respirais são emanações Minhas; e vós mesmos, que vos credes, às vezes, tão grandes, não sois mais do que uma vibração de Minha Energia Eterna.

"Dentro de Mim viveis e vos moveis; não obstante, ainda estais submergidos na balbúrdia pesada de vosso atraso e de vossa grosseira materialidade.

"Se, um dia, por intermédio de Moisés, vos dei, como primeira lei, o Amor a Mim, não vos darei outra através do Messias, que agora esperais e chamais, a não ser aquela mesma, elevada à altura suprema do Amor sobre todas as coisas criadas.

"Porque Sou imutável e eterno, e por ser Eu o alento de toda vida, vejo, sei e percebo tudo quanto pensais, agis e sentis. Nenhuma de vossas más obras Me afeta, nem sequer como o ondular de um simples cabelo.

"*Imutável!... Eterno!...* são palavras cujo significado está muito além do alcance de vossa mentalidade.

"Que horrível blasfêmia pronunciais, quando falais da ira de Deus, da cólera de Deus, do furor de Deus!...

"Minha Justiça, que é inexorável – diz Jehová – não é exercida nem pela cólera nem pelo furor, mas pela Lei Suprema de causas e efeitos, que rege invariavelmente todos os mundos do vasto Universo.

"Se vós, que sois imperfeitos, amais vossos filhos, vossos trabalhos, vossas idéias e vossos pensamentos – subindo na escala do Infinito, encontrareis claramente demonstrado Meu Amor Eterno, em grau infinito, sem limites, para tudo aquilo que surgiu de Mim Mesmo. Ele é como uma prolongação Minha, como um hálito Meu, como um resplendor de Minha Luz Eterna.

"As inteligências chegadas à máxima perfeição em todas suas faculdades são Minha Idéia, Meu Pensamento, Minha Vontade, Meu Verbo, Minha Palavra Eterna, Meu Amor Incomensurável. Eles estão em Mim, e Eu nelas, formando, assim, a maravilhosa Unidade Divina, que é Luz, Energia e Amor."

Apoiando-se novamente em seus amigos que estavam em ambos seus lados, Jhasua sentou-se, demonstrando ligeira lassidão, como se nele tivesse diminuído a força vital.

Um silêncio quase pavoroso se fizera na vasta sala, e o mais profundo assombro deixou todos como hipnotizados por uma estranha força, que, afinal, puderam definir com esta frase saída de todos os lábios: "O Espírito Divino soprou neste recinto."

– Adoremo-LO com a prosternação de nossas almas – disse aquele que presidia a reunião.

Quando todos estavam com os rostos inclinados para a terra, o pequeno dirigiu-se ao quintal da casa, do qual chegavam gorjeios de pássaros e o perfume de uma laranjeira em flor.

Ali, aos pés de uma anciã de cabelos muito brancos, brincavam duas crianças, entre seis e oito anos de idade. Jhasua sentiu-se atraído para aquele grupo encantador e foi se aproximando lentamente. A anciã era mãe de Nicolás de Damasco, dono da casa, sendo as crianças seus sobrinhos. Haviam perdido a mãe, motivo por que a avó-anciã era quem cuidava delas. A menina era a maiorzinha e chamava-se Martha, que encontraremos mais adiante desempenhando um papel importante na vida do Cristo. O nome do menino era Gabes.

– Olha, vovó, o menino que chega – disseram os dois irmãos ao mesmo tempo.

A anciã levantou a vista de seu tecido, no qual movia as mãos com rapidez, e viu Jhasua tão belo, tão delicado e gracioso como uma açucena que o vento balançava.

– Quem és tu, menino formoso? – perguntou a anciã.

– Sou Jhasua, filho de Joseph e de Myriam. Viemos de Nazareth para as festas, e trouxeram-me a essa reunião que está sendo realizada em vosso cenáculo.

"Eu estava muito fatigado e saí para o quintal a fim de tomar um pouco de ar."
— Pobrezinho!... Mas que idéia de levar um menino a essa reunião de adultos! Vem aqui, meu filho, para descansar.

A avó desocupou o banquinho em que pousava os pés, e Jhasua sentou-se nele.

— Marthinha — acrescentou a anciã — vai e pede à criada vinho com mel para este menino que parece estar esgotado. — A jovem saiu.

— Quando tratam de seus problemas, esses homens esquecem que as crianças necessitam comer e brincar.

Enquanto Jhasua iniciava amizade com aquela anciã e as crianças, no cenáculo debatia-se uma obscura questão.

— Quem era aquele menino-prodígio, que falava dos profundos mistérios da Divindade como se falasse de seus brinquedos ou de suas guloseimas?

"Era, sem dúvida, um grande Profeta, mas qual deles? E que significava sua vinda nessa época?" Pensaram em Jeremias, em Ezequiel, em Elias e em Samuel.

— Não; deve ser Moisés — mencionou um dos Doutores —, pois houve um instante em que vislumbrei sobre sua fronte aqueles dois raios de luz com que Ele apareceu ao descer do Monte Sinai.

— Eu penso que é Elias — disse outro — porque, em determinado momento quando falava, eu o vi com uma aura cor de fogo.

— Jehová no-lo revelará a seu tempo — assegurou um dos sacerdotes essênios.

— Esta é toda a verdade — afirmaram José de Arimathéia e Nicodemos. — O mais acertado é esperar.

Continuaram ainda por muito tempo os comentários que fizeram sobre as magníficas palavras de Jhasua, as quais abrangiam todo um tratado de teologia, comparável aos escritos mais profundos de Moisés, conhecidos, somente, dos mais ilustres Doutores de Israel.

Passados os primeiros momentos de assombro, começaram as perguntas sobre quem era aquele Menino-Luz, às quais tiveram que responder José de Arimathéia e Nicodemos, que haviam levado a Jhasua.

— É filho de um artesão grandemente estimado em toda a província da Galiléia, por sua acrisolada honradez, como podem atestar o Hazzan da Sinagoga de Nazareth e estes dois Terapeutas, que, na qualidade de médicos, percorrem toda aquela região — explicou José de Arimathéia.

— Verdadeiramente — acrescentou o Hazzan —, seus pais são grandes servos de Deus, cumpridores da Lei e, aos sábados, assíduos freqüentadores da leitura dos Livros Sagrados.

— Nenhum aflito lhes chega à porta sem que saia consolado — acrescentou um dos Terapeutas. — A mãe desse menino — que é um anjo de beleza e de bondade — está animada da doce piedade de Raquel. Eu a vi sair, numa fria madrugada de inverno, com a neve pelos caminhos, para levar um pequeno cântaro de leite a uma jovem mãe, que, por enferma, não podia amamentar seu pequenino.

— Ela se educou entre as Virgens do Templo — acrescentou o outro Terapeuta — motivo pelo qual está a par das Escrituras Sagradas.

— E que pensam eles mesmos desse filho extraordinário? — perguntou um dos Doutores.

— É o que todos nós pensamos — respondeu Nicodemos —, ou seja, que ele é um Profeta de Deus.

— Mas há a acrescentar que seus pais vivem receosos pelo que possa acontecer-lhe na época atual, em que os idólatras se apossaram deste país — acrescentou o Hazzan da Sinagoga de Nazareth.

Nicolás de Damasco e Judas de Gamala, promotores daquela reunião, puseram-se de pé ao mesmo tempo, para dizer algo que parecia palpitar naquele ambiente cálido de entusiasmo pelas grandes causas.

— Proponho a esta honorável reunião — disse Nicolás — que se faça um pacto de proteção e ajuda a esse extraordinário menino que, sem dúvida, é um vaso escolhido por Deus Misericordioso para derramar a Verdade entre Seu povo.

— Isso mesmo eu ia propor também — observou Judas de Gamala. — Deus está no nosso meio, pois estamos coincidentes em tudo.

— Nós estamos de acordo convosco — responderam todos a uma só voz.

— Que Deus abençoe esta aliança pela Justiça e pela Verdade — exclamou o Ancião Sacerdote Esdras.

— Assim seja! — responderam todos, dando as mãos uns aos outros.

— Nossa ordem será "Esperar e silenciar" — disse Nicolás.

— Justo! — anuíram quase todos. — Que o entusiasmo excessivo não nos leve a prejudicar o desígnio divino — acrescentaram os Terapeutas.

Terminou dessa forma aquela reunião em que havia flutuado invisivelmente o pensamento de Deus, feito realidade em Seu Cristo já encarnado sobre a Terra.

No dia seguinte, que era o último das solenes festas da Páscoa, Jhasua foi novamente levado ao Templo por seus pais e familiares.

O menino encontrava-se como dominado por uma exaltação religiosa, tão forte que sua mãe o advertiu dizendo:

— Jhasua, meu filho, desde que falaste com esses grandes letrados de Israel, já não pareces caminhar sobre a terra. Tenho a impressão de que andas voando por mundos imaginários. Isto não está bem para um menino como tu, a quem Jehová não pede outra coisa a não ser que seja obediente e dócil para com teus pais. Por que estás tão abatido e absorto?

— Deixa-me só com os meus pensamentos, mãe. Não vês que estou compreendendo a Deus?

— Mas, filhinho!... Deus não pode ser compreendido por criaturas tão pequenas como nós!

— Assim dizes tu, mãe, assim dizes tu; entretanto Ele está mesmo aqui dentro de mim, a dizer-me: "Tu estás em Mim, e Eu estou em ti, porque somos u'a mesma Essência!"

— Silêncio, por Deus, Jhasua; que estás dizendo disparates!

A mãe, assustada com as palavras do filho, havia-lhe posto a mão sobre os lábios. O menino beijou-lhe muitas vezes a mão branca e suave, enquanto seus olhos garços fixavam os da mãe num olhar tão profundo e terno que parecia querer dizer-lhe: "Mãe, eu te amo muito, mas amo a Deus acima de todas as coisas!"

Poucos momentos depois, entravam no Templo, que brilhava todo como chama viva. Seus átrios e pórticos achavam-se abarrotados de gente, que, luzindo em suas melhores túnicas, ricos mantos e turbantes, apresentava aspecto fantástico e solene.

A exaltação religiosa de Jhasua continuava subindo de intensidade. Estava certo de ver ali, entre aquela radiante iluminação, a face divina de Jehová. O menino estremecia todo de entusiasmo. Grande foi, porém, seu espanto quando, em vez da visão de Deus, a quem aguardava, encontrou-se diante de uma horrível carnificina;

uma feroz degolação de touros, terneiros, carneiros, indefesos cordeirinhos e brancas pombas que se debatiam assustadas, enquanto, aos montões, eram levadas aos altares dos sacrifícios.

Os sacerdotes, armados de grandes cutelos, apareciam com suas roupas e sandálias molhadas de sangue. Este corria dos altares através de tubos de bronze incrustados na parede, os quais desembocavam em um tanque de mármore, construído no pátio interior, rodeado de galpões ou alpendres.

Era ali que, sobre grandes mesas de pedra, iam sendo depositadas as reses, já esquartejadas e prontas para serem repartidas entre a numerosa família sacerdotal, pois apenas esta podia, segundo a lei, aproveitar aquelas carnes ainda fumegantes.

Aquele recinto era chamado *"Pátio dos Medidores"*, porque ali eram pesadas e medidas as quantidades que correspondiam a cada família sacerdotal.

Joseph e Myriam, na qualidade de essênios, não podiam oferecer holocaustos de animais, mas, tão-somente, frutos da terra; pelo que entregaram sua oferenda de farinha, azeite, vinho e mel, conforme era costume entre os membros da Fraternidade Essênia.

— Mãe! — murmurou Jhasua ao ouvido de Myriam, quando pôde dominar o espanto e o horror que lhe causaram a degolação dos animais e os altares por onde corria o sangue. — Mãe!... eu te digo que o Pai Celestial não está aqui.

— Por que, meu filho?...

— Porque Ele não gosta de oferendas de sangue e de morte, mas de Amor e de Vida...

— Cala-te... não sabes o que dizes!

— Saiamos daqui, que eu estou asfixiando-me!... — E, soltando-se das mãos da mãe, deitou a correr, ligeiro como um gamo assustado, para onde ressoavam os alaúdes e as vozes das donzelas que cantavam salmos, numa das naves do Templo, em direção oposta à do Altar dos Sacrifícios. Para isto, precisou atravessar o recinto em diagonal e, como estava cheio de gente, Myriam perdeu-o de vista, por mais esforços que fizesse para segui-lo.

Jhasua esbarrou com um jovem levita que ia ao átrio dos incensários para reavivar o fogo do seu, prestes a apagar-se por falta de ar. Era ele um dos levitas essênios, que o conhecia de vista.

— Aonde vais com tanta pressa, parecendo um fugitivo? — perguntou.

— Essa exalação de sangue e de carnes queimadas tolhe-me a respiração, e vou morrer aqui sufocado. Tira-me, por favor, deste antro, onde esses homens armados de cutelos e com as roupas manchadas de sangue parecem uns demônios saídos do Inferno...

— Menino... cala-te, por favor, pois podem ouvir-te! Vem comigo à sala dos incensários, onde mostrar-te-ei muitas coisas formosas que te agradarão.

O levita levou o menino ao lugar indicado. Jhasua estava pálido, e ligeiro tremor estremecia-lhe o corpo. Sentou-o num estrado e deu-lhe de beber vinho com mel, que o reanimou de imediato.

Recordará o leitor que aquela sala tinha um compartimento secreto, no qual se abria a descida para o caminho subterrâneo, conhecido pelo nome de *"O Caminho de Esdras"*, cuja existência era um dos segredos essênios transmitidos de pais para filhos, desde a reconstrução do Templo.

Tão-somente os sacerdotes essênios conheciam aquele caminho, que tinha saída através do abandonado sepulcro de Absalão, existente no Monte das Oliveiras, mui próximo do Horto de Getsêmani.

Achavam-se ocultos no compartimento secreto dois sacerdotes essênios voltados daquela tumba, aonde transportavam, para os pobres, velhos e enfermos, parte do esbanjamento que se fazia das abundantes oferendas levadas ao Templo.

– Não é justo – diziam eles – que se façam negócios fabulosos com a venda das oferendas em carnes e frutos da terra, enquanto nossos enfermos e anciãos necessitados padeçam carestia e fome.

Supondo que a sala dos turíbulos estivesse vazia, saíram do esconderijo e se defrontaram com Jhasua que esperava quietinho o regresso do levita que o havia conduzido até ali.

Entabulou-se naturalmente um diálogo de perguntas e explicações. Os dois essênios conheciam a Jhasua, pois haviam estado presentes na reunião do dia anterior, no cenáculo de Nicolás de Damasco. Mas ele não os reconheceu e tinha medo de falar. Disse unicamente que fugira dos pais para não mais ver a degolação dos animais, espetáculo que lhe causava espanto e horror.

Então os dois sacerdotes se deram a conhecer, falaram dos Anciãos do Tabor e do Carmelo, e, por fim, propuseram conduzi-lo à procura de seus pais.

Como o tumulto era grande e Joseph e Myriam, que, por sua parte, também andavam em busca do filho, já se haviam retirado do lugar em que ele os deixara, foi necessário a uns e outros aguardar que, terminado o cerimonial, o público se afastasse, a fim de poderem encontrar-se.

Joseph, entretido, num dos pórticos, com seus parentes de Betlehem, Elcana e Sara, com quem não se encontrava fazia já um ano, não prestou maior atenção ao extravio do filho. No entanto, Myriam, Jhosuelin e Lia buscavam-no com grande ansiedade, até que, chegando ao Átrio dos Estrangeiros, o viram passar entre os dois essênios, por eles conhecidos.

– Mãe!... ficarei aqui com estes irmãos dos Anciãos – foi a primeira palavra de Jhasua ao encontrar-se com Myriam.

– Mas, meu filho, que fizeste? Então é isto que eu mereço de ti? – E os meigos olhos da mãe encheram-se de lágrimas.

– Não, minha mãe! – murmurou o menino abraçando-a. – Tu mereces todo meu amor, mas é que o Pai Celestial me chama para Seu serviço, e eu quero obedecer a Seu chamado como obedeceu Samuel.

– Filhinho – disse-lhe o sacerdote Eleázar –, por enquanto, o Pai Celestial quer que vás com tua mãe, pois o Deus dos Profetas também está no lar da gente.

– Então me rechaçais? – perguntou Jhasua com voz trêmula e próximo do pranto.

– Não, meu filho, mas és ainda demasiado pequeno. Assim também te disseram os Anciãos do Tabor.

Jhosuelin havia corrido para buscar o pai, tendo em vista a angústia de Myriam, em face da insistência de Jhasua em permanecer no Templo.

– Por que te empenhas tanto em ficar? – interrogou o outro sacerdote.

– O Templo é a casa de oração a Jehová, e eu o vejo como um matadouro de animais. O Pai Celestial é Piedade e Amor; por isso, repudia o horror dessas matanças. Ele quer principalmente a pureza do coração e o cumprimento de Sua Lei, e não a abundância das oferendas vivas com derramamento de sangue.

– Que é que se passa aqui? – perguntou Joseph, chegando ao lado de Myriam.

– É que nosso filho quer permanecer no Templo como o Profeta Samuel.

– E tua mãe, Jhasua?... ela não te representa nada? – interrogou o pai com severidade.

— A Lei diz: "Amarás ao Senhor teu Deus sobre todas as coisas" — disse docemente o menino, aproximando-se do pai.

— Também diz a Lei: "Honrarás a teus pais todos os dias de tua vida" — respondeu Joseph. — Vamos embora!

E, tomando a Jhasua pela mão, começou a andar.

— Agora és verdadeiro filho do Pai Celestial, a quem não se adora apenas no Templo, mas em Espírito e Verdade e em qualquer lugar da Terra, porque toda ela é Seu Templo — disse, ao despedir-se, Eleázar, o velho sacerdote que o havia conhecido no berço.

Jhasua seguiu a seus pais em silêncio, não sem voltar várias vezes a cabeça, enquanto agitava as mãos para dirigir adeuses terníssimos aos dois velhos sacerdotes, que, no Átrio do Templo, olhavam enquanto se afastava.

À medida que se distanciavam, o menino parecia recobrar sua alegria e serenidade.

Embora aparentasse Joseph um exterior severo, amava entranhadamente aquele seu filho, em quem reconhecia um Ser Superior, razão pela qual procurou suavizar a aspereza daqueles momentos dizendo:

— Meu filho, poderemos trazer-te todos os anos, se te agrada tanto visitar o Templo. Entretanto, com tua pouca idade, que farias ali?

— Falar-lhes-ia em nome de Jehová, que já não quer a matança de animais — respondeu Jhasua —, mas a adoração feita por corações puros e limpos, como os dos Anciãos dos Santuários Essênios.

— E quem és tu, meu pobre pequeno, para pretender ditar leis no Templo de Jerusalém? Fica sabendo que serias tomado por um menino louco ou possuído por demônios!

"Não vês como os Anciãos, com toda a sua sabedoria e altos poderes espirituais, se ocultam no fundo das rochas para não expor inutilmente suas vidas?"

— Tens razão, pai, tens razão. Havia dentro de mim como que uma forte onda de horror e de nojo, apesar do pouco que observei sob as abóbadas da Casa de Oração a Jehová, que me deu vontade de gritar bem alto as infâmias que ali são praticadas.

"Em verdade, eles correm a chicote os mendigos, cegos e velhos que vêm pedir as sobras das oferendas, as quais eles mesmos, pouco depois, vendem aos mercadores por trás do Templo, crendo que ninguém esteja vendo!"

— Menino!... — disse Myriam espantada.

— É verdade, mãe — afirmou Jhosuelin. — Eu também vi um mercador entregar uma sacolinha repleta de moedas a um dos que faziam a matança, após haver este tirado as roupas manchadas de sangue.

— Aí vem Lia com Elcana e Sara. É necessário não tocar mais neste assunto — disse Joseph, detendo seus passos para esperar os três, que vinham em sua direção.

No Monte Quarantana

As solenidades da Páscoa haviam terminado, e o imenso aglomerado de gente na Cidade Santa começou a desagregar-se, indo cada qual em direção ao lugar de sua morada.

Também Joseph teve que pensar no regresso, mas interpôs-se o piedoso desejo de Myriam de não deixar Salomé sozinha, que devia aguardar os 40 dias para apresentar seu recém-nascido no Templo.

— Leva teus filhos maiores e deixa-me Jhasua, que regressaremos ambos com Salomé — disse ela.

— Serás capaz de tirar o menino de seu delírio pelo Templo? — perguntou-lhe o esposo.

— Sim — respondeu ela —, ajudar-me-ão os dois Terapeutas que ficam aqui para acertar assuntos particulares, e, além disso, temos teu amigo José de Arimathéia, que se ofereceu tanto para qualquer coisa que nosso filho viesse a necessitar.

— Está bem, Myriam, já que assim o queres.

Unindo-se à caravana de seus familiares e amigos, com quem haviam feito a peregrinação a Jerusalém, Joseph e seus filhos mais velhos regressaram a sua casinha de Nazareth, deixando Myriam com Salomé e seu pequenino na velha casa de sua parenta Lia.

Os Terapeutas tinham um piedoso programa a cumprir e, tendo isto em vista, haviam combinado um plano.

A província próxima, cuja sede era Betlehem, estava muito povoada de famílias essênias, que, depois daqueles anos aziagos da perseguição de Herodes aos meninos betlehemitas, haviam regressado a seu torrão natal.

Além disso, de Betlehem ao Monte Quarantana, eram apenas algumas poucas horas de viagem e, nesse Santuário, alguns Anciãos não tinham podido ver o Bem-Aventurado desde seu nascimento, por causa do peso de seus anos e dos achaques próprios da avançada idade.

Alguns de seus Terapeutas haviam chegado a Jerusalém para as festividades, e eram, assim, como um eco daquele Santuário, que, em suas grutas, não havia visto a Luz Divina do Verbo Encarnado. Deveriam esperar pelo menos trinta dias para a cerimônia da Purificação e da Apresentação, no Templo, do pequeno João; pelo que havia tempo de sobra para uma excursão ao Monte Quarantana. Além disto, sendo primavera, o caminho era aprazível, e os dias temperados favoreciam a viagem.

Os Terapeutas dispuseram-se a enfrentar a dificuldade bem áspera, por certo, de induzir Myriam, na ausência do esposo, a consentir naquela viagem. Propuseram primeiramente este assunto a Lia, cuja discrição e prudência, bem conhecida de todos, lhe dava grande autoridade. Depois, consultaram também a José de Arimathéia, cuja ascendência sobre Joseph fazia com que suas resoluções fossem amplamente aceitas por ele. A juízo deles, esta última circunstância facilitaria o consentimento de Myriam.

Com efeito, esse jovem Doutor, essênio de coração e grande clarividente no tocante à excelsa missão que Jhasua trazia, entregou-se com entusiasmo à tarefa de conseguir para o menino a permissão materna. Assim, apresentou-se em casa de sua sogra Lia para tratar do intento.

— Mãe feliz! — disse ele a Myriam, usando o qualificativo que lhe dava sempre — emprestar-me-íeis Jhasua por oito dias?

— Oito dias?! Para onde ides levá-lo durante esse tempo? — inquiriu a mãe com certo alarma.

— Se pensardes o que ele representa para este País e para toda a Humanidade, deveis compreender a dor de alguns Anciãos que desejam vê-lo antes de morrer.

"Conheceis, outrossim, a confiança que vosso esposo deposita em mim. Se tiverdes confiança igual, não negareis vossa permissão para que os Terapeutas, juntamente comigo, levemos o menino a visitar aqueles que só esperam vê-lo para, então, morrerem tranqüilos. Que dizeis a isto, Myriam?"

— Se me permitis — retrucou ela depois de alguns momentos de silêncio —, consultarei nossa parenta Lia. — Esta foi chamada imediatamente e, como já estava prevenida e não via perigo algum para o menino, foi de opinião que Myriam o deixasse ir.

— Sob vossa responsabilidade e mais a de Lia e dos Terapeutas — advertiu a zelosa mãe a José de Arimathéia —, concedo minha permissão, com a condição expressa de que me deis uma carta para meu marido, explicando mui minuciosa e claramente todo este assunto.

— Está bem! Nada temais, que tudo será feito conforme pedis. Estamos na metade da tarde. Amanhã, ao amanhecer, virão quatro Terapeutas, Nicodemos e eu: ao todo seis cavaleiros, montando fortes mulas amestradas e trazendo um manso asninho para Jhasua, que sentir-se-á como no paraíso ao saber desta excursão. Estais de acordo?

— Sim, sim, Myriam; dize que sim — insistiu Lia. — O pobrezinho ficará tão feliz!

— Está bem; sim — consentiu ela por fim —, estou de acordo. Lia tem boca de santa e confio nela como se fosse minha mãe.

E as duas mulheres se abraçaram.

— Triunfamos — pensou José de Arimathéia, olhando carinhosamente para sua mãe política, que acabara de prestar-lhe tão eficaz ajuda.

No dia seguinte, quando as últimas sombras da noite cediam lugar aos primeiros resplendores do amanhecer, a lareira da casa de Lia chameava alegremente, rodeada de todos os viajantes já prontos para empreenderem a jornada.

Aquela aurora primaveril parecia desenhar nos céus uma apoteose de glória e de felicidade, estendendo dosséis de púrpura e ouro, ao passo que, nas grandes árvores do horto de Lia, milhares de pássaros davam as boas-vindas ao novo dia, com um concerto de admiráveis gorjeios.

E Jhasua? — perguntará o leitor.

O menino de Myriam, inteirado na noite anterior à hora da ceia, da projetada viagem, já não era mais o passarinho taciturno em face das tremendas realidades que vira no Templo e que tão cruel desengano lhe haviam causado. Era um periquito falador, ao qual era inútil pedir um momento de silêncio.

Seus risos cristalinos enchiam a casa, e, nem sequer se deteve para refletir que o filhinho de Salomé dormia num quarto contíguo. Pelo contrário, não restando já ninguém a quem pudesse mencionar sua viagem, correu ao cestinho do menino e, sacudindo-o delicadamente pelas mãozinhas, disse:

— Joãozinho querido, eu vou viajar ao Monte Quarantana, montado num asninho cinza que corre como o vento. Ouves? Infelizmente, não posso levar-te, porque és ainda muito pequeno e não podes montar. Mas não te zangues, hein! Joãozinho?, porque, quando fores maiorzinho, levar-te-ei sempre comigo.

O pequenino despertou choramingando, e Jhasua, crendo que era por causa de sua anunciada ausência, continuou com seus mimos de comovedora ternura.

— Não chores, meu Joãozinho, que voltarei logo para embalar tua cesta e cantar lindas canções.

Com suavíssimo arrulo que chegava até a lareira, ouviram a voz de cristal de Jhasua adormentando o pequenino:

> "Dorme, anjinho ruivo,
> Linda prenda de amor,
> Que deixaram em meu horto
> Os Anjos do Senhor.
> Dorme!... Eu não quero
> Que ainda chores mais,
> Porque dos braços meus
> Ninguém te arrancarás jamais."

O pequenino tornou a adormecer. Jhasua voltou para junto da lareira, caminhando nas pontas dos pés e colocando o indicador sobre os lábios. Algo assim como um silêncio religioso flutuava naquele ambiente.

– Joãozinho chorava porque eu vou embora – disse ele com ingenuidade encantadora –, mas eu o consolei e agora dorme.

– Bem – disse Lia –, agora vem sentar no teu lugar, ao lado da mãe, pois já está na hora da ceia. Depois prepararemos tudo para a viagem de amanhã. Agora silêncio.

O menino obedeceu.

Colocada de pé à cabeceira da mesa, Lia recitou a bênção dos alimentos segundo o velho costume das famílias essênias.

O leitor adivinhará, sem dúvida, que aquela ceia foi toda salpicada de agudezas e graças de Jhasua que, a todo custo, queria que lhe descrevessem aquela almejada viagem até em seus mínimos pormenores.

Às suas intermináveis perguntas respondiam sempre: – Já o verás amanhã e nos contará tudo depois de tua volta.

Quando chegou a madrugada, e viu, sob as árvores do horto, as mulas ajaezadas, e o asninho quieto junto à porta do lar, sua alegria transformou-se em delírio e ele expandiu-se em fortes abraços e beijos a sua mãe, a Lia, a Salomé e a seus companheiros de viagem.

– Agora é ele apenas um menino... exclusivamente menino, a extravasar de contentamento e felicidade! – disse um dos Terapeutas a Myriam, que presenciava a cena com certa tristeza.

– Para não tirar-lhe esta felicidade, foi que eu consenti nesta excursão. Cuidai bem dele, por Deus, para que jamais tenha que arrepender-me – observou ela.

– Ficai muito tranqüila, que esta viagem nos é por demais conhecida, visto como a fazemos quase todos os meses. Quão felizes hão de ficar os Anciãos do Quarantana, quando virem vosso filho! Bastará isto para enchê-los de satisfação!

Alguns momentos depois, José de Arimathéia levantou o menino em seus braços e o aproximou para que, com um beijinho, se despedisse de sua mãe. Em seguida, montando-o sobre o asninho cinza – "que corria mais do que o vento", segundo julgava Jhasua – segurou-o perfeitamente, passando-lhe uma larga faixa de pano por cima dos joelhos, e prendeu as extremidades dela aos grossos anéis da montaria.

– Agora todos arriba! – gritou José de Arimathéia, enquanto ele mesmo montava, indo colocar-se bem ao lado do asninho de Jhasua.

Do outro lado se colocou Nicodemos. Os Terapeutas, que eram os guias, iniciaram a caminhada pela avenida de ameixeiras em flor, a qual dividia em dois o amplo e espaçoso horto da casa de Lia.

– Não voltes a cabeça para trás, Jhasua – gritou Myriam vendo a intenção do menino. – Não voltes a cabeça, que podes cair.

As três mulheres, que, um dia, chorariam juntas sobre o cadáver ensangüentado do Mártir, ficaram na porta do lar, vendo distanciar-se a pequena caravana até que esta se perdeu de vista ao atravessar o grande portão, o qual dava para a estrada a ser seguida. Era, como se sabe, a mesma que conduzia a Betlehem.

Ali possuía Jhasua grandes amigos que o haviam visto primeiro quando de seu nascimento, naquela honrada casa de Elcana e de Sara, sobre a qual se derramaram as manifestações suprafísicas naquela noite memorável. Muito próximo dela viviam os três essênios Elcana, Josias e Alfeu, que haviam sacrificado sua tranqüilidade correndo sobre a neve até o Santuário do Quarantana para levar a notícia do nascimento do Messias.

Doze anos haviam passado, e eles não tinham tornado a vê-lo, em virtude das freqüentes permanências do menino nos Santuários essênios e em face também das grandes dificuldades inerentes a viagens, mormente para aqueles que já tinham atingido a velhice. No entanto, sempre recebiam notícias a respeito dele através dos Terapeutas-Peregrinos, que eram uma espécie de correio oficial da Fraternidade Essênia. Também haviam sido eles como que o eco fiel dos grandes anelos de toda aquela província betlehemita no sentido de tornar a vê-lo.

Jhasua estava encantado com aquela viagem e enamorado de seu asninho cor de cinza, a tal ponto que queria deter-se a cada instante para dar de comer ao jumentinho.

– Vens comendo desde que saímos? – perguntou Nicodemos para entretê-lo.

– Não; o caso é muito diferente. Eu vou mui comodamente sentado, mas o pobre asninho só vive a andar, suportando todo o meu peso – respondeu o menino.

– Oh, é verdade, Jhasua! – acrescentou José de Arimathéia. – Esse infeliz jumento deve estar arrebentado com todo o teu peso. Comeste tanto pão e queijo lá!...

– Também mel, castanhas e uns pedaços de manteiga, que só eu sei!...

– Está bem, Jhasua. Está bem. Agora que o sol está mais forte e está chegando o meio-dia, vamos parar para alimentar-nos e também para dar de comer aos animais. Observa a paisagem entre estas colinas da Torrente de Cedron, que ficam à esquerda, e escolhe tu mesmo o lugar para descansarmos.

– Aqui, aqui! – gritou jubiloso o menino – junto a este bosquezinho, onde se vê esse pequeno arroio.

– Muito bem, Jhasua, escolheste como um antigo viajante.

José de Arimathéia desmontou e fez descer também ao menino.

Dois dos Terapeutas fizeram ver a conveniência de se adiantarem para avisar os irmãos de Betlehem, e assim o fizeram. Já se sabe que, nas cidades pequenas, tudo chama a atenção. A chegada de viajantes, e em seguida o vaivém de pessoas a uma determinada casa, daria excessivo motivo para que os curiosos fizessem averiguações e logo tecessem lendas. Uma palavra discreta dos Terapeutas colocaria, neste sentido, tudo em ordem.

Entretanto, Jhasua, com terníssima solicitude, dava de comer e beber a seu asninho, de tal forma que seus companheiros de viagem disseram alegremente:

– Jamais animal algum se viu tão favorecido e honrado como o asninho cinzento que Jhasua monta.

A notícia levada pelos Terapeutas produziu nas famílias essênias um júbilo indescritível. O leitor compreenderá facilmente que nem todos os indivíduos de uma família deveriam conhecer o grande segredo, mas tão-somente as pessoas maiores e cuja prudência e discrição inspirasse aos Terapeutas a mais absoluta confiança.

Betlehem ficava demasiado próxima de Jerusalém, cujo alto clero, como se sabe, estava sempre pronto a recear todo personagem extraordinário, que pudesse vir a ser uma ameaça para a estabilidade dos esplêndidos benefícios desfrutados por esse grupo de famílias que se denominavam *A Nobreza Sacerdotal*. Eles haviam-se apropriado dos mais altos e produtivos postos nas diversas funções do Templo, os quais vinham sendo transferidos de pais para filhos desde muitos anos.

Herodes o Grande, valendo-se de seu poder de rei intruso, havia feito subir até ao supremo pontificado uma obscura família, para justificar sua paixão tardia por uma das filhas, além de procurar exercer sobre os hebreus a ascendência que lhe favorecesse a aliança com o alto corpo sacerdotal.

Aliás, para um reizinho de um pequeno país, dominado pelos romanos, não estava de todo fora de lugar seu casamento com a filha do Sumo Sacerdote.

Conquanto já não existisse Herodes o Grande, no ano que vamos historiando, aqueles grupos sacerdotais, elevados por seu capricho e fora de toda lei, viviam receosos de que chegasse alguém que, pela Justiça e pelo Direito, os lançasse novamente na obscuridade, da qual os havia tirado a arbitrariedade de um rei sem outro deus nem outra lei senão sua desmedida ambição.

Esta explicação esclarecedora julgo necessária para que o leitor compreenda a extrema cautela dos Essênios, velhos conhecedores de todos os embusteiros do Templo e daqueles que viviam à sua sombra, explorando a fé de uns e o medo de outros.

Se também os membros do alto clero desejavam a chegada do Messias, Rei e Libertador de Israel, eles o queriam saído do seu próprio seio, com o fito de se engrandecerem ainda mais e fortificar o castelo de ouro em que se achavam exalçados.

Feitos estes esclarecimentos, continuemos a história.

Os Essênios mais antigos deviam ser avisados em primeiro lugar, para que, por sua vez, levassem o aviso aos demais, valendo-se de um estratagema aceitável, o qual, neste caso, seria o de que os viajantes procurassem tecidos especiais na velha e conhecida oficina de Elcana, sendo que aqueles que fossem à casa dele, o fariam para travar relações com esses comerciantes vindos de Jerusalém.

Josias e seus dois amigos Alfeu e Eleázar, dos quais o leitor se lembrará desde os dias do nascimento de Jhasua, deviam aguardar a chegada dos viajantes em casa de Elcana, pois, sendo possuidores de grandes rebanhos de ovelhas, eram eles também fornecedores de lã à velha oficina, circunstância esta que não podia causar a menor estranheza a ninguém.

Além do mais, eram eles, para muitas famílias, abastecedores de lã, bem como de adubo para as terras de hortos e sementeiras.

Como se vê, constituía tudo isso motivo muito justo para que os três freqüentassem as casas de seus respectivos clientes.

Seriam, pois, eles, pela segunda vez, os que fariam chegar até Jhasua todos aqueles que estivessem a par do segredo da vinda do Messias tão esperado por Israel.

A surpresa de Elcana e de Sara foi grande, pois acabavam de chegar de Jerusalém, e nada lhes fora dito sobre esta viagem de Jhasua.

— Ele vem de passagem, rumando ao Santuário do Monte Quarantana — responderam os Essênios às perguntas que ambos os esposos lhes fizeram. — Agora mesmo seguiremos viagem para anunciá-lo por lá. Só dispomos de oito dias, pelo que devemos apressar-nos, se quisermos que todos os irmãos que estão em condições para isto, recebam sua visita.

Tomando apenas alguns breves momentos de descanso, os dois Terapeutas montaram novamente em suas mulas montanhesas e empreenderam a mesma viagem que, doze anos antes e numa rigorosa noite de inverno, Elcana, Josias e Alfeu haviam feito ao Santuário do Monte Quarantana, no dia seguinte ao do nascimento do Verbo de Deus, para levar a boa nova aos solitários.

O ardente sol da primavera na Judéia caía abrasando a terra, ressecando os restolhais de suave feno, e dando aos campos aquele indefinível matiz amarelento.

Pouco faltava para o meio-dia, ou seja, para a primeira hora da tarde, quando Jhasua, arquejante e com o rosto avermelhado como uma rosa, caiu nos braços de Elcana e de Sara, para passar logo aos de Josias, Alfeu e Eleázar, que o estavam aguardando com grande ansiedade.

Seu formoso semblante, tingido de um rosado vivo pelo ardor do sol, dava-lhe tal aspecto de saúde e de animação, juntamente com a alegria que irradiava de seus olhos cheios de inteligência, que os três amigos que o não viam há doze anos ficaram deslumbrados ante aquela beleza plena de vitalidade. Mais ainda se maravilharam ouvindo sua voz cristalina, que não parava de contar minuciosamente as peripécias da viagem e até as ocasiões em que o seu asninho havia sacudido as orelhas ao cruzarem lagartos ou codornas pelo caminho.

O encanto que Jhasua produziu em todos, naquela casa, onde, pela primeira vez, vira a luz da vida, não pode nem deve ser descrito, para que a intuição sutil do leitor o interprete.

Cortou José de Arimathéia aquele suavíssimo encantamento, dizendo:

– Teremos que continuar nossa viagem imediatamente, tão logo se aplaquem os raios solares porque dispomos de mui pouco tempo.

– Já o disseram os dois Terapeutas que anunciaram a vossa chegada; no entanto, embora tenhais muita pressa, podeis, pelo menos, comer conosco – disse Elcana. – Como estais vendo – continuou – Sara já está dispondo a mesa.

– Quantos somos? – perguntou ela olhando para o conjunto, no qual não podia precisar quantos eram, pois, em torno de Jhasua, o grupo era tão compacto que quase não se o via, porque todos os presentes se achavam ao seu redor.

Contudo, como ao menino não escapava coisa alguma e sentia grande apetite, foi o primeiro a responder:

– Esperai, tia Sara, que eu vos direi em seguida quantos somos. Tantos como dez – disse rapidamente. – Levai em conta que só eu comerei por dois, porque o trote desse travesso asninho me abriu tamanho apetite que já não me bastará comer só um pouco para poder viver.

– É verdade, meu menino querido? Pois vem sentar-te em seguida entre estes velhos tios que te viram nascer. – E acomodou Jhasua no centro da cabeceira da mesa, entre si e Elcana.

– Sede todos bem-vindos e ocupai os lugares de vosso agrado – tornou a acrescentar a ama da casa aos demais.

Nem bem estavam todos sentados, quando, sem que ninguém lho mandasse, o menino se pôs de pé, cerrou seus formosos olhos, e cruzando as mãos sobre o peito, pronunciou as palavras da chamada "Bênção do Pão".

Naqueles semblantes varonis, alguns queimados pelo sol ardente da Judéia, correram algumas lágrimas furtivas, em face da poderosa irradiação de amor ao Deus-Pai Universal que a oração de Jhasua havia posto em atividade.

Após terminar, procedendo como faria um chefe de família, tomou o pão apresentado e o partiu em dez pequenos pedaços. Ao levantar os olhos, viu cravados em si os olhos de todos e, naqueles olhares, encontrou esta muda interrogação: "Por que o pão é partido pelo menino, se isto deve ser feito pelo dono da casa, conforme a tradição?"

Com grande serenidade, Jhasua respondeu a esse pensamento:

– Abençoei e parti o pão porque uma voz interna me disse: "O amado é quem reparte o pão entre seus amados." E aqui, parece *que o amado sou eu*.

– Deus falou por tua boca, tesouro escolhido entre milhares – exclamou Sara, acariciando-o ternamente. Quem pode ser mais amado do que tu?

Aquela refeição, mais do que um simples ato comum da vida, foi um ágape de terna devoção para aquele menino que era, para todos que o rodeavam, uma fração da Divindade descida à Terra.

Apenas terminado o repasto, um velho criado entrou para avisar a Elcana que o jardim estava enchendo-se de tecedores que vinham vender seus tecidos aos viajantes de Jerusalém.

– Está bem – respondeu Elcana –, irei imediatamente para lá.

Nem bem chegou, encontrou-se com umas trinta pessoas, todos homens, bem conhecidos dele como antigos essênios da província.

– Vinde comigo ao cenáculo, que ali *o vereis* – indicou-lhes.

Assim que acabaram de entrar, chegou outro criado que disse ao amo da casa:

– Senhor,... na portinha do palheiro, por onde se entra para os montes de feno e de lenha, há uma porção de mulheres mendigas que pedem o pão e o tecido que a ama lhes prometeu.

Sara, que se aproximava, ouviu estas palavras e apressou-se em responder ao criado:

– Já vou lá! Deixa isto por minha conta!

Eram mulheres essênias que, para não chamar a atenção, haviam combinado cobrir-se com o manto cinza das mendigas e bater à casa de Elcana – porta essa que dava para a campina, na direção oposta à grande porta de entrada, voltada para uma das tortuosas ruelas de Betlehem.

Todos aplaudiram o engenhoso ardil das mulheres, que não se envergonharam de disfarçar-se daquele jeito para comparecer diante do Bem-Aventurado que as esperava.

Tão logo entraram no cenáculo, elas retiraram os mantos cinzas para deixar a descoberto as túnicas brancas e os véus fechados sobre o rosto, conforme costumavam proceder as mulheres essênias para as solenidades religiosas.

Elcana chamou, em seguida, os que estavam ainda ao redor da mesa e, tomando o menino das mãos dos dois Terapeutas, conduziu-o ao grande cenáculo no qual havia mais de sessenta pessoas reunidas. Colocando Jhasua de pé sobre o centro do estrado maior, disse Elcana:

– Que este humilde cenáculo seja para todos nós um Santuário, no qual Deus desce para visitar-nos.

Começaram, então, a cantar, a meia-voz, as essênias, tangendo suaves alaúdes:

"Hosana ao Filho do Rei dos Céus, que vem visitar-nos!

"Hosana ao Desejado de Israel que vem ensinar-nos o caminho da Luz!

"Enxuga teu pranto, Betlehem, e não chores mais por teus inocentes mártires, porque chegou a ti a glória de Israel!

"Sememos de flores a senda do justo que traz a Verdade de Deus sobre a Terra!"

E das bolsas de fazenda, que traziam como para receber esmola, aquelas mulheres lançaram aos pés de Jhasua uma branca chuva de flores.

Nesse instante, uma das mulheres, que havia permanecido afastada num canto e que estava velada de negro, chegou-se para o centro da sala e, ajoelhando-se ante o menino, disse entre soluços:

— Anjo de Deus que perdoa os pecados!... perdoa ao infeliz Herodes pela matança dos inocentes por querer matar a ti!...

— Mulher, levanta o teu véu! — ordenou o mais idoso dos Terapeutas.

Ao obedecer, puderam ver naquela mulher um belíssimo rosto dolente e que aparentava uns trinta anos de idade.

O Terapeuta acrescentou:

— Esta mulher é Mariana, a última esposa de Herodes o Grande, que a fez vítima de um capricho fugaz como a todos os seus.

"Nos dias das matanças dos meninos, ela fugiu do palácio e, desde então, está albergada em um de nossos refúgios que temos nas grutas dos antigos balneários de Salomão. De seu pecúlio saiu a despesa do regresso e da reabilitação das famílias que fugiram naquela época.

"Ela tencionava manter-se incógnita até o fim de sua vida, mas nós decidimos que também ela recebesse a Bênção de Jhasua, porque é essênia do segundo grau e mãe de todos os inválidos desta província."

Jhasua desceu rapidamente do estrado e, aproximando-se dela, disse com imensa ternura:

— Mariana! És viúva do rei que quis me matar, e vens pedir-me seu perdão!...

Rodeando com os seus bracinhos aquela cabeça agitada por fortes soluços, beijou-a na testa e acrescentou:

— Eu te dou minha bênção de menino, em nome do Pai Celestial, que está dentro de mim.

A mulher inclinou o rosto para a terra no intuito de beijar-lhe os pés, mas ele antepôs as mãos, e ela as cobriu de beijos e lágrimas. A emoção daquela cena estendeu-se por todo o salão, e ninguém pôde pronunciar palavra alguma. Enquanto isso, a mulher se levantou e, cobrindo-se novamente, foi colocar-se, em silêncio, no meio do grupo das mulheres.

Os Terapeutas e os três amigos, que eram como os cicerones entre todas as famílias essênias, foram fazendo apresentações de todos que haviam chegado para visitar Jhasua.

Algumas daquelas mulheres eram mães de meninos assassinados na inolvidável tragédia, outras eram irmãs. Todas, no entanto, eram devedoras a Mariana pelo bem-estar que desfrutavam.

E, quando elas lhe perguntaram: "De que maneira pagaremos pelo quanto tens feito por nós?", Mariana respondeu: "Perdoai ao criminoso que tanto vos fez padecer!"

Esta ocorrência faz pensar que até os monstruosos têm, em sua vida de crimes, um Anjo que os ama e que ajuda a se redimirem, ainda que seja através dos séculos.

Um dos Terapeutas Essênios, que era conhecido por todas aquelas pessoas, dirigiu a palavra ao conjunto:

— Que a felicidade que recebeis de Deus neste dia não vos torne indiscretos de forma alguma, porque o dano que o menino possa vir a receber por causa da abstenção do santo silêncio, recairia desde logo sobre vós mesmos. Que todas as vossas orações e pensamentos, daqui por diante, sejam em cooperação com ele, para o feliz cumprimento de sua missão redentora desta Humanidade.

"Se digo *feliz* cumprimento, não é porque alimente a ilusão de que o caminho da redenção haja de ser semeado de flores. Como espíritos integrados numa grande aliança, que, conforme sabeis, abrange muitas idades, estamos bem convencidos do que é e significa o qualificativo sublime referente ao Redentor.

"Cumprir com felicidade u'a missão é levá-la a feliz termo, de tal maneira que a poderosa corrente de Amor Divino, trazido à Terra pelo Filho do Altíssimo, chegue a nivelar o espantoso desequilíbrio produzido pelas forças do Mal que imperavam sobre a face deste Planeta há doze anos.

"Desta sorte, nossa oração do mais íntimo de nossa alma será sempre esta, enquanto o Cristo permanecer na Terra:

'Eterno Deus, Poder Infinito! Que Vosso Amor Misericordioso salve, nesta hora, o que o Mal deitou a perder.'

"Com essas palavras, sentidas por Vosso Eu interno, vos colocais em sintonia com as elevadas Inteligências que regem a evolução desta Humanidade; bem assim com o Verbo de Deus, que é o instrumento escolhido, e com a própria Energia Divina, cuja Eterna Idéia queremos secundar.

"Agora tendes oportunidade até a nona hora, para que possais dizer a este Anjo de Deus, que tendes a vosso alcance, aquilo que vos ditar o coração. Mas, em ordem e um depois do outro, procurando ser breves para não causar-lhe demasiada fadiga."

Jhasua ficou sozinho no estrado principal, pois todos se retiraram para o outro extremo da sala. Os Terapeutas fizeram aproximar, um de cada vez, todos os que haviam sido chamados para visitar o menino. Josias, Alfeu e Eleázar tiveram a preferência, em virtude do grau que já possuíam na Fraternidade.

Pôde ser notado que Jhasua estava como que possuído de uma força e claridade divina, porque tomou o aspecto de um Iluminado, de extático; e, sem que tivesse conhecimento da vida de cada um, nem de suas necessidades espirituais ou físicas, falou a cada qual de acordo com o que lhe ocorria em sua existência e na dos seus familiares.

Começava sempre com estas palavras:

"Jehová manda dizer-te isto." – E o dizia com um acerto admirável, motivo por que todos ficaram maravilhados.

A Eleázar, entre outras coisas, disse:

"Jehová manda dizer-te que não deixes casar tua filha mais velha com o jovem que a pediu em casamento, porque já está por se manifestar nele a lepra. Não deve o justo trazer descendência leprosa para este País, onde já são muitos os que a têm."

Anunciou a Josias que um de seus filhos casados ia morrer num acidente provocado pela esposa, visto não estar obedecendo à Lei de Jehová, e que, quando o vaticínio se cumprisse, recolhesse a netinha maior porque era um Espírito da Aliança, e ele mesmo necessitaria dela alguns anos mais adiante. Com efeito, poucos anos depois ficou cego.

A Alfeu recomendou que repartisse entre os seus filhos já casados aquilo que lhes pertenceria por herança, e que se dedicasse ao estudo da Lei e dos Profetas.

E, para não nos estendermos demasiado neste assunto, escusamo-nos de mencionar tudo quanto disse aos demais. Alguns se apressaram em obedecer ao aviso quando este era premente. Outros deviam aguardar que os acontecimentos se sucedessem; e os Terapeutas, inteirados das mensagens de Jehová por intermédio de Jhasua, tomaram escrupulosamente nota de tudo para comprovar o seu cumprimento no devido tempo.

Alguns que tinham os pulmões corroídos, e outros com úlceras internas, sentiram-se curados dos seus males físicos, porque Jhasua, pondo as mãos sobre a parte enferma, havia dito somente estas palavras:

"Jehová me diz que estás enfermo e quer que sejas curado!"

Não obstante haverem alguns daqueles irmãos saído entristecidos por causa dos avisos de natureza dolorosa, todos adoraram a grandeza de Deus naquele menino que os via pela primeira vez e falava de coisas e circunstâncias íntimas, relacionadas com eles mesmos ou com seus familiares.

Até se deu o caso de que, quando um dos presentes se aproximou, Jhasua o observou durante alguns instantes, e logo disse: "Duvidas de que eu possa trazer-te u'a mensagem de Jehová, porque me vês tão criança! Apenas duvidas porque teu coração não é puro e tua consciência te acusa:

"Guardas a terça-parte do ordenado que deves pagar aos teus operários, com o pretexto de indenizar-te dos prejuízos que eles poderão causar a animais teus; ou dos estragos causados à lã de tuas ovelhas; ou, ainda, aos teares de tua oficina. Isto não só é impróprio de um essênio, como também é contra a Lei, que preceitua: 'Amarás a Deus sobre todas as coisas e ao próximo como a ti mesmo.' "

— Menino de Deus!... — exclamou aterrorizado aquele homem. — Agora não duvido mais, porque me disseste toda a verdade. Que devo, pois, fazer?

— Devolver aos operários o que retiveste em teu poder, e, se, algum dia, te inutilizarem um animal ou quebrarem um tear, neste caso poderás fazer justiça; entretanto, se, ao fazê-la, te colocares no lugar de quem cometeu a falta, agirás muito melhor, e Jehová te abençoará.

Este homem condoeu-se tanto do que havia feito que, pouco depois, se apresentou ao Santuário do Monte Quarantana, para declarar seu pecado ante os Anciãos, a fim de que lhe tirassem os graus recebidos na Fraternidade.

Limitaram-se os Anciãos a aconselhar-lhe que socorresse os velhos e órfãos desamparados, durante três anos, pois era o tempo que lhe faltava para terminar o segundo grau.

Finalmente, esgotou-se a hora das confidências com o Ungido Divino, e as pessoas separaram-se.

Quando os companheiros de viagem se aproximaram de Jhasua, este lhes disse:

— Quanto me deixastes dormir! Parece que fiz uma longa caminhada!

Olharam-se uns aos outros, pois compreenderam que o menino havia falado em estado de clarividência perfeita, ou seja, desprendido de sua matéria, pois não conservava recordação alguma do que sucedera.

Uma hora mais tarde, prosseguiram a interrompida viagem até o deserto da Judéia, em cujo centro parece dormir, em grande quietude, o Mar Morto ("Mar das Salinas" da Pré-História), sinistro sarcófago de cinco populosas cidades, consumidas pelas labaredas de petróleo ardente (*).

O final da viagem era, como já sabe o leitor, a aprazível aldeia de En-gedi, na própria base do árido Monte Quarantana.

O cenário é o mesmo que contemplamos nos primeiros capítulos desta obra: cabanas de pedra dos lenhadores e pastores de cabras, que correm e saltam por altos e baixos, por vales e colinas, pelos cumes e precipícios. No final, quando a grande

---

(*) As cinco cidades são: Sodoma, Gomorra, Zeboim, Adama (ou Aadma) e Bela, ou Belha (N.T.).

plataforma de pedra intercepta a vista e o passo do viajante, encontra-se, como aderida àquela rocha, a já conhecida "Cabana de Andrés", que continuava mantendo o nome do antigo dono, não obstante haver este já passado para a vida espiritual.

Eram passados doze anos, e algumas transformações haviam ocorrido na modesta vivenda. A anciã Bethsabé, viúva de Andrés, continuava sendo a dona da casa, com seus dois filhos Jacobo e Bartolomeu, ambos já casados com humildes aldeãs, pastoras do lugar, que, sendo irmãs órfãs de mãe, encontraram na boa Bethsabé a mãe que tinham perdido na meninice.

Jacobo havia substituído seu pai no cargo de porteiro do Santuário do Quarantana, posto esse em que era auxiliado por seu irmão Bartolomeu.

A chegada dos viajantes era acontecimento muito importante para a aldeia de En-gedi, pois, embora tivessem procurado dar a seu aspecto exterior o tom mais modesto que lhes foi possível, houve numerosos comentários a meia-voz.

Mas, como viram os dois Terapeutas com eles, tranqüilizaram-se imediatamente, julgando, da mesma sorte como de outras vezes, tratar-se de pessoas de Betlehem que viessem encomendar queijo e mel da Granja de Andrés, os quais eram muito procurados em toda aquela região; ou, talvez, para realizar escavações nas antigas salinas, pois ocorria às vezes que pessoas atacadas de reumatismo buscavam aqueles sais para seus enfermos.

— Mas esse formoso menino, montado sobre um asninho... que tarefa desempenharia entre os viajantes?

"Para encomendar queijo e mel, ele não seria necessário. Para escavar nas salinas, tampouco.

"Quem sabe, é um pequeno príncipe que, perseguido pelos herodianos, vem refugiar-se na Iduméia ou em Madian, para salvar-se!"

Assim, dir-se-ia, esgravatavam aqueles bons aldeãs no pó que as cavalgaduras dos viajantes levantavam naqueles caminhos para encontrar a solução do enigma.

Adivinhando todas essas interrogações nos olhares investigadores de todos os aldeãs, os Terapeutas apressaram-se a tranqüilizá-los, dizendo:

— Aqueles que tiverem aprovisionamentos de queijo, mel, cera e figos secos, podem prepará-los, porque estes senhores vêm de Jerusalém para fazer suas compras. Mas somente coisa boa. Eles não querem artigos com defeito.

Foi um regozijo geral que fez silenciar todos os comentários e as misteriosas conjeturas! Depois de se inteirarem de que os viajantes permaneceriam sete dias na Granja de Andrés, desapareceram todos para ir contar, aos que ainda não o sabiam, o importante assunto dos viajantes de Jerusalém.

Poucos momentos depois, a anciã Bethsabé e suas noras recebiam a visita daqueles viajantes, cuja passagem pela aldeia havia movimentado a todos. A anciã, que conhecera a Jhasua no berço e que estava a par do segredo de *quem era ele*, arrojou-se ao solo para beijar-lhe os pés, chorando de felicidade. E chamava suas noras: "Vinde também vós, que este menino será o Salvador de Israel."

Mas Jhasua, sentindo dentro de si imensa alegria, destampou-se, em seguida, como uma ânfora demasiado cheia, dizendo:

— Não choreis, boa mulher, que me fazeis lembrar a Avó Sabá do Monte Carmelo: ela chorava cada vez que me via.

"Sei que sois a anciã Bethsabé, que tendes dois filhos, Jacobo e Bartolomeu e uma porção de graciosos cabritinhos que serão minhas delícias nos dias que passarei aqui..."

— Oh, meu estimado menino! — exclamou a boa mulher, enxugando o pranto. — Como sabes tudo isso, se jamais vieste aqui?

— Porque sou muito amigo dos Terapeutas; eles me contam tudo.

Nesse meio-tempo, os Terapeutas falavam com as noras de Bethsabé, com o fito de instruí-las na necessidade de serem mui discretas, no caso de surgirem perguntas por parte dos vizinhos. Ambas as jovens eram essênias do primeiro grau, verdadeiras filhas de Bethsabé e respeitavam, acima de tudo, a sua vontade. A anciã as havia arrancado aos maus-tratos da madrasta; por isso, eram para ela como dois cordeirinhos de admirável docilidade.

A mais moça chamada Baara, esposa de Bartolomeu, correu por um caminho da montanha para avisar os dois irmãos que estavam trazendo, com seus asnos, cargas de feno para os estábulos. A mais velha era Agar. Esta correu, por sua vez, para a cozinha, com o fim de apressar a ceia, pois a tarde já estava declinando.

Como se estivesse em sua casa, disse Jhasua a Bethsabé:

— Dai uns feixes de feno fresco a meu asninho, e pão com mel para mim, porque nós dois temos grande apetite.

Pouco depois da chegada dos dois irmãos, os Terapeutas dirigiram-se para o secreto caminho do palheiro, a fim de darem aviso aos Anciãos de que o Homem-Luz, menino ainda, aguardava o momento de entrar no Santuário para poder abraçá-los, depois de haver percorrido longo caminho, desde Jerusalém, sobre o seu asninho cinza.

A entrada de Jhasua no Santuário do Monte Quarantana foi mais emotiva, se assim podemos mencionar, do que nos outros Santuários Essênios. Um essênio com um menino de 13 anos saiu para recebê-los.

Este menino era Johanan, que, mais tarde, seria chamado o *Batista*, ou seja, o Profeta do Jordão.

A Jhasua acompanhavam os Terapeutas, José de Arimathéia e Nicodemos.

Os dois meninos ficaram olhando-se por breve instante... e, enquanto a formosa cabeça ruiva de Jhasua e a de Johanan, negra retinta, se confundiam no estreito abraço dos dois escolhidos do Senhor, ouviu-se esta dupla exclamação:

— Jhasua!...

— Johanan!...

— Os Anciãos vos esperam na sala de visitas — disse o Essênio que os havia recebido.

Mas os dois meninos não se moveram.

Quando, por fim, aquelas duas formosas cabeças se separaram, todos viram gotas de pranto que lutavam por derramar-se e correr...

Johanan foi o primeiro a falar:

— Eu te havia visto em sonhos, esta noite. Chegavas a mim, tal como o fizeste agora!...

— Ao sair para aqui — observou Jhasua —, minha mãe disse: "Nas montanhas da Judéia tens um primo, menino como tu, cuja mãe, antes de morrer, teve a revelação de que ele seria um grande servo de Deus." Tão logo te vi, supus que eras tu esse menino.

Os Terapeutas e o Essênio-porteiro sabiam que Johanan era a reencarnação de Elias e, como é natural, lembraram-se disto naquele instante. Por sua vez, José de Arimathéia e Nicodemos captaram telepaticamente a onda e disseram quase ao mesmo tempo:

— Não estaremos na presença de Elias, o Profeta que prepara os caminhos ao Messias, o Salvador?

— Em verdade, a Divina Sabedoria descerra os véus de seus eternos mistérios para as almas de boa vontade — disse o Essênio, tomando uma das tochas que irradiavam luz amarelenta no corredor da entrada.

— Vamos — acrescentou, começando a andar, sendo seguido pelos dois meninos, pelos dois jovens Doutores e pelos Terapeutas que encerravam a caminhada.

Johanan havia tomado Jhasua pela mão e, aproximando-se do Essênio, perguntou:

— Podereis deixar-me passar adiante para guiar o meu companheiro?

— Passai, passai, crianças! Como poderemos pretender que *caminheis atrás de nós?* Compreenderam todos o segundo significado dessas palavras, e Nicodemos observou:

— Bendigamos o Altíssimo, se é que poderemos segui-los de longe, sequer.

— E pensar que esta Humanidade caminha nas trevas, embora tendo estes dois grandes luminares! — exclamou José de Arimathéia.

— É porque o orgulho e a ambição cegam os poderosos, que julgam guiá-la para a felicidade — respondeu o Essênio.

— É a "Rainha Cega" de nossas esculturas de pedra — acrescentou um dos Terapeutas.

Enquanto os adultos avançavam lentamente, esquivando-se das arestas e das pontas salientes do teto, os dois meninos já haviam chegado à pracinha sobre a qual desembocavam todas as grutas habitadas pelos solitários.

Os jovens Doutores pensaram:

"Como é que agora deixam penetrar pessoas do exterior sem vendar-lhe os olhos?"

A sensibilidade extrema do Essênio captou a onda e respondeu:

— Quando o Rei está presente, todas as portas se abrem para ele e para os seus acompanhantes...

"Já estamos em casa." — E deixou a tocha que os havia iluminado através do sombrio corredor.

— Esta é a gruta do Servidor — disse, nesse momento, Johanan, designando uma ampla caverna aonde chegava o sol que iluminava a pracinha. Era ele um ancião venerável, cujo rosto, viçoso e rosado, não estava de acordo com seus membros inferiores, atacados duramente pelo reumatismo persistente e já crônico.

— Luz de Deus! — exclamou, estendendo os braços para Jhasua. — Outra vez iluminando o meu caminho na Terra!

— Apenas chego a vós pela primeira vez, e dizeis que ilumino novamente vosso caminho — observou o menino, deixando-se estreitar pelos braços do ancião.

— Eu me entendo, e tu me entenderás também.

Junto ao Servidor havia outros cinco Anciãos, todos muito idosos, que tratavam, em vão, de dominar sua intensa emoção. Johanan foi apresentando: Gedeão, Laban, Thair, Zacarias, meu pai, e esta *Harpa viva* que se chama *Hussin*.

O Essênio, a quem denominou "harpa viva" abraçou-se com Jhasua e começou a soluçar profundamente.

— Eu te esperava para poder partir — disse quando pôde falar.

— Vais muito longe? — perguntou Jhasua, cravando os meigos olhos nos de Hussin.

— Pelo contrário, bem perto! Tão perto que continuarei ao teu lado na aragem das tardes que ondulará teu cabelo... Vou e volto, meu menino, como a onda do mar que tornará à praia, sem que a sintas chegar. Vou e volto, como a ave que busca um sol ardente, e que, passado o inverno, torna ao velho ninho.

— Estás dizendo um salmo tão formoso como aqueles que, ao entardecer, minha mãe canta ao alaúde, e nele anuncias a tua morte... atalhou, comovido, o menino.

Estava o diálogo neste ponto, quando entraram na gruta do Servidor também os outros viajantes.

— Bem-vindos sejais todos a esta casa de Deus — disse o Servidor, ao vê-los chegar.

O Essênio-porteiro indicou-lhes os estrados cobertos de esteiras.

— Este Santuário — explicou — não é como os do norte que, por certo, conheceis. Não é mais do que um passadiço para chegar ao Grande Santuário do Moab. Como a subida é longa e penosa, fez-se esta "Parada" no Quarantana para os débeis e os enfermos.

Passada a impressão inicial, animou-se a conversação, e cada um dos viajantes a estabeleceu com um dos Anciãos.

Ouçamos a do Servidor com José de Arimathéia:

— Sois vós o pai do menino, não é verdade?

— Não, Servidor! Sou um amigo íntimo de sua família, e sou, além disto, quem conseguiu a permissão para trazê-lo até vós.

— Oh, graças, graças! Que o Altíssimo vos recompense largamente!

"Não poderíeis ter vindo em melhor oportunidade, pois, na próxima lua, cinco de nós serão chamados ao grande Santuário de Moab, ficando aqui apenas Zacarias com Johanan e o Essênio-porteiro, que é Dathan.

"Em verdade, foi uma inspiração divina! Se não vos causar trabalho muito pesado, peço relatar-me tudo quanto souberdes de Jhasua, pois, em nosso Arquivo, não deverá faltar nenhum dos pormenores."

— Com todo o prazer, mas antes queirais dizer-me o que já sabeis e o que vos falta por saber — respondeu o interpelado.

— Conhecemos os fatos até o dia em que o tiraram do Santuário do Monte Hermon e ignoramos o restante até hoje.

"Irmãos — disse o Servidor em voz alta —, temos trabalho para realizar, e, como é algo pesado para os meninos, que um dos irmãos Terapeutas os leve ao horto, entretendo-os ali, como lhes parecer mais agradável.

"Johanan — chamou em seguida —, vai mostrar a Jhasua o teu rebanho de cordeirinhos e os teus pombais. Brincai e recreai-vos, queridos, que, depois, tereis toda uma vida diante de vós para meditar e sofrer..."

Jhasua interrogou a Nicodemos e José de Arimathéia com o olhar.

— Vai tranqüilo, Jhasua, que aqui não existe perigo de nenhuma espécie — responderam ambos.

Saíram os dois meninos seguidos pelo mais jovem dos Terapeutas.

Escutemos, leitor amigo, as conversações de uns e de outros, que o pincel mágico da Luz desenhou no Infinito.

José de Arimathéia relatou tudo quando sabemos de Jhasua desde sua saída do Monte Tabor.

O Essênio-porteiro e Thair faziam anotações, à medida que o relator falava. Quando chegou aos sermões de Jhasua sobre a Divindade, no Templo de Jerusalém e no cenáculo de Nicolás de Damasco, o relator tirou sua caderneta do bolso e leu os termos exatamente como os registrara um Escriba-Essênio que havia assistido à reunião.

— É esta a única maneira de fazer com que nos fique uma exposição verídica e continuada da vida do Verbo de Deus encarnado aqui na Terra — reconheceu o Servidor, assim que José de Arimathéia terminou o seu relato.

— Assinai-os! — pediu o Servidor ao terminar a leitura dos papiros em que os Escribas haviam anotado tudo.

— Eu também fui testemunha de tudo isso — esclareceu Nicodemos; pelo que assinarei igualmente.
— Da mesma forma nós — disseram os Terapeutas presentes.
— Está bem! Assinais os dois papiros; levaremos um deles ao Grande Santuário do Moab, e o outro ficará arquivado aqui, segundo determina a nossa Lei. Colocai debaixo de vossas assinaturas o grau que tendes na Fraternidade Essênia.

Terminado tudo, passaram ao Santuário, que estava situado na mesma pracinha, onde algumas velhas oliveiras sombreavam o ardor do sol, caindo em cheio sobre aqueles penhascos. Os Anciãos caminharam os poucos passos que os separavam do Santuário, usando cajados e apoiando-se sobre os viajantes; mas o Servidor foi colocado sobre uma rústica poltrona de rodas, que um dos Terapeutas empurrava suavemente.

Chegados ao Santuário, que o leitor chegou a conhecer nos primeiros capítulos desta obra, Hussin — a "harpa viva", conforme lhe haviam chamado Johanan e todos os demais — tomou de uma pequena lira e executou uma suavíssima melodia, que ele havia intitulado:

"ESPERANDO O AMOR"

Esperamos-te, Amor, com as auroras,
Que nos desfolham camélias e goivos;
E quando some a derradeira estrela
    No fundo azul do céu...
Aguardamos-te, Amor, quando a tardinha
Ao Sol dirige seu adeus saudoso;
Quando a noite já seus fanais acende,
    Esperamos-te, Amor!...
Nas Aflições da vida e até na tumba,
Esperamos-te sempre; bem o sabes.
Muita neve cobre nossas cabeças,
    Mas andam bem os pés!...
Esperando-te, Amor, passaram séculos,
Que já medir o coração não pode
Tantos anos e luas! Amor, ouves?...
    Já é hora de vir!...
Vem, Amor, que a Terra se desmantela
Nas angústias de morte e nos terrores!
Foi tão extensa a maldade semeada,
    Que não há palmo sem dor!...
Vem, Amor, pois, senão, os que te aguardam
A emigrar breve serão compelidos,
Como errantes, cansadas andorinhas,
    Que voam sobre o mar!...
Vem já, Amor!... Não tardes, que morremos
Em negro lodaçal asfixiados;
Muitos mártires teus, que te esperavam,
    A Humanidade os ceifou!...
Nos anseios da vida e até na morte,
Aguardamos-te sempre; tu o sabes...

> Que importa haver neve em nossas cabeças?
> Pois andam bem os pés!...
> Vem já, Amor!... Não quero que meus lábios
> Dêem à vida seu adeus derradeiro
> Sem tua Luz haver eu contemplado;
> Sem sentir teu calor!...
> Vem já, Amor!... que em ânsias te buscamos,
> Como o filhinho sua mãe reclama...
> É tão profunda a dor por não te vermos
> Quanto o lento morrer!...

Aquelas vozes trêmulas de homens octogenários, a cantar entre lágrimas, estenderam em volta de si uma corrente de amor tão poderosa que José de Arimathéia e Nicodemos não puderam resistir, e se abraçaram, chorando como crianças.

Nisto, sem saber como, nem por quê, Jhasua deitou a correr atravessando o horto. Ao ouvir o coro de vozes no Santuário, penetrou suavemente nele, indo colocar-se no meio de todos. Vendo-os chorar, disse com voz musical:

— Por que chorais com tal desconsolo, como se já nada tivésseis de esperar? As macieiras e as laranjeiras estão em flor, e as pombas arrulam de amor em seus ninhos.

"Estava eu tão ditoso a contemplar as obras do Pai Celestial, quando ouvi que cantáveis chorando!... E vós chorais também!" disse a José de Arimathéia e a Nicodemos.

Com profunda comiseração foi aproximando-se de cada um dos Anciãos, beijando-os ternamente enquanto dizia:

— Vim trazer-vos a paz e a alegria, e não é justo que choreis.

Quando chegou a Hussin, que ainda fazia vibrar as cordas de sua lira, disse alegremente:

— És tu o culpado de fazer todos chorar! Dá-me esta caderneta com os teus salmos. — E começou a ler os versos que todos haviam cantado em coro.

Calmamente foi sentando-se no estrado junto a Hussin, enquanto continuava a ler. Por fim, a caderneta caiu-lhe das mãos e seus olhos cerraram-se. Era o transe...

— Bohindra! — disse ele a Hussin — : havias de ser tu para cantar o Amor nesta suprema evocação.

"Já estou em vosso meio como a vibração mais poderosa que o Pai Celestial pôde fazer chegar a este Planeta. E porque tanto esperastes o Amor, agora o tendes. E porque tanto o buscastes Ele mesmo sai a vosso encontro a dizer:

"Rouxinóis do Amor Divino, soltai vossas asas aos espaços infinitos, que ainda tendes tempo de voltar antes que a Humanidade perceba minha presença em seu meio. .. Esperastes-me durante tanto tempo; no entanto, agora sou eu quem vos espera!..."

Passado um breve momento, o menino despertou e disse:

— No horto tudo está a florescer. Vinde comigo, e podereis vê-lo.

Ninguém pôde resistir, e todos saíram.

Grande assombro causou-lhes o fato de que o Servidor não mais necessitou de sua cadeira de rodas, tanto que saiu andando com os próprios pés, apoiado apenas no ombro de Jhasua, que lhe serviu de apoio.

Sob as velhas oliveiras do horto e sobre rústicos bancos de pedra, foram sentando-se primeiro os mais idosos e, por fim, todos. Apenas ficaram livres os dois meninos, que foram entregar-se a longas correrias, seguindo os cabritinhos malhados de diversas cores e os brancos cordeirinhos de Johanan.

— De quantos dias podemos dispor para ter o menino entre nós? — perguntou de pronto o Servidor aos dois jovens Doutores que o haviam trazido.

— De oito dias, contados desde a madrugada de hoje, quando saímos de casa — responderam ambos ao mesmo tempo.

— Descansando amanhã aqui, ainda tereis tempo para ir e voltar ao Grande Santuário do Moab — replicou o Ancião cravando os olhos escuros em seus interlocutores.

— Até Moab?!... Oh, Servidor!... pedis demasiado, não por nós, está claro, mas por causa do menino — objetou José de Arimathéia.

— Moab fica mui distante por causa da enorme volta do Mar Morto — acrescentou Nicodemos.

— Estais equivocados, meus irmãos — insistiu o Ancião. — Não há nenhuma volta.

— Como?! E as salinas? E o deserto? — voltou a perguntar José.

— Faz dez anos — disse o Ancião — que começamos a realizar o nosso sonho de encurtar a distância entre este Santuário e o do Moab.

— E o conseguistes?

— Completamente — respondeu o Ancião com profunda satisfação.

"Trazei o croqui do Mar Morto, irmão-porteiro — disse o Ancião.

Quando o Essênio-porteiro voltou, o Servidor estendeu o pequeno desenho sobre os joelhos e, tomando um ponteiro, foi assinalando.

— Vedes aqui no grande golfo, como a largura do lago se reduz à metade?

— Sim, vemos — responderam os interlocutores.

— Ali não há mais do que 15 estádios (*), e nós construímos balsas de troncos que podem cobrir 20 estádios.

— Mas como foi isto possível? — perguntaram assombrados os dois doutores.

— Perfeitamente possível!

E, chamando novamente o Essênio-porteiro, recomendou-lhe:

— Aproveitando a última claridade da tarde, mostrai a estes irmãos as nossas balsas ocultas no final deste horto.

José de Arimathéia e Nicodemos viram, com assombro, um forte muro, construído com largos troncos aplainados e presos uns aos outros com grossas correntes de ferro.

— Esta é uma cerca fortíssima, quase tanto como de pedra — disseram ambos.

— Uma cerca que se converte em ponte quando necessitamos atravessar este Lago da Morte — disse o Essênio.

Estavam, com efeito, na margem do Mar Morto, cujas águas, bastante turvas, dão a impressão de serem muito pesadas e, portanto, quietas. Alguns restos de antiquíssimas ruínas sobressaíam de suas margens.

— Nem sequer os lagartos vivem entre tantos sinais de morte!... — exclamou Nicodemos ao ver o pavoroso aspecto daqueles escombros.

— Naturalmente que não — disse o Essênio — porque, em determinados dias, quando as águas sobem em virtude da cheia do Rio Jordão, estas ruínas ficam completamente submersas.

— E como vos arranjais para que esta cerca se converta em balsa? — perguntaram os visitantes.

— Quereis vê-lo? Irmãos Terapeutas — gritou —, chamais, por favor, a Jacobo e Bartolomeu, e venham mais dois de vós.

(*) Estádio: medida itinerária, equivalente em Israel, a 733 m (N.T.).

Daí a pouco os dois irmãos estavam manobrando rapidamente para soltar as amarras que mantinham as balsas em linha vertical como uma muralha a rodear o horto.

Em conjunto, os dois Terapeutas e os dois filhos de Andrés foram lançando as balsas ao lago. Cada qual media quatro côvados (*) de largura e vinte de comprimento, sendo que, amarradas uma às outras, formavam uma ponte suficientemente comprida para passar de um lado ao outro.

À medida que Jacobo e Bartolomeu iam estendendo as balsas sobre o lago, notava-se que eles se afastavam cada vez mais, enquanto os dois Terapeutas e o Essênio-porteiro continuavam atirando à água as demais balsas que iam sendo enganchadas umas às outras.

– E, quando se chega à outra margem? – interrogou José.

– Ali temos uma pequena granja, como a de Andrés – respondeu o Essênio –, onde dois sobrinhos do Servidor guardam mulas e asnos amestrados para nós, e, em meio dia, estamos no Santuário do Moab.

– Vossa perseverança faz milagres! – exclamou Nicodemos.

– Milagre que se fez em nove anos, e que estamos utilizando faz pouco mais de um ano sem que, até agora, haja falhado jamais.

Quando, poucos momentos depois, as primeiras sombras da noite começaram a descer, viu-se que, da margem oposta, faziam sinais com uma tocha levantada sobre um mastro, colocado no lugar preciso em que o grande golfo, lá existente, penetra tanto que se forma uma acentuada península, ou seja, uma língua de terra firme que sobressai entre as águas do lago.

– Já nos viram do lado de lá – disse o Essênio-porteiro –, e esses sinais indicam que trabalharão toda a noite lançando à água as balsas que lhes correspondem, a fim de que, amanhã, ao alvorecer, possamos atravessar o lago.

– Significa isto, então, que, na margem oposta, fazem o mesmo milagre que vós fazeis partindo daqui – concluiu José de Arimathéia.

– Naturalmente – respondeu o Essênio. – Visto que a Fraternidade Essênia não é senão uma só vontade e um só pensamento, ela tem podido realizar sempre suas obras, que vos parecem milagres.

– Já está feito o nosso trabalho – explicou o mais velho dos irmãos.

– Acorrentaste bem a última balsa ao mastro de amarração? – perguntou o Essênio.

– Acorrentei-a quando vi os sinais que nos faziam com a tocha.

– E esse mastro de amarração – interrogou Nicodemos –, está cravado no fundo do lago?

– Isso tem uma história à parte – respondeu o interpelado –, que vos hei de contar enquanto regressamos ao Santuário. Já surgem as primeiras estrelas, e esta noite tíbia de primavera, convida a caminhar lentamente.

– Olhai! Jhasua e Johanan estão divertindo-se muito, fazendo os animais entrar nos estábulos. – Com efeito, ambos separavam os cabritos e cordeiros de suas mães, a fim de que estas, no dia seguinte, dessem leite ao serem ordenhadas.

– A história do mastro de amarração é providencial. Faz cerca de vinte anos que as fontes de que se alimenta o Rio Jordão, além, na parte norte, transbordaram, e, em grande enchente, veio rio abaixo uma barcaça de carga que trazia um carrega-

---

(*) Medida antiga de comprimento que vai do cotovelo ao dedo médio da mão: 50 centímetros aproximadamente. Alguns autores atribuem-lhe 66 centímetros; outros, 41,80 centímetros (N.T.).

mento de madeiras do Líbano. Parece que a tripulação abandonou o barco durante a deriva, e a correnteza o trouxe até nosso "Lago da Morte".

"Quando as águas baixaram ao seu nível normal, a barcaça ficou enterrada no pegajoso betume que há no fundo, e apenas aparecia o seu mastro. Pois é esse o tal mastro de amarração no qual acorrentamos nossas balsas, e que se encontra mais ou menos no meio da largura do lago. Compreendestes?"

— Perfeitamente! Isto quer dizer que tendes bastante engenho para aproveitar todas as circunstâncias em benefício de vossa causa — disse José.

— Essas madeiras que ninguém jamais veio reclamar, nos têm servido para muitas obras, inclusive para as balsas.

— Aqui já estão chegando os meninos com toda a sua carga de riscos e alegrias. Entremos com eles.

Deveras: Jhasua e Johanan pareciam estar contagiados pelos cabritinhos, e corriam como dois diabinhos disputando a vantagem de chegar primeiro.

— Sou mais ligeiro do que tu — disse Johanan — mas deixei que tu chegasses primeiro, porque és meu visitante.

— E, quando fores visitar-me no horto, em Nazareth, deixarei que subas primeiro na árvore das castanhas para que comas as melhores... A propósito, Johanan... tenho um apetite!

— E eu também. Corremos tanto!

— Pois a ceia já está posta — disse o Essênio que lhes escutara as últimas palavras.

Viram que, sob as oliveiras do horto e mais próximo das grutas, os esperava o Servidor com os outros essênios, já sentados ante uma rústica mesa, coberta com uma toalha branca. Cestinhas de frutas, vasilhas com manteiga e queijo, cântaros de mel e tantos pães dourados quantos eram os comensais, foi o que viram sobre a mesa, iluminada por tochas presas nas saliências das rochas, que formavam as entradas das grutas.

— Vinde aqui, filhotinhos, um de cada lado deste pobre velho passarolo — disse o Servidor aos dois pequenos, enquanto os fazia sentar, ficando ele mesmo entre os dois. Depois foram instalados José de Arimathéia e Nicodemos em ambos os lados dos meninos, seguindo-se, então, todos os demais essênios.

— Esta noite faremos uma exceção — acrescentou o Ancião. — Ficai ambos, Jacobo e Bartolomeu, para cear com estes filhos de Moisés.

Eram, assim, dezessete os que rodeavam aquela mesa.

— Com uma condição, Servidor — propôs Jacobo disposto a aceitar o convite.

— Fala, meu filho...

— Que, no regresso destes senhores do Monte Moab, venhais todos compartir de nosso pão na *Granja de Andrés*.

— Concedido, Jacobo... e que festa celebrais?

— É que minha mãe completa 70 anos de vida e 25 de viuvez, sendo que jamais deixou um só dia sem colocar flores no sepulcro de nosso pai.

— Celebrais, portanto, a Vida e o Amor!... Oh, que festa mais formosa e sublime!... — exclamou Nicodemos.

— São assim os montanheses do Mar Morto! — exclamou Hussin. — Parece até que, nos seus afetos mais íntimos, está representada a firmeza das rochas.

— O tempo não pode com eles! — acrescentou Thair...

— É verdade — disse novamente o Servidor. — Estes moços eram dois garotinhos de 11 e 9 anos, quando seu pai morreu. Desde então se puseram a nosso serviço e ainda continuam, sem pensar em nos abandonar. A Lei Divina lhes trouxe as companheiras enamoradas para sua própria casa, e eles teceram os seus ninhos nas encostas rochosas do Quarantana... logo à porta dos filhos de Moisés.

Os dois irmãos, emocionados em alto grau, olharam para todos com esse sentimento profundo de amor e de submissão das almas humildes, para as quais todas as honras e os elogios parecem demasiados.

Enquanto iam sentando-se ao redor da mesa, continuavam os comentários sobre o formoso poema do amor desinteressado e perseverante dos filhos de Andrés para com os ermitãos do Monte Quarantana.

Terminada a refeição e antes de se retirarem, os dois irmãos perguntaram aos Essênios:

– Necessitareis de nós amanhã, na hora de empreender a passagem?

– Creio que não – respondeu um dos Terapeutas –, pois aqui estamos nós para guiar.

– Eu havia pensado – disse Bartolomeu – que seria conveniente o menino fazer a travessia sobre meu asninho mouro, pois não há outro como ele para caminhos movediços.

Teria sido preferível que não tivesse dito isto, porque Jhasua se levantou rapidamente da mesa e correu até Bartolomeu, regozijante de alegria e entusiasmo.

– Então tens um asninho mouro, e não me disseste nada?

– Não houve oportunidade até agora... Aceitas recebê-lo de presente? – O jovem e modesto montanhês acariciava os caracóis dos cabelos bronzeados de Jhasua, sem atrever-se a beijá-lo.

Mas o menino, como se houvesse sentido a vibração dessa nota íntima da alma de Bartolomeu, abriu os braços e, cingindo-o, disse-lhe:

– Primeiro eu quero a ti e depois a teu asninho mouro. Entendeste?

Todos observaram com satisfação aquela cena.

– Compreendi – respondeu o jovem – e digo-te, Jhasua, que eu e meu asninho mouro seremos teus para toda a vida!

O menino rodeou-lhe novamente o pescoço e beijou-o com ternura. Bartolomeu levantou-o em seus robustos braços e saiu, a toda a carreira, com Jhasua, para as cavalariças, que se achavam na parte final do horto.

– Esperai um pouco – gritaram várias vozes – que ainda não está na hora da viagem.

No entanto, o jovem montanhês, radiante de felicidade e amor, já não ouvia nada mais senão a doce voz de Jhasua, que lhe havia dito:

"Primeiro eu quero a ti e depois ao teu asninho mouro..."

– Está louco!... Está louco! – repetiu Jacobo, vendo o irmão correr com Jhasua nos braços.

– Vedes? – disse o ancião Servidor. – Como foi o amor de Andrés, seu pai, por nós, assim continua sendo o amor de seus filhos.

– O Amor? Um estrelinha meiga e suave, cuja luz não se apaga nunca – acrescentou o Essênio Hussin, poeta e músico que sustentava ser o Amor a única grandeza apreciável nesta Terra, eivada de egoísmos e ambições.

Alguns momentos depois, e, à luz da lua cheia – que se levantava como uma tocha de ouro no diáfano azul dos céus – viram Jhasua, que voltava montado sobre o asninho mouro, enquanto Bartolomeu o trazia pelo cabresto.

O inteligente animal, como orgulhoso da preciosa carga que levava, deu várias voltas em torno da mesa, até que o viram aproximar-se do pai de Johanan e esfregar o focinho num dos braços do Essênio.

– Pai! – gritou Johanan –, como costumas dar-lhe castanhas, ele as está pedindo agora.

— Aqui estão, mourinho; aqui estão. — E o ancião foi dando-as ao manso animalzinho que recebeu muitas festas naquela noite.

Ficou resolvido que sairiam ao amanhecer, com o fim de comprovar, à clara luz do dia seguinte, que o caminho de balsas sobre a água estava em perfeitas condições de passar.

Uma hora depois, tudo era sossego e quietude no humilde santuário de grutas onde o Verbo de Deus, menino ainda, se hospedava com uns poucos de seus fiéis seguidores.

Hussin da Etrúria

Somente Hussin velava, naquela noite, sentado junto à mesma mesa, ao redor da qual haviam ceado pouco antes.

Sentia-se como transportado a outro mundo, alheio às misérias e egoísmos da Terra.

Seu pensamento percorria algumas de suas vidas anteriores, e sua alma expandia-se na puríssima felicidade ao ver-se novamente junto do Verbo de Deus feito homem.

Do âmago de seu ser, repleto de gratidão ao Eterno Amor, levantava-se esta meiga pergunta: "Que fiz eu para que me amasses tanto, ó Supremo Amor?"

Deitando para trás a cabeça coroada de cabelos brancos, parecia procurar esse Eterno Amor no sereno céu estrelado, em cuja direção se lançava, naquele momento, o seu Espírito, em profunda contemplação.

Para dizer a verdade, Hussin não era alquebrado pelos anos, pois tinha apenas 59, a não ser pela debilidade de sua matéria física e pela intensidade com que havia passado sua vida.

Sentia que seu coração era como um pássaro solitário pousado no ramo de um cipreste, rodeado de sepulcros.

Em sua juventude, e antes de conhecer o que é a vida além-túmulo, havia amado muito, e em primeiro lugar, a sua mãe.

Ela fora bem uma flor de luz e de ternura, cuja vida e amor haviam sido concentrados nele, filho único de um desventurado amor.

O menino não conhecera seu pai. Em sua infância, não vira outra manifestação de amor senão a de sua mãe, a tecer coroas de flores silvestres para o sepulcro do companheiro morto.

Havia nascido entre os montes pitorescos da distante Etrúria (*), numa gruta pequena que só ele conhecia, fechada ao mundo exterior.

Ali deixara guardados, para sempre, os despojos mortais de todos seus amores: o pai, que não conheceu; a mãe, que foi o delírio amoroso de sua juventude, e a jovem árabe Zared, filha de uma escrava do Rei da Arábia, a qual havia fugido dos maus tratamentos de sua esposa favorita.

A mãe de Zared morreu em Gerasa, lugar de seu refúgio, deixando a pequena sozinha no mundo, aos 10 anos de idade.

(*) Região da Itália, hoje denominada Toscana (N.T.).

Em Gerasa, situada em pleno caminho das caravanas que vinham de Tolemaida, Hussin encontrou a menina pedindo esmola no mercado e, como é natural, sofrendo os soezes insultos, usuais, em tais casos, entre pessoas de categoria inferior.

Com imensa piedade, ele a havia recolhido dali, vendo, naqueles olhinhos negros e tristes, cheios de sonho, uma luz nova para o seu céu, tão escuro e sombrio desde a morte de sua mãe.

Chamava-lhe, desde então: "*Minha doce flor do lodo.*"

Não podendo retê-la a seu lado por fazer freqüentes viagens a Tolemaida com um parente seu, dono de uma caravana, deixara a menina sob os cuidados da esposa de outro parente, pagando-lhe pela manutenção e educação.

Era Zared uma formosa flor de fogo da ardente Arábia, e sua beleza ia crescendo juntamente com o profundo amor que nutria por seu jovem protetor.

Achava muito demoradas as ausências dele, e seus olhos negros, cheios de sonho, faziam, muitas vezes por dia, a viagem de Gerasa a Tolemaida.

Ao completar os 15 anos de idade, ia casar-se com Hussin, que, nos últimos cinco anos, havia trabalhado por dois, com o fito de poder estabelecer o seu lar em sua cidade natal, na porção de terra herdada de seus pais.

De Tiro até Tolemaida, trazia para sua amada ricos e formosos tecidos a fim de que pudesse preparar o enxoval para as bodas que estavam próximas.

A jovem, que se lembrava das típicas vestimentas das esposas de seu pai, além, em seu país natal, preparou o traje de casamento na moda usual de sua terra, pensando sempre: "Quero parecer a Hussin como uma das huris de Alá."

Entretanto, estava no destino de Hussin que, nesta vida, veria morrer todos os seus afetos terrenos.

Assim, ao retornar de uma viagem, encontrou Zared moribunda, consumida por uma febre maligna que nenhum médico pôde curar.

Tão-somente haviam conseguido prolongar-lhe a vida por alguns dias mais, para que ele a visse morrer.

Sentindo a própria morte, ela disse ao seu inconsolável amado:

– Eu queria ser, junto a ti, uma das huris de Alá, e Ele ouviu meu pedido.

"Não envelhecerei jamais, e esta eterna juventude acompanhar-te-á, como um estrela, em todos os dias de tua vida!"

Aconteceu passarem por ali, em uma horrível noite de tempestade, dois Terapeutas-Peregrinos, que pediram hospedagem na velha casa de pedra.

Foi a Luz Divina para a alma de Hussin.

Então veio a saber o que é a vida além-túmulo e que sua cega fidelidade a esse cadáver querido não mais o aproximaria à alma de sua morta, pois ela estava dentro dele mesmo, em virtude do grande amor que os havia ligado.

Passados quatro anos, cerrou a gruta com um grande bloco de pedra, cuja fechadura só ele conhecia, e, deixando sua casa ao velho criado que lhe havia servido, foi com os Terapeutas ao Monte Quarantana para aproximar-se de Zared pela senda espiritual.

Vivera ali durante 30 anos, tendo saído apenas a cada cinco anos para visitar a gruta sepulcral de Zared e conservá-la nas devidas condições.

Do amor de seus mortos havia feito um culto, que se confundia, em sua alma, com a suprema adoração que rendia à Divindade, de tal sorte que pensar neles e elevar-se ao Infinito era, para ele, como um só sentimento profundo.

Em sua chegada ao Monte Quarantana, Jhasua encontrou-o nesse estado de Espírito.

O leitor entenderá agora perfeitamente aqueles sentidos versos "Esperando o Amor", que Hussin havia arrancado, como uma rosa vermelha, do mais profundo do seu próprio coração.

Todo esse mundo de emotivas e santas recordações transbordou da alma do Essênio, poeta e músico, naquela noite em que se manteve sozinho, velando no horto do Santuário, sob a ramagem das velhas oliveiras.

Purificados, quase divinizados seus amores humanos através da dor e do alto desenvolvimento espiritual que havia conquistado, a aproximação do Homem-Luz, do Homem-Amor, deu-lhes ainda maior intensidade, até o ponto de sentir que sua matéria, vibrando em tal intensidade, poderia causar-lhe dano.

Julgava, em alguns momentos, que seu débil corpo ia explodir, motivado pelo extravasamento do Amor Divino que o inundava.

Começou, então, a passear pela praia do Mar Morto, fracamente iluminada pela claridade da lua.

Já passava muito da meia-noite, quando julgou perceber, ao longe, sobre as águas, a luz de uma tocha. Em seguida, uma vaga sombra branca parecia andar no encalço da tênue claridade.

Com a mente repleta das recordações de Zared, acreditou que o seu fantasma chegava para visitá-lo e que ia aproximando-se cada vez mais da margem...

Uma vaga intensa de amor, de ilusão e de infinito anelo embargou-lhe imediatamente a alma, acelerando as batidas do coração e fazendo-lhe vibrar fortemente o cérebro.

A emoção profunda produziu-lhe algo como uma vertigem ou um ligeiro desfalecimento, ao ver que a branca figura da tocha continuava aproximando-se...

A divina sugestão foi tão poderosa que fê-lo gritar do mais íntimo de sua alma, enquanto abria os braços para estreitar a visão:

– Zared!... Já vou ao teu encontro... que vives em Deus!...

Seus olhos se escureceram, faltou-lhe o ar para respirar, e tudo se submergiu nas trevas...

A branca figura da tocha era um dos Essênios do Monte Moab que cruzava a balsa em averiguação, pois haviam compreendido que tratavam de passar para o outro lado por alguma razão muito urgente.

Chegou naquele momento em que o corpo sem vida de Hussin havia caído na água como um lótus branco arrancado violentamente pelo vendaval.

Tirou-o de lá e sacudiu-o fortemente, mas logo compreendeu que era o final daquela santa vida consagrada ao Amor.

– Hussin – disse o Essênio –, se esperasses um dia mais, terias voado do Monte Moab...

Depois de beijar com piedosa ternura a testa do cadáver, ainda quente, levantou-o em seus braços e foi deixá-lo estendido sobre aquela mesa em que haviam ceado, pouco antes, naquela mesma noite.

Tocou suavemente a campainha na gruta do porteiro, que saiu em seguida.

– Hussin afogado!?... – gritou o Essênio profundamente alarmado.

– Não, irmão Dathan – respondeu o recém-chegado –, foi uma síncope, no momento em que eu pisava na margem, a vinte passos dele. Apenas caiu, levantei-o, estando, porém, já sem vida.

– Já sabemos todos o que foi a alma de Hussin, e que ele, de um momento a outro, nos escaparia dentre as mãos, como uma calhandra cativa, a que rapidamente se abre a gaiola.

Ambos o conduziram para a gruta que fora sua morada habitual.

O Essênio recém-vindo, a quem, na inconsciência do último instante, havia Hussin tomado pela visão de Zared, avisou-os, no dia seguinte, de que os anciãos do Moab, apenas anoitecesse, cruzariam o lago, pois já fizera os sinais convencionais, alertando-os de que as balsas se achavam em perfeitas condições de permitir a passagem.

– Tivemos aviso espiritual de que o menino Jhasua estava aqui; e, ao vermos que as balsas estavam sendo colocadas, supusemos que iam levá-lo. Entretanto, pareceu-nos melhor virmos ao seu encontro para evitar que as forças do Mal provocassem algum incidente desagradável.

– Vinde a minha habitação – disse o irmão-porteiro –, e compartirei convosco minha tarimba. Faltam ainda algumas horas para começar o dia e não é justo que molestemos os demais que dormem.

– Primeiramente, acendamos círios em torno do cadáver de Hussin, e, mediante a força do nosso pensamento, tratemos de orientá-lo em sua perturbação – objetou o Essênio recém-vindo.

Acesos os círios e lançado incenso num incensário, ambos se concentraram profundamente em seu mundo interno.

Não tardaram em perceber que, do plexo solar do cadáver, começou a desprender-se algo como uma pequena nuvem de gás ou vapor. Foi tomando corpo e formas até desenhar-se, embora um tanto confuso, o corpo astral de Hussin.

Notaram que ele observou momentaneamente o seu corpo sem vida; depois olhou em todas direções como buscando alguma coisa... até que viram aproximar-se dele uma branca silhueta transparente que o tomou pela mão.

Quando percebeu os dois Essênios, sorriu e fez-lhes um sinal carinhoso com a mão direita, parecendo significar: "*até logo*".

E ambos os corpos astrais se lançaram para a imensidão...

– Assim morrem aqueles que viveram sua vida consagrada ao Amor!... – exclamou o ancião-mensageiro.

– O Amor é sua felicidade e sua glória perdurável! – respondeu o Essênio-porteiro com intensa emoção.

Em seguida, passaram os dois para a habitação desse último, a fim de aguardar, no repouso do sono, a chegada do novo dia.

Os Anciãos do Moab

Inteirados pelo mensageiro de que, ao anoitecer os Anciãos do Moab cruzariam o lago, começaram as atividades para preparar-lhes hospedagem durante os dias que permanecessem ali. Eram setenta e, não obstante houvesse, no Quarantana, grutas desocupadas, tornava-se indispensável preparar estrados de repouso para todos. Foi necessário, outrossim, que Jacobo e Bartolomeu, com uma pequena caravana de asnos, se dirigissem rapidamente às duas povoações mais próximas, Hebron e Herodium, onde irmãos essênios tinham grandes oficinas de tecelagem e de preparação de mantas e de peles de ovelhas.

Ao mesmo tempo, os Terapeutas saíram também para solicitar a todos essênios que viviam em família e desejassem ver e ouvir os grandes Mestres da Fraternidade, que ali permaneceriam alguns dias, comparecessem ao Santuário do Quarantana.

Tudo deveria realizar-se sem demora, com a maior discrição e prudência, para evitar, tanto quanto possível, a publicidade do acontecimento.

Tanto de Betlehem como de Hebron, de Jutta, de Herodium e de algumas aldeias adjacentes, deviam os interessados atravessar o Deserto da Judéia, áspero e agreste em extremo, embora não de grande extensão.

Achava-se quase todo ele habitado, em suas escarpadas montanhas, por ocultos penitentes redimidos pelos Essênios. Já vimos anteriormente que esses eram os condenados à morte ou à cadeia perpétua, e que haviam obtido indulto, mas com a condição de não aparecerem nas povoações nem nos lugares habitados do país.

Esta situação, conhecida apenas pelos Essênios, havia contribuído grandemente para exterminar as feras daquele deserto fragoso, motivo por que sua travessia não oferecia perigo aos viajantes.

Foi assim que, quando a noite estendeu seu imenso manto escuro pelos ermos e montanhas, sobre aldeias e plantações, bem como sobre o lago silente e quieto, pôde ver-se, calado e silencioso como as sombras, o desfile dos Anciãos do Moab, que haviam saído na metade da manhã de seu santuário de rochas para chegar, à noite, às margens do Lago Morto, onde estava presa a balsa.

Cada forma escura, que se movia lentamente sobre as balsas oscilantes, levava uma vela acesa, cujo reflexo sobre a água adormecida parecia multiplicar-se em pequenos resplendores. Achavam-se esses círios velados parcialmente por um tubo de cerâmica para protegê-los do vento, assim como de algum olhar profano que pudesse chamar a atenção sobre a ocorrência.

José de Arimathéia e Nicodemos, de pé na margem do lago, no lugar onde estava amarrada a balsa, contemplavam aquela silenciosa procissão de fantasmas envoltos em mantos escuros, à tênue luz das velas que lhes iluminava os passos. – "*VOZ DO SILÊNCIO*" – iam dizendo os jovens Doutores a cada um dos anciãos a quem davam a mão para saltar à praia.

Em seguida a eles, Dathan, o essênio-porteiro recebia e apagava as velas. Contaram 69. Não faltava um só deles, pois aquele que chegara na qualidade de mensageiro e explorador, achava-se no Santuário com os demais, preparando a abóbada psíquica do recinto, sendo que os elementos materiais já haviam sido organizados durante o dia.

Jhasua e Johanan dormiam num dos estrados da gruta do Servidor, ignorando a chegada dos hóspedes nessa noite.

Mal haviam posto os pés no átrio ou pórtico exterior do Santuário, eles retiraram seus mantos escuros, fazendo surgir as brancas túnicas, cingidas com o cordão púrpura que tanto agradara a Jhasua quando esteve nos Santuários do Hermon, do Carmelo e do Tabor.

Sem pronunciar uma única palavra, conscientes de que tudo estava compreendido e sentido, deixaram, junto à porta, os mantos escuros e as calças de couro, e, com brancas chinelas de lã nos pés, deslizaram sem ruído, como sombras, para o interior do Santuário, onde setenta círios, velados em quebra-luzes violeta, espargiam suave penumbra, apenas suficiente para distinguir os objetos.

Um suavíssimo salmo de evocação à Divindade começou a ser preludiado pelos alaúdes, sendo a letra cantada em coro, a meia-voz, por todo o conjunto.

Depois, todos se abraçaram fraternalmente, e o grande Servidor do Santuário do Moab abriu a Assembléia com as frases do ritual: "Que a Divina Luz ilumine a nossa consciência."

Após um momento de silêncio, todos se prostraram com os rostos em terra, como simples manifestação de que se reconheciam miseráveis e pequenos. Então o Grande Servidor acrescentou:
— Que o Amor Divino purifique toda a nossa miséria.

Estava aberta a Assembléia, e dois dos setenta se situaram defronte às duas estantes que havia no centro, iluminadas com lamparinas de azeite, e se prepararam para escrever. Eram os Notários Maiores da Fraternidade Essênia, tutores e guardiães do Arquivo, que, desde os dias de Moisés, era guardado no Grande Santuário do Moab.

— Considerando que temos em nosso meio testemunhas oculares — disse o Grande Servidor — dos doze anos de vida que conta o Avatara Divino, nossa permanência aqui servirá para coordenar e retificar o relato completo de seus dias sobre a Terra, a fim de que, no futuro, ele não ofereça motivos para dúvidas, tergiversações ou correções.

Então um Ancião, chamado Relator, se aproximou de uma das estantes iluminadas e deu início à leitura desde o momento em que os pais de Jhasua celebraram suas núpcias no Templo de Jerusalém. Os dois Notários Maiores acompanhavam a leitura, comparando-a com o que tinham anotado em suas próprias cadernetas, enquanto o Notário do Quarantana fazia o mesmo.

José de Arimathéia e Nicodemos, ali presentes, repassavam tudo em sua memória, à medida que o Relator lia. Ninguém teve que fazer objeção alguma, pois tudo estava de acordo com a verdade das ocorrências. Os Notários Maiores acrescentaram aos seus grandes calhamaços aquilo que fora escrito ali, no Santuário do Quarantana, desde o dia da chegada de Jhasua, com base nos relatos feitos por José de Arimathéia e assinados por ele, Nicodemos e os Terapeutas, testemunhas oculares dos acontecimentos.

Ato contínuo, passaram todos para a gruta de Hussin, e, cantando um doce e sentido salmo, trasladaram seu cadáver para a gruta sepulcral, existente no outro extremo do horto, na qual havia muitas múmias de Essênios, desencarnados havia longo tempo.

Ardia ali, permanentemente, uma lâmpada de azeite, símbolo do amor e da recordação constantes dos irmãos que ficavam no plano físico — sentimentos estes que deviam ajudar o recém-desencarnado a orientar-se no seu novo cenário de atividades.

Era lei entre eles que, durante sete luas (*) consecutivas, far-se-ia, diariamente, em seu favor, uma concentração de pensamentos de amor, até que se recebesse aviso espiritual de haver ele encontrado o novo caminho a seguir.

Estava, assim, cumprida a primeira parte do programa.

No dia seguinte, iniciaram trabalhos mais elevados, sob a inspiração do Espírito de Luz encarnado em Jhasua e de seu principal colaborador no exterior: Johanan, mais tarde chamado "o Batista".

Nos rostos extenuados de alguns dos Anciãos já se refletia o cansaço, motivo pelo qual foram conduzidos a u'a imensa gruta, que era, a um tempo, despensa, adega, refeitório e cozinha, e cuja forma, irregular em extremo, a tornava semelhante a uma pracinha de rochas, parte sem teto e parte coberta.

Há séculos atrás, quando os Essênios tomaram posse daquelas grutas, tiveram que expungir todo o horror que nelas havia desde os tempos das invasões e das terríveis guerras que assolaram todo o país de Moab, pouco depois de haverem elas sido anunciadas, em suas profecias, pelo grande mestre Essênio Jeremias.

(*) 7 meses (N.T.).

Por causa dessas profecias, ficou o vidente preso, por longo tempo, num calabouço cheio de lodo putrefato, situação que quase lhe custou a vida. Mais teria valido ao rei moabita tomar as precauções necessárias para evitar a tempo o espantoso desastre.

Ainda com relação às grutas do Monte Quarantana, quando os Essênios nelas se refugiaram, encontraram-nas abarrotadas de cadáveres em completa decomposição e quase em estado de esqueletos, porque as feras deviam ter tido ali seus festins de carne humana, proveniente daqueles que, fugindo do Moab, teriam passado o Mar Morto ou atravessado as salinas pelo sul.

Isso facilmente se adivinhava pelo estado dos cadáveres, cujos membros, dispersos por todas as enormes grutas, denotavam que os respectivos corpos haviam sido esquartejados.

A ferocidade humana e a crueldade das feras selvagens têm, às vezes, pontos bastante acentuados em comum.

O que não lhes foi possível saber, através dos meios físicos, era: se todos aqueles seres, que passavam de quatrocentos, segundo o número dos crânios encontrados, haviam morrido de fome ou se as feras lhes teriam tirado a vida.

A enorme gruta que os Essênios destinaram a adega, cozinha e refeitório, e que tinha uma grande passagem para o exterior, era a que estivera mais cheia. Como aquele trabalho só podia ser feito quando não houvesse perigo de serem vistos, eles levaram vários meses para acabar de arrojar ao fundo do Mar Morto aqueles míseros despojos humanos, pois não havia vala capaz de contê-los.

José de Arimathéia e Nicodemos – que escutavam em silêncio aqueles dolorosos relatos, passados através da tradição escrita de uns para outros desde os primeiros Essênios que habitaram aquelas grutas – pensaram profundamente comovidos:

"Assim trata esta Humanidade os homens que lhes querem fazer bem. Os preguiçosos e velhacos, enriquecidos pelos despojos dos seus semelhantes, pela pilhagem e pelo roubo, ao amparo da força emanada do poder, vivem em palácios, entre orgias intermináveis e, não obstante, são aclamados pelo público, que se inclina reverente ante eles, como se fossem seres superiores, vindos à Terra para deslumbrar seus semelhantes famintos e escravizados. Isto é horrível! Isto é injusto! E, embora Deus o tolere impassível, nós, que somos homens, não o podemos suportar!"

Assim pensavam silenciosamente os dois jovens Doutores de Israel. O Grande Servidor do Santuário do Moab e um dos Notários que descansavam ali perto, sobre estrados cobertos de peles, enquanto era preparada a comida, perceberam, em sua sensibilidade, a luta que se desenvolvia nas mentes dos dois amigos, porquanto seus semblantes carrancudos e taciturnos revelavam claramente sua revolta interior.

– Para que nós possamos formar juízos exatos – disse o Grande Servidor – quanto aos fenômenos psíquicos e morais que se realizam em muitos dos seres desta Humanidade, devemos partir do princípio de que, em seu seio, constituem pequena minoria aqueles que conhecem o grandioso processo de evolução humana, o qual se desenvolve ao longo de imensas idades e numerosos séculos. A Sabedoria Divina está a par disso, e é por este motivo que Ela contempla impassível o lento progresso da evolução.

"A Eterna Lei, em intervalos determinados, dá fortes sacudidas nessas humanidades atrasadas, seja sob a forma de cataclismas siderais ou cósmicos ou lutas de elementos, seja sob a forma de lutas sangrentas e destruidoras de uns países contra outros, nas quais uma parte da Humanidade abandona violentamente a vida física, a fim de que as almas adquiram mais prontamente a lucidez e a compreensão necessárias para elevar o nível de sua evolução.

"Deus não obriga ninguém a sacrificar-se pelos demais seres; e, se, nesta hora e neste país, nós – um punhado de homens, os essênios, continuadores de Moisés – quisemos imolar-nos pela evolução humana nestas paragens da Terra, foi porque o conhecimento espiritual adquirido em muitas etapas da vida eterna nos fez compreender os desígnios divinos em toda sua grandeza.

"Decidimos colocar-nos, como falange altiva, frente a frente com a marulhada humana, cega de egoísmos e de ambições; portanto, devemos necessariamente sofrer as conseqüências materiais de nosso arrojo e de nossa audácia. Para não perecer esmagados por ela, ocultamo-nos nas cavernas das rochas, esperando melhores dias.

"A humanidade terrestre, em geral, é o que ela pode ser, logicamente, em relação ao seu atraso intelectual, espiritual e moral. Por sermos espíritos mais adiantados, afastamo-nos do ambiente habitual e próprio deste planeta.

"Exemplificando melhor: se numa sinfonia selvagem, composta de uma centena de tambores, de cornetins e de estridentes gritos, se mistura repentinamente o som de uma lira ou de várias liras, que é que sucede? Predomina a sinfonia selvagem e abafa o concerto sutil e suave das liras, que rebentarão suas cordas e saltarão em pedaços, se nos empenharmos em dominar os sons estridentes. Não existe, pois, nada injusto, como vedes.

"Livre e voluntariamente estipulamos, em época muito distante, a nossa cooperação ao Grande Guia desta humanidade, no sentido de elevá-la de seu atraso moral e espiritual.

"É tão grande sua decadência moral que paga com aversão e ódio a todo aquele que luta para tirá-la do seu charco de lodo, no meio do qual se encontra até muito a gosto. É tamanha sua ignorância que aceita os mais crassos erros e as mais grosseiras superstições, desde que estejam de acordo com seus gostos e comodidades, sem obrigá-la a fazer o menor esforço para mudar o caminho.

"Nossas doutrinas e nossas vidas, em harmonia com a Lei Divina, põem-na fora dos eixos, ou seja, fora de si, fazendo-a cair em espantosos delírios de ódio e furor. Procura, então, exterminar-nos como animais daninhos e prejudiciais à sua tranqüilidade.

"Isso é tudo!"

– Lestes os nossos pensamentos, Grande Servidor! – exclamou Nicodemos.

– É verdade – confirmou José – mas, seguindo vosso raciocínio, a luz se faz em nossa mente, e todas as rebeldias se apagam numa onda de imensa piedade para com a ignorância e o atraso da Humanidade.

– Nossa modesta ceia está posta – disse um dos Terapeutas – indicando o outro extremo da imensa gruta, iluminada por uma fogueira que crepitava no centro e por várias lâmpadas de azeite presas nas rochas que, em amplo semicírculo, cercavam o recinto chamado pelos solitários de "refeitório".

Ali não se via somente u'a mesa grande, mas várias pequenas, onde, de dois em dois, podiam instalar-se mais de cem pessoas. Essas mesas eram bastante baixas para que os comensais, sentados nos estrados lavrados em rocha viva, pudessem comer comodamente.

O Grande Servidor e um dos Notários maiores convidaram os dois jovens Doutores para comerem em sua companhia. Estes juntaram as mesinhas mais próximas às dos dois Anciãos, sentando-se, simultaneamente, junto a eles. Percebia-se que uma forte onda de simpatia se havia estabelecido entre eles.

Foi nessa hora, nessa ceia íntima do Santuário do Quarantana, que José de Arimathéia e Nicodemos de Nicópolis se comprometeram solenemente a servir de escudo de proteção ao Cristo, no meio do mundo, para onde, dentro de bem pouco tempo, ele ia entrar como um cordeiro entre lobos ou como um rouxinol num ninho de corvos famintos.

Para que sua ação junto a ele fosse eficiente, deviam eles ocultar, quanto pudessem, sua intimidade com a família carnal de Jhasua e até com seus discípulos, quando chegasse o tempo de sua vida pública no meio dos homens.

– Vossas ligações com ele – disse o Grande Servidor – devem ser invisíveis como as nossas, tal como o foram também as daqueles sábios ilustres que o visitaram no berço, a cujos conhecimentos superiores devemos a comprovação de que a matéria que acompanha a Jhasua é, segundo a ciência espiritual, a que corresponde ao Verbo de Deus encarnado.

– É por isto – acrescentou o Notário – que deveis procurar estar em contínua comunicação conosco, se não pessoalmente, pelo menos sempre por meio de cartas que podereis entregar aos nossos Terapeutas que percorrem todo o País, visitando os nossos Santuários e as famílias essênias disseminadas em toda a sua extensão.

– Contai conosco em tudo e para tudo – foi a resposta dos dois amigos.

– Mas, silêncio! Muito silêncio, de tal modo que nem sequer vossas próprias famílias cheguem a percebê-lo – disse novamente o Grande Servidor.

– Eu vo-lo prometo pela missão augusta do Cristo – respondeu Nicodemos com veemência.

– E eu vo-lo prometo pelo próprio Cristo – disse José, apoiando a mão direita sobre o peito, como se quisesse associar seu próprio coração à promessa solene que fazia.

Uma hora depois, todos repousavam nas grutas do Santuário do Monte Quarantana, onde o Salvador da Humanidade, menino ainda, e um punhado de seus servidores, se ocultavam dos homens para delinear nas sombras o grandioso programa da sua redenção.

Quando, ao gorjeio dos pássaros, a luz do novo dia iluminou em cheio o estrado em que dormiam os dois meninos, ambos saltaram do leito com a impressão de que haviam perdido muito tempo sem ocupar-se de seus cordeirinhos e cabritinhos.

Depois da breve oração matutina, junto ao leito, saíram rumo à pracinha que dava para o lago, onde haviam comido na primeira noite.

Estacaram ambos olhando-se mutuamente, ao verem tantos Anciãos de vestimentas brancas, que passeavam em grupos de dois ou três, falando animadamente.

Quando Jhasua distinguiu José de Arimathéia e Nicodemos entre eles, correu em sua direção como um pequeno cervo em busca de sua mãe, e, sem preâmbulos de espécie alguma, perguntou:

– De onde tirastes tantos Anciãos, se ontem à noite só havia sete?

– O Pai Celestial mandou-os para te verem – respondeu José.

– Como? A mim? – perguntou o menino, deixando correr o olhar luminoso de seus olhos pardos por todos os Anciãos que, por sua vez, o olhavam, tendo os seus inundados de emoção e amor.

– Sim, a ti, querido acima de todas as coisas – disse o Servidor aproximando-se com os braços abertos. Sem timidez alguma, o menino arrojou-se neles, sentindo que aqueles braços lhe eram tão suaves como o regaço materno.

Os Setenta Anciãos do Moab se agruparam ao redor do menino esperando sua vez de estreitá-lo sobre o coração.

Teve Jhasua a imensa alegria de reconhecer aqueles que, durante sua estada no Monte Carmelo, haviam vindo do Monte Hermon, quando, em companhia de sua mãe e de Jhosuelin, viajara num pequeno veleiro, para esperá-los em Tiro. Também nossos leitores hão de recordar esta passagem.

Aquele distante Santuário do norte, perdido entre as agrestes belezas do Monte Líbano, fazia-lhe recordar sua primeira infância. Entrara naquelas formosas grutas pouco antes dos dois anos de idade, e havia saído de lá aos sete, já completos.

Pelo fato de os Anciãos de túnicas e cabelos brancos lhe serem tão agradáveis e queridos, sentiu-se Jhasua como submergido numa onda de infinita felicidade.

– Voltai para Jerusalém quando quiserdes – disse ele, por fim, a José de Arimathéia e Nicodemos – que eu vou ficar com os Anciãos.

– Faltava apenas isto, Jhasua! – disse rindo José. – Custou muito trabalho obter a permissão de Myriam, tua mãe, para trazer-te aqui por oito dias, e falas em não voltar mais!...

Os próprios Anciãos que ele chegara a conhecer, em pequeno, no Monte Hermon, intervieram para convencê-lo.

– Não é bom adiantar os acontecimentos, filhinho – observou um deles, acariciando-o ternamente. – O Pai Celestial marcou todas tuas horas; portanto, esta de vires ter conosco também foi marcada. Teus pais é que são, por enquanto, os donos de tua vida; e sabes perfeitamente que a Lei manda prestar-lhes obediência e veneração.

– Além disto – acrescentou Nicodemos –, os Anciãos do Monte Tabor prometeram visitar-te uma vez a cada ano; os do Carmelo outro tanto. Agora tens uns dias para confortar-te entre os do Quarantana e os do Moab.

"Queres mais, Jhasua? Queres mais? Pensa também um pouquinho em nós e, principalmente, em tua família carnal... em tua mãe; essa mãe que não tem igual, e que é um tesouro que deves saber apreciar."

– Perdoai-me! – disse docemente o menino. – Tendes toda a razão e não posso fazer-vos ficar em má situação para com minha família que me confiou a vós.

E, voltando-se para os Anciãos, lhes disse:

– Já que sabeis que o Pai Celestial determinou a hora em que eu deva estar convosco, podeis dizer-me quando será?

– Quando tiveres passado dos vinte anos – respondeu um deles.

Jhasua contou mentalmente os anos que faltavam e disse:

– Oito anos!... São muitos, em verdade, mas, um dia, terminarão, e então...

E ficou olhando para os Anciãos e os amigos com olhar firme, cheio de inteligência.

– E então o quê? – perguntaram várias vozes.

– Nada, nada!... É que, às vezes, tenho uns pensamentos que não parecem meus, mas de homem de muitos anos. Sei perfeitamente que sou um garotinho, sujeito à vontade de todos. E assim deve ser!...

– Vamos, Johanan, levar nossos cabritinhos a pastorear!

– Vamos! – respondeu seu amiguinho, enquanto, em seu mundo interior, se levantava esta interrogação:

"Que haverá em Jhasua para que todos os Anciãos lhe queiram tanto? É verdade que é muito formoso, mas eles não se deixarão deslumbrar dessa maneira pela beleza do corpo!... Será Jhasua, no futuro, quem sabe, um grande Profeta de Deus?... Ou será, porventura, esse Messias ao qual me ensinam a orar e a chamar desde que nasci?..."

Correram ambos para os estábulos, que, em verdade, ofereciam um pitoresco aspecto. Eram compostos de várias grutas, muito irregulares, comunicando-se entre si, ou, explicando melhor, por uma enorme galeria de grutas, cheias de pontas salientes, umas altas, outras baixas, com ângulos e tortuosidades sem fim.

Cabras e cabritinhos, trepados nos penhascos salientes e perdidos entre grandes tapeçarias de musgos cinzentos, amarelos e verdes – tudo isso formava um conjunto agradável e único, onde Jhasua se encontrava como num paraíso.

As corridas dos cabritinhos e seus descomunais saltos de cima dos eriçados penhascos divertia-o grandemente.

– Feliz és tu, Johanan, pois tens toda esta alegria de viver! – disse ele a seu amiguinho – enquanto eu devo permanecer aqui unicamente oito dias.

– Na tua casa, em Nazareth, não há também alegria de viver? – perguntou Johanan, compadecido de Jhasua.

– É que aquilo não se assemelha a isto – respondeu o menino. – Meu pai e meus irmãos mais velhos estão ocupados na oficina e com suas respectivas famílias. Ana e Jhosuelin, ainda solteiros, são melancólicos e estão sempre pensando em coisas que eu não entendo. Minha mãe é a única que trata de tornar a minha vida alegre; no entanto, como tem muitas preocupações, vive absorvida por elas.

"Além disto, ali não poderei ter senão dois ou três cordeirinhos e algumas pombas, porque destruiriam as hortaliças e plantações; e está claro que isto não é justo."

– Olha! Jhasua: tenho uma idéia!

– Dize qual é!

– Que, todas as vezes que vieres para as festas da Páscoa, te tragam aqui por uma temporada; algo assim como as férias depois das aulas.

– Oh, que idéia mais linda! Levemos o rebanho ao pasto e ao bebedouro e, logo a seguir, trataremos deste assunto com meus dois amigos e com os Anciãos.

– Oh, que beleza! Agrada-me que também tu venhas nessas ocasiões, porque aqui todos são, como vês, pessoas de idade, e o que menos pensam é em brincar comigo. Às vezes vou com Bartolomeu e sua família, ou ele vem aqui e me diverte muito. Também minha vida é triste, Jhasua, como podes ver.

– Sabes de uma coisa, Johanan?

– Podes dizer-ma?

– Que, por certas palavras isoladas, ouvidas como por acaso, tirei algumas deduções!...

– De quê e por quê? Fala, Jhasua.

– Que, por determinação de Jehová, tu e eu trazemos missões importantes a cumprir neste mundo.

– Também eu vi aqui algo assim, quando meu pai falava com o Servidor e com os dois Terapeutas que vieram do norte e que te haviam visitado...

– E sei outra coisa mais importante ainda!...

– Deveras, Jhasua?

– Pois então!... – E, ao falar assim, o menino sentou-se sobre uma pedra enquanto, ao seu redor, pastavam as cabras com os seus cabritinhos.

Nisto, seu formoso rosto tomou o aspecto de um inspirado. Já não sorria. Já não brincava. Seu olhar, dirigido ao longe, parecia buscar, em outros horizontes, algo que se refletia em seu Espírito. Vendo-o assim, Johanan sentou-se a seu lado.

– Eu sei... – começou Jhasua – eu sei que tu e eu vivemos muitos séculos antes deste momento e também vivemos muitas existências antes desta.

– Como o sabes? – perguntou assustado Johanan.

– Pelos ensinamentos que os Anciãos do Monte Carmelo me têm dado. Os Essênios são muito antigos, ainda que, no correr dos tempos, nem sempre se chamas sem *Essênios*.

— E sabes como se chamavam?
— Sim. Numa época mui remota, chamaram-se *Profetas Brancos*; depois *Antulianos*; mais tarde *Dáckthylos*; logo *Kobdas*, e agora *Essênios*. Todos eles são idênticos. E, da mesma forma como agora tu e eu estamos no meio deles, assim estivemos juntos também naqueles tempos tão distantes.
— Oh, como somos velhos!... — exclamou Johanan. — E, como é que somos meninos agora?!
— Somos meninos na matéria que revestimos! Fomos meninos muitas vezes, embalados, durante o sono por u'a mãe que fazia oscilar nosso berço! Oh, que mães! ... As maravilhosas mães que amam sempre... que sofrem sempre e que esperam sempre!...
— Quão estranho estás, Jhasua!... Parece-me como se tivesses sido transformado em Ancião tal qual os Essênios.
— É que agora te fala o meu Eu Interior, que tem vivido longas existências!...
— Há oito mil anos, eu também era menino, nascido de um grande amor, numa gruta como estas, onde se abrigava uma numerosa família de renas.
"Johanan!... Leste as Sagradas Escrituras?"
— Sempre assisto a essas leituras.
— Então conheces o poema de Adamu e Évana? É verdade que o sabes?
— Oh, sim!... O célebre casal com que se iniciou a era denominada "Civilização Adâmica".
— Justamente! Abel, seu primeiro filho, fui eu! Não sabias isto?
— Não. Isto eu não sabia!
— Formavas parte dos Essênios daquela época, que se chamavam *Kobdas*, e teu nome era *Agnis*.
— E, por que se chamavam assim, em vez de *Essênios*, como agora?
— Porque estes tomaram seu nome do discípulo mais íntimo e querido de Moisés, chamado *Essen*, compreendes? Os Kobdas denominaram-se assim porque esta palavra significa *coroa*, na língua por eles falada. É que eles se haviam proposto ser a *Coroa de Amor e de Luz*, a fim de que, dentro dela, pudesse o homem ungido pelo Amor Eterno desenvolver suas atividades para aquela época.
— Mas tu sabes muitas coisas, Jhasua!... — exclamou Johanan. — Por que será que eu não sei tanto?
— Virás a sabê-lo agora, nestes dias em que eu estou aqui. Tens medo do Profeta Elias, acerca do qual correm tão arrepiantes tradições?
— Não tenho medo algum, pois, pelas Escrituras, sei que ele foi um Profeta de Jehová; que, em Seu nome, fazia justiça sobre poderosos e malvados!
— Elias foste tu mesmo!
— Eu?... Disseste que fui eu?
— Sim, tu; e sei disto por havê-lo escutado, no Monte Tabor, enquanto os Anciãos faziam invocação a Jehová para que lhes enviasse Luz Divina com seus mensageiros celestiais.
— E que aconteceu?...
— Eles julgavam que eu dormia, porque me viram quieto... muito quieto mesmo. O caso é que eu não podia mover-me, pois estava como se houvesse perdido o movimento do corpo. No entanto, minha mente estava lúcida e atenta.
"Jehová respondeu à fervente oração dos Anciãos com uma visão que parecia uma labareda de fogo. Pouco a pouco, foi tomando forma uma silhueta humana. Era o Profeta Elias que esclarecia estar aproximando-se a hora do grande apostolado de Jhasua e de Johanan, hoje ainda meninos.

— Disseste que eu fui Elias? Mas eu não tenho saído daqui quase desde meu nascimento... Deveras, Jhasua... não sei como compreender o que me estás dizendo!...

— Antes de duvidar, Johanan, pensemos um pouco. Os Anciãos ensinaram-me como se pode pensar de acordo com a razão.

"Quando dormes, que é que faz a parte ativa e principal de ti mesmo, ou seja, a alma imaterial e vibrante como um raio de luz?"

— Como posso saber o que fará? Dormirá também!...

— Não, Johanan, não dorme, porque apenas dormem os corpos orgânicos que necessitam de descanso para seu sistema nervoso. A alma fica livre durante o sono e pode ir aonde a Lei Divina lho permitir. Naquela mesma noite, de que te falei, certamente dormias aqui, e tua alma, desprendida da matéria, foi ao Tabor, onde os Anciãos invocavam o Infinito.

— Quando eles explicaram as Escrituras aos Essênios do primeiro grau, mandaram-me escutar, e eu ouvi que o Profeta Elias virá antes do Messias Salvador de Israel — disse Johanan pensativo.

"Tu me dizes agora que estás convencido de que sou Elias que voltou à vida... Então tu... quem és tu, que, sendo mais novo do que eu, sabes tantas coisas?... Jhasua! ... Quem és tu?...

Johanan devorava a Jhasua com seus grandes olhos negros, cujo fito continuava perdido em horizontes distantes...

— Eu sou Moisés, que volto com uma nova lei para os homens: a Lei do Amor Universal.

Sem saberem por que, os dois meninos se abraçaram com indescritível emoção.

Moisés e Elias!... as duas grandes figuras da epopéia final do Cristo Redentor, transformadas, para essa ocasião, em Jesus de Nazareth e João, o Batista.

— Que é que se passa aqui, pois vos abraçais tão desesperadamente? — perguntou, de súbito, junto a eles, a voz de Nicodemos, que, seguido de José de Arimathéia e do Essênio-porteiro, procurava os meninos, cuja demora estava causando-lhe estranheza.

— Não se passa nada — respondeu Jhasua —, apenas estamos recordando nossa antiga amizade, e a ternura explodiu de nosso peito. Para que nos quereis?

— O leite e as castanhas assadas estão fumegantes sobre a mesa. Não quereis quebrar o jejum conosco?

— Vamos lá — disseram os dois meninos seguindo a Nicodemos.

O dia passou sem incidentes notáveis. No entanto, naquela noite, à primeira hora, Johanan aproximou-se do Servidor do Quarantana e, mui sigilosamente, disse:

— Jhasua quer que eu vá com ele orar a Jehová, no Santuário! Deixais-nos ir?

— E por que não? Vosso desejo me faz pensar que o Senhor vos está chamando para determinados fins. Não podemos embaraçar a Vontade do Criador de todas as coisas. Ide, pois, meus filhos.

Ao falar assim, o Ancião obedecia a u'a mensagem recebida, naquela mesma manhã, por um dos Essênios do Moab, no sentido de que, durante todo o dia, se deixasse os dois meninos em completa liberdade de ação, pois as Inteligências Superiores realizavam trabalhos para que se manifestasse no exterior o *seu verdadeiro Eu*; não mais por meio do transe, mas em plena consciência.

Enquanto ocorria isso, o Grande Servidor, dois Notários, José e Nicodemos se colocaram a distância, naquela gruta que chamavam *Gruta das Virgens*. Esta dava para o Santuário, achando-se, porém, dele separado por um gradil de bronze e uma transparente cortina branca. Era o recinto onde, acompanhadas por seus alaúdes, as donzelas essênias cantavam em coro os salmos que os Anciãos designavam para determinadas solenidades. Dali podia ser observado tudo quanto se passava no Santuário.

Viram Jhasua entrar com passinhos suaves e lentos, como se sentisse sobre si um grande peso que o impedisse de andar apressadamente. Foi prostrar-se no centro, diante das Tábuas da Lei, reprodução fiel do velho original, conservado no Grande Santuário do Moab. Johanan, que o havia seguido, prosternou-se também a seu lado.

Ambos se puseram logo de pé e, aproximando-se da estante de carvalho, onde estavam as ditas Tábuas, ficaram imóveis durante alguns instantes, como se fossem estátuas de pedra. A luz dourada do grande candelabro, pendente do teto, dava em cheio sobre seus rostos, voltados com insistente fixidez para aquelas pedras, cujas gravações datavam de mais de dez séculos.

Nesse instante viram Jhasua colocar o indicador de sua mão direita sobre aquele versículo final que diz:

"Estes dez mandamentos resumem-se em dois: Amar a Deus sobre todas as coisas e ao próximo como a ti mesmo."

Com uma vibrante e sonora voz que não parecia sair daquele corpinho, ouviram-no dizer:

— Johanan!... Acabo de descobrir que nós dois viemos a esta Terra, nesta época da Humanidade, só para isto. Olha Johanan, olha! — e continuou apontando com o dedinho rosado, firme como um punção de ferro, para aquelas inflexíveis palavras:

"Amar a Deus sobre todas as coisas e ao próximo como a ti mesmo."

Estranha e fosforescente claridade iluminou aquela frase, que Jhasua tocava com o dedo, até o ponto de torná-la visível a distância em que se achavam os espectadores silenciosos.

A *Gruta das Virgens* encheu-se logo, pois todos os Anciãos haviam sido chamados para presenciar o espetáculo. A fosforescência das palavras foi-se transformando em fios de fogo que as agigantavam cada vez mais até que essa frase encheu inteiramente aquela parte do Santuário onde estavam os livros dos Profetas, por cima dos quais se estendia a radiante claridade como uma chama viva!...

— Isto é tudo, Johanan!... Vês? Isto é tudo! — continuou dizendo a voz sonora de Jhasua. — Quando cada homem desta Terra amar a Deus acima de todas as coisas e aos seus semelhantes como a si mesmo, todas as outras leis serão supérfluas, porque esta encerra tudo.

— Estás lançando fogo de tua mão, Jhasua! — exclamou quase espantado Johanan. — Retira o teu dedo, porque, senão, destruirás as Tábuas da Lei!...

— Não, não! O fogo que ardeu um dia, na sarça do Horeb, perante Moisés, arde agora novamente para consumir tudo... os templos, os altares, os deuses e os símbolos, porque só uma coisa deve ficar em pé depois de haver brilhado esta labareda ardente: "Amarás a Deus sobre todas as coisas e ao próximo como a ti mesmo."

Tudo mais são folhas secas que o vento leva; é flor de feno que se transforma em pó no correr do tempo e da vida!

Como se uma tremenda energia fosse apoderando-se de todo seu ser, tomou Jhasua os rolos de papiro que estavam sobre um cavalete de pedra branca, sobre o qual se lia: "*Livros de Moisés.*"

— Vês, Johanan, estas poucas escrituras, em que se descreve a gênese dos mundos, dos seres e das coisas, e onde umas poucas regras simples de bem-viver ensinam aos filhos de Israel o segredo de se manterem em paz, com saúde e alegria? ... Entretanto, no Templo de Jerusalém e em todas as Sinagogas, desde Madian até

Damasco, os livros que se diz serem de Moisés são verdadeiros códigos de sangue, nos quais se regulamentam e ordenam as matanças e as torturas de homens e de animais em homenagem a Jehová.

"Como explicarão os homens doutos, um dia, o *'não matarás'* da Lei de Moisés e o *'amarás a teu próximo como a ti mesmo'*, postos em comparação com esses doutos livros também denominados de Moisés, onde, porém, sob o axioma de *'olho por olho e dente por dente'*, são autorizados todos os assassínios e crimes que se harmonizam somente com os códigos satânicos da vingança em ação?!

"Ó Johanan, Johanan, tu e eu seremos sacrificados como cordeirinhos entre lobos por esta humanidade inconsciente, que se consola entre o egoísmo e o ódio!

"No entanto, de teu sangue e do meu brotarão, aos milhares, como plantas de um viveiro maravilhoso, os apóstolos do amor fraterno, que, da mesma sorte como ocorrerá conosco, cairão ceifados como espigas maduras, cujas vidas sucessivas, em interminável cadeia, irão escrevendo em todas as consciências: 'Ama ao teu próximo como a ti mesmo', até que os homens, cansados de padecer, se abracem, por fim, sob essa lei imortal e eterna, que é o código supremo em todos os mundos e para todas as humanidades!

"Choras, Johanan?... Por que choras?"

— Porque teu fogo queimou os véus que ocultavam de mim as coisas passadas, e volto a viver o teu sacrifício, como se os maus bebessem novamente teu sangue e o meu, derramados juntos, em holocausto à Humanidade! Até quando, Jhasua; até quando?...

— Até a existência presente, que é para mim a última; ela marcará a apoteose e será a mais ignominiosa de todas as minhas mortes.

"És Elias!... O terrível Elias que esgrimia com raios de fogo em suas mãos e fazia tremer de terror os tiranos e os malvados; e tu agora choras, Johanan! Choras agora?..."

— Aqui não estão os tiranos nem os malvados, Jhasua!... Querubim do Sétimo Céu! Aqui estás tu, Cordeiro de Deus; tua ternura me invade como uma onda gigante que sacode o meu ser, estremecendo-o de horror e de espanto!

"És o lírio dos vales, cantado por Salomão; o ramo de jacintos em flor sobre o peito da escolhida; o perfume de mirra e de aloés que povoa a alma de sonhos, de paz e de amor; o arrulo do pombo que chama, gemendo, sua companheira do vão de um penhasco! Oh, Jhasua, vaso de mel e de essências! Não hei de chorar por ti, que és o único que sabe amar?... Disseste que vais morrer?... Vais ser devorado por essa loba faminta que se chama Humanidade?

"Vais ser despedaçado por esse bando de corvos raivosos que jamais se fartam de sangue?... Não, não, Jhasua, não! Já é demasiado!... Eu não quero isso! E, se é verdade que sou Elias, que fez arder em labaredas o Monte Carmelo e converteu em carvão os sacerdores de Baal e estendeu os soldados de Acab no chão, como larvas, eu exterminarei todos os homens desta Terra, se nela não se encontrar um só capaz de te amar, Jhasua, filho do Deus Imortal, que acende as estrelas durante a noite e os sóis ao amanhecer! Eu os destruirei como o mar bravio destrói os barcos que o cruzam..."

— Johanan! Johanan!... — disse docemente Jhasua, colocando sua mão, suave e delicadamente, sobre o ombro de seu amigo trêmulo, em face da formidável energia que, qual onda fervente, corria por todo seu corpo. — Não farás nada disso, Johanan, porque serás sacrificado antes que eu o seja, e, de teu lugar de glória e de amor, verás meu holocausto, como pode e deve vê-lo uma Inteligência de grande evolução.

"Esperar-me-ás sorridente e feliz por me ver chegar triunfante sobre a ignorância, sobre o fanatismo e sobre a morte! Esperar-me-ás para levantar os véus rosa e ouro que cobrem a porta do Céu dos Amadores, e serás o primeiro a dizer-me: 'Entra em tua pátria, para sempre, Cristo, Filho de Deus vivo!.'"

Johanan abriu os olhos como preso de um deslumbramento súbito e, sem poder pronunciar uma só palavra, exalou um profundo gemido, indo cair exânime sobre o pavimento. Este clamor e o ruído da queda cortaram a corrente de luz, de amor, de sabedoria infinita, de maneira que Jhasua se viu novamente com sua debilidade de menino, que se arreceia de tudo e por tudo, e, lançando-se também ao solo junto de seu amiguinho, soluçou amargamente:

– Johanan!... Não morras, Johanan!... Quem me acompanhará para levar os cabritinhos ao bebedouro e ao pasto? – E cobria de ternos beijos a gelada testa do companheiro desmaiado.

Então os Essênios saíram de seu esconderijo e correram em direção aos dois adolescentes. José e Nicodemos levantaram a Johanan e o conduziram para seu leito, enquanto os Anciãos consolavam a Jhasua que continuava repetindo:

– Johanan, não morras!... Eu não quero que tu morras!

– Calma, filhinho, calma! – disse o Grande Servidor, que o havia levantado nos braços e o estreitava sobre o coração. – Johanan só está desfalecido e logo o verás perfeitamente bem.

Passando-o de braço em braço, como quando era muito pequenino, chegaram ao grande refeitório, onde o fogo da lareira, semi-apagado, deixava ver apenas um pequeno monte de brasas que brilhavam na penumbra.

A onda de amor havia consumido a onda de espanto, e Jhasua foi esquecendo tudo quanto havia ocorrido.

– Que é que se faz, Jhasua, quando o fogo está quase apagado? – perguntou um dos Anciãos.

– Acende-se de novo – respondeu o adolescente.

Ato contínuo, tomou um feixe de ramos secos e um punhado de palha, que jogou nas cinzas ardentes. Levantou-se um chama de ouro e púrpura que iluminou alegremente a gruta.

– Oh, que bonito fogo! – exclamou Jhasua, olhando para todos com seus olhos sorridentes. – Quão formosas ficam as vossas túnicas brancas, iluminadas por este resplendor! – e deitou-se junto ao fogo, sobre uma pele negra de urso, cuja cabeça dissecada formava duro contraste com sua cabecinha delicada e ruiva. O Grande Servidor fez sobre os lábios sinal de silêncio, porque teve a intuição de que o menino ia ficar adormecido.

Grande mudança notou-se desde então na personalidade de Jhasua. Até ali, o menino havia lutado com o homem. Este último surgia apenas em raros momentos para desaparecer logo, vencido por aquela exuberante infância que parecia lutar por prolongar-se indefinidamente. Dir-se-ia que, no subconsciente, ele vacilava ante o início de um apostolado que devia conduzi-lo ao mais tremendo sacrifício.

Que fenômeno terá ocorrido ao psíquico do Homem-Luz, durante aquele sono na gruta-refeitório dos Essênios, e, outrossim, enquanto permaneceu estendido, como um cordeirinho, sobre a pele do urso dissecado?

Todos os Anciãos o deixaram dormir ali quanto quis. Johanan dormiu também no seu leito, na gruta do Servidor.

Sem perder de vista a Jhasua adormecido, os Anciãos fizeram, ao redor dele, sua frugal refeição da noite. Em seguida, continuaram a vigilância ali mesmo, falando, a meia-voz, sobre o processo espiritual que se desenvolveria naquela grande alma, submergida, por força do amor, nas obscuridades da matéria.

Quando a noite já estava muito avançada, um deles recebeu um ditado espiritual que os aconselhava a se retirarem para descansar, ficando ali só três ou quatro de saúde mais forte.

José de Arimathéia e Nicodemos não quiseram afastar-se nem por um só momento do menino confiado à sua diligência. Do mesmo modo procederam os dois Terapeutas que os acompanhavam desde Jerusalém. Um dos Notários Maiores do Moab e o Notário do Quarantana completaram os seis que julgaram conveniente manterem-se recostados nos estrados do grande refeitório para velar o sono de Jhasua.

No meio da quietude e do silêncio, que não era interrompido nem pelo mais leve ruído, alguns dos Anciãos do Moab, cada qual isolado em sua alcova de rochas, pediam com insistência à Divina Sabedoria luz e acerto para secundar eficientemente ao Verbo de Deus, em sua grandiosa missão Redentora.

Na madrugada seguinte, todos se dirigiram ao Santuário para cantar os salmos de louvor a Deus, conforme o hábito. Quando terminaram, disseram uns aos outros, a meia-voz:

— Temos que falar.
— Sim, sim, eu havia pensado o mesmo!
— E eu também!

Verificou-se, então, que todos sentiam a necessidade de fazer uma confidência, razão pela qual passaram para o recinto das assembléias.

— Escrevamos, cada qual separadamente, aquilo que tencionamos dizer nesta reunião, tão desejada por todos – disse o Grande Servidor apenas se haviam sentado nos estrados.

Todos escreveram em suas cadernetinhas de bolso. Da comparação feita, a seguir, de tudo quanto havia sido escrito, resultou o seguinte:

Alguns deles haviam visto em sonhos, e outros em vigília – seja por uma elevada contemplação da própria alma desprendida, seja pela clara intuição – o que se operara no Verbo de Deus, de quase 13 anos de idade, naquela noite por ele passada no Quarantana.

As cinco Inteligências Superiores, que, na qualidade de Guias, vigiavam a vida terrestre de Jhasua, haviam-no feito percorrer, durante seu sono, nessa mesma noite, todos os lugares da Terra, habitados pelas porções da Humanidade que ele vinha redimir.

A dor humana era tanta... a iniqüidade tão espantosa... a ruindade e a miséria tão completas que parecia repetir-se aquele momento em que um patriarca da Antiguidade intercedia perante Jehová que não fosse aniquilada determinada cidade ou região:

"– Se houver, Senhor, cinqüenta justos, perdoarias as cidades?"

"– Se houver apenas dez justos, por amor a eles deteria o Meu braço justiceiro."

No entanto, nem mesmo esses dez haviam sido encontrados!

Semelhante era a situação da Humanidade de então, no meio da qual se encontrava a Fraternidade Essênia, servindo de pára-raios para que a maldade humana não ultrapassasse o limite, depois do qual desapareceria o equilíbrio, e tudo submergiria no caos, na sombra e no *Não-Ser*.

Os grandes Guias do Verbo de Deus, em sua última jornada messiânica, fizeram-no descer até o fundo do abismo para onde rolava a Humanidade.

Dominava o mais feroz egoísmo em todas as partes do mundo; na Bretanha, em Roma, na Grécia, nas Gálias, na Ibéria e na Germânia; na Escítia, na Pérsia, na Arábia, nas Índias, no Egito decadente e na Etiópia semibárbara. Tudo era um único mar de dor, de crimes, de miséria que afogava até provocar náuseas...

Os Anciãos de brancas túnicas, de ternos e puros corações, raciocinaram desta maneira:

"Se isso que foi revelado por igual a todos nós constitui a manifestação da Verdade, é o que o menino viu durante o sono desta noite; e hoje teremos a comprovação da mudança radical que se produzirá em sua personalidade espiritual."

O sono de Jhasua durou quase até o meio-dia, ou seja, mais de 15 horas consecutivas. Despertou rodeado dos Anciãos que estavam de acordo em não fazer referência alguma ao seu longo sono, nem a coisa alguma do que se relacionasse com ele.

Johanan havia despertado algumas horas antes e se distraía sozinho com os habitantes dos estábulos, pensando, com certa amargura, que seu companheirinho deveria estar enfermo, motivo por que os Anciãos não o acordavam.

Jhasua sentou-se em silêncio sobre a pele de urso, onde ficara adormecido, e afastou com enfado as mantas com as quais o haviam coberto. Sobre um banquinho próximo a ele estavam a vasilha de leite e a cestinha com castanhas, que faziam parte de seu costumeiro desjejum.

— Já fizestes a oração? — perguntou.

— Sim, meu filho — respondeu o Grande Servidor —, mas podemos acompanhar-te com todo o prazer.

O menino pôs-se de joelhos, juntou as mãos sobre o peito e, com trêmula meia-voz, como se estivesse contendo um soluço, começou:

"— Louvado sejas, ó Deus, Senhor de tudo quanto existe, porque és bom acima de todas as coisas, e eterna é Tua misericórdia..." — e continuou, durante longo tempo, com os versículos clamorosos e dolentes do "Miserere".

Em seguida, sentado sobre a mesma pele em que havia dormido, tomou, em silêncio, o desjejum.

Entrou Johanan, trazendo-lhe um cabritinho que havia nascido naquela noite.

— Quanto dormiste, Jhasua! Estás doente? — perguntou.

— Creio que não. Nada me dói!

Entregues aos seus trabalhos manuais, os Anciãos procediam como se nada vissem nem ouvissem, para deixar que os dois meninos se expandissem livremente.

— Nada dizes a este novo habitante do estábulo? — perguntou Johanan, apresentando o cabritinho novamente a Jhasua.

— Pobrezinho! — exclamou ele, passando a mão sobre o sedoso pêlo branco e canela do animalzinho. — Também tu vens padecer nesta Terra!...

— Como! — exclamou Johanan. — Desagrada-te que haja nascido mais um cabritinho? Com este já são 57. Não gostarias que chegassem a 70, como os Anciãos do Moab?

— Olha, Johanan!... Não sei o que se passa comigo; estou desgostoso de tudo quanto existe na vida, e gostaria bem mais de morrer!...

— Nem eu te posso trazer alegria?... — perguntou entristecido Johanan. — Até ontem me dizias que eu era feliz por estar aqui entre tanta alegria de viver, e hoje desejas morrer?

— Sim, como Hussin... o meigo Hussin, que morreu, sem dúvida, porque se encontrou, um dia, como eu me encontro agora.

— Que tens agora, Jhasua? — continuou Johanan semi-estendido sobre a pele curtida de urso, enquanto Jhasua, com o cabritinho adormecido sobre os joelhos, passava maquinalmente a mão sobre ele e olhava sem ver coisa alguma do quanto o rodeava.

— Não sei, não sei!... mas me parece que sobre minha vida já se passou muito tempo... Tenho pensamentos muito estranhos, que, certamente, não são meus — continuou o menino como sob o influxo de uma poderosa sugestão.

Enquanto isso, alguns Anciãos cortavam e costuravam calças de couro ou faziam esteiras de cânhamo, cortinas e cestas de junco; outros poliam taquaras ou vimes para os secadores de frutas ou de queijos; não obstante, todos ouviam atentamente o diálogo de Jhasua e de Johanan.

— Disseste que tens pensamentos que não são teus? Jhasua!... não te compreendo! Quando eu penso, o pensamento é meu e não de outro. Quando, há pouco, pensei em trazer este cabritinho para alegrar-te, isto foi pensamento meu e de ninguém mais. Não é assim? — E Johanan olhou com insistência para seu amiguinho, desejando descobrir o motivo de seu mau humor.

— Sim, é isso mesmo, Johanan; todavia, estou pensando muito no modo de fazer com que compreendas o que tenho.

— Sim, sim, já me disseste isso, que estás desgostoso de tudo.

"Será que desejas ir para junto de tua família, por estares já cansado de nós?"

— Não, pois estou certo de que, junto de minha família, estaria pior ainda.

— Por quê?

— Porque minha mãe padeceria muito; e, ademais, meu pai e meus irmãos ficariam muito irritados por me verem assim inútil e sem vontade para coisa alguma. Entretanto, aqui, todos continuam tranqüilos em suas tarefas, sem fazer caso de mim; e, deste modo, espero sossegadamente que isto passe. Acredita-me, Johanan, que quem mais sofre com isto sou eu mesmo!... Eu, que apenas queria correr, brincar e rir nestes poucos dias que me restam para continuar aqui!...

De súbito, na parte mais afastada daquela gruta, ouviram-se soluços contidos, profundos!... E, mais próximo dos meninos, um dos Essênios mais sensitivos do Moab deixou-se cair desfalecido sobre as esteiras de fibra que estava tecendo, e novos gemidos surdos e soluços contidos começaram a ser ouvidos dos mais diferentes pontos da grande caverna-cozinha e refeitório.

Jhasua sentiu uma forte sacudidela e, levantando-se rapidamente, correu até junto daquele que caíra desfalecido sobre as esteiras. Em seguida, olhou para o Grande Servidor, assim como para todos, e seu rosto refletiu grande inquietude...

— Que aconteceu com Abdias? Por que soluçam Efraim, Azarias e Absalão?... Sabeis o motivo, Grande Servidor?

— Sim, meu filho! Eu o sei! Eles são muito sensitivos, de modo que percebem profundamente a dor, a alegria, a inquietação ou qualquer estado de ânimo dos demais. Eles sentiram o grande estado psíquico em que te encontras, e o absorveram completamente, em virtude do grande desejo que todos temos de que o sossego e a alegria voltem a teu Espírito.

O menino refletiu durante um instante e logo disse:

— Já estou bem! Já passou! Não quero que ninguém sofra por mim.

— Então apenas tu é que tens o direito de sofrer por todos? — perguntou docemente o Grande Servidor.

— Parece-me que sim, a julgar pelo que vi em sonhos esta noite.

Johanan escutava assombrado e em silêncio o que se dizia. Todos voltaram à mais completa tranqüilidade, e o Grande Servidor continuou seu diálogo com Jhasua, que se havia aproximado dele:

– Seria muito interessante saber o que foi que viste em teu sonho.

– Vi multidões que sofriam de tal maneira como eu nunca havia visto. Homens que torturam e maltratam outros homens, que os encerram em calabouços escuros e úmidos, onde morrem de fome e de frio; velhos e crianças arrojados em precipícios, por inúteis, a fim de não terem que lhes dar a alimentação, que não podem ganhar. Homens e mulheres cheios de juventude e de vida, lançados como alimento para as feras, guardadas nas fortalezas pelos poderosos; ou degolados nos altares de deuses nefandos e perversos. Multidões morrendo queimadas em fogueiras como se queimam lenha para cozer o pão e os alimentos; enforcados, mutilados... Oh, que espantosas visões as de meu sonho desta noite!...

Jhasua cobriu o rosto com ambas as mãos, como se temesse voltar a perceber as trágicas visões de seu sonho. Depois continuou:

– A Terra rodava diante de mim como uma laranja, e vi, em todos seus lados iguais horrores, iguais crimes!... Então gritei, quanto me permitiam as forças: "Não matarás"... diz a Lei! "Amarás ao teu próximo como a ti mesmo"... diz também a Lei! No entanto, nenhum deles me ouvia. Prosseguiam matando, e toda a Terra se empapava de sangue. Os gritos, os clamores e os gemidos ressoavam como longínquos trovões, cujos ecos, continuando a vibrar, quase me faziam enlouquecer!

Todos os anciãos se haviam aproximado para ouvir Jhasua que, inflamando-se, acabou por gritar com exasperação terrivelmente dolorosa:

– Dizei-me!... dizei-me!... que mal fiz eu para ser atormentado assim, com estas espantosas visões, que matarão para sempre minha alegria de viver?...

Os Anciãos estreitaram mais ainda o círculo ao redor do menino, enquanto seus pensamentos de amor formavam uma suave e sutil abóbada psíquica. Ao mesmo tempo, o Grande Servidor o atraiu para si e o abraçou ternamente. E Jhasua, como um passarinho ferido, reclinou o rosto contra o nobre peito do Ancião e desatou a chorar amargamente.

Johanan tratava de dominar sua emoção, José e Nicodemos no segundo círculo, pensavam com profunda preocupação:

"– Se Myriam, sua mãe, presenciasse esta cena, pediria, sem dúvida, contas desta dor moral, demasiado prematura para seu filho, que ainda não atingiu os treze anos."

– Paz, Esperança e Amor sobre todos os seres – disse com solene voz o Grande Servidor, e prosseguiu:

"A Lei dos Instrutores de humanidades não é como a Lei dos pequenos servidores de Deus; por isso, não devemos alarmar-nos pelo que acabamos de presenciar.

"Quanto mais elevada a posição espiritual de um ser, mais rápido e mais vibrante é o chamado da Verdade Eterna a seu Eu íntimo.

"Bendigamos ao Altíssimo, porque Jhasua sentiu o chamado em nosso meio. Conhecedores, que somos, dos processos da Lei em casos como este, permitiu-nos Ela prestar o concurso necessário para que o sofrimento moral não lhe causasse desequilíbrios nem transtornos mentais ou físicos.

"E tu, meu filhinho, começas a compreender que a missão que te atraiu à vida física exige de ti aquilo que se exige de um médico que chega a um país de leprosos e de pesteados, onde a dor e a miséria atingem até o paroxismo. Pensa sempre que, ao teu redor, está a Fraternidade Essênia e que ela é tua mãe espiritual nesta hora; e, em seu seio, encontrarás sempre o lenitivo para as grandes dores de um Instrutor de humanidades.''

As mãos de todos os Anciãos se estenderam sobre Jhasua, de pé ante o Grande Servidor, por um longo quarto de hora. A tranqüilidade refletiu-se no expressivo semblante do menino, e um dos Anciãos, que era clarividente, explicou todo o processo seguido pelas Inteligências Superiores durante o sono de Jhasua.

O clarividente havia relatado isso aos Notários antes que o pequeno despertasse; e o fato ficou plenamente comprovado com as manifestações que todos acabavam de ouvir.

Com o fim de fazerem os ânimos voltar a seu estado normal, saíram todos para o sereno vale onde pastavam os rebanhos, sob as oliveiras frondosas e as videiras carregadas de cachos de uva.

Dois dias depois, começaram a chegar aqueles que haviam recebido aviso da presença dos Anciãos do Moab no Santuário do Monte Quarantana. Quase todos chegavam de madrugada, porque realizavam a viagem durante a noite.

De Herodium, Jutta, Hebron, Betlehem e até de Jerusalém chegaram viajantes. Eram todos essênios que não queriam perder aquela oportunidade, poucas vezes encontrada em sua vida, de se defrontarem com seres que viviam para o ideal da perfeição humana. Os Setenta Anciãos do Moab eram os grandes Mestres da Fraternidade. Eram seus Profetas, seus Apóstolos e seus Santos. O Messias, menino ainda, estava no meio deles, e esta circunstância engrandecia, ante eles, aquele momento que, provavelmente, não se repetiria jamais na existência que estavam vivendo.

Alguns sabiam que ali também se encontrava, reencarnado, o Profeta Elias, na pessoa de um menino pouco mais idoso do que Jhasua.

Vários personagens de importância social e religiosa em Jerusalém compareceram igualmente àquele encontro memorável, entre eles Nicolás de Damasco e seus amigos Antígono, Shamai e Gamaliel, neto de Hillel, o mártir-apóstolo e essênio de 50 anos atrás. O leitor recordará que, no cenáculo de Nicolás, ocorreu aquela grandiosa demonstração de Sabedoria Divina manifestada por Jhasua. Nenhum deles duvidava já de que o Verbo de Deus estivesse encarnado no menino nazareno, filho de Myriam e de Joseph.

Contudo, seria de grande importância para eles conhecer os pontos de vista dos Anciãos do Moab, grandes mestres na ciência espiritual. Os betlehemitas, amigos de Jhasua, desde a noite inolvidável do seu nascimento: Elcana, Josias, Alfeu e Eleázar, com aqueles familiares que puderam acompanhá-los, acudiram também, entre os peregrinos silenciosos, que, dissimulando o seu místico fervor sob distintos aspectos, iam chegando a En-gedi, perdida entre as montanhas vizinhas do Mar Morto.

Jamais desfilou tanta quantidade de pessoas pela pobre *Granja de Andrés* como naquela oportunidade. Era a entrada obrigatória para o Santuário; de maneira que todos deviam passar por ali.

As grutas resultaram insuficientes para albergar, com comodidade, tantas pessoas do exterior, cujo número passava de duzentos. Todavia, o outono tíbio e agradável daquelas paragens facilitou o comparecimento dos peregrinos, que permaneceram só um dia e uma noite nas grutas do Santuário.

Os Anciãos dedicaram-se a escutar as consultas de ordem espiritual e privativas dos viajantes, cujo grau de conhecimento era diverso e variado, pois havia gente desde o primeiro até o quarto graus.

Formavam uma grande escola entre as rochas, na qual faltava todo ornato material, mas onde flutuava a uniforme harmonia emanada das muitas almas que buscavam o mesmo fim: a Verdade Divina que devia fixar para sempre o caminho a seguir no planeta Terra.

Quando todos foram ouvidos e satisfeitas suas consultas, preparou-se a assembléia geral, ao cair da tarde, no próprio recinto do Santuário, que teve todos os seus véus descerrados e os anteparos divisórios levantados, quer para dar maior amplitude ao recinto, quer para deixar em todos a sensação de que, estando o Verbo encarnado no meio deles, desapareciam todas as categorias e divisões, para ficarem confundidos como numa só alma, que se unia ao Ungido Divino a fim de secundar Sua obra de liberação humana.

– Agora somos todos discípulos em torno do Grande Mestre – havia dito o Grande Servidor, quando todos os Anciãos estiveram de acordo para que desaparecessem as reservas e separações que, até então, haviam sido observadas com grande rigidez. Se Ele Se faz pequeno para igualar-Se a nós, muito mais devemos nós descer para igualar-nos aos que estão em menor altura espiritual e moral do que aquela que conquistamos através de séculos de evolução.

Em suas conversações privadas com cada um dos peregrinos, os Anciãos haviam-se esmerado em gravar profundamente, em todas as almas, a frase final da Lei de Moisés, sobre a qual, uma noite, Jhasua pusera o dedo, dizendo a Johanan:

"Somente para isto é que tu e eu viemos à Terra."

Aquela frase: *"Ama a Deus sobre todas as coisas e ao próximo como a ti mesmo"* encerrava, para os Essênios como para o próprio Cristo, o resumo completo de toda a Lei. Aquele que, neste ensinamento, não houvesse pecado, estava livre de toda culpa e podia apresentar-se tranqüilo e sereno à assembléia presidida pelo Verbo Divino, que, com toda a certeza, seria de uma claridade deslumbradora sobre todas as consciências.

Quase todos, em suas íntimas confidências com os Anciãos, tiveram de reconhecer que, nessas palavras finais da Lei, se encerra uma elevadíssima perfeição, à qual somente pouquíssimos podem chegar. Todos haviam feito obras de misericórdia, de hospitalidade e de ajuda mútua. Todos tinham socorrido os necessitados; mas, igualar o próximo a si mesmo na participação de um benefício, isto bem poucos haviam feito.

Na luz radiante daquela frase final da Lei, esboçaram-se – desde aquele momento que ficou ignorado para a Humanidade – as silhuetas inconfundíveis dos verdadeiros discípulos do Cristo-Redentor, ou seja, daqueles que foram capazes de *amar ao próximo como a si mesmos*.

O Homem-Luz já marcara sua rota imortal e divina. O "Querubim do Sétimo Céu", como lhe chamavam os Essênios, tinha deixado toda sua glória, sua grandeza, sua inefável felicidade, para descer ao sombrio cárcere terrestre, como um príncipe ilustre que houvesse abandonado tudo para submergir-se, durante anos, no negrume de um calabouço, com o único fim de libertar aqueles que lhe eram afeiçoados.

Esta comparação é imprópria, pois o Cristo deixou muito mais, incomparavelmente mais do que um príncipe da Terra pode deixar; todavia, em nossos pobres modos de expressão, não encontro uma figura ou imagem que possa comparar-se com a sublime e heróica renúncia do Cristo. Que sacrifício menor poderia ele exigir daqueles que quisessem ser seus discípulos do que este: "Ama a teu próximo como a ti mesmo?"

Foi então que aquela assembléia entre as rochas vislumbrou o alcance daquela frase imortal que o Cristo adotaria como base para o seu apostolado de amor fraterno. Desde esse momento, todos os assistentes tomaram a inquebrantável resolução de doar metade dos seus bens materiais para a obra missioneira do Cristo. Os Anciãos do Moab e de todos os demais santuários ofertariam também a metade do produto de seus trabalhos manuais para o *Santo Tesouro*, como lhe chamaram, porque consideravam que nada era mais sublime e excelso do que demonstrar com fatos, que o bem do próximo era seu próprio bem.

Se a Roma idólatra e pagã sustentava suas orgias impondo pesados e onerosos tributos aos povos dominados, o *Santo Tesouro*, fruto do amor ao próximo, faria frente à miséria e à fome que o domínio dos Césares mantinha no mundo. Tais eram os sentimentos que animavam a todos aqueles que rodeavam o Cristo-Menino naquele momento de sua existência terrestre.

Dentre aqueles peregrinos designaram-se os *Guardiães do Santo Tesouro* para cada cidade ou povoação, facilitando, assim, a entrega dos donativos anuais, a serem feitos por eles. José de Arimathéia, Nicodemos e Nicolás de Damasco, em Jerusalém; Elcana e seus amigos Alfeu, Josias e Eleázar, para Betlehem; Andrés de Nicópolis e dois tios de Johanan, o Batista, para Hebron e Jutta; e, sucessivamente, foram sendo designados guardiães, dentre os essênios mais conhecidos e honestos, para todas as regiões, desde Madian até a Síria.

– Somente assim seremos dignos – disseram as consciências de todos – de cooperar na obra do Cristo, baseada na frase imortal: "*Ama a Deus sobre todas as coisas e ao próximo como a ti mesmo.*"

Conhecedores de que as almas humanas só podem chegar à união com a Divindade mediante a perfeita tranqüilidade de consciência, os Anciãos creram haver feito quanto lhes fora possível neste sentido.

Os grandes entusiasmos pelas causas elevadas e nobres são também contagiosos, e, naquele núcleo de Essênios reunidos em torno do Cristo-Menino, nas grutas do Monte Quarantana, vibravam todos em igual sintonia, como cordas de uma harpa afinada para um concerto divino.

Quando tudo ficara resolvido e assegurado na ordem material, começou-se a preparação espiritual mediante o canto de um salmo, executado em coro por todos os irmãos reunidos.

Ao pé do pedestal, onde descansavam as Tábuas da Lei, havia sido colocado um estrado de madeira de três pés de altura e sobre ele dois tamboretes de carvalho. Os Setenta Anciãos do Moab rodearam, em fila dupla, aquele estrado, tendo, à sua frente, os demais anciãos Terapeutas e peregrinos.

O Grande Servidor entrou por último com Jhasua e Johanan, que foram colocados sobre os dois tamboretes.

Leve perfume de incenso flutuava, como uma onda invisível, pelo sagrado recinto, enquanto vários alaúdes executavam u'a melodia suavíssima.

Naquele sereníssimo silêncio, podia ser percebido claramente este unânime pensamento elevado à Divindade, do fundo dos corações:

"– Deus Onipotente, autor de tudo quanto existe!... Deixai que vejamos a grandeza de Vossos desígnios, se é que permitis que colaboremos com o Vosso Messias na obra da salvação humana."

Esse pensamento unânime obteve a resposta desejada: Jhasua e Johanan inclinaram-se, um para o outro, como se suas cabeças buscassem apoio. Sua quietude perfeita assemelhava-se a um sono tranqüilo; entretanto seus olhos permaneciam abertos.

Imediatamente, os dois se ergueram sobre o estrado, como se u'a mesma voz os tivesse mandado levantar.

— Sabes o que isto significa? — perguntou Johanan a Jhasua.
— Sim — respondeu este. — Isto significa que todos quantos nos rodeiam já sabem que em ti está encerrado o Espírito do Profeta Elias, e em mim está Moisés, aquele que gravou esta Lei sobre as tábuas de pedra.

"Teu fogo fez arder, um dia, ante mim, a sarça do Horeb e resplandecer, como uma labareda ardente, o Monte Sinai. Acende agora teu fogo sobre todas as leis brotadas do egoísmo humano para que, quando elas estiverem consumidas, apareça radiante e viva Minha Lei para a época presente."

Suave auréola de luz cor-de-rosa foi envolvendo a Jhasua, e um fogo vivo converteu Johanan como que em brasa ardente. O vívido resplendor pareceu apagar tudo o que havia atrás dos adolescentes: as Tábuas da Lei, os atris com os Livros dos Profetas e todas as Escrituras Sagradas. Sobre um fundo escuro, como de negro ébano, u'a mão luminosa escreveu, com um ponteiro de fogo e em grandes caracteres:

"AMA A DEUS SOBRE TODAS AS COISAS E A TEU PRÓXIMO COMO A TI MESMO."

Possuída de estranha e poderosa comoção, toda a assembléia se havia posto de pé, quase sem acreditar no que seus olhos viam. Somente os Anciãos de brancas túnicas pareciam estátuas de marfim, imóveis como os estrados de pedra em que estavam sentados.

— Johanan! — disse Jhasua com voz vibrante. — Por trazer eu ao mundo esta Nova Lei, morrerás assassinado pelos homens; morrerei também eu assassinado pelos homens, e morrerão, igualmente assassinados pelos homens, três quartas partes daqueles que presenciaram esta manifestação dos desígnios de Deus!

"Poderás contar as areias do mar e as estrelas que povoam o espaço infinito?....

"Tampouco poderás contar os espantosos assassínios que os homens cegos e inconscientes cometerão por causa desta Nova Lei. Não obstante, encerra ela uma ordem suprema do Pai, junto com o Seu último olhar de misericórdia e com Seu derradeiro perdão para esta humanidade pecadora. Mas, ai dela, quando essa misericórdia e esse perdão houverem sido abafados pela voz vibrante de Sua Justiça inexorável!"

Johanan parecia uma estátua de fogo, e suas mãos, levantadas para o alto, arrojavam um resplendor vivo, quase púrpura. Aquela vívida claridade desenhou, no fundo escuro daquele cenário intangível, cenas terríveis que ninguém podia precisar a que época pertenciam.

Sobre um árido montículo cheio de pedras e brancos ossos humanos emaranhados em sarçais ressecados, via-se um homem crucificado, e logo outros e outros mais, até formarem como um bosque de grossos troncos com seres humanos pendentes deles.

Viu-se, em seguida, um calabouço, no fundo de um escuro torreão guarnecido de ameias, e ali um verdugo, ainda com o machado mortífero nas mãos, sustentando, pelos cabelos, uma formosa cabeça de homem, enquanto o tronco, palpitante ainda, se debatia sobre o pavimento, em meio a um charco de sangue. Um pouco além dele, diversos outros homens, mulheres e crianças decapitados.

Perdida quase num fundo nebuloso, via-se u'a multidão ébria, fanática, enlouquecida pela desenfreada orgia em que se divertia, feliz, ditosa, ao compasso de lúgubres cantos e de histéricas gargalhadas...

Essas visões duraram só pouquíssimos minutos; muito menos do que o tempo que levaram para serem escritas.

Como espantado, ele mesmo, diante de tantos horrores, Jhasua tocou os braços levantados de Johanan, enquanto dizia:

— Apaga já o teu fogo, Elias, filho de Orion; e que aos nossos corações voltem a Paz, a Esperança e o Amor.

Johanan caiu desaprumado ao solo, como se, ao extinguir-se o fogo de suas mãos, houvesse esgotado toda a sua força e energia física. Jhasua, por sua vez, deixou-se cair como desfalecido sobre o tamborete, no qual se havia sentado ao começar, e exalou um profundo suspiro.

Os resplendores haviam-se apagado subitamente quando Johanan levou aquela queda. Mas, pouco a pouco, todos foram recobrando a serenidade.

Depois de levar os dois adolescentes para repousar sobre um estrado, entre mantas e peles, o Grande Servidor falou à assembléia nestes termos:

— Por permissão divina, vossos olhos viram o que custará em sacrifícios e sangue a redenção Humana terrestre.

"Mártires seremos todos nós, se, por vontade própria, oferecermos ao Verbo de Deus nossa cooperação à Sua obra salvadora. Talvez passarão muitos séculos sem que possamos recolher o fruto da semente do Amor fraterno que semearmos com imensos sacrifícios e dores.

"Ainda estamos a tempo de voltar atrás no caminho andado. Os caminhos da Fraternidade Essênia bifurcam-se a partir deste solene momento em que o Altíssimo nos deixa ver o preço que custará a libertação das almas sumidas nas trevas da ignorância e em seu atraso moral e espiritual.

"Se alguém se acha débil, esqueça quanto viu e ouviu, como se não conhecesse a vida espiritual. Viva para si mesmo e para os seus, sem compromissos ulteriores de nenhuma espécie. A Fraternidade Essênia acabará de cumprir sua missão quando o Cristo for posto em contato com a Humanidade.

"Então Sua palavra e Seu pensamento genial criarão novas Escolas e Fraternidades. Nós nos submergiremos na penumbra e no esquecimento, para que Ele resplandeça na Luz.

"Não quero a vossa resposta neste momento de entusiasmo espiritual, em que torrentes de energia, de luz, de esperança e de amor fazem de vós 'harpas vivas' que vibram sem vontade própria.

"Voltai ao vosso ambiente habitual, meditai em tudo quanto o Altíssimo quis manifestar-vos; medi vossas forças e friamente decidi vosso caminho a seguir.

"Que a Luz Divina ilumine vossas consciências!"

Depois de uma fria e serena meditação, vacilaram os essênios dos dois primeiros graus. A terça parte deles sentiu-se acovardada e deixou para mais adiante a decisão sobre esse particular.

Tinham sete anos de prazo para decidir-se, ou seja, quando o Verbo encarnado chegasse aos seus vinte anos de vida física. Com o tempo, saberemos quais deles permaneceram fiéis ao chamado daquela hora, e quais se afastaram por temor aos tremendos sacrifícios que se podiam vislumbrar ao longe.

Dois dias depois, os Anciãos do Moab cruzaram o Mar Morto pelas balsas, à luz da lua minguante, cujo amarelento resplendor se assemelhava a um véu de topázio que tornava desnecessárias as tochas e as velas.

Na madrugada seguinte, José de Arimathéia e Nicodemos, com Jhasua e os Terapeutas, empreendiam o regresso a Jerusalém. Iam acompanhados pelos amigos betlehemitas, que nos são tão familiares desde o começo deste relato. Ficaram na velha cidade de David, depois de despedir-se ternamente do Menino-Luz que, provavelmente, não voltariam a ver, a não ser depois de passado muito tempo.

O Menino Apóstolo

Nazareth, a pitoresca cidade da Galiléia, vizinha do Monte Tabor e do lago de Tiberíades, recebeu a Jhasua doze dias depois e, desta vez, para permanecer nela por bastante tempo.

O menino voltava ao seu lar nazareno completamente mudado. Não era o mesmo Jhasua que haviam visto partir cinqüenta dias antes.

– Que bem te fizeram os ares de Jerusalém! – disseram seus irmãos chacoteando-o.
– Gostaste do Templo? A cidade causou-te maravilha? Vamos, Jhasua, conta-nos tuas impressões; assim saberemos se compreendeste bem todas as coisas.

É necessário advertir que Myriam havia dito ao menino que ninguém deveria saber de sua viagem ao Monte Quarantana, a não ser seu pai. Este havia também observado u'a mudança no menino e falou disto à esposa.

– Jehová deu energia nova ao nosso filho – ao ver que, embora o sol já se tivesse posto, Jhasua continuava na oficina pondo em ordem todas as ferramentas, restos de madeira, molduras por terminar, bem como sarrafos e utensílios em geral.

Quando já se apagavam as últimas claridades da tarde, fechava todas as portas e entregava as chaves, em silêncio, ao pai.

– Jhasua – disse José na presença de Jhosuelin, de Ana e do tio Jaime, ao receber, uma tarde, as chaves –, desagradou-te a viagem, para que voltasses um tanto taciturno?

– Pai – respondeu com resolução o menino –, nada respondi a meus irmãos maiores quando fizeram perguntas parecidas, porque não sei como eles tomariam minha resposta; no entanto, se não vos ofender minha franqueza, dir-vos-ei que a viagem foi encantadora, a vista da cidade esplêndida, o Templo cheio de riqueza e de magnificência; contudo, o que se faz na cidade e no Templo, pareceu-me desastroso, horrível... e mau!

– Como assim, meu filho?

– É como estou dizendo, pai. Em nada se vê ali a Lei de Moisés, a não ser a mais grosseira e torpe manifestação de egoísmo refinado, de interesse, de lucro e de ambição.

"É assaz mais puro o nosso ambiente galileu, pai, e, se dependesse de mim, não trocaria os ares de nossa província pelos da Judéia, com tudo o que nela existe: Jerusalém e o Templo."

– Mas falas sério, Jhasua? – insistiu Joseph assombrado.

– Oh, pai! Não é por ter 12 anos que deixei de compreender o que se passa na Cidade dos Reis e na Casa de Jehová. Que o diga, então, Jhosuelin, que igualmente viu e sabe tanto quanto eu.

Olhou o pai para esse outro filho, que guardava silêncio, e em seu olhar havia uma interrogação.

– É verdade, pai – disse o aludido. – O Templo é como um grande mercado, onde os príncipes e os sacerdotes comerciam descaradamente, com exceção daqueles que são essênios, que não se dedicam à matança de animais.

– Todavia, os sacrifícios de animais foram prescritos por Moisés – alegou Joseph, com certa vacilação.

– Não, pai! – argüiu decididamente Jhasua. – Estudei as escrituras de Moisés nos Santuários Essênios, e seus escritos, que são breves e concisos, não só não autorizam tais matanças, como, muito pelo contrário, aconselham os Anciãos do povo hebreu que tratem de acostumar o público a trocar os holocaustos de sangue pelas oferendas de frutos da terra, flores dos campos e resinas aromáticas dos bosques.

"E acrescentam ainda estas palavras, que são comentadas por Isaías, Ezequiel e Jeremias: 'Agrada mais a Jehová a pureza do coração e a misericórdia nas obras do que a gordura de carneiros e novilhos.'

"Naturalmente é bem notório que o queimar de um punhado de farinha, u'a maçã ou uma pitada de incenso não deixa aos sacerdotes os gordos lucros de um novilho.

"Ali são mortos centenas de animais a cada dia, e suas carnes e gorduras são compradas a peso de ouro pelos mercadores, nos próprios fundos do horto, onde terminam as terras do Templo.

"Julgais que Jhosuelin e eu não vimos as sacolas de ouro e de prata que os mercadores entregavam aos sacerdotes nas portas traseiras, por onde entram os lenhadores?"

Joseph, dolorido, disse:
— Está bem! Está bem, meus filhos! Mas que ninguém vos ouça falar como fizestes diante de mim. Grandes calamidades virão sobre nossa cidade. Roguemos ao Senhor que tenha piedade de nós.

Levantou-se e entrou na alcova, onde sua alma de homem justo e piedoso o fez desafogar-se em silencioso pranto.

Sob seu aspecto severo e quase rústico, escondia-se um coração de ouro e sentia deveras profunda pena pela amargura que adivinhava em Jhasua e pelos grandes males que esperava para seu povo.

Quase três anos se passaram sobre a vida de Jhasua, que continuava no seu lar, em Nazareth, entre suas tarefas de chefe da oficina de seu pai, sem que, por isto, descuidasse de ajudar Myriam, em seus afazeres de dona de casa.

De outro lado, renovar com freqüência os cântaros da água trazida da fonte, remover os secadores de frutas, regar as hortaliças e plantações do horto, eram os meios de ajuda que ele prestava à mãe.

Grande tristeza começava a infliltrar-se em seu espírito, como se uma sombra fosse escurecendo-o pouco a pouco.

Assim, depois de haver cumprido seus deveres habituais, ia sentar-se num banquinho feito por ele mesmo, e que estava oculto ali onde costumava esconder-se para meditar. Lá mesmo, ainda estava instalado aquele original sinalizador que ele inventara para que sua mãe o chamasse quando fosse necessário.

Naquele afastado rincão do horto, o Homem-Luz, de 15 anos de idade, dialogava com seu Eu interno:

"Foi para isto que eu entrei na vida física, deixando aquele esplêndido e divino Céu dos Amadores que Antúlio descreveu em seus maravilhosos relatos? Para regar hortaliças, matar formigas, remover os secadores de frutas, guardar os martelos e escopros? Para vegetar como um animalzinho qualquer que come, dorme e trabalha?

"Estudar os Livros Sagrados? Para quê? Se os doutores e os sábios de Israel os deixam ser roídos pelas traças em armários fechados e redigiram outros, que delineiam caminhos novos para a Humanidade, a qual, se era má por força do egoísmo e da ignorância, está ficando proporcionalmente pior, afastando-se cada vez mais da verdadeira Lei Divina escrita por Moisés?

"Os Profetas!... Oh!... Quem, hoje em dia, se preocupa com os Profetas, se existem tantos sábios e doutores que interpretam as Leis de Deus de maneira a não prejudicarem as conveniências dos poderosos e mantenham o povo progressivamente mais submisso e escravizado?

"Se os grandes Profetas da Antiguidade foram esquecidos, como posso sonhar em ser escutado? Eu? Pobre de mim! Desaparecido entre as ferramentas de um humilde horto galileu!

"Que fugaz e enganosa visão é a dos Anciãos de nossos Santuários Essênios, que alimentam a ilusão de que eu seja o Messias de Israel!

"Eu!... eu!... eu!... mísero adolescente desconhecido, filho de artesãos galileus, com relação aos quais se diz que, *desse meio, nada de bom pode sair*.

"Entorpecido pela inatividade; decepcionado por minha própria incapacidade; cansado de uma vida inútil e sem nenhuma finalidade definida, vejo-me como uma árvore improdutiva para a vida física e estéril para a vida espiritual!"

Tais eram os monólogos de Jhasua durante o último desses três anos, ou seja, quando havia completado os 15 anos de idade.

Myriam, sua mãe, adivinhava que algo insólito e anormal se agitava no coração de seu filho, a quem ela não conseguira arrancar uma única palavra a esse respeito.

Certa manhã, quando o menino fazia a terceira viagem à fonte para buscar água, não regressou até passado o meio-dia.

Era uma formosa manhã primaveril e, como durante a noite anterior, havia caído chuva mansa e serena, as flores borrifadas de orvalho pareciam derramar lágrimas sobre os pés desnudos de Jhasua, que se dirigia para a fonte com grande lentidão.

Faltavam ainda uns cinqüenta passos para chegar, quando descobriu uns pés miúdos e cheios de pó que apareciam dentre um matagal, junto ao qual estava um cântaro vazio.

Deixou o seu ao lado do caminho e, abrindo suavemente as trepadeiras que, entrelaçadas, formavam sombria gruta, inclinou-se para saber o que tinha acontecido ao dono daqueles pés.

Viu que era u'a menina a gemer tristemente e cuja respiração, bastante rápida e cansada, indicava próxima crise nervosa.

Condoído até a alma, Jhasua ajoelhou-se em terra para fazer-se ouvir por ela.

Ao ver-lhe o rosto, reconheceu-a.

– És tu, Abigail? Que te aconteceu para ficares estirada assim no solo?

– Vinha de casa, fazendo a terceira viagem com água, e, em todas as três, fui perseguida, de carreira, por um homem mau, que se escondeu atrás de um grande barranco. Tenho tanto medo e estou tão fatigada que me atirei aqui para descansar e poder voltar. Temo cair pelo caminho e quebrar o cântaro.

– Vamos, recupera o ânimo – disse Jhasua, tratando de ajudá-la a levantar-se – que eu levarei teu cântaro até chegares em casa.

– Não poderás chegar, porque a tia Michal é muito severa; ela me chamará de inútil e vadia, como de costume. Se se tratasse de sua filha, ela haveria de desculpá-la, mas não a mim, que sou estranha na casa.

– Quão ruim é não ter mãe, Jhasua!... – E a menina desatou a chorar.

– Não chores, Abi. Não chores, que, a partir de hoje, serei um irmão para defender-te em tudo e contra todos. Se não queres que eu te acompanhe até a sua casa, irei até depois do barranco, e nada terás a temer. Vamos até a fonte, onde molharei tua testa, e beberás um gole de água pura que te fará bem.

Levantou o cântaro da menina e o seu, e dirigiram-se para a fonte.

– Por que a tia Michal te manda sozinha à fonte e não vem também a filha dela? – perguntou Jhasua.

– Porque ela se ocupa em fazer bordados e aplicações para adornar-se, e eu executo o serviço de empregada. Ela tem a mãe, e eu não. Compreendes, Jhasua?

— E teu pai não olha por ti?

— Desde que se casou com a mulher que hoje tem, não quer saber de nós. Minhas irmãs estão servindo outros parentes e levando uma vida igual à minha. Nosso mal não tem remédio.

— Como não tem remédio? — perguntou Jhasua com veemência. — Já verás, Abi, já verás como eu arranjo um remédio.

— Tu?... Que é que podes fazer, se és quase tão pequeno como eu?

— Completei 15 anos neste inverno. Comecei a ser um homem, e, se Jehová não me deu a vida só para afugentar lagartos, creio que posso fazer algo por ti. Amanhã mesmo, virei várias vezes à fonte. Aqui nos encontraremos, e tenho quase certeza de que te darei uma boa notícia.

Chegaram. Jhasua encheu o cântaro da menina e deixou o seu no alto de uma árvore, atado a uma corda. Fez com que ela bebesse na cavidade de suas mãos, molhou-lhe repetidamente a testa e as mãos, e, quando a viu mais tranqüila, convidou-a para ir embora; mas só depois de haver ele enchido bem o surrão de pequenas pedras e apanhado uma sólida vara de freixo.

— Isto por si só afugenta um inimigo — explicou sorrindo a tímida Abi, que não saía do seu assombro diante da decisão do seu companheiro.

Ninguém apareceu no caminho, onde Jhasua ficou esperando a uns cinqüenta passos da casa, perdida entre figueiras e oliveiras; e não foi embora até que a viu entrar, depois de saudá-lo de longe agitando a mão.

Este pequeno incidente, à primeira vista sem importância alguma, produziu uma forte reação em seu espírito. Havia *alguém* que, naquele momento, necessitava dele em sua vida: a pobre órfã, com apenas 12 anos de idade, levava sobre sua boa alminha uma carga de humilhações, de desenganos e de dores.

— Não serei Messias nem Profeta — disse Jhasua dialogando consigo mesmo — se não estiver no meu destino sê-lo; contudo serei um homem útil aos fracos e pisoteados na vida, tratando de aliviá-los em suas aflições e incertezas.

"As vidas extraordinárias, o Senhor as dá a quem as pode viver com méritos e com acerto em benefício da Humanidade. Não sou ninguém para pretender viver uma dessas vidas. O grande amor dos Anciãos por mim deixou-os ofuscados, fazendo com que vissem, em minha pobre pessoa, o Desejado de Israel.

"Jhasua... prepara-te humildemente para seres um homem de bem, capaz de amar teus semelhantes e fazer-lhes todo o bem que te seja possível, sem tornar a pensar em grandezas sublimes, que nunca estarão a teu alcance..."

Voltou à fonte, carregou o cântaro cheio de água e caminhou para seu lar, onde encontrou a mãe, que o esperava com certa preocupação.

— Jamais demoraste tanto, Jhasua; que te aconteceu? — perguntou Myriam, colocando a comida sobre a mesa.

— Nada de extraordinário, mãe. Uma pobre menina assustada por causa de um homem mau escondido num barranco. Tive que acompanhá-la à sua casa e levar-lhe o cântaro, pois não tinha forças para segurá-lo...

— Nem bem terminasse a refeição, teu pai encaminhar-se-ia para procurar-te.

— Não seria necessário, mãe. Já sou maior e estou forte. Pode ser que muitas vezes me suceda o mesmo que ocorreu hoje.

E comeu em silêncio.

Sem saber por quê, Myriam sentiu algo como uma grande preocupação no fundo do seu espírito.

Parecia-lhe que, durante o tempo que Jhasua demorou em ir e vir da fonte, havia mudado profundamente, e que, por isso, deveria temer alguma coisa.

Dois dias depois, voltou Jhasua a encontrar-se com a pobrezinha órfã, cuja alegria, por vê-lo, encheu-o de satisfação.

— Jhasua, que alegria pensar que já não estou tão só no mundo!

Estas simples palavras caíram qual suave orvalho sobre a alma entristecida do adolescente que se julgava, não só supérfluo, como até inútil no mundo.

Entretanto, limitou-se a sorrir, ao mesmo tempo que estendia para a menina uma pequena sacola que tirou do seu cântaro vazio.

— Isto é teu — disse. — São pasteizinhos de mel que pedi a minha mãe para te fazer um presentinho. Agradam-te, Abi?

— Oh, sim!... muito! E, como vêm de ti, agradam-me muito mais. No entanto, se o desejas, comê-los-emos aqui, nós dois juntos, porque não posso levá-los para casa — respondeu a menina, sentando-se na borda do poço. Jhasua sentou-se ao seu lado.

— Eu prometi, há uns dias atrás, que remediaria tua situação — disse o jovem, após um momento.

— E que pensas fazer? — interrogou a menina, olhando-o fixamente.

— Falei com o Hazzan da Sinagoga, cuja esposa é anciã e necessita de ajuda para as tarefas caseiras. É mulher meiga e boa como pão e mel, e ela te amaria como a uma filha, se lhe quiseres qual a u'a mãe.

A alegria da menina foi tanta que, esquecendo-se dos pasteizinhos, saltou para Jhasua e, abraçando-o, beijou-lhe o rosto.

— Oh, que bom és, Jhasua, para assim te preocupares comigo.

— É a Lei que me manda proceder assim, Abi, quando diz: "Ama a teu próximo como a ti mesmo." Se eu estivesse em tua situação, também gostaria que se ocupassem de mim para aliviar-me. Não farias tu o mesmo comigo ou com outros que estivessem, como tu estás agora, com um grande sofrimento?

— Já acredito que sim! — respondeu a menina.

— Pois bem: a esposa do Hazzan irá amanhã à casa de tua tia para tratar o assunto com ela. Eu irei também, para o caso de que, em algum momento, seja necessária minha presença.

— Já és homem adulto, Jhasua! — exclamou Abigail. — Quem te ensinou tudo isto?

— Foi a Lei de Moisés, de acordo com minha consciência. Faze o mesmo, Abi, sempre que vejas um semelhante em estados dolorosos e terríveis, porque assim é a Lei de Deus... a única Lei. Compreendes? A única!

— És como o Sol, Jhasua! — continuou dizendo agradecida a menina. — Onde tu estás, ali está a Luz! Quanto te estimo!

— E eu a ti, Abi, porque és uma criatura que necessitou de mim. Só o fato de saber que, sem meu esforço em remediar-te, padecerias muito, dar-me-ia suficientes forças para continuar vivendo. Oh, minha pobre florzinha silvestre pisoteada no caminho! — acrescentou Jhasua docemente, passando a mão pelos cabelos escuros da pequena.

"Asseguro-te que Jehová te escolheu para me fazer amar a vida nestes momentos em que julgava morrer de decepção e tédio.

"Sabes que coisa espantosa é julgar-se inútil no mundo?"

A menina começou a soluçar silenciosamente.

— Por que choras, Abi? Não estás contente de eu haver solucionado tua situação?

– Não, Jhasua, não! Porque, quando verificares que já não necessito de ti, quererás morrer novamente e me deixarás só, só, só. Deixa-me, pois, padecendo como estou, pois assim continuarás vivendo para mim, que necessito de ti.

– Ah, pobrezinha tonta!... – exclamou Jhasua enxugando as lágrimas da menina. – Não vês que estou contente em saber que me queres? Não vês que nunca mais voltarei a pensar que sou inútil, visto como fui capaz de consolar-te?

"Consolar uma dor, Abi, é assemelhar-se aos Anjos de Deus. Os homens deste mundo procuram tornar-se grandes e deixam de lado o único caminho para sê-lo: consolar os que sofrem e derramar o bem sobre a Terra."

– Selemos nossa amizade, Jhasua, comendo juntos os pasteizinhos da tua mãe – disse a menina, oferecendo um a Jhasua.

– Está bem! Está bem, Abi! Vejo que compreendeste que seremos bons amigos. Quando já estiveres em casa do Hazzan, quantas coisas belas hei de ensinar-te das muitas que eu sei!

Tal como havia dito, Jhasua acompanhou a esposa do Hazzan à casa da tia Michal, a qual se excedeu, como um papagaio irritado, contra a pobre órfã, tratando de convencer a todos que ela não servia para nada e que nem sequer compensava o alimento e o vestuário que lhe era dado.

Muito embora a esposa do Hazzan estivesse prevenida por Jhasua, olhou para ele como a interrogá-lo, pois, se fosse certo o que dizia a tia Michal, aquela infeliz órfã não lhe seria mais do que um peso morto.

Jhasua interveio como podia proceder um adulto, e disse:

– A esposa do nosso Hazzan é uma boa serva de Jheová e compreende muito bem a Lei de Moisés. Como seus filhos já estão casados e não pesam mais em seu orçamento, pensou em tomar u'a menina para ensiná-la à sua maneira, e que, ao mesmo tempo, lhe sirva de companhia em seu lar solitário. Sendo Abigail – como vós mesma dizeis, tia Michal – u'a garota que não sabe fazer nada direito, deixai que esta boa anciã tome o cuidado de educá-la, já que assim o deseja.

– E por que te preocupas com este assunto? Serás seu parente? – perguntou acremente aquela mulher, cujo caráter deixava transparecer uma aspereza que fazia mal.

– É discípulo de meu esposo – insinuou a anciã – e, além disto, veio guiar-me, pois eu não sabia onde ficava esta casa.

– E como vieste a saber dessa rapariga, minha sobrinha? – voltou a perguntar a mulher.

– É bem notório em Nazareth, onde tudo se comenta na fonte, que a pequena órfã vos pesa demasiado – respondeu Jhasua. – E, como esta anciã necessitava de u'a menina para companhia, eu lhe indiquei que, provavelmente, conviria essa vossa sobrinha.

– Que salário lhe dareis? – perguntou Michal à anciã.

– O ordenado para crianças de sua idade – respondeu a anciã.

A mulher pensou alguns momentos e logo acrescentou:

– Levai-a, mas não quero queixas depois, se ela se conduzir de má forma.

– Ficai tranqüila, boa mulher, que eu entendo de educar crianças – replicou a anciã.

A mulher chamou a menina com maus modos e ordenou-lhe que pusesse sua roupa numa sacola e acompanhasse a esposa do Hazzan.

A pobrezinha da Abigail dissimulou muito bem sua alegria e, ao cabo de alguns instantes, voltou carregada com um fardo, que Jhasua se apressou em tomar para levá-lo ele mesmo.

— Espera — disse Michal — que preciso revistar isso, para não acontecer que, nessa pilha, leves alguma coisa de minha filha.

— Deixai-a como está, boa mulher — disse a anciã —, é muito doloroso humilhar assim e sem motivo algum uma criança. Vamos — acrescentou, levantando-se e segurando a órfã pela mão.

Jhasua levantou o fardo do solo e colocou-se para o lado, deixando passar a anciã e a menina e, voltando-se para Michal, com uma energia que a assustou, disse a meia-voz:

— A maldade de vosso coração será castigada, um dia, em vossa filha, que eu salvarei de ser apedrejada em praça pública, por adúltera. Ficais avisada.

Que força irradiariam aquelas frases que deixaram a mulher como paralisada no lugar, sem poder responder coisa alguma?

Quando reagiu, procurou chamá-los para dar uma explicação; no entanto, não viu nenhum deles em parte alguma, por ser o caminho muito tortuoso e cheio de arbustos e trepadeiras.

A ofensa recebida havia avermelhado o rosto de Abigail, que, dentro em pouco, começou a chorar silenciosamente.

Jhasua tomou-a pela mão para dizer-lhe:

— Entristece-te deixar a casa onde sofreste tanto?

— Não, Jhasua, mas fiquei muito envergonhada por me terem julgado uma ladra.

— Minha filha, não digas isto, que nos ofendes — disse a boa anciã, a qual todos chamavam de *Avó Ruth*.

— Julgas que não compreendemos a maldade de Michal? — acrescentou o jovem. — Procura esquecer essa casa e seus moradores para sempre, Abi. Para sempre, ouves?

"O Hazzan ajeitará as coisas de tal forma que teus salários fiquem depositados em lugar seguro para formarem teu dote no futuro, pois nem a tia Michal nem teu pai merecem a confiança daqueles que te protegerão a partir deste momento. Não te preocupes com outra coisa senão em ser boa e feliz, bendizendo ao Senhor porque teve piedade de ti."

Sucede quase sempre que certos fatos têm uma espécie de repercussão no ambiente, tal como se uma onda etérea fizesse ressoar suas vibrações por muitas almas. Assim, a proteção dada por Jhasua à pobre órfã teve que repetir-se em diversos outros casos, como se os desamparados e desvalidos houvessem sido enviados ao Messias adolescente para que ele os amparasse na situação em que se encontravam.

Circunstâncias especiais, não procuradas por ele, punham os sofredores em seu caminho, a seu alcance, a seu próprio lado, como se a Eterna Lei quisesse convencê-lo, de uma vez para sempre, de que a missão de *Salvador da Humanidade* era sua e de mais ninguém.

Abi era a primeira humilde florzinha de seus jardins de amor, e foi assim que ele teve para com ela uma terna solicitude e afeto que jamais conheceram decréscimos no seu coração.

Após ela, chegaram outros e mais outros, como atraídos por invisível fio de ouro que os fosse atando ao formoso adolescente, filho de Myriam e Joseph, o qual, tendo apenas 15 anos de idade, encontrava jeito de aliviar-lhes os pesares e aplainar-lhes os caminhos.

Os pais de Jhasua chegaram a sentir preocupação por verem seu filho envolvido em assuntos íntimos de meninas da região, de velhinhos andrajosos e até de alguns dementes que haviam fugido para as cavernas das montanhas.

Até que, um dia, foram a Joseph com a denúncia de que seu filho Jhasua havia ocultado um homem acusado de roubo e agressão ao moinho de um dos povoados vizinhos.

Com grande angústia da pobre mãe, Joseph e seus filhos maiores reuniram-se em conselho para julgar a Jhasua e aplicar-lhe severa correção, pois estava comprometendo o honrado nome da família, com um procedimento que todos julgavam incorreto.

Jhasua compareceu ante o tribunal da família com serenidade admirável.

Através de sua mãe tinha ele tomado conhecimento das acusações que iam fazer-lhe, e ia preparado para contestar.

O conselho estava formado no refeitório da casa, de modo que Myriam, embora se tivesse recusado a tomar parte, poderia escutar tudo quanto se dissesse.

— Meu filho — disse Joseph —, teus irmãos maiores, aqui presentes, ouviram, com pesar, algumas acusações contra ti, e eu desejo saber se é verdade tudo quanto dizem.

— Eu vo-lo direi, pai — respondeu o adolescente.

— Dizem que fizeste entrar em casas honradas raparigas insolentes que os amos puseram na rua por causa de seus maus costumes. É verdade isto?

— Sim, pai! É verdade.

— E por que te envolves em coisas que não te dizem respeito?

— Apenas largaste as fraldas — acrescentou Eleázar, o mais velho de todos os filhos de Joseph — e já te crês em condições de intrometer-te em assuntos alheios?

— Se me deixardes falar, vo-lo explicarei — disse o jovem sem alteração alguma.

— Fala, Jhasua, que estamos aguardando — disse o pai, quase convencido de que seu filho teria grandes razões para enumerar.

— As Tábuas da Lei foram dadas por Deus a Moisés para tornar melhores os homens e constituem um mandato tão severo que cometer falta contra ele é um grande pecado contra Deus. Na Tábua da Lei está escrito: "Ama a teu próximo como a ti mesmo."

"Meus próximos são aquelas garotas maltratadas por seus amos e jogadas na rua como cães sarnosos depois que as transformaram em pasto de seus vícios e de suas grosserias.

"Eleázar, se tua pobreza te obrigasse a mandar tuas filhas para servirem em casas ricas, gostarias de vê-las rodar pelas ruas, arrojadas pelos amos por não poderem tirar delas o que desejavam?"

— Não, certamente que não — respondeu o interrogado.

— Entretanto, julgas que essas a quem chamas *raparigas insolentes* são diferentes de tuas filhas e de todas as meninas que, pela sua posição, nunca se viram nesses casos?

— Está bem, Jhasua — disse Joseph — no entanto, não vejo necessidade para que sejas tu quem haja de remediar situações que estão fora do alcance de um jovem de pouca idade.

— Tenho quinze anos completos, pai e, além disto, limitei-me a mencionar os casos que chegaram a meu conhecimento, ao Hazzan, aos Terapeutas e também a algumas pessoas de posição e consciência desperta, para que tomassem a seu cuidado a forma de remediar tantos males.

— Mas — disse Mathias, o segundo dos filhos de Joseph — o caso é que te acusam de intromissão naquilo que não te diz respeito.

— Sim, sim, já sei — respondeu Jhasua — porque os amos querem saborear o prazer da vingança: ver as raparigas, que jogaram na rua, mendigando um pedaço de pão duro e dormindo nos umbrais. Que beleza, hein? E nós impassíveis, com a Lei debaixo do braço e sem mover uma palha do solo por um irmão desamparado!

"Em vez disso, mais teria valido sermos pagãos, que, não tendo nenhuma outra lei senão sua vontade e seu capricho, pelo menos são sinceros consigo mesmos e com os demais, visto como agem de acordo com o que são."

– Alegam que, ultimamente, ocultaste um ladrão denunciado à justiça, porque roubara um saco de farinha no moinho de Naima. É verdade?

– Sim, pai. É um homem que está com a mulher enferma e cinco filhinhos pequenos pedindo pão. Por achar-se tísica sua mulher, não querem dar-lhe trabalho no moinho, de onde foi despedido. Ao sair, passou a mão num saco de farinha para levar pão a seus filhos, que não comiam desde o dia anterior.

"Se esse homem não voltasse para casa, as crianças chorariam de fome, e a mãe enferma sofreria horrível desespero.

"Além disto, o saco de farinha foi pago pela avó Ruth! É justo continuar a perseguir esse homem?

"Sim, sim. Eu o tenho escondido, e não direi onde, ainda que me mandem açoitar!" – acrescentou o jovem com tal energia que assombrou a todos.

– Basta, Joseph... Basta! – implorou, com profundo soluço, Myriam, a pobre mãe, que vertia lágrimas amargas por ver seu filho, de só 15 anos, submetido a um conselho de família, por causa de suas obras de misericórdia, que bem poucos conseguiam interpretar no elevado sentido com que ele as realizava.

"Até quando vais atormentá-lo com um interrogatório indigno de servidores de Deus, que nos manda sermos piedosos para com o próximo?"

Todos voltaram o olhar para Myriam que, pálida e chorosa, parecia suplicar com seus olhos.

– Está bem, Myriam! Está bem! Não interpretes assim as coisas, pois só queremos instruí-lo para que não provoque a cólera de certas pessoas que não suportam ver ninguém intrometer-se em seus assuntos – disse Joseph.

Os irmãos maiores, para quem aquela mulher era algo tão sagrado como sua própria mãe, guardaram silêncio e, sem agressividade nem zanga, despediram-se com um simples *"até amanhã"*, que Joseph e Myriam responderam, e foram para suas casas.

Quando os três se viram a sós, Myriam, chorando, abraçou-se com o filho, a quem amava acima de todas as coisas da Terra, enquanto Joseph, profundamente comovido, não acertava pronunciar uma só palavra.

– Mãe!... – disse o jovem – não choreis mais, por favor, que prometo não dar motivo para que suceda isso novamente aqui em casa.

– Não era necessário que viessem teus filhos maiores, Joseph, para corrigir o meu. Eu, como mãe, tenho mais direito sobre ele do que ninguém e sou suficiente para corrigi-lo, se cometer faltas.

"Por que humilhar assim o meu filho e a mim?..."

– Perdoa-me, Myriam, e lembra-te que, antes de Jhasua, sofreram humilhação Eleázar e Mathias pela rudeza agressiva com que foram tratados por aqueles que se julgam prejudicados pela intervenção de Jhasua nos seus assuntos.

"Resguardado pelo Hazzan e pelos Terapeutas, nosso filho julga-se no dever de remediar os débeis maltratados pelos fortes! Ainda mais: julga que pode proceder assim sem prejuízo próprio e de sua família. Não é assim, Jhasua?"

– Pai! Compreendo que a Lei nos obriga a todos por igual; só aparentam não entendê-la aqueles que exploram o sangue e a vida de seus semelhantes em proveito próprio.

"Dizei, pai: para arrancar um cordeirinho das garras de um lobo, devemos esperar que ele se alegre porque lhe tiramos sua presa? Se for para aguardar que os lobos humanos concordem em soltar-nos suas vítimas, então o Pai Eterno se equivocou ao mandar-nos amar ao nosso próximo como a nós mesmos!

"Ele deveria dizer: Fortes! Devorai os fracos e indefesos! E vós, pequeninos, deixai-vos devorar tranqüilamente pelos que são mais fortes do que vós!"

Um tanto excitado e nervoso, sentou-se Jhasua junto à mesa, com os cotovelos apoiados sobre ela, e enterrou o rosto entre as mãos.

— Meu filho — disse enternecido seu pai —, já se vislumbra em ti o Ungido do Senhor, e teus pobres pais sentem a preocupação dos martírios que os perversos te estão preparando. Não vejas, pois, mais do que o nosso amor em tudo quanto ocorreu esta tarde.

— Bem sei disto, meu pai, e estou procurando o modo de cumprir a Lei de Deus sem magoar vossos corações.

— E consegui-lo-ás, Jhasua? — perguntou a mãe, enxugando as lágrimas com o avental branco.

— Por enquanto, talvez o consiga, minha mãe; mais adiante, porém, não sei.

Assim terminou o incidente daquele dia, o primeiro deste gênero que passou como uma sombra fatídica pela vida de Jhasua, apenas chegando à juventude.

E eu digo ao leitor destas páginas: ser-vos-á fácil compreender como chegou a tão alto grau o ódio das classes poderosas que escravizavam os fracos e necessitados, quando, anos mais tarde, o Missionário se colocou frente a eles para dizer-lhes:

"Hipócritas! Lucrais com o suor e o sangue do próximo, e fazeis alarde quando lançais a um mendigo u'a moeda de cobre como esmola!"

Rapidamente chegaram ao Santuário do Monte Tabor as notícias do que ocorria ao adolescente Jhasua, sendo que começava para ele uma terrível luta espiritual, na qual se via só e abandonado. Grandes e dolorosas dúvidas com relação à sua missão começavam a corroer suas energias e a apagar o alento divino que seus Guias e Mestres haviam tratado de infundir-lhe.

Foi quando o Servidor, tal como lhe prometera, num dia não muito longínquo chegou à Sinagoga de Nazareth com mais dois dos Anciãos que estavam no Santuário.

O Hazzan colocou-os a par de tudo, acrescentando que o jovem não demoraria a chegar, pois, todas as tardes, ao pôr-do-sol, ele aparecia ali para obter notícias a respeito de seus protegidos.

A casa particular do Hazzan, ligada pelo horto à Sinagoga, tornara-se o lugar onde Jhasua podia livremente sentir-se irmão de seus irmãozinhos desamparados.

A avó Ruth, com Abigail como ajudante, preparavam roupas e, às vezes, pasteizinhos e guloseimas, para que o jovem tivesse a satisfação de aliviar as dolorosas situações de miséria e fome daqueles que precisavam de um teto que os cobrisse e de u'a mesa familiar, ao redor da qual pudessem receber seu pão.

Myriam, sua mãe, parecia sentir no coração a repercussão do querer e do sentir do filho; e, uma tarde, quando viu que ele se dispunha a sair, disse, acariciando-lhe os cabelos:

— Desejava ir contigo, esta tarde, para visitarmos a avó Ruth e a boa Abigail, a quem acabei estimando através de ti, que a estimas.

— Mãe!... não quisera que sofrêsseis outro desgosto por minha causa — respondeu Jhasua bastante preocupado.

— Desgosto, por quê? Estou certa de que não fazes nada de mal! Espera-me, enquanto ponho o véu, e então iremos.

Quando a mãe tornou a sair, Jhasua viu que ela levava uma sacola bastante grande, mais uma trouxa muito bem acondicionada e uma cestinha primorosamente enfeitada com laços de várias cores.

— Esta cestinha é para Abi, tua amiguinha, e tu a levarás.

— Está bem, mãe! obrigado. Também levarei essa trouxa que é demasiado pesada para vós.

A mãe entregou-a sem dizer nada. E saíram.

Aquelas ruelas estreitas e tortuosas, em que as casas não estavam alinhadas e, além disto, interceptadas por hortas e plantações, tornavam maiores as distâncias, pois o transeunte não podia ver o que havia a trinta passos de onde estava.

Depois de terem andado um pouco, saiu de dentro de u'a moita um garotinho esfarrapado e fraquinho, cuja simples aparência confrangia o coração.

— Jhasua! — disse ele — vim até aqui porque no pátio da avó Ruth são muitos os que te esperam, e, como eu não tenho forças para abrir caminho, sempre volto para casa com um único pãozinho, e somos quatro irmãos.

Com os olhos cheios de lágrimas, Jhasua olhou para a mãe, que também estava prestes a romper em pranto.

— Vem conosco, filhinho — disse Myriam tomando o menino pela mão. — Não podemos abrir os volumes na metade do caminho; contudo cuidarei para que não voltes para casa com um único pãozinho. Já comeste hoje?

— Eu cozinhei o trigo que Abi me deu há uns dias e temos ainda uma parte para amanhã — respondeu o menino, que teria apenas nove anos de idade.

— E por que tua mãe não cozinha? — perguntou Myriam.

O garotinho olhou para Jhasua como assustado, ao que este disse:

— Mãe! Esta é a família daquele homem que havia apanhado um saco de farinha no moinho! A mãe está enferma, e Santiaguinho, que é o maior, cuida de todos. O pai, perseguido como ladrão, não pode voltar para casa.

Estas palavras de Jhasua fizeram explodir a ternura na alma de Myriam, que começou a chorar sem tratar de ocultar o pranto.

— Vedes, mãe? — continuou Jhasua. — Por isto é que não era do meu agrado que viésseis comigo para ver de perto a dor que eu estou bebendo há tempos.

— Voltai, minha mãe, que eu sozinho sou suficiente para sofrer por todos!

— Não, meu filho! Não! Já estou bem! Quero ir contigo aonde fores! — respondeu a mãe, continuando a andar e levando sempre pela mão o pobre menino, que, furtivamente, beliscava alguns figos secos e duros que tirava do bolsinho.

Tiveram ainda outros encontros parecidos, antes de chegar. Por fim, isso fez rir a Myriam, que exclamou:

— Como brotam garotinhos dentre os matagais e das pedras nas encruzilhadas!

"Ainda que Jhasua e eu déssemos a mão a cada um, não daria para todos." — Eram seis crianças.

— Os mais fortes — disse-lhes Jhasua — levem os menores pela mão e andem à nossa frente para que minha mãe e eu vejamos que sois bons companheiros e que não brigais.

Na alma pura de Myriam, refletiu-se, com maravilhosa diafaneidade, toda a felicidade que o filho sentia quando, na Terra, lhe era possível "amar ao seu próximo como a si mesmo".

Chegaram finalmente.

Grande foi a surpresa de Jhasua quando se encontrou com os três Anciãos que, nessa manhã, haviam chegado do Monte Tabor, cujo Santuário era o mais próximo de Nazareth.

– Cumpri minha promessa, Jhasua – disse o Servidor, abraçando-o. – Prometi visitar-te, e aqui estamos.

– Mas tardastes tanto que todas as luzes que havíeis acendido em minha alma se apagaram ou, talvez, transformadas em vagalumes, se me escaparam do coração! – respondeu o jovem com um tom de voz que denotava amarga tristeza.

"Permiti-me – disse, reagindo logo – que atenda a meus amiguinhos desamparados, e logo estarei convosco."

– Longe de vós, meu filho padece muito – disse Myriam aos Anciãos, quando o jovem se afastou.

– Já o sabemos, e por isto estamos aqui.

– Que pensais fazer? – perguntou ela.

– Curar-lhe as feridas que o egoísmo humano lhe infligiu prematuramente – responderam os Anciãos.

"Confiai em nós, Myriam, que o Altíssimo nos ensinará o que devemos fazer com o vosso filho."

A pequena Abi, inteiramente transformada em ânfora de alegria, aproximou-se de Myriam.

– Vinde, mãe Myriam, que vos guiarei até onde a avó Ruth e Jhasua vos esperam.

Ela seguiu a menina por um sombreado caminho entre cerejeiras em flor, que ia terminar num grande pátio revestido de pedras, onde algumas enormes laranjeiras formavam um espesso teto esverdeado, salpicado de pequenas flores brancas.

Achava-se sentada ali, em esteiras ou em rústicos bancos, uma porção de crianças, a quem a avó, ajudada por Jhasua e Abi, repartia o pão e as guloseimas.

Myriam entregou à menina a preciosa cestinha, que lhe trouxera cheia de frutas açucaradas e pasteizinhos de mel, e mandou que Jhasua abrisse a trouxa, que continha grande quantidade de lenços de cabeça, meias, gorros e túnicas de diversos tamanhos e cores.

Quando acabaram de repartir equitativamente todos os presentes, Myriam entregou à boa avó Ruth, em nome de seu filho, a sacolinha que ela trouxera sob o manto e que continha a terça parte do produto do dote que ela levara ao matrimônio, soma essa que se destinava a aliviar as privações das famílias necessitadas, que estavam sendo socorridas pelo seu filho.

Jhasua, ali presente, abraçou a mãe, enquanto lhe dizia a meia-voz:

– Eu sabia, minha boa mãe, que compreenderíeis os meus sentimentos.

– Os olivedos e as plantações que meus pais tiveram em Jericó – continuou Myriam – são atualmente administrados por um dos irmãos de Joseph, meu esposo, e ele trará aqui todos os anos a terça parte da colheita para o mesmo fim a que dei esta sacolinha. Avó Ruth, estabeleço, como única condição, que ninguém, a não ser vós mesma, saiba de onde vem o benefício. Podeis prometer-mo?

– Eu vo-lo prometo pela memória de meus falecidos pais – disse a anciã enternecida.

Jhasua não cabia em si de felicidade. Era a sua primeira grande alegria como futuro Apóstolo da doutrina de Amor e Fraternidade entre os homens e, como um garotinho de poucos anos, abraçou e beijou várias vezes a mãe, enquanto dizia com a voz trêmula de emoção:

– Começo novamente a acreditar que sou mensageiro do Deus-Amor, e que tu, minha mãe, és a primeira das minhas conquistas.

– Sou feliz com a tua felicidade, meu filho – disse, deixando-se acariciar pelo seu formoso adolescente, que parecia encerrar em si toda a felicidade dos Céus.